# ESTUDIOS CRÍTICOS SOBRE EL MODERNISMO

BIBLIOTECA ROMÁNICA HISPÁNICA

DIRIGIDA POR DÁMASO ALONSO

II. ESTUDIOS Y ENSAYOS

# ESTUDIOS CRÍTICOS SOBRE EL MODERNISMO

INTRODUCCIÓN, SELECCIÓN Y BIBLIOGRAFÍA GENERAL POR

HOMERO CASTILLO

BIBLIOTECA ROMÁNICA HISPÁNICA

EDITORIAL GREDOS, S. A.

MADRID

**EDITORIAL GREDOS, S. A.**
Sánchez Pacheco, 83, Madrid. España.

Depósito Legal: M. 21711-1968

**Gráficas Cóndor, S. A.**, Sánchez Pacheco, 83, Madrid, 1968. — 3168.

HOMERO CASTILLO

# EL MODERNISMO ANTE LA CRÍTICA

Aunque el modernismo constituye la manifestación literaria más significativa de los últimos años del siglo pasado y de los iniciales del actual, su innegable presencia ha originado serias divergencias de parecer entre críticos e investigadores. En este sentido no se diferencia fundamentalmente de otros "ismos" que, no obstante su indiscutible trascendencia, no se prestan con facilidad a una caracterización teórica o abstracta, definitiva e inconfundible de sus rasgos esenciales.

Los obstáculos con que han tropezado los estudiosos son de muy variada índole y, por ello, los juicios emitidos se refieren no sólo a numerosos y diversos temas, sino que además y a menudo suscitan dispares opiniones sobre un mismo tema al ser tratado éste con distintas aproximaciones.

La búsqueda de los antecedentes y orígenes del modernismo puede efectuarse en multitud de fuentes a causa del carácter cosmopolita que revistió el movimiento y la amplitud de criterio que informó el pensamiento y la sensibilidad de sus cultores. De allí que con frecuencia se polemice acerca del enraizamiento del modernismo con corrientes artísticas precedentes y coetáneas o que se prefiera explorar campos y momentos artísticos más lejanos para descubrir en ellos la semilla artística que más tarde habría de fructificar. Aparte de considerar el número y diversidad de los factores determinantes en la existencia del modernismo y teorizar acerca de los lugares de que proceden y la época exacta de que emanaron los elementos constitutivos del fenómeno mismo, los investigadores han cambiado ideas al querer establecer la ubicación exacta que sirviera de terreno propicio al desarrollo y madurez de la nueva orientación. Trátase, pues, de definir la relación de un hecho artístico ya existente con sus fuentes de origen, con las fechas aproximadas en que éstas se encuentran localizadas y con el sitio en que mejor se gestó, creció y llegó a su pleno desarrollo.

En estrecha relación con el problema de la génesis del modernismo se halla el de la prioridad que se precisa reconocer a sus más destacados personeros. Si se lograra un total acuerdo en lo de la esencia del modernismo, los antecedentes que lo originan y la fecha en que éstos comienzan a generar la nueva modalidad artística en lugares específicos, aún quedaría pendiente otro asunto de vital importancia: el de quiénes fueron los creadores que dieron forma e impulsaron hasta llevar a su plenitud dicha manifestación literaria. La precedencia en favor de determinado autor, de este modo, fecharía con relativa exactitud los comienzos del modernismo, en tanto que la agrupación de otros escritores dentro del movimiento podría indicar el momento cumbre de su evolución y la época en que empezaría a liquidarse. Esto último no es tampoco tarea fácil de abordar porque, como todo fenómeno artístico de importancia y gran difusión, el modernismo dejó huellas imborrables, si bien de mayor o menor intensidad, en numerosos escritores de periodos posteriores. No resulta aventurado, por lo demás, conjeturar que merced al modernismo cobran vida otras orientaciones literarias, en las que subsistiendo como ingrediente o como fuerza impulsora, por un proceso de asimilación, a la postre se modifica hasta disolver su fisonomía inicial y distintiva en nuevas manifestaciones.

Salvo contadísimas excepciones, los estudiosos concuerdan en reconocer los méritos del modernismo y los aportes que significó para el momento histórico en que adquiriera cuerpo e influencia en las letras hispánicas. Esta unanimidad en lo que a la aproximación valorativa se refiere no excluye, sin embargo, la divergencia de juicios que se da en relación a los tópicos ya apuntados. En la historia crítica del modernismo hay, por lo tanto, dilatados campos en que, hasta la fecha, lejos de haberse alcanzado acuerdo, persisten polémicas, a veces agrias y hasta personales, que revelan una acentuada disparidad en los puntos de vista sustentados por las partes. Téngase en cuenta, por ejemplo, el desmedro en que se encuentra la prosa modernista con respecto al verso y los denodados esfuerzos de algunos estudiosos por remediar esta situación, o el atrincheramiento en que se colocan sus adversarios con el fin de mantener al verso en posición de absoluta primacía.

Los ensayos recopilados en este tomo, junto con dar cuenta de las facetas del modernismo que más han interesado a los estudiosos, ponen de relieve los temas que han motivado acuerdos o desacuerdos entre los investigadores. En su conjunto, estos trabajos constituyen un muestrario cronológico de los tópicos que han llegado a convertirse en objeto de frecuentes estudios y revelan la aproximación crítica con que han sido enfocados en el transcurso de varias décadas.

No se trata, por lo tanto, de consignar en este libro una lista de conclusiones definitivas acerca de los más debatidos problemas que surgen a causa de la indiscutible presencia del modernismo. Se procura, más bien, presentar un panorama de los estudios críticos de mayor relieve realizados en los últimos veinticinco años y destinados a lograr una mejor comprensión del modernismo y de algunos problemas particulares que de él emanan. Indudablemente estos trabajos sintetizan los más sobresalientes aportes de la crítica y abren derroteros de insospechado interés para la investigación crítico-histórica. La bibliografía que acompaña a estos estudios amplía la visión del modernismo y añade temas en algunos casos menores o tópicos tratados someramente por sus autores.

LUIS MONGUIÓ

# SOBRE LA CARACTERIZACIÓN DEL MODERNISMO

Un intento de definición o caracterización del modernismo en la literatura hispanoamericana y en la de lengua española en general, para ser completo, debería tomar en consideración dos distintos puntos de vista: 1.°, el punto de vista de la crítica, es decir, la caracterización del movimiento o escuela modernista por los críticos que de ella se han ocupado, y 2.°, el punto de vista de los artistas de la escuela misma, es decir, la definición o definiciones dadas por los propios artistas, por los creadores del movimiento modernista, de lo que ellos entendían por su obra de arte. La comparación de los resultados que se obtuviesen de uno y otro examen habría de permitir averiguar cuáles son los comunes denominadores, y, con ellos, las líneas generales de la estética modernista.

En las presentes notas se estudia esquemáticamente el primero de los puntos de vista indicados: cómo ha definido o caracterizado la crítica el movimiento o escuela que en nuestra historia literaria se ha convenido en llamar modernista.

Si consideramos como el momento de la manifestación definitiva del modernismo la publicación del libro *Azul...*, de Rubén Darío, en 1888, la primera crítica importante de lo que esa obra significa, y por ende de lo que significan todas las de la misma época y sentido, es la de don Juan Valera en sus dos cartas de 22 y 28 de octubre de 1888, dirigidas a Darío [1].

---

[1] Juan Valera, *Cartas americanas*, 1888, vol. I, en el tomo XLI de las *Obras Completas*, Madrid, 1915.

Valera caracteriza el arte de Darío como un arte de grande originalidad, de espíritu cosmopolita, producto de una profunda cultura literaria, de amor al helenismo, de conocimiento de todo lo moderno europeo, especialmente de lo francés hasta el punto de llegar a un "galicismo mental", de trabajo pensado y consciente, lleno de amor a la naturaleza, pero inmoral y, en definitiva, pesimista.

Años más tarde, José Enrique Rodó, en un ensayo fechado en 1899 [2], escrito a raíz de la publicación de *Prosas profanas,* busca una explicación más complicada que la simplemente literaria de Valera a la nueva fórmula artística. Rodó ve en esta nueva fórmula la obra de un artista encerrado en su alcázar interior, en un personalismo absoluto, de una gran exquisitez, que usa como medio de expresión un procedimiento literario refinado y consciente en reacción contra la facilidad del romanticismo, contra la fe en la sola inspiración, y que se separa del habitual arte americano de propaganda política y acción batalladora, no mirando a nada más que al arte, entendiendo por éste esencialmente "la apariencia divinizada". El nuevo espíritu poético estaba lleno de un instinto de lujo, de cierta amoralidad, de cosmopolitismo ideal, de originalidad en la versificación, atento a la música, al ritmo, al *aire.* Termina Rodó diciendo que el movimiento modernista es "la reacción que da carácter y sentido a la evolución del pensamiento en las postrimerías de este siglo (el XIX); la reacción que, partiendo del naturalismo literario y del positivismo filosófico, los conduce, sin desvirtuarlos en lo que tienen de fecundo, a disolverse en concepciones más altas. Y no hay duda de que la obra de Darío responde, como una de tantas manifestaciones, a ese sentido superior; es en el arte una de las formas personales de nuestro anárquico idealismo contemporáneo".

Vemos, pues, que la crítica de Rodó, saturada de las doctrinas críticas francesas de su época, intenta explicar el modernismo literario como el producto de un estado social e intelectual de confuso idealismo.

Diez años más tarde, otro ensayista americano, Rufino Blanco-Fombona [3], da también su definición del modernismo. Para Blanco-Fombona el modernismo es un movimiento literario que, aparentemente

---

[2] José Enrique Rodó, *Rubén Darío,* Montevideo, 1899.

[3] Rufino Blanco-Fombona, *Letras y letrados de Hispanoamérica,* París, 1908.

afrancesado en sus principios, va evolucionando hacia una expresión y un modo americanos: subjetivamente americanos porque traducen la emoción de corazones americanos, objetivamente americanos porque estudian la naturaleza, la historia y las costumbres de los países de Hispanoamérica; todo ello expresado en las más armoniosas y complejas formas métricas, ensayando en la lengua castellana procedimientos de expresión nuevos y extraños a ella, calcándolos de los poetas de París, de los románticos y de los parnasianos primero, de los simbolistas más tarde. Gracias al genio de Darío estas importaciones se asimilaron y quedaron fundidas en el nuevo estilo y en la nueva poesía, a la que los poetas españoles e hispanoamericanos de los tiempos inmediatamente anteriores poco habían sabido aportar. Fue, pues, el modernismo, para Blanco-Fombona, "un movimiento de emancipación, una revolución libertadora" que, gracias al carácter individualista del hispanoamericano, se libró pronto de las influencias de los modelos extranjeros, desembocando en una acentuación de personalidades.

Blanco-Fombona pone especial énfasis en la liberación de las antiguas preceptivas que representa el modernismo y en la liberación de la personalidad literaria de los escritores de esta escuela. La evidente renovación formal efectuada por los modernistas y el número de grandes poetas que figuran en el movimiento parecen sustanciar los dos puntos señalados por el crítico. En el resto de su caracterización del modernismo, Blanco-Fombona más bien parece señalar una ruta que no describir lo que realmente existe: salvo José Santos Chocano en la poesía y algún prosista como Manuel Díaz Rodríguez, casi ninguno de los escritores modernistas canta temas específicamente criollos, que es lo que Fombona, en su alto amor continental, desea que ocurra.

El poeta modernista y crítico literario español Manuel Machado [4], en 1913, se pregunta: "¿Qué es el modernismo?", y contesta que en poesía "no fue en puridad más que una revolución literaria de carácter principalmente formal. Pero relativa, no sólo a la forma externa, sino a la interna del arte. En cuanto al fondo, su característica esencial es la anarquía", en lo que coincide con la opinión de Rodó. Para Manuel Machado la importancia del modernismo está en haber arrollado

[4] Manuel Machado, *La guerra literaria*, Madrid, 1913.

las viejas disciplinas, los dogmatismos literarios anteriores y los cánones académicos de preceptiva moral; lo importante para Machado es la individualidad del escritor: "El arte no es cosa de retórica ni aun de literatura, sino de personalidad"; "Para ser artista basta con saber ser uno mismo".

Para Manuel Gálvez [5], Rubén Darío representa el modernismo, y lo critica, no por él mismo, sino por el daño que ha causado a la literatura hispanoamericana el enorme número de sus imitadores de menor cuantía. Darío, dice, enseñó a los escritores de América que cada palabra tenía un valor musical, aumentó el dominio de la sensibilidad, demostró que la poesía era arte y no ejercicio de retóricos, modernizó la lengua, inició la formación de un castellano nuevo y, al propagar la obra de tantos escritores extranjeros desconocidos, fue un profesor de cultura.

Álvaro Melián Lafinur [6], en cuya crítica se respira el aire de la escuela de los Taine y de los Guyau, ve en el modernismo (como ya en parte señaló Rodó) la agitación del "espíritu de los hombres del siglo pasado (el siglo XIX) y comienzos del presente: esa inquietud un tanto mórbida que se ha designado con el nombre de tormentos finiseculares y que no ha sido el resultado de la liquidación de una centuria conmovida por intensos cataclismos espirituales y sociales". El modernismo es para él el resultado del desconcierto ideológico y de la inestabilidad moral de la época, que culminó en Darío, por ejemplo, en un "individualismo indiferente y egoísta" (*Azul*... y *Prosas profanas)*, hasta que un cambio en el ambiente le obligó a poner el oído a las cosas de fuera, al clamor de su continente (*Cantos de vida y esperanza)*. Para Melián Lafinur, "a nuevas ideas y nuevos sentimientos corresponden nuevas formas de expresión. El modernismo fue la nueva manera literaria que correspondía a estados psicológicos verdaderos y naturales desde el momento que existían".

Francisco Contreras, uno de los críticos hispánicos de mayor conciencia profesional, escribía en 1920 [7], y repetía en 1931 [8] que los

---

[5] Manuel Gálvez, *La vida múltiple*, Buenos Aires, 1916.

[6] Álvaro Melián Lafinur, *Literatura contemporánea*, Buenos Aires, 1918.

[7] Francisco Contreras, *Les écrivains contemporains de l'Amérique espagnole*, París, 1920.

[8] Francisco Contreras, *L'esprit de l'Amérique espagnole*, París, 1931.

maestros y los modelos de la Península habían sido los maestros y los modelos de Hispanoamérica, aun después de la emancipación política de ésta; pero que, a medida que el siglo XIX avanzaba, aumentaba también en los hispanoamericanos el deseo de belleza, el espíritu crítico, la curiosidad científica, al propio tiempo que el estado de la literatura española peninsular era cada vez menos interesante, estancado en viejas fórmulas, reacio a los movimientos renovadores que tenían lugar en aquella época en otras literaturas; y por esto Gutiérrez Nájera estudió a los románticos y a los parnasianos franceses y lo propio hicieron Casal, Gavidia, Díaz Mirón, Martí, Silva, hasta que Darío vino a acabar la obra empezada inspirándose en románticos, parnasianos y simbolistas, rompiendo con la tiranía de los acentos fijos, siguiendo el ritmo interior de su melodía ideal, apoyándose en las viejas tradiciones del arte greco-latino, en la poesía castellana del siglo XV, purificando la sintaxis, aumentando el vocabulario poético, liberando el verso, enriqueciendo el estilo: en resumen, renovando la poesía castellana. La poética modernista, para Contreras, reúne dos corrientes: el culto de la forma y la exquisitez del fondo. Según nuestro crítico, este mismo exotismo y este aspecto "fin de siglo" del modernismo estaban reñidos con la virginidad de la tierra americana y la fuerza y el vigor de su juventud, y por esto el modernismo llevaba en sí mismo un principio de descomposición, como todas las cosas ilógicas, por lo que pasó rápidamente.

El espíritu cosmopolita es la más importante característica del modernismo para Arturo Marasso Rocca [9], y, con él, el uso del tesoro métrico y espiritual del castellano antiguo.

Alberto Zum Felde [10] sostiene que "el modernismo no es propiamente una escuela, sino un conjunto de escuelas, vinculadas por un fondo común, representando tendencias afines, por oposición a todos los conceptos y las formas que hasta entonces habían encauzado la poesía universal. Parnasianos, decadentes y simbolistas son distintos en sus preceptivas y en sus procedimientos; pero todos integran, dentro de la historia de la literatura, el movimiento que llamamos modernis-

---

9 Arturo Marasso Rocca, *Estudios literarios*, Buenos Aires, 1920.

10 Alberto Zum Felde, *Crítica de la literatura uruguaya*, Montevideo, 1921.

ta. El parentesco de estas escuelas es de orden psicológico; el modernismo es 'un estado de conciencia' ".

Para otro uruguayo, Juan M. Filartigas [11], la gran novedad del modernismo en sus primeros años fue la liberación de la individualidad de cada uno de los escritores dentro del simbolismo entonces en boga; los modernistas hacían arte para el cerebro, manifestaciones estéticas de un "ultra yo", en una constante exaltación de fuerzas espirituales.

Un tercer crítico uruguayo, Osvaldo Crispo Acosta ("Lauxar") [12], caracteriza el arte de Darío y con él el modernismo en general, como el producto, al principio, de una imitación de los poetas antiguos y modernos de la lengua castellana por una parte, y por otra, del nuevo gusto reinante en la poesía francesa. A través de este mimetismo el artista, descubriendo después el sentido de la propia originalidad, supo fundir el valor de ésta con el valor de la cultura literaria y de la técnica adquiridas, creando así un arte nuevo en nuestra lengua. Para "Lauxar" son características del modernismo: la reflexión, el narcisismo literario, la indiferencia por el mundo ambiente con el consiguiente gusto por la artificialidad, el horror de "lo vulgar", cierta contaminación sádica, erótica, llena de hastío y de amargura, y, sobre todo, una refinada técnica artística. Según "Lauxar", es cierto que hasta el propio Darío experimentó más tarde un cambio de actitud literaria, reflejado en *Cantos de vida y esperanza,* procurando escapar de la artificialidad antes señalada y darse a los entusiasmos de su raza y de su siglo, y convertirse en la voz de la humanidad.

Erwin K. Mapes [13] declara que el modernismo consistió realmente en adaptar al castellano y sintetizar en uno solo un gran número de procedimientos literarios empleados por varias escuelas francesas del siglo XIX, particularmente por el romanticismo, el parnasismo y el simbolismo. En la América hispana, de 1830 a 1850, había predominado la imitación de los románticos españoles y franceses; de 1850 a 1880, la confusión fue extrema porque la literatura española de la época era tan vacilante e indecisa que no podía servir de guía o ejemplo

---

[11] Juan M. Filartigas, *Artistas del Uruguay,* Montevideo, 1923.

[12] D. Osvaldo Crispo Acosta ("Lauxar"), *Rubén Darío y José Enrique Rodó,* Montevideo, 1924.

[13] Erwin K. Mapes, *L'influence française dans l'oeuvre de Rubén Darío,* París, 1925.

a la hispanoamericana, y así, hacia 1880, comienzan las tentativas americanas de rejuvenecimiento de la forma y del pensamiento literarios mediante la imitación de procedimientos de las escuelas francesas. Rubén Darío fue quien supo combinar todas las tentativas anteriores, añadir otras nuevas e imponer su genio y su personalidad. Los nuevos procedimientos literarios se referían principalmente a la forma de la frase, a la manera de escoger y emplear las palabras, a la construcción de un estilo expresivo, ensayos nuevos de versificación y métrica y particularmente una nueva atención prestada a la *musicalidad* de la poesía.

Para Arturo Torres-Rioseco [14] la nueva aportación de los modernistas se refiere en primer término a la técnica, al enriquecimiento de los ritmos, separándose del ritmo tradicional de la lengua para crear otro original, o incluso para crear un ritmo propio según el movimiento del espíritu del poeta; esta aportación trae aparejados toda clase de ensayos métricos, la musicalización de la lengua, el individualismo de la manera y, en el campo psicológico-literario, conduce a los escritores al orgullo y con él al pesimismo y al aislamiento. En obra posterior [15], el mismo crítico ha dado la siguiente definición del modernismo: "resultado por una parte de nuestra actividad ideal ante la vida y del deslumbramiento ante el paisaje, de la herencia de lujo y de pereza que recibieron de la Colonia nuestras clases altas, de la devoción que siempre sentimos por las culturas helena y neolatina, de la imitación de los modelos franceses contemporáneos, y, por otra, de cierta predisposición al ritmo, al color, a lo fantástico, a lo exótico, a la ternura y al símbolo".

Pedro Henríquez Ureña [16] ve principalmente en el modernismo un alzamiento contra la pereza romántica mediante la autoimposición de severas y delicadas disciplinas; tomando ejemplos en Europa, pero pensando en América según el "juicio criollo" de Martí, los "cantos de vida y esperanza" de Darío y el "sentimiento americano" de Rodó.

---

[14] Arturo Torres-Rioseco, *Precursores del modernismo,* Madrid, 1925.

[15] Arturo Torres-Rioseco, *La novela en la América hispana,* Berkeley, California, 1939.

[16] Pedro Henríquez Ureña, *Seis ensayos en busca de nuestra expresión,* Madrid-Buenos Aires, 1927.

Isaac Goldberg [17] entiende el modernismo como el "aspecto de un espíritu que penetró al mundo del pensamiento occidental durante esa era", es decir, a fines del siglo XIX y principios del actual; ni la calificación de escuela ni la de movimiento le satisfacen para designar al modernismo, que es demasiado heterogéneo y demasiado ecléctico; para él, los puntos comunes entre los más notables exponentes del modernismo son "la nota de creciente cosmopolitismo, la tendencia mórbida, el pálido matiz del pensamiento, el resurgir de la personalidad".

Max Henríquez Ureña [18] señala el modernismo como una revolución literaria en la que puede señalarse un conjunto de tendencias de orden formal y de orden espiritual: "el culto por la aristocracia de la forma, unido a la renovación del idearium poético, constituyen las características fundamentales del movimiento". En la forma, la influencia parnasiana y simbolista le parecen evidentes, como reacción contra el desaliño de la expresión romántica. "En el orden espiritual, el movimiento recogía la inquietud del pensamiento contemporáneo, inquietud que se hermana al cosmopolitismo, como en una pesquisa ansiosa de nuevas sensaciones, y culmina en el misticismo trágico de la vida. Esta actitud espiritual no excluía el retorno a la ingenuidad y sencillez de la naturaleza, fuente de toda estética; ni podía considerarse desligada de ciertas tradiciones literarias, como el culto de la antigua Grecia, respaldado por la tendencia humanística y robustecido por la influencia de los parnasianos franceses."

Ángel Valbuena Prat [19] ve en el modernismo un retorno a la sentimentalidad, como reacción contra el más inmediato anterior realismo poético a lo Campoamor o a lo Núñez de Arce, y, por otra parte, una renovación formal, una riqueza de métrica, un léxico e imágenes propios de un resurgimiento lírico. La sentimentalidad enlaza el modernismo con el siglo XX romántico; la renovación formal nos lo acerca a nosotros.

---

17 Isaac Goldberg, *La literatura hispanoamericana*, Madrid, 1930. Versión de *Studies in Spanish American Literature*, New York, 1920.

18 Max Henríquez Ureña, *El retorno de los galeones*, Madrid, 1930.

19 Ángel Valbuena Prat, *La poesía española contemporánea*, Madrid, 1930.

Juan Marinello[20] presenta el modernismo como un resultado del instante en que América quiere igualarse a Europa y superarla. Aparecen en ese momento cuatro o cinco grandes poetas americanos, escritores de gran poesía americana sin americanidad, que no se producen por obra milagrosa, sino que obedecen a una oportunidad de gran significación: el momento de universalización de la cultura hispanoamericana. Y esto puede ocurrir, porque, si bien la importancia cobrada por las naciones hispanoamericanas para los dominadores de la economía mundial determinó un largo colonialismo, intensificó también contactos y relaciones que permitieron nuevas posturas a los hombres mejor dotados; las burguesías nativas, colaboradoras de las extranjeras, se dedicaron en todo a la imitación de las excelencias de las metrópolis económicas europeas; por ello, el intelectual americano de esa época no concebirá su oficio sin la posesión de las últimas formas europeas y sin el esfuerzo de traducirlas en su obra. El modernista es, pues, por americano y por hombre de su tiempo, un desarraigado; pero, sin embargo, la naturaleza lírica innegable del hombre de América y la información rica y varia adquirida en las nuevas fuentes despertaron en los poetas americanos la personalidad continental incipiente y fueron vehículos para las mejores conquistas, en casos como el de un Martí o el de un Darío, en los que la modernidad va más allá del modernismo.

Procedamos ahora a resumir en forma casi estadística los puntos de vista antes expuestos.

Casi todos los críticos citados señalan como característica del modernismo la cultura literaria de sus escritores, el carácter consciente del trabajo literario realizado por ellos. Las características que seguirán a éstas (por el número de críticos que las señalan) serían: el espíritu cosmopolita y amor al exotismo y la manifestación literaria libérrima de la fuerza de la individualidad y de la originalidad de cada escritor. Características también generalmente señaladas son: la renovación de las formas métricas, la imitación de los modelos franceses románticos, parnasianos y simbolistas, y la obtención, por los nuevos procedimientos tomados de esas escuelas extranjeras, de un ritmo

20 Juan Marinello, *Literatura hispanoamericana. Hombres. Meditaciones*, México, 1937.

nuevo en la poesía española, distinto del tradicional, y aun propio a cada uno de los poetas, su "ritmo interior".

Las indicadas son las características del modernismo sobre las que recae acuerdo o coincidencia de la opinión de la mayoría de los críticos.

Otras dos características señalan algunos de ellos, características que parecen excluirse y contradecirse mutuamente. Valera, Rodó y Contreras, por ejemplo, ven en los modernistas unos cultores de lo que se solía llamar "el arte por el arte", arte sin contenido moral, nacional o social, mientras que otros críticos, como Rufino Blanco-Fombona y Pedro Henríquez Ureña, por ejemplo, ven en el modernismo un arte "americanista". Creo que de la lectura de los modernistas se obtiene una impresión general de absoluta indiferencia ante la realidad americana, es decir, que raros son los temas "objetivamente" americanos que cultivan; sin embargo, tampoco puede negarse que en ciertas ocasiones no pudieron sustraerse a la presión de problemas americanos o a la belleza de la naturaleza americana. Estos casos son, con todo, numéricamente los menos y no me parece que puedan dar el tono para caracterizar a todo el grupo: Santos Chocano es excepción. (No es el mejor poeta modernista y algunos lo colocan fuera de la escuela.) Los *Cantos de vida y esperanza* son tan sólo un momento muy bello, pero pasajero, de la evolución poética de Darío. Acaso los novelistas justificasen un poco más al "americanismo" como característica del movimiento; pero la escuela es ante todo superiormente poética y la prosa modernista no es su mejor producto. En mi opinión, el punto de vista de Torres-Rioseco o de Marinello de que el modernismo con sus propias apariencias cosmopolitas y "no americanas" es por ello mismo muy americano y muy de su época, es el más acertado y el más próximo a la realidad de la coyuntura en que se produjo el modernismo. En ese momento el afán americano era la "europeización", puesto que las naciones líderes de Europa representaban el "éxito" económico a que aspiraban las burguesías hispanoamericanas, clases donde residía (desde la Colonia) la cultura. Por su mismo descastamiento, los modernistas son muy representativos de su época y de su América. Al "fracasar" oficialmente, con la declaración de la guerra de 1914, la economía y la cultura vigentes en Europa, el modernismo declina y abre paso a las nuevas corrientes literarias hispanoamericanas que miran inteligentemente hacia lo universal, pero a través de lo continental, de lo específicamente americano. A tal fenómeno indudablemente contribuyen también las nuevas capas de población que adquieren acceso a la cultura por adquirirlo igualmente en el campo de la lucha económica. El caso de México, por ejemplo, es prueba que salta a la vista.

Otras características del modernismo, señaladas por unos pocos críticos, son el inmoralismo y el pesimismo.

En efecto, Valera reprochaba a la nueva escuela un inmoralismo que, desde su punto de vista ortodoxamente católico y conservador, no podía dejar de señalar, llegando al extremo de cortar las líneas finales de una composición de Darío, que cita en su crítica, por considerarlas sacrílegas. Rodó, por su parte, señalaba en el modernismo cierto amoralismo que, según se deduce de su ensayo, debía parecerle resultado de los instintos de lujo y de la posición por encima del bien y del mal, producto de un excesivo subjetivismo, que encontraba en esta escuela. Hoy día tal aspecto, bien de heterodoxia, bien de amoralidad, no podría parecer norma válida de crítica ni de caracterización de una escuela literaria, porque se le encuentra en tantas otras escuelas y en tantas otras producciones; la norma moral de ayer no sirve para hoy y la de hoy no valdrá para mañana.

La caracterización de la escuela modernista por su pesimismo, que ha sido señalada por algunos críticos, "Lauxar" y Torres-Rioseco principalmente, parece bien sustanciada y merece mayor atención. El modernista que por su individualismo literario se crea una torre de marfil y se encierra en ella con su orgullo (Herrera y Reissig casi lo llevó a la práctica en la realidad, en su casa de Montevideo), acaba necesariamente en el pesimismo. En la poesía el tono modernista es melancólico o hastiado, o torturado; por su parte, la novela modernista suele estudiar casos casi patológicos, seres incomprendidos, problemas de solución trágica. Esta actitud correspondía a la actitud real de los escritores; ocioso es repetir que muchos de ellos, desde Silva a Lugones, pusieron fin a su propia vida o murieron por triste manera.

Si en vista de los anteriores extractos de opiniones críticas y del resumen y examen de ellas efectuado, cediese yo a la tentación de arriesgar una tentativa más de caracterización del modernismo, lo haría en la siguiente forma:

Hasta mediados del siglo XIX la literatura hispanoamericana había buscado sus modelos en la literatura española o en los modelos de ésta. Era lógico que así ocurriese, dada la dependencia total de las posesiones respecto de la metrópoli durante el período colonial, y por la fuerza de la tradición en las décadas inmediatamente subsiguientes a la emancipación política. En la segunda mitad del siglo XIX la literatura española se hallaba en un estado que no la hacía modelo deseable. Por otra parte, los países hispanoamericanos, con sus riquezas, acababan de entrar en el campo de explotación de los grandes países industriales expansionistas de Europa, a los que los grupos detentadores del poder y de la cultura en la América española miraban como líderes de la economía, de la civilización y de la cultura, a los que era deseable igualarse. Entre tales países, Francia ofrecía culturalmente los mejores modelos y los más asequibles al espíritu hispanoamericano. De este mimetismo, unido al lirismo del escritor de la América española, nació un movimiento literario, singularmente en poesía, en el que con las nuevas ideas y a través de la asimilación de nuevos procedimientos técnicos elaborados por escuelas literarias extranjeras, se produjo una renovación ideológica y técnica en la literatura de lengua española. Tal movimiento contó con varios poetas de gran altura y con el genio poético de Rubén Darío, que supo fundir las nuevas adquisiciones intelectuales y técnicas con la vieja tradición española, base secular de la vida hispanoamericana. Los poetas del movimiento se distinguieron por su cultura literaria, y por su perfección técnica, trabajada conscientemente y demostrada con el uso de nuevos o renovados metros y con la creación de ritmos distintos de los tradicionales de la versificación española, hasta dar expresión y forma al ritmo personal, interior, de cada poeta. Tal refinamiento intelectual y técnico y tal individualismo en la expresión, encerraron a los cultores de esta escuela en un subjetivismo orgulloso, del que se derivan tendencias a la originalidad, al aislamiento, al pesimismo y a la melancolía. De la misma postura se deriva a su vez un cosmopolitismo ideal, una afición a lo exótico, a lo lejano, a lo vago y, frecuentemente, a la confuso.

El modernismo comenzó a periclitar hacia 1914, cuando los hispanoamericanos vieron patente el desorden económico, filosófico y cultural de sus modelos europeos, y cuando, por el progreso económico de Hispanoamérica, nuevos grupos sociales tuvieron acceso a la cultura, a cuya expresión literaria llevaron nuevas doctrinas, nuevas preocupaciones, que hubieron de encontrar expresión natural en nuevas escuelas, las de la era postmodernista.

Pedro Salinas

# EL PROBLEMA DEL MODERNISMO EN ESPAÑA, O UN CONFLICTO ENTRE DOS ESPÍRITUS

Las denominaciones "Modernismo" y "Generación del 98" suelen usarse indistintamente para designar el movimiento de renovación literaria acontecido en América y España en los últimos años del siglo XIX y comienzos del XX, dando por supuesto que son la misma cosa con leves diferencias de matiz. En mi opinión, esa confusión de nombres responde a una confusión de conceptos que es indispensable aclarar para que pueda empezarse a construir la historia de la literatura española del siglo XX sobre una base más precisa y rigurosa.

El primer parecido que advertimos entre los dos movimientos es de orden genético. Ambos nacen de una misma actitud: insatisfacción con el estado de la literatura en aquella época, tendencia a rebelarse contra las normas estéticas imperantes, y deseo, más o menos definido, de un cambio que no se sabía muy bien en qué había de consistir. Esa situación prerrevolucionaria es perfectamente visible en América desde 1890, por lo menos, y la personifica el grupo de poetas llamados precursores del modernismo, Martí, Casal, Gutiérrez Nájera y Silva. En España, el mismo fenómeno se da un poco más tardío. Pero apenas apunta esta similitud de origen, que consiste en la actitud reactiva contra la anterior, debemos señalar una profunda diferencia de propósito y de tono. Muy significativo es que la inquietud renovadora se manifieste en América en la obra de los poetas y se presente ante todo como una transformación del lenguaje poético, *lato sensu,* del modo de escribir poesía, y un poco más tarde del modo de concebir la poesía.

El movimiento americano queda caracterizado desde su comienzo por ese alcance limitado del intento: la renovación del concepto de lo poético y de su arsenal expresivo. Y por un tono: el esteticismo, la busca de la belleza. En cambio, en España los precursores de la nueva generación son: un filósofo y pedagogo, Giner; un político polígrafo y energuménico, Costa, y un pensador guerrillero, Ganivet. En España, pues, la agitación de las capas intelectuales es mayor en amplitud y hondura, no se limita al propósito de reformar el modo de escribir poesía o el modo de escribir en general, sino que aspira a conmover hasta sus cimientos la conciencia nacional, llegando a las mismas raíces de la vida espiritual. Y en ninguno de estos tres nombres, ni en el del que los sigue, patriarca de la nueva generación, Unamuno, encontramos esa preferencia por la valoración estética de la literatura observada en América; son intelectualistas, más que juglares de vocablos, corredores de ideas. Y verdades, no bellezas es lo que van buscando.

Pero ¿qué clase de verdad? Apunta aquí otra diferencia en los rumbos de los dos grupos, americano y español. Los españoles se afanan tras "la verdad de España". De suerte que mientras que el modernismo se manifiesta expansivamente, como una superación de las fronteras nacionales de las distintas naciones americanas y, aún más, de la misma frontera continental y está poseído por una ambición cosmopolita, el movimiento espiritual de los hombres del 98 es concentrativo y no expansivo; todo su ardor de alma se enfoca sobre España, que es el vértice de su preocupación. Los unos se expanden, sueñan en países remotos, los hechiza el encanto de París o las evocaciones orientales. Los otros se recogen, y enclaustran toda su tensión espiritual en esa tierra capital de nuestra península, Castilla. No se me oculta que la generación del 98 tiene un aspecto cosmopolizante; en sus escritos, la famosa "europeización" asoma a cada paso. Pero ese cosmopolitismo es instrumental, únicamente: ven en Europa un surtido de afinadas herramientas con las que se podría reparar la maquinaria mental española de modo que aprendiéramos a pensar más claro, y desean importarlas. Nada más. Su meta no es ningún París galante ni Bagdad fabuloso, es España y siempre España.

Otro rasgo distintivo es la diversa técnica mental que adoptan los dos grupos al operar sobre la materia de su preocupación. Los modernistas, el genio de la escuela, Rubén Darío, proceden en su elaboración de la poesía nueva con una mente sintética. Rubén Darío se acerca a todas las formas de la lírica europea del siglo XIX, desde el romanticismo al decadentismo. Y encontrando en cada una un encanto o una gracia las acepta, sin ponerlas en tela de juicio, y las va echando en el acomodaticio crisol del modernismo. Por su parte, la generación del 98 actúa siempre con una mente analítica: su labor es una disección minuciosa de las realidades nacionales, examinándolas hasta las últimas fibras; todos los conceptos tradicionales los desmonta implacablemente para descubrir su autenticidad o falsedad.

Llega el 98, "el desastre", como nosotros decimos, y las características de la generación que acabo de apuntar se intensifican [1]. El aire hispánico se ve surcado, como por insistentes pájaros guiones, por algunas frases de clave, potentemente significativas: "el alma española", "la cuestión nacional", "el problema español", "la regeneración". Y se acentúa el tono concentrativo del movimiento. Por entonces se realiza el contacto entre modernistas y hombres del 98, a través de la genial personalidad de Rubén Darío. Ese contacto no es sino la coincidencia en el espíritu de rebeldía y en una aspiración general de cambio. Pero la divergencia de concepciones era muy grande para que ese contacto pudiera convertirse en una fusión; al contrario, la bifurcación vendría muy pronto. Veamos por qué.

El modernismo, tal como desembarcó imperialmente en España personificado en Rubén Darío y sus *Prosas profanas*, era una literatura de los sentidos, trémula de atractivos sensuales, deslumbradora de cromatismo. Corría precipitada tras los éxitos de la sonoridad y de la forma. Nunca habían cantado las palabras castellanas con alegría tan colorinesca, nunca antes brillaron con tantos visos y relumbres como en las espléndidas poesías de Darío. Era una literatura jubilosamente encarada con el mundo exterior, toda vuelta hacia fuera. (Quizá alguien me objete que en los modernistas hay una cuerda de lirismo doliente y subjetivo; pero a mi juicio eso es un arrastre del roman-

---

[1] Y no necesito decir que para mí la existencia de una generación del 98 es indudable a pesar de que se empeñe Baroja, y Baroja siempre se empeña mucho, en negarla. El estudio de Jeschke, el trabajo de Miss Reding, mis apuntes sobre ese tema y las razones alegadas por Marañón en su discurso de entrada en la Academia me parecen suficientes.

ticismo, la postrera metamorfosis de lo elegíaco romántico, y no lo específicamente modernista. Lo nuevo, lo modernista, es el apetito de los sentidos por la posesión de la belleza y sus formas externas, gozosamente expresado.) Pero la belleza para los modernistas es tanto la belleza natural, bruta primaria, tal como puede sentirse en un cuerpo, en una hoja o en un paisaje, como la belleza ya elaborada por artistas anteriores en sus obras. Atributo capital del modernismo es su enorme cargamento de conceptos de cultura histórica, por lo general bastante superficiales. Gran parte de esta poesía, en vez de arrancar de la experiencia directa de la realidad vital, sale de concepciones artísticas anteriores, por ejemplo, de la escultura helénica, de los retratos del Renacimiento italiano, de las fiestas galantes de la Francia versallesca, y hasta me atrevería a decir que de los dibujos escabrosos de *La Vie Parisienne*. La historia del arte inspira a los modernistas tanto o más que sus íntimos acaecimientos vitales. En ella, en la historia universal, en la geografía exótica, excavan, como en minas inagotables en busca de piedras preciosas. Acaso el ejemplo culminante de este tipo de poesía que yo llamaría de cultura, para diferenciarla de la poesía de experiencia, sea "Fiesta popular de ultratumba", de Herrera Reissig, donde se codean, en apretado espacio, el dios Eros y el poeta Lamartine, las Gorgonas y Cleopatra, la Reina de Saba y Voltaire, Petronio y Barba Azul. Esto supone que la poesía modernista es cosmopolita y universal y desparrama su atención por todos los ámbitos de lo histórico y de lo geográfico. No hay duda de que el mundo entero, el magnífico exterior, desde la criatura viva a la figura de Tanagra, es para los modernistas una presa codiciadera sobre la cual azuzan sus vibrantes jaurías de alejandrinos. "La mejor musa es la de carne y hueso", escribió Rubén Darío. En resumen, poesía de los sentidos, alumbrada, muchas veces, en lo estético-histórico, en Praxiteles o Gustave Moreau; poesía de cultura con una patria universal y una capital favorita, París; poesía de delicia vital, de sensualidad temática y técnica, adoradora de los cuerpos bellos, vivos o marmóreos y siempre afanada tras rimas brillantes, sonoridades acariciadoras y vocablos pictóricos.

Volvámonos a los hombres del 98 español. El cuadro cambia por entero. Son los "preocupados", como se los llamó certeramente. Hombres tristes, ensimismados. He aquí el tipo, tal como nos lo presenta Antonio Machado:

Sentado ante la mesa de pino un caballero
Escribe. Cuando moja la pluma en el tintero
Dos ojos tristes lucen en un semblante enjuto.
El caballero es joven; vestido va de luto.
... ... ... ... ... ... ... ... ... ... ... ... ... ... ...
La tarde se va haciendo sombría. El enlutado,
La mano en la mejilla, medita ensimismado [2].

Son los analizadores, los meditadores. Su literatura viene a ser un inmenso examen de conciencia, preludio de la confesión patética. Donde el modernista nada ágilmente, disfrutando los encantos de la superficie y sus espumas, el hombre del 98 se sumerge, bucea, disparado hacia los más profundos senos submarinos. Unamuno lanza su famoso grito (título de un ensayo): "¡Adentro!". En él marca de este modo el rumbo de su generación: "En vez de decir ¡Adelante! ¡Arriba!, di: ¡Adentro!". Ese deber vital específico, que corresponde a cada generación, es para los hombres del 98 adentrarse por sus almas.

Antonio Machado escribe:

Si buscas caminos
En flor en la tierra
Mata tus palabras
Y oye tu alma vieja [3].

Y en otra poesía del mismo libro:

Desde el umbral de un sueño me llamaron.
Era la buena voz, la voz querida.

¿Para qué le llama esta voz?

Dime, ¿vendrás conmigo a ver el alma?
Contigo siempre. Y avancé en mi sueño [4].

No hay en este género de poesía princesas ni Ecbátanas que atraigan seductoramente al poeta. La invitación llega en una voz miste-

---

[2] "Al maestro Azorín" (*Poesías completas,* Madrid, 1917, p. 186).
[3] *Poesías completas,* Madrid, 1917, p. 58.
[4] *Ibidem,* p. 87.

riosa, desde el umbral de un sueño; y a lo que le convida es simplemente a ver un alma. El poeta camina sueño adentro, por sus soledades y galerías interiores. Mientras el hombre modernista está vuelto hacia las realidades gozosas de la vida, el del 98 se inclina sobre su propia conciencia. Y cuando sale de su mundo interior, el paisaje por donde pasea sus interrogaciones es la tierra eremítica y grave de Castilla, la amada de Unamuno, de Azorín, de Baroja y de Machado. Un viento austero y seco, de alta meseta, corre por entre los escritos de los hombres del 98; ignoran ellos los céfiros anacreónticos del modernismo. Nos figuramos, recordando el debate medieval, que a un lado, capitaneada por Rubén Darío, está la tropa alborotada de Don Carnal y al otro el grupo cogitativo de Doña Cuaresma.

En mi opinión, lo que caracteriza una época o un grupo literario es la actitud íntima y radical del artista ante el mundo, su peculiar postura frente a la realidad. Y éstas son diametralmente opuestas en los modernistas y los hombres del 98; ¿puede concebirse distancia mayor, por ejemplo, que la que existe entre la "Divagación", de Rubén Darío, y la "Vida del labrantín", de Azorín, a las que considero como dechados insuperables en la obra de los dos autores? Realmente no son necesarias copiosas argumentaciones; bastaría con leer atentamente esas dos piezas magistrales para que cualquier sensibilidad perciba que, por muy coetáneos que sean los dos movimientos literarios, sus puntos de vista sobre la realidad vital y la realización artística son antípodas. Voy a dar, no obstante, algunas pruebas que creo corroboran mi tesis.

En su artículo "Arte y cosmopolitismo", publicado en *La Nación*, de Buenos Aires, y recogido en 1912 en *Contra esto y aquello*, Unamuno, al referirse al modernismo, escribe:

> Aunque lo he dicho y repetido, vuelvo a repetirlo: es dentro y no fuera donde hemos de buscar al hombre... Eternismo y no modernismo es lo que quiero; no modernismo, que será anticuado y grotesco de aquí a diez años, cuando la moda pase [5].

La oposición no se puede expresar con ademán más bravo y combativo.

---

[5] Unamuno, *Contra esto y aquello*, 2.ª edición, Madrid, 1938, p. 206.

Pasemos a Pío Baroja. Es el defensor de lo que él llamó "la retórica en tono menor" como cosa opuesta a la de tono mayor. Por esa última entendía, desde luego, la pompa oratoria, lo castelarino, la fraseología de Costa; pero también cita, entre sus representantes, a Salvador Rueda, que, como sabemos, era un modernista independiente y *avant la lettre* y comulgaba en los credos rubenianos [6]. En un pasaje del *Paradox, rey,* Baroja siente un fugaz ramalazo lírico:

> ¡Oh la extraña poesía de las cosas vulgares, oh modestos acordeones! ¡Simpáticos acordeones! Vosotros no contáis grandes mentiras poéticas, como la fastuosa guitarra... Vosotros decís de la vida lo que la vida es en realidad: una melodía vulgar, monótona, ramplona [7].

Actitud ésta de descubrimiento de la poesía en lo vulgar, cabalmente contraria a la de Rubén Darío, el cual practicó siempre, como nos dice en el prólogo de *Cantos de vida y esperanza,* el culto aristocrático de la belleza, el desdén de lo vulgar. Y no es sólo el desaliñado Baroja, sino Azorín, el exquisito, el que en vez de desdeñar lo vulgar, va hacia ello, trémulo de cariño, y lo eleva, en sus mejores páginas, a suprema categoría estética. Con insuperable tino rotuló Ortega y Gasset la obra azoriniana: "Primores de lo vulgar".

Tuvo Rubén Darío por gran amigo, compañero y admirador a Antonio Machado. ¿Cuál es la posición de este noble y grande poeta con respecto al modernismo? Hacia 1910, en un autorretrato publicado en *El Liberal,* de Madrid, y que luego salió en *Campos de Castilla,* escribe esto:

> Adoro la hermosura: y en la moderna estética
> Corté las viejas rosas del huerto de Ronsard.
> Mas no amo los afeites de la actual cosmética
> Ni soy un ave de esas del nuevo gay trinar [8].

¿A qué apuntan estas palabras de Antonio Machado? Ninguna otra "moderna estética" imperaba en España cuando escribió estos versos sino el modernismo. No había más cosmética ni más afeites

---

6 Pío Baroja, *Juventud y egolatría,* 3.ª edición, Madrid, 1935, p. 58.

7 Pío Baroja, *Paradox, rey,* 3.ª edición, Madrid, 1934, p. 63.

8 *Poesías completas,* Madrid, 1917, p. 111.

que los que por aquel entonces empleaban pródigamente los poetas modernistas. Y en cuanto a la expresión "el nuevo gay trinar", no cabe duda de que el modernismo era el único estilo nuevo que se alzaba en el horizonte literario. Machado señala claramente con estas palabras su apartamiento de la poesía del instante. Y es de notar cómo por detrás de los vocablos que emplea Machado para designar la moda ambiente, "afeites", "cosmética", "gay trinar", vibra un matiz calificativo levemente desdeñoso. El esteticismo modernista se le representa al austero y viril poeta andaluz-castellano como cosa de tocador, o como inconsecuente trino de pájaro.

Y hay, por último, un caso quizá más significativo. El gran poeta Juan Ramón Jiménez, admirado y querido por Rubén Darío, estuvo bajo la influencia modernista y en su obra hay que buscar las más exquisitas notaciones de sensibilidad, de matiz y de sonido que han salido de la poesía modernista española. No obstante, Juan Ramón Jiménez es más que un poeta modernista. En un poema suyo publicado en *Eternidades* (1916) podríamos ver una curiosísima historia de la evolución de su concepto de la belleza poética:

> Vino, primero, pura,
> Vestida de inocencia;
> Y la amé como un niño.
> Luego se fue vistiendo
> De no sé qué ropajes;
> Y la fui odiando sin saberlo.
> Llegó a ser una reina
> Fastuosa de tesoros...
> ¡Qué iracundia de yel y sin sentido!
> ...Mas se fue desnudando.
> Y yo le sonreía.
> Se quedó con la túnica
> De su inocencia antigua.
> Creí de nuevo en ella.
> Y se quitó la túnica,
> Y apareció desnuda toda...
> ¡Oh pasión de mi vida, poesía
> Desnuda, mía para siempre! [9].

[9] *Segunda antología poética*, Madrid, 1922, p. 276.

No hace falta mucha imaginación interpretativa para seguir al hilo de estos versos las fases de las concepciones de lo poético en Juan Ramón Jiménez. Primero, la etapa de inocencia, de sencillez formal, representada probablemente en "Arias tristes" y "Jardines lejanos". Luego, la reina fastuosa, los ropajes extraños, aluden alegóricamente a la rica sensualidad del modernismo que Juan Ramón Jiménez cultivó también. Pero en seguida nos expresa su cansancio y disgusto por ese concepto de la poesía; tan grandes, que llega a odiarla y tan sólo puede sonreir a su amada cuando se despoja de arreos suntuosos y se le entrega en pureza y desnudez, es decir, en el período post-modernista de su obra. Para nuestro objeto, el interés documental de esta poesía es que presenta al modernismo como un disfraz regio y engañoso, el cual oculta la pura belleza de la poesía y pronto inspira odio al mismo poeta a quien sedujo pasajeramente.

Y así se explican las diferencias que van marcándose en los años de 1910 a 1915 entre la poesía americana y la española. Aquélla, de Norte a Sur, sigue entregada a las delicias modernistas. Rubén Darío publica por entonces el "Poema del otoño". Se coleccionan en Montevideo las obras de Herrera Reissig. Guillermo Valencia da a la luz "Ritos" en 1914. Lugones lanza tres de sus mejores libros modernistas. En Méjico apunta López Velarde. ¿Qué hacen entre tanto los grandes poetas españoles? Unamuno, tras su tomo de *Poesías* del año 1907, publica el *Rosario de sonetos líricos,* que cae de lleno en la tradición barroca española. Juan Ramón Jiménez, en los *Sonetos espirituales,* se desprende de la opulencia modernista y se vuelve hacia una poesía de clasicismo espiritualista, por la que accederá poco más tarde al *Diario de un poeta recién casado,* clave de su obra. Antonio Machado publica en 1912 *Campos de Castilla,* que marca un gran alejamiento del modernismo y su plena definición como poeta. Es bien visible que la poesía española, en sus tres eminencias, ha resistido el hechizo modernista tomando una actitud divergente de esa escuela; actitud que, precisamente, y dadas las enormes diferencias entre la poesía de Unamuno y Jiménez, sólo tiene como rasgo común uno, negativo: el despego del modernismo.

Sin embargo, no es difícil explicarse el equívoco que durante algún tiempo existió entre los conceptos de modernismo y generación del 98.

En primer término se nos presenta un factor histórico importante: el estado de ánimo de los intelectuales y artistas españoles a final de siglo. En todos ellos latía con angustiosa urgencia el mismo anhelo de derribar los falsos valores, de crear otros nuevos. Pero ninguna revolución intelectual puede hacerse sin renovar en alguna forma el lenguaje literario. De suerte que, aunque los hombres del 98 concebían la regeneración de España más bien como una inmensa remoción de ideas en todos los órdenes que como un cambio en las directivas estéticas, no por eso dejaron de sentir lo indispensable que les era crearse un nuevo instrumento de expresión literaria. Precisamente en ese momento, cuando ninguno de los del 98 había resuelto ese problema del nuevo estilo, llegó a España Rubén Darío, consagrado ya en América como inventor de una lengua literaria novísima: el modernismo. A los jóvenes españoles del 98 se les ofrecía, armada de todas armas, radiante de fresca hermosura y con su larga cola de éxito ultramarino. Rubén Darío, en varios pasajes de sus obras, se jacta, no sin razón, de su influencia en el nuevo rumbo que tomaron las letras españolas. En efecto, ¿por qué no habían de aceptar los hombres del 98 el nuevo idioma poético, el modernismo, como lenguaje oficial de la nueva generación? Al fin y al cabo convenía con su íntimo norte, tenía algo de revolucionario y de renovador, era lo mismo que ellos querían hacer, sólo que en un horizonte mucho más amplio: una revolución renovadora. Por eso un grupo muy valioso de escritores aceptó con entusiasmo lo que Rubén Darío les traía y nació el llamado modernismo español. Hay, creo, otra razón: en un gran sector de la juventud de entonces dominaba el sentimiento de "desastre". Convencidos por la derrota del 98 de la corrupción política y de la decadencia social en general, en lugar de alzarse en son de guerra y campaña de regeneración prefirieron entregarse al gran narcótico que les ofrecía el modernismo. La poesía de Rubén Darío y sus seguidores podía servir como una maravillosa muralla de irrealidades y placeres de la imaginación que aislara al escritor de las aflicciones inmediatas que le rodeaban. La poesía de Manuel Machado titulada "Adelfos" es para mí el más perfecto ejemplo de ese derrotismo espiritual enmascarado de exquisitez literaria.

Mi voluntad se ha muerto una noche de luna.
Mi ideal es tenderme sin ilusión ninguna.
De cuando en cuando un beso y un nombre de mujer [10].

La verdad es que la voluntad de muchos jóvenes españoles había enfermado gravemente, si no muerto, al choque brutal de la derrota. Pero Manuel Machado se evade de reconocer este origen de la abulia contemporánea en el desastre nacional y se lo pone en cuenta a ese pretexto romántico modernista de la noche de luna, utilizando un recurso de tramoya literaria para aislarse de la penosa realidad circunstancial.

Mi tesis no es que España rechazara el modernismo de buenas a primeras. El modernismo fue aceptado y cultivado durante varios años, y entonces es cuando nace la confusión que tratamos de deshacer. Se dio por supuesto que el modernismo era la expresión cabal de lo que la nueva generación quería en literatura, y se dijo que América había conquistado a España. Pero muy pronto los auténticos representantes del espíritu del 98 percibieron que aquel lenguaje, por muy bello y seductor que fuese, no servía fielmente a su propósito y que en sus moldes no podría nunca fundirse su anhelo espiritual. Era, sí, un lenguaje innovador, una revolución, pero no *su* revolución. Descubrieron la contradicción radical que latía entre lo que el modernismo significaba de afirmación materialista, sensual y despreocupada de la vida y el austero y grave problematismo espiritual del 98. Por debajo de las aparentes coincidencias, ese conflicto latente entre los dos movimientos existió siempre. Por unos años, la primera década del siglo, se resolvió en una tregua, quizá mejor en una alianza contra el enemigo común, que era lo caduco, el hueco academicismo del siglo XIX, y la chabacanería de la Regencia. Una vez derribados los ídolos antiguos, los aliados temporales, modernismo y generación del 98, rompieron, en natural obediencia a sus distintas razones de ser. Con esta ruptura demostraron lo esencial de sus diferencias, salieron ellos mismos de su momentánea confusión. Creo que debemos salir ya nosotros de la nuestra, si es que aún perdura alguna.

---

10 *Alma, museo y los cantares*, Madrid, 1907, p. 24.

De aquella unión quedan hermosas criaturas y fecundas consecuencias. Mucho ganó la literatura especial, sobre todo la poesía, gracias a ella. Si bien no ha habido ningún gran poeta modernista en España, en casi todos los poetas españoles de hoy se siente el provecho de aquella gran conmoción de conceptos y de técnica poéticos. El modernismo para algunos poetas españoles fue un estado transitorio, para otros un experimento fructuoso. Para ninguno, creo, ha sido un ideal ni una meta. Aprendieron del modernismo para servir necesidades espirituales que iban mucho más allá del modernismo. Y nuestra poesía española tomó otro rumbo. Aunque esto se salga de mi tema, si se me preguntara cuál es ese camino divergente del modernismo, yo contestaría que no es otro que el de la gran tradición poética viva, no académica, española, la de Garcilaso y Góngora, San Juan de la Cruz y Bécquer. Se repetiría aquí un fenómeno muy frecuente en la historia de la literatura española y que en el siglo XIX se cumple lo mismo con el romanticismo que con el realismo. Es la conversión de un movimiento revolucionario, despertado por estímulos extranjeros en sus comienzos, en una revisión depuradora de lo tradicional, que da por resultado un renacimiento restaurador de los más puros y auténticos valores del pasado. Porque no hay duda de que los tres poetas mayores de la España reciente, Jorge Guillén, Federico García Lorca y Alberti, aunque sean beneficiarios de la herencia modernista, en distinto grado, atienden desde su poesía muchísimo más al son del Romancero, a la música refinada de los Cancioneros o de Góngora, a las pastorales platónicas o místicas de Garcilaso o de San Juan de la Cruz, que a las cantarinas seducciones de aquellas sirenas parisienses con quienes Rubén Darío bebía champaña en cualquier pabellón de Ermenonville, verdadero o imaginario, mientras revolucionaba, entre trago y beso, la poesía española.

FEDERICO DE ONÍS

# SOBRE EL CONCEPTO DEL MODERNISMO

Hace algunos años presenté ante nuestra Asociación un trabajo sobre el concepto del Renacimiento [1], tratando en él de llegar a una interpretación que reflejase la unidad y sentido de aquella época en la historia de España, para lo cual era necesario ampliar y modificar el concepto general del Renacimiento en Europa. La aplicación a España de ideas parciales e insuficientes del Renacimiento había llevado a grandes confusiones, haciendo aparecer como trunca y contradictoria la realidad española en la época en que evidentemente España había sido más una y más ella misma. Ahora me propongo, en cierta medida, hacer lo mismo respecto al concepto del Modernismo, época que tiene no pocas semejanzas con la del Renacimiento, como veremos al servirnos de la una para entender la otra. También los juicios acerca de esta época reciente empiezan a ser cada vez más confusos y contradictorios, y por lo tanto, insuficientes. Ambas —Renacimiento y Modernismo—, una al principio y otra al fin de la Edad Moderna, son épocas de profunda y rica originalidad en las que la cultura hispánica imprime carácter propio a un movimiento universal. Lo cual quiere decir que la raíz de la originalidad hispánica en esas épocas hay que buscarla dentro de ella y no en las influencias generales del tiempo,

---

[1] La *Modern Language Association* de los Estados Unidos, donde fue leído este trabajo. El anterior, a que se alude, se titulaba "El concepto del Renacimiento aplicado a la literatura española" y fue publicado en mi libro *Ensayos sobre el sentido de la cultura española*, Madrid, Publicaciones de la Residencia de Estudiantes, 1932, p. 195-223.

que le vinieron de fuera. La originalidad de los pueblos y de los individuos no se da en el aislamiento, sino en la comunicación con los demás, y precisamente estas dos épocas de máxima originalidad hispánica son las de máxima comunicación de los pueblos hispánicos con el resto del mundo.

La causa principal de la incomprensión del Renacimiento español fue el mirar como lo más importante y característico de él la influencia italiana y clásica cuya manifestación más visible y general en la literatura fue la introducción por Boscán y Garcilaso de los metros, formas y espíritus italianos y clásicos, dando así origen a una escuela poética italianizante que en España, como en toda Europa, se extendió y nacionalizó en el siglo XVI. Idéntico error se comete cuando se trata de reducir el Modernismo a una influencia extranjera, en este caso la francesa, y a una escuela poética, que consistió en introducir ciertos metros, formas y espíritu franceses que en Hispanoamérica, y luego en España, como en todas partes, se extendieron y nacionalizaron a fines del siglo XIX. Los mismos metros franceses —el alejandrino y el eneasílabo— que introdujeron los primeros modernistas, habían sido introducidos de la misma Francia por los primeros poetas españoles del siglo XII al XIV, sin que por eso dejen de ser Berceo y Juan Ruiz grandes poetas originales españoles de su tiempo, como siglos después lo son del suyo los americanos Gutiérrez Nájera y Rubén Darío. Como hubo además evidente influencia de la épica francesa en la castellana, también aquella época decisiva del nacimiento de la literatura española ha sido mirada en la historia literaria como una hijuela o apéndice de la literatura francesa medieval, y ha sido muy difícil rectificar este error y probar lo que debía haber sido evidente: la originalidad radical desde sus principios de una literatura que al desarrollarse llega a culminar en su Siglo de Oro con caracteres no sólo distintos sino antitéticos de la de Francia. La influencia italiana del siglo XVI y la francesa de la Edad Media o de los siglos XVIII y XIX son hechos de magna e innegable importancia histórica, no sólo para el mundo hispano, sino para toda la civilización occidental, y por su misma generalidad no pueden tomarse como carácter de ninguna de las culturas nacionales que tiñeron y fecundaron. Esas influencias, por grandes que fueran, no explicarán jamás la originalidad y el valor propio de los productos de la cultura hispánica, que en las épocas a que nos estamos refiriendo son distintos de los extranjeros que en ellos influyeron. Respecto del Modernismo americano lo ha dicho, con su acostumbrada agudeza, Alfonso Reyes: "Admitimos, por ser de evidencia, la acción determinante de Francia sobre este ciclo; pero casi nadie se decide a romper en esta dulce penumbra con la lámpara de la precisión. Un estudio más analítico arrojaría luz sobre esa misteriosa desviación, esa equivocación fecunda que se produce en la poesía de un pueblo cuando recibe y traduce el caudal de una sensibilidad extranjera. Porque lo cierto es que aquellos hijos de Francia brotados en América son muy diferentes de sus padres, acaso muchas veces a pesar suyo, aun cuando ellos mismos declaren la filiación. Este fenómeno de independencia involuntaria es lo más interesante que encuentro en el Modernismo americano, y lo que todavía está por estudiar".

"El Modernismo —como dijo Díez-Canedo en 1943— es más que una escuela: es una época; y su influjo sale del campo literario para ejercerse en todos los aspectos de la vida"; lo cual confirma lo que yo dije en 1934: "El Modernismo es la forma hispánica de la crisis universal de las letras y del espíritu, que inicia hacia 1885 la disolución del siglo XIX y que se había de manifestar en el arte, la ciencia, la religión, la política y gradualmente en los demás aspectos de la vida entera, con todos los caracteres, por lo tanto, de un hondo cambio histórico cuyo proceso continúa hoy". Hay signos de la influencia de esta crisis universal en la última fase de la obra de los grandes escritores españoles del siglo XIX —Galdós, la Pardo Bazán, Palacio Valdés, Leopoldo Alas, Echegaray— y en hombres de pensamiento como Giner y Costa; pero en lo esencial estos hombres más o menos sensibles a los tiempos nuevos siguieron perteneciendo a la época anterior en la que nacieron y se formaron. La revolución literaria que se llamó después Modernismo surgió, no en España, sino en América, como obra de individualidades aisladas y pequeños grupos selectos en el momento mismo en que las naciones hispanoamericanas habían llegado, cada una a su modo, a su organización interna, y habían entrado en un largo período de relativa paz, estabilidad y prosperidad. Este hecho, aunque con caracteres americanos, corresponde al hecho general europeo de que hacia 1870 tomen forma y organización definidas y nuevas todos los países mediante un compromiso entre las fuerzas tradicionales y las progresistas del siglo XIX, lo cual significó el triunfo posible y diverso de éstas. En la década de 1880-1890 surgen en Europa, como en América, individualidades aisladas que tienen como rasgo común la insatisfacción con el siglo XIX, cuando éste ha llegado a su triunfo, y ciertas tendencias, entre las que descuellan el individualismo y el cosmopolitismo. Estas tendencias universales coincidían con rasgos propios de los hispanoamericanos, que encontraron así terreno favorable para su desarrollo en forma más fuerte y original.

La insatisfacción en América tenía que ser doble y distinta, porque en ella no podía significar la ruptura con el siglo XIX, cuya civilización, aunque imperfectamente asimilada y realizada, venía a ser consustancial con el nacimiento de la América independiente, y, por lo tanto, siguió siendo el ideal y meta de los americanos, al mismo tiempo que sentían la necesidad de superarla conforme a las tendencias europeas nuevas. El esfuerzo de los hispanoamericanos iniciadores del Modernismo tendió a salvar la distancia que separaba a América de Europa desde siempre, por el hecho de ser América y de ser España, continuando así los esfuerzos repetidos de sus antepasados de los siglos XVIII y XIX, aunque con la sensación de su fracaso y de la necesidad, por tanto, de empezar de nuevo. Por eso la voluntad de innovación, junto con el individualismo y el cosmopolitismo, es carácter del Modernismo hispanoamericano. También lo era en la revolución que se estaba llevando a cabo en Europa por el mismo tiempo; pero allí se trataba de una decadencia y liquidación del pasado, mientras que en América se trataba de un principio y anuncio del porvenir. Cuando en la década de 1890-1900 surgen en España tardíamente respecto de América y Europa las primeras grandes individualidades del Modernismo —Benavente, Unamuno, Ganivet, Valle-Inclán, *Azorín*— la literatura que crean tiene también carácter autóctono y original, independiente del de la americana anterior; pero coinciden las dos en tendencias y espíritu, con las diferencias que siempre hay que esperar entre España y América. El individualismo es más fuerte en España y el cosmopolitismo más débil; la actitud hacia el siglo XIX, más negativa; el problema de salvar la distancia entre España y Europa adquiere caracteres de tragedia nacional. Pero en el fondo hay una correspondencia esencial entre el Modernismo de España y el de América, que los une en comparación con el resto del mundo, y que de hecho se tradujo en contactos e influencias que por primera vez eran mutuos y en algunos aspectos predominantemente americanos.

El Modernismo significó, por lo tanto, no sólo la incorporación de América a la literatura europea y universal, sino el logro por primera vez de su plena independencia literaria. El apartamiento inevitable de los modelos europeos, que en el siglo XIX se manifiesta en obras producto de la tierra y la sociedad americanas, dio nacimiento, es verdad, a formas de literatura como la política y la gauchesca, que aunque produjeron obras como el *Facundo* y el *Martín Fierro,* que hoy consideramos las creaciones superiores de la literatura americana, en su tiempo eran miradas como formas inferiores y casi ajenas a la literatura culta de tipo europeo, en gran parte olvidada hoy. En cambio, el movimiento literario que, independientemente de España, crearon entre 1882 y 1896 los primeros modernistas al norte del ecuador, influyó decisivamente no sólo en el resto de América sino en España.

Llevaba dentro de sí el Modernismo algo muy específicamente español que era válido y fecundo en todos los países hispanoamericanos y en España misma. Habrá que encontrar el sentido hispánico que hay en los caracteres generales de esta revolución literaria, que tuvo la eficacia de cambiar tanto el fondo como la forma de la literatura en todos sus géneros, de modo tan hondo y general que ha quedado definitivamente incorporada a ella como una fase decisiva de su historia. El afrancesamiento, que es el carácter más aparente de la época, resultó paradójicamente significar la liberación de la influencia francesa, por ser la Francia de entonces escuela e impulso de extranjerización. En este respecto el americanismo del movimiento modernista está en la capacidad de los americanos para asimilar y mirar como propias todas las formas de cultura extranjera, mucho mayor, sin duda, que la de Francia al seguir aquella misma tendencia de la época. El americano siente como suyas todas las tradiciones sin que ninguna le ate al pasado, y mira al porvenir como campo abierto a todas las posibilidades; sabe que América es hija de Europa y que al mismo tiempo no es Europa; aspira como cosa natural a sintetizar e integrar en América y en sí mismo todo lo que le llega de fuera, lo mismo que sus pueblos absorben la inmigración diversa, que en los días del Modernismo llegaba a todos ellos con intensidad variable y contribuía a su crecimiento y prosperidad. De ahí que la extranjerización del Modernismo hispanoamericano fuera más bien expresión de su cosmopolitismo nativo, de su flexibilidad para absorber todo lo extraño sin dejar de ser el mismo. Por eso la exagerada extranjerización que al principio caracteriza a muchos de los modernistas se convirtió muy pronto en la vuelta a sí mismos, y el resultado final fue el descubrimiento de la propia originalidad y la conciencia de las realidades americanas. En España, de otra manera, la tendencia extranjerizante, que se llamó europeización, significó la resurrección del carácter esencial de la cultura española, la aspiración a la universalidad, y acabó en la afirmación más absoluta de todo lo nacional. Martí en América y Unamuno en España, o, mejor dicho, los dos en España y en América, representan desde el principio esta actitud esencial del Modernismo, que es la busca y afirmación de lo propio a través de lo universal.

La reacción contra el siglo XIX, que en Europa fue el carácter negativo que unió a los escritores, en América es más imitación que realidad. Los modernistas hispanoamericanos combaten, es verdad, el verbalismo, los lugares comunes, el anquilosamiento, todos los defectos de la literatura inmediatamente anterior; pero no niegan ni el romanticismo —"románticos somos, ¿quién, que es, no es romántico?" (Darío)— ni el realismo y naturalismo, que van a continuar y dar sus mejores frutos hispanoamericanos durante el período modernista y después. Es decir —y éste es un carácter esencial y constante de la literatura americana, al que ésta debe mucho de su mayor originalidad y valor— que en ella coexisten, aun en los mismos autores, tendencias literarias que en Europa fueron fases sucesivas incompatibles las unas con las otras; que el escritor americano al afirmar y realizar algo nuevo no niega lo anterior ni renuncia a ello, sino que lo integra en una superposición de épocas y escuelas que conviven armónicamente en una unidad donde están vivos y presentes todos los valores humanos del pasado. Así ocurre que los modernistas hispanoamericanos son al mismo tiempo clásicos, románticos, parnasianos, simbolistas, realistas y naturalistas. Muchos mezclan en su obra, en mayor o menor proporción, todas o varias de estas escuelas, con alguna de ellas como predominante.

No es, por lo tanto, la escuela, sino la diversidad de escuelas, lo que caracteriza al Modernismo hispanoamericano, por el motivo indicado, aparte de los generales de la época: el subjetivismo, el afán de libertad individual y la voluntad de innovación. En España igualmente es imposible reducir a una escuela a los escritores modernistas: cada uno es un estilo y una personalidad. Se ha tratado de reunirlos bajo la advocación de una fecha, la de 1898, y de sustraerlos a la unidad del Modernismo hispánico. No puedo entrar en este tema, que ha suscitado muchos artículos y algunos libros polémicos y contradictorios. Sólo diré que esa fecha de 1898, como todo lo tocante al Modernismo, tiene una significación a la vez española e hispanoamericana, y más hispanoamericana que española. Está en el centro y no en el principio del período modernista, y significa la culminación de dos hechos, de larga preparación anterior, que determinan un cambio fundamental en las relaciones de la América española con el mundo: la terminación del imperio colonial de España en América, y el principio de la expansión de los Estados Unidos hacia el sur del continente. España, al salir definitivamente de América como poder político, empieza a ser vista por los americanos, independientes desde hacía ochenta años, a una luz distinta de la dominante en el siglo XIX: si antes había sido mirada como la antigua metrópoli, con la que había que romper no sólo políticamente, sino en todos los aspectos de la cultura hasta lograr la completa independencia espiritual, borrando deliberadamente hasta los últimos restos de su tradición, ahora esta tradición imborrable y los lazos de la lengua, sangre y cultura comunes aparecen a los ojos de los modernistas como la base indestructible del carácter y originalidad de la América española y la fuerza y razón de ser de su unidad. Esta nueva actitud hacia España, que se traduce en múltiples manifestaciones de lo que entonces se empieza a llamar "hispanismo", se enlaza con la nueva actitud de los Estados Unidos hacia el resto del continente americano, que empieza llamándose "panamericanismo" y que se traduce en múltiples manifestaciones de relación entre las dos Américas. Estos hechos, que empiezan en 1889 con la primera conferencia de naciones americanas en Washington, y que se suceden con rapidez y eficacia crecientes, produjeron en los hispanoamericanos la convicción casi general, profetizada por Martí, de que los Estados Unidos habían llegado al momento en que, como resultado necesario e inevitable del crecimiento de su fuerza interna, rebasaban sus fronteras y amenazaban con la dominación de los estados desunidos de la América que entonces se empezaba a llamar "latina". "Nuestra

América" la llamó Martí, y así la llamaron generalmente los hispanoamericanos, y a los Estados Unidos, "la otra América", expresando así una nueva concepción de la existencia de dos Américas, miradas con un sentimiento, primero de incompatibilidad, después de unidad y colaboración.

Estos dos temas, el de la unidad hispánica —"sangre de Hispania fecunda" (Darío); "patria es para los hispanoamericanos, la América española" (Rodó)— y el de la incompatibilidad con la América sajona del Norte —"¿seremos entregados a los bárbaros fieros? ¿Tantos millones de hombres hablaremos inglés?" (Darío)—, iniciados como mucho de lo mejor y más hondo del modernismo por Martí, encontrarán sus grandes voceros en Rubén Darío y Rodó, y serán dominantes y generales en la literatura del período modernista.

El examen, aunque somero, de otros temas del Modernismo nos llevaría a la misma convicción que he tratado de sustentar en este trabajo en la forma más breve posible: la de que para entenderlo hay que desechar las interpretaciones parciales y, sobre todo, la de intentar reducirlo a una escuela rubendariana, en la que no cabrían Martí, ni Unamuno, ni el mismo Rubén Darío, y, en cambio, hay que mirarlo en su unidad y conjunto, como una crisis espiritual que en múltiples formas individuales y nacionales diversas y aun contradictorias logró dar nueva expresión universal y moderna a lo más hondo del ser hispánico.

Rafael Ferreres

# LOS LÍMITES DEL MODERNISMO Y LA GENERACIÓN DEL NOVENTA Y OCHO

En 1938 publicó Pedro Salinas su interesante ensayo "El problema del modernismo en España, o un conflicto entre dos espíritus" [1], en el que pretende y quiere separar en dos escuelas, en dos denominaciones diferentes (modernismo y 98) a los escritores que hoy, gracias a su esfuerzo y al de los que le han seguido, pasan por tales.

Su tesis no es que "España rechazara el modernismo de buenas a primeras. El modernismo fue aceptado y cultivado durante varios años, y entonces es cuando nace la confusión que tratamos de deshacer" [2]. Más que *confusión,* como dice el admirado poeta, sería mejor indicar *fusión* entre estas dos actitudes literarias y vitales bastante afines, como veremos. Con este afán que hay de clasificar todo lo material y humano había que poner etiqueta preceptiva, había que reunir gregariamente a los escritores más diferenciados entre sí de toda la historia de la literatura española. Este loable deseo inicial de Salinas de poner un

[1] Incluido en su libro *Literatura española del siglo XX,* 2.ª edición, Méjico, 1949.

[2] Escribe Salinas en el citado ensayo: "Rubén Darío, en varios pasajes de sus obras, se jacta, no sin razón, de su influencia en el nuevo rumbo que tomaron las letras españolas. En efecto, ¿por qué no habían de aceptar los hombres del noventa y ocho el nuevo idioma poético, el modernismo, como lenguaje oficial de la nueva generación? Al fin y al cabo, convenía con su íntimo norte, tenía algo de revolucionario y de renovador, era lo mismo que ellos querían hacer, sólo que en un horizonte mucho más amplio: una revolución renovadora".

poco de orden, de clasificar espiritual y estilísticamente a estos prosistas y poetas le llevó, exageradamente, a trazar una frontera, una línea divisoria más precisa, entre una y otra escuela, que la que separa a España de Francia, como si en estas cosas espirituales, siempre fluctuantes, siempre inquietas y tornadizas, cupiera la inmovilidad del mojón. Si Salinas no hubiera pasado por alto algunos ejemplos de gran valor, que se contraponen a los esgrimidos por él, encontraríamos mayor cautela en sus afirmaciones.

Don Pedro Laín Entralgo, en su conocido y celebrado libro *La generación del noventa y ocho* (Madrid, 1945), también sigue el criterio diferenciador de Salinas, pero con discrepancias respecto a quienes integran uno y otro bando literario.

Guillermo Díaz-Plaja todavía va más lejos que sus predecesores en su voluminosa e interesante obra *Modernismo frente a noventa y ocho* (Madrid, 1951). Para él son dos escuelas antagónicas, en la que una, el noventa y ocho, representa lo masculino, y la otra, el modernismo, lo femenino. Distinción poco afortunada e impropia por muchos distingos psicoanalistas que se le pongan. Esta clasificación (como la que dio otro señor, éste al margen de la literatura, de que Renacimiento es lo femenino y Barroco es lo masculino), que pronto ha arraigado entre los diletantes, no hace más que crear confusión y se sale de la crítica puramente literaria. ¡Santo Dios, si el difunto Valle-Inclán se supiese inmerso en una escuela de rasgos femeninos! Si se precisa calificar sexualmente, que no veo la necesidad, un movimiento literario como éste, ¿por qué no dentro de lo viril buscar los matices que le convengan?

Dámaso Alonso, en su sagaz trabajo "Ligereza y gravedad en la poesía de Manuel Machado" [3], plantea el problema desde un punto de vista distinto:

> Hace ya muchos años que hice un intento para aclarar ese concepto de poesía del 98. Unas veces se habla de "generación del 98" y otras de "modernismo". Para poner un poco de diafanidad en la distinción de ambas ideas hay que apoyarse en estribos estrictamente lógicos: modernismo y generación del 98 son conceptos heterogéneos; no pueden compararse ni tampoco coyundarse en uno más general,

[3] Recogido en su libro *Poetas españoles contemporáneos*, Madrid, 1952.

común a los dos. Modernismo es, ante todo, una técnica; la posición del 98 —digámoslo en alemán, para más claridad—, una *Weltanschauung*. Aquí descansa la diferenciación esencial. No deja de tener interés tampoco que el modernismo sea hecho hispánico, y la actitud del 98, exclusivamente española; que el modernismo sea un fenómeno poético —que, como veíamos en Valle-Inclán, puede colorear la prosa— y la posición del 98 se encuentre preferentemente en prosistas (pero, como vamos a ver, puede darse también en poetas). Quiere esto decir que "modernismo" y "actitud del 98" son conceptos incomparables, no pueden entrar dentro de una misma línea de clasificación, no se excluyen mutuamente. Dicho de otro modo: se pueden mezclar o combinar en un mismo poeta o en un mismo poema. A una primera luz, los hombres de hacia 1900 nos habrían parecido claramente escindidos entre una generación de poetas (modernistas) y una de prosistas (los del 98). Pero ahora ya no podemos verlo así: resulta que de los poetas de —aproximadamente— la generación de Machado sólo hay uno quizá (Juan Ramón Jiménez) en quien no se transparente tanto la coloración del 98; de los demás, Unamuno y Antonio Machado la tienen, de modo reconocido por todos, y también Manuel, como vamos a ver ahora. En especial, en los dos hermanos Machado se mezcla la técnica inicialmente modernista con la visión del mundo noventayochesco [4].

Veamos, ahora, quiénes integran los grupos modernistas y del 98.

Salinas teoriza en su ensayo citado y sólo menciona unos pocos nombres, los más representativos: Rubén Darío, Manuel Machado y un sí es no es, o un modernista a su manera, Juan Ramón Jiménez. El otro grupo, el del 98, lo forman Unamuno, *Azorín*, Baroja y Antonio Machado.

Pedro Laín detalla los que pertenecen al 98: "Unamuno, Ganivet, *Azorín*, Baroja, Antonio Machado, Valle-Inclán, Maeztu, Benavente, Manuel Bueno" [5].

---

[4] Página 90. Son interesantes las notas que acompañan a este trozo transcrito.

[5] Pedro Laín hace algunas salvedades: "Otro grupo de escritores más próximos a la condición de "literatos puros" y más influidos por el modernismo: Valle-Inclán, Benavente, Manuel Bueno. No lejano de ellos en la actitud, sí en la valía, Francisco Villaespesa", pág. 69.

Díaz-Plaja discrepa de Laín en la inclusión que hace de Valle-Inclán como del 98 [6]. Y añade: "Alejado de la realidad circundante, en aras de un puro deleite estético, Manuel Machado marca así perfectamente su posición, tan modernista como antinoventaiochista" [7].

Dámaso Alonso, en su artículo citado, escribe: "Todos ellos [Juan Ramón Jiménez, Antonio y Manuel Machado] han nacido del modernismo, para dejar pronto de ser poetas modernistas" [8].

Y, por último, para no citar más críticos y cerrar esta clasificación con una autoridad extranjera que ha trabajado sobre este tema, Hans Jeschke [9] da buenas razones para considerar del 98 "sólo el dramaturgo Benavente, los prosistas Valle-Inclán, Baroja, *Azorín* y el poeta lírico Antonio Machado" [10].

Conviene analizar, aunque sea someramente, qué es en opinión de Salinas (y de los que le siguen) lo que separa principalmente el modernismo del 98.

### PREOCUPACIÓN DEL PAISAJE: CASTILLA Y PARÍS

Para la mayoría de los críticos que han tocado este aspecto en los escritores que nos ocupan, Castilla es sinónimo de hondura, de fina frugalidad, de melancolía. París, cocotas, frivolidad, cafés y alcohol. Detengámonos un poco en este punto porque aclara la fusión que existe entre modernistas y noventaiochistas. Si pacientemente leemos y releemos (porque las lecturas antiguas se olvidan) los libros de estos escritores, veremos qué poca base tiene esa disyuntiva de Castilla o París. Es más: todavía hay otro paisaje que sienten con intensidad

6 *Ob. cit.*, p. 151.

7 *Ob. cit.*, p. 154.

8 *Ob. cit.*, p. 67.

9 *La generación de 1898*. Traducción de Y. Pino Saavedra, revisada por el autor. Prólogo de Gonzalo Fernández de la Mora, Madrid, 1954, p. 86.

10 Otras opiniones sobre los que integran la generación del 98: Baroja (*Divagaciones apasionadas*), *Azorín* (*Clásicos y modernos*), Gregorio Marañón ("Ensayo sobre el academicismo de don Pío Baroja", publicado en *La Nación*, Buenos Aires, abril 1935), P. Miguel Oromí (*El pensamiento filosófico de Unamuno*, Madrid, 1943, p. 52). Véase la larga bibliografía que se incluye en el libro de Hans Jeschke.

mayor, o por lo menos con mucho más afecto: el paisaje natal de cada uno de estos escritores provincianos. Ciertamente, si cotejamos textos no es frecuentemente Castilla la que sale mejor librada, y aún para ella son los objetivos negativos [11].

Para ejemplificar lo dicho tomemos a Baroja, *Azorín* y Antonio Machado como representantes indiscutibles del 98. A Rubén Darío y a su más preclaro discípulo, Manuel Machado, como figuras del modernismo. Algunas veces traeremos los nombres de otros escritores de este momento.

Para todos, sin excepción, París es una meta, un anhelo. Todos llegan a vivir y a saborear París. Les apasiona la ciudad y lo que ella representa. *Azorín,* aparte de los innumerables artículos que le dedica, escribe varios libros, tales como *Entre España y Francia (Páginas de un francófilo)* [1917], *París, bombardeado* (1919), *Racine y Molière* (1924), *Españoles en París* (1939), *París* (1945), etc. Mucho ha escrito *Azorín* sobre Castilla, mucho la siente y quiere; pero siempre que hay en sus obras la comparación con su tierra, es su región la que sale ganando. En las *Páginas escogidas* (1917) comienza con una cita francesa de Balzac, y el primer trabajo que figura es "Levante"; el segundo, "La Mancha"; el tercero, "Carros". Basta leer estos tres trozos seleccionados por él mismo, comprobar los adjetivos que emplea y el optimismo melancólico y la tristeza que exhalan, para cerciorarse de lo dicho.

Don Pío Baroja, "gran conocedor de todos los rincones de París", escribe su fiel acompañante en aquella ciudad, Miguel Pérez Ferrero, tiene dos novelas situadas en la capital de Francia: *Las tragedias grotescas* y *Los últimos románticos.* Para su aspecto regional, suya es esta frase: "Yo quisiera que España fuera el mejor rincón del mundo, y el país vasco el mejor rincón de España...". El número de sus novelas vascas es tan considerable que no es necesario citarlas.

Don Antonio Machado, como su hermano Manuel, han sentido también la llamada de París. Allí marchan, allí trabajan como traduc-

[11] Antonio Machado: "A orillas del Duero" (XCVIII), "Orillas del Duero" (CII), "Campos de Soria" (CXIII), "Desde mi rincón" (CXIII), etcétera. *Azorín:* "El mar", en su libro *Castilla.* Compárense "Una ciudad levantina" y "Una ciudad castellana", capítulos del libro *España.* Baroja: *Camino de perfección.*

tores en la editorial Garnier [12]. Antonio no tiene la preocupación de París en sus poesías, sí de los parques franceses [13]. Ahora bien: la literatura francesa le cala hondo, como luego veremos. A don Antonio se le presenta como el poeta más vinculado a Castilla de toda la generación. Se le llama poeta de Castilla. Pero esto es confinarle a límites muy estrechos. Él canta —¡y de qué prodigiosa manera!— a España en su integridad, y luego, a su paso por las distintas regiones españolas, va dejando, en bellos y sentidos poemas, la emoción de los paisajes que le conmovieron. En primer lugar, su entrañable andalucismo, su amor y crítica castellanas, su encendido elogio a Santiago de Compostela, sus sentidos y hermosos poemas a Valencia y a su campo, por cierto no incluidos en las últimas ediciones de sus poesías completas. Y aun ese recurso poético, tan suyo, de recordar o soñar las ciudades y campos cuando no los vea, también lo aplica a los que no son castellanos.

Y ahora hagamos lo anverso: Castilla en los modernistas.

Para cualquier lector de Rubén Darío [14] y de Manuel Machado no hacen falta citas. Cuando Rubén escribió "mi novia es España y mi querida París", no era una frivolidad lo que decía. Con esto sentaba la definición de su poesía. En sus comienzos literarios es España la que le llena. Son escritores españoles los que influyen en él. Más tarde, en Francia, sigue a los poetas franceses que exaltan a España: Verlaine, Víctor Hugo, Barbey d'Aurevilly, Gautier... Rubén Darío siente la belleza del paisaje castellano, andaluz y mallorquín. Es cierto que a veces percibimos en él una influencia francesa, como en el poema "Las cosas del Cid", por ejemplo. O el entusiasmo por Góngora (a través de Verlaine) y tal vez por el "Greco". Pero también se entusiasmó —¡y de qué consciente y patriótica manera!— por España y por sus hombres [15], entre ellos por los primitivos poetas, cuya admiración no le venía de Francia [16]. No sólo encontramos España, desde un

---

12 Miguel Pérez Ferrero, *Vida de Antonio Machado y Manuel*, Madrid, 1947.

13 Rafael Ferreres, "Sobre la interpretación de un poema de Antonio Machado", en *Cuadernos Hispanoamericanos*, Madrid, 1954, núm. 55.

14 Véase Pedro Salinas, *La poesía de Rubén Darío*, Buenos Aires, 1948.

15 Léase el citado libro de Salinas.

16 "Recordemos que Rubén es el renovador de los arcaicos *dezires, layes*

punto de vista estético, en sus páginas líricas, sino también apunta y comenta, en sus artículos, los problemas políticos españoles [17].

En *Caprichos* (1905), de Manuel Machado, su segundo libro, aparecen temas de lo más puro que pueda dar la poesía de exaltación castellana, a pesar de su filiación modernista. Allí están el severo retrato de Álvar Fáñez, la glosa sobre Gonzalo de Berceo, la plástica visión de la hija del ventero de *El Quijote,* la acotación del *Madrid viejo* [18], *Un hidalgo.* Y sólo en el espacio de dos años, en que se publican *Alma, Museo, Los cantares* (1907), lo castellano se amplía e intensifica (*Castilla, Felipe IV, Aquí, en España,* etc.), se hace más constante, sin abandonar por eso, en absoluto, la técnica modernista.

### LA INFLUENCIA DE LOS ESCRITORES FRANCESES: VERLAINE Y RUBÉN DARÍO

Tanto los modernistas como los del 98, si exceptuamos a Unamuno, Benavente, Juan Ramón Jiménez y Maeztu, el único idioma que conocen es el francés [19]. Y el estudio de esta lengua se produjo por el interés que despertaba Francia y sus escritores en ellos.

---

*y canciones* y el campeón de los primitivos castellanos, como Berceo e Hita, en oposición con el Siglo de Oro..." Ramiro de Maeztu: "El clasicismo y el romanticismo de Rubén Darío", en *Nosotros,* Buenos Aires, enero 1922. Hay que añadir que Rubén elogió a escritores del Siglo de Oro, como Cervantes y Góngora.

17 Recuérdense sus artículos "El triunfo de Calibán" y "El crepúsculo de España" sobre el desastre del 98.

18 En un hotel de la rue de Vaugirad escribió *Alma* (1902), "que contenía, en embrión, toda mi obra poética. Todo lo escrito después en poesía no ha hecho sino aumentar las páginas de aquel libro de mis veinte años... ¡Cómo lo he vivido!". Es posiblemente Manuel Machado el primero que hace una poesía ciudadana tomando como tema Madrid. Dámaso Alonso, en su primer librito de versos: *Poemas puros, poemillas de la ciudad* (1921), también canta al Madrid popular (no populachero), anticipándose al que luego pintará Eduardo Vicente. Este Madrid de arrabal de Dámaso se convierte en meditación alucinante en *Hijos de la ira.* El Madrid de los suburbios es el que motiva el libro *Canciones sobre el asfalto,* de Rafael Morales, 1954. Este Madrid poco tiene que ver con el de un Emilio Carrere, en el verso, o un Pedro de Répide, en la prosa.

19 Antonio Machado conocía el inglés, pero sólo para leerlo (mejor sería decir para traducirlo). En una de las visitas que le hice a Rocafort, en 1937,

*Azorín* traduce del francés *La intrusa* (1896), de Maeterlinck; *De la patria* (1896), de A. Hamón; *Las prisiones*, de Kropotkin. Antonio Machado da más preferencia a la literatura francesa que a la española. En 1906 obtiene, por oposición, la cátedra de francés del Instituto de Soria. Traduce, en colaboración con su hermano Manuel y Villaespesa, *Hernani*, de Víctor Hugo. Trabaja como traductor en la editorial Garnier, de París. A Manuel Machado se debe una excelente traducción, en prosa rimada, de Verlaine *(Fiestas galantes)*. "Magistral traducción, hecha por amor filial por un verlainiano verdadero", escribe Gómez Carrillo en el prólogo [20].

Pero interesa detallar un poco qué escritores siguen, admiran y dejan más honda huella en los hombres del 98, puesto que son los franceses, según declaración propia, los que más influyen; mucho más que los de cualquier otro país.

Según don Pío Baroja, en *Divagaciones apasionadas* (1924), "Benavente se inspiraba en Shakespeare, en Musset y en los dramaturgos franceses de su tiempo; Valle-Inclán en Barbey d'Aurevilly, D'Annunzio y el caballero Casanova; Unamuno, en Carlyle y Kierkegaard; Maeztu, en Nietzsche y luego en los sociólogos ingleses; *Azorín*, en Taine, Flaubert, y después en Francis Jammes. "Yo dividía mi entusiasmo entre Dickens y Dostoyevski..." Hablando de sí mismo, escribe Baroja, en *Familia, infancia, juventud*, cómo a través de los años se apasiona por Julio Verne, Dumas, Eugenio Sue, Balzac, Jorge Sand, Baudelaire, Stendhal.

A su vez, *Azorín*, en *Clásicos y modernos*, añade a Baroja la influencia de Poe y de Teófilo Gautier. Sobre los demás escritores de su tiempo, está casi de acuerdo con lo expresado por don Pío.

---

me dijo que nunca estaba seguro de cuándo se diptongaban las vocales inglesas. En su *Juan de Mairena* hay abundantes citas en inglés y en este mismo libro dice: "Porque no hay más lengua viva que la lengua en que se vive y se piensa, y ésta no puede ser más que una —sea o no la materna—, debemos contentarnos con el conocimiento externo, gramatical y literario de las demás. No hay que empeñarse en que nuestros niños hablen más lengua que la castellana, que es la lengua imperial de la patria. El francés, el inglés, el alemán, el italiano deben estudiarse como el latín y el griego, sin ánimo de *conversarlos*" (Madrid, 1963, p. 192).

20 Madrid, 1910. Hay varias ediciones. Machado considera a Verlaine su "maestro". Véase el prólogo de Gómez Carrillo.

Sobre el afrancesamiento de *Azorín,* sobre su considerable empleo de galicismos, existe el extenso estudio que le dedicó don Julio Casares en *Crítica profana,* en donde hay párrafos como éste: "La admiración desmedida por los escritores franceses, especialmente por Flaubert, le lleva a reservar más de dos páginas, de las ocho escasas que dedica a *Fray Candil,* para emplearlas de citas en francés".

Un precedente que debió de tener muy en cuenta *Azorín,* en su curiosidad por viajar por España y describirla, fue Teófilo Gautier en su *Voyage en Espagne.* Leyendo las páginas que el portentoso Menéndez Pelayo dedica a Gautier en la *Historia de las ideas estéticas en España,* y que *Azorín* conocía perfectamente, nos damos cuenta de cuánto debe el escritor español al francés. *Azorín* sigue a Gautier en su técnica descriptiva, se aparta de él en el sentimiento, en la apreciación íntima del paisaje y en la comprensión de los hombres. Después de Gautier había llegado un nuevo concepto intimista de la poesía, y *Azorín,* genialmente, supo conjugar, armonizar estas dos tendencias y producir una estética nueva o que, debido a su enorme personalidad, nos lo parece [21].

---

[21] Azorín: "Teófilo Gautier", en su libro *Lecturas españolas.* He aquí algunos de los conceptos de Menéndez Pelayo sobre Gautier: "Toda mi fuerza consiste —decía él— en que soy un hombre para el que existe el universo visible". No es el *homo additus naturae;* es la naturaleza pasivamente reflejada, sin que el espíritu intervenga para modificarla, como no sea en el sentido de una mayor intensidad y concentración de luz. La lengua que usa y que en gran parte él creó, ya renovando arcaísmos, ya introduciendo felizmente voces técnicas confinadas antes al vocabulario de los arqueólogos y de los artistas, es opulentísima de términos concretos más aún que la lengua del mismo Victor Hugo, y remozada como ella en las fuentes abundantísimas de la lengua del siglo XVI y aun en los excéntricos y desdeñados autores del tiempo de Luis XIII. Nada de perífrasis ni de locuciones abstractas; todo tiene aquí su nombre propio, *reconquistado contra Malherbe,* como decía el mismo Gautier, que también se jactaba de "haberse lanzado a la conquista de adjetivos, desenterrando muchos encantadores y admirables que ya no podrán caer en desuso" ... "Pero lo perfecto, lo excelente y característico de la *manera* poética de Teófilo Gautier (y de pocos puede decirse con tanta exactitud que en vez de estilo han tenido una manera) ha de buscarse en los *Emaux et Camées* y en aquella bellísima sección de sus poesías que lleva por título *España* (1845), y contiene impresiones de naturaleza y de arte iguales o superiores a las mejores páginas de su *Viaje.* En la enérgica precisión de estas breves piezas, inspiradas por el abrupto paisaje de nuestras sierras o

Guillermo Díaz-Plaja considera a Góngora como piedra de toque para diferenciar, según la apreciación que muestran por el poeta cordobés, a los modernistas y a los del 98 [22]. Si hablamos en plata, a Góngora se le entendió y valoró a partir de la biografía de don Miguel

---

por algún lienzo de Zurbarán, Ribera o Valdés Leal, se ve que el sol de España había herido a Th. Gautier de plano, y que él, mucho más que Victor Hugo, había encontrado aquí —como dice Sainte-Beuve— "su verdadero clima y su verdadera patria". Es, en efecto, colorista por excelencia, como los grandes artistas españoles, con quienes tiene manifiestas analogías de temperamento. Su *Viaje a España,* que en Francia está considerado como obra maestra, y que entre nosotros, por una preocupación absurda, suele citarse como modelo de disparates, sólo comparable con el de Alejandro Dumas, no es en verdad ningún documento histórico ni arqueológico; pero en lo que toca a la interpretación poética del paisaje, difícilmente será superado nunca, porque la geografía física de la Península no está contada allí, sino *vista,* con visión absorta, desinteresada y esplendente. Otro tanto hay que decir en mayor o menor grado de todos los viajes de Gautier: el de Venecia, el de Rusia, el de Constantinopla. Es la parte de sus obras que se lee más y se discute menos. Como pintor de naturaleza física, completó con más impersonalidad y con menos aparato la obra de Chateaubriand, *sometiéndose absolutamente al objeto,* aprendiendo los nombres de todas las cosas y enterrando para siempre la fraseología sentimental que mezclaban en sus descripciones Rousseau y Bernardino de Saint-Pierre. En Gautier no hay huella de declamación, y si alguna retórica tiene, es retórica de pintor y no de orador ni de moralista. Nunca describe por insinuación ni por equivalentes, sino abrazándose con la realidad cuerpo a cuerpo." Ed. Nacional, tomo V, pp. 451 y ss.

Por su parte, sobre este aspecto de *Azorín* dice Werner Mulertt en el libro que le dedicó: "Es el mismo *Azorín* que ya conocemos, el agudo, crítico observador, el que procura seguir la técnica de los Goncourt y tan sólo pintar lo que sus ojos ven y lo que sus oídos oyen". *Azorín,* Madrid, 1930, página 138.

[22] *Ob. cit.* En realidad, Góngora sólo fue admirado por Rubén Darío. El que no se note gran influencia o la huella asimilada del autor del *Polifemo* en Rubén, nada quiere decir en contra de su patentizada admiración. Nadie conoce a Góngora mejor que Dámaso Alonso, y entre los poetas contemporáneos es el propio Dámaso Alonso el que menos se parece a Góngora: ningún contacto hay ni en estilo ni en el fondo.

Dámaso Alonso, en su trabajo "Góngora y la literatura contemporánea" *(Boletín de la Biblioteca de Menéndez Pelayo,* 1932), no da ninguna cita de Antonio Machado sobre Góngora. En las pocas veces que don Antonio le nombra *(Juan de Mairena,* p. 174; *Poesías completas,* p. 373), se muestra disgustado con don Luis y lo que él representaba.

Artigas (1925) y gracias a los trabajos fundamentales de Alfonso Reyes y, sobre todos, de Dámaso Alonso. Si estos hombres no llegan a estudiar seriamente a don Luis, seguiríamos, supongo, repitiendo, poco más o menos, como hacemos con tantos otros escritores, la opinión de Menéndez Pelayo, nada favorable al autor de las *Soledades*.

Lo que sí puede servir de piedra de toque, y no precisamente de dispersión sino de unión, es el culto sentido, paladinamente confesado por unos y por otros, exceptuando en parte a Unamuno, por el genial Paul Verlaine y por su consecuencia en la literatura española: Rubén Darío.

El caudillo de la generación del 98, aunque Salinas ofrece casi un fantasma por la falta de realidad corporal, no se encuentra. Los modernistas lo tienen en Rubén Darío. ¿No será que Rubén lo sea también del 98? Si leemos despacio y meditamos sobre la manera de ser de Unamuno, su sincero y honesto *mea culpa* en su conocido artículo "¡Hay que ser justo y bueno, Rubén!", nos inclinamos a sospecharlo:

> Nadie como él [Rubén] nos tocó en ciertas fibras; nadie como él sutilizó nuestra comprensión poética. Su canto fue como el de la alondra; nos obligó a mirar a un cielo más ancho, por encima de las tapias del jardín patrio en que cantaban, en la enramada, los ruiseñores indígenas. Su canto nos fue un nuevo horizonte; pero no un horizonte para la vista, sino para el oído. Fue como si oyésemos voces misteriosas que venían de más allá de donde a nuestros ojos se juntan el cielo con la tierra, de lo perdido tras la última lontananza. Y yo, oyendo aquel canto, me callé. Y me callé porque tenía que cantar, es decir, que gritar acaso, mis propias congojas, y gritarlas como bajo tierra, en soterraño. Y, para mejor ensayarme, me soterré donde no oyera a los demás.

Y un poco después sigue don Miguel con gran nobleza:

> ¿Por qué, en vida tuya, amigo, me callé tanto? ¡Qué sé yo!... ¡Qué sé yo!... Es decir, no quiero saberlo. No quiero penetrar en ciertos tristes rincones de nuestro espíritu.

*Azorín,* en *Los clásicos redivivos. Los clásicos futuros* (1945, pero escrito en 1905), se manifiesta un admirador ferviente de Rubén, y proclama, sin ambages, lo que Darío hizo por la renovación de la literatura española. Rechaza que la influencia de Rubén se reduzca a un cambio retórico. Es muchísimo más que eso: renueva la sensibilidad, la manera de contemplar las cosas. Es un cambio psicológico: "Así como antes gravitaba el punto de vista estético sobre lo externo, ahora gravita sobre la intimidad". Y esto, podemos añadir nosotros, ¿no es, en definitiva, la gran aportación lírica de los prosistas y poetas de comienzos de este siglo?

Los encendidísimos elogios de Manuel y Antonio Machado a la muerte de Rubén demuestran qué vínculos tan filiales les unían con su maestro, tan devotamente reconocidos. El caso de Manuel es tan manifiesto que no es preciso insistir. Sí en lo referente a su hermano.

Algunos críticos, basándose en "Retrato", poema inicial de *Campos de Castilla* (1907), en el que hay dos versos:

> Adoro la hermosura, y en la moderna estética
> corté las viejas rosas del huerto de Ronsard;
> mas no amo los afeites de la actual cosmética,
> ni soy un ave de esas del nuevo gay-trinar.

y también en el prólogo de la segunda edición de *Soledades, Galerías y otros poemas* [23], han creído ver el rompimiento de Antonio Machado con la poesía rubeniana. Si fuera así, la poesía de Antonio Machado es un Guadiana, en el que aparece y desaparece constantemente la huella de Rubén. Encontrarla acusada en los primeros poemas es facilísimo, aun cuando él tuvo la preocupación de rehacer y suprimir otros, como Dámaso Alonso recientemente ha demostrado [24]. Sin embargo, en lo que dejó en su obra y aun después de haberse separado de la "actual cosmética" (que no estoy nada seguro fuera la de Rubén a la que se refería), hay versos influidos por Darío. A la muerte de

---

[23] Madrid, 1919. Es curioso comparar la afirmación de don Antonio de separarse de la poesía que "sólo pretendía cantarse a sí misma, o cantar, cuando más, el humor de su raza", y que él amó "con pasión", ya que lo que da validez a su obra es justamente eso. Además, el final del prologuillo parece una prosa rubeniana.

[24] "Poesías olvidadas de Antonio Machado", en su libro *Poetas españoles contemporáneos,* Madrid, 1952.

éste (1916) escribe un poema íntegramente dentro de la técnica rubeniana. Pero ¿a quién, sino a Rubén, recuerdan versos como estos?:

> y esa doliente juventud que tiene
> ardores de faunalias [25].

O estos otros:

> Un César ha ordenado las tropas de Germania
> contra el francés heroico y el triste moscovita,
> y osó hostigar la rubia pantera de Britania.
> Medio planeta en armas contra el teutón milita.
> ...las hordas mercenarias, los públicos rencores;
> la guerra nos devuelve los muertos milenarios
> de cíclopes, centauros, Heracles y Teseos;
> la guerra resucita los sueños cavernarios
> del hombre con peludos mammuthes giganteos.
>
> (CXLV)

Léase el largo poema "Olivos al camino" (CLIII), también en esta línea rubeniana. Y este otro, de sus comienzos:

> El mar hierve y canta...
> El mar es un sueño sonoro
> bajo el sol de abril.
> El mar hierve y ríe
> con olas azules y espumas de leche y de plata
> el mar hierve y ríe
> bajo el cielo azul.
> El mar lactescente,
> el mar rutilante,
> que ríe en sus liras de plata sus risas azules...
> Hierve y ríe el mar...

En 1904 está fechado este poema "Al maestro Rubén Darío":

> Este noble poeta, que ha escuchado
> los ecos de la tarde y los violines
> del otoño en Verlaine, y que ha cortado
> las rosas de Ronsard en los jardines

[25] CXLI. Cito por la ed. *Poesías completas* (1899-1925).

de Francia, hoy, peregrino
de un Ultramar de Sol, nos trae el oro
de un verbo divino.
¡Salterios del loor vibran en coro!
La nave bien guarnida,
con fuerte casco y acerada prora,
de viento y luz la blanca vela henchida
surca, pronta, a arribar, la mar sonora.
Y yo le grito: ¡Salve! a la bandera
flamígera que tiene
esta hermosa galera,
que de una nueva España a España viene.

(CXLVII)

Antonio Machado, según nos han dicho algunos críticos, al hablar de la "actual cosmética", se apartaba de Rubén, ¿rompía con Rubén? La devoción por el gran poeta americano es clara, y también la huella. ¿No sería mejor concretar de los seguidores sin talento? Su admiración por otros modernistas muy inferiores a Rubén es manifiesta. Dice, por ejemplo, que Francisco Villaespesa era "un verdadero poeta. De su obra, hablaremos más largamente: de sus poemas y de sus poetas" [26]. ¿Qué poetas eran estos? Seguramente los mismos que nutrieron su poesía hasta que se independizó, hasta que se convirtió en figura cimera de nuestra lírica.

Ramiro de Maeztu también hizo versos modernistas, como "A una venus gigantesca", publicados en la revista *Germinal*, 1897.

De todos los escritores considerados del 98, el único que discrepa en esta admiración a Rubén es don Pío Baroja. Quien lea en *Intermedios* (1913) la opinión que tenía de Rubén Darío, se percatará de ello. Pero Rubén, ya lo sabemos, nos trajo la poesía francesa: lo externo

---

[26] *Juan de Mairena*, p. 326. En cuanto a lo de la "actual cosmética" de los poetas del "nuevo gay trinar", no cabe duda de que se refería a la peste de los rubenianos (como la que sufrimos hoy de los lorquianos). Escribe A. Machado en el citado prólogo de la segunda edición de *Soledades, galerías y otros poemas:* "Yo amé con pasión y gusté hasta el empacho esta nueva sofística, buen antídoto para el culto sin fe de los viejos dioses, representados ya en nuestra patria por una imaginería de cartón piedra".

se lo debía a Leconte de Lisle y a otros parnasianos [27] y, en ocasiones, al mismo Verlaine, pero de éste trae también una intimidad psicológica desconocida antes y, con ella, una auténtica sinceridad. Y ya sea por Verlaine, ya por su intermediario, Rubén Darío, todos se sienten influidos de esta nueva manera de sentir y de manifestar los sentimientos. Baroja ha declarado que para él Verlaine es el más grande poeta que ha existido. Y cuando le precisa escribir un volumen de versos, ya en edad muy avanzada, y ya tan lejos de la boga modernista, y aun a pesar de haberse manifestado, en alguna ocasión, contra Verlaine, es a este poeta al que toma por modelo en sus "Canciones del suburbio":

> Brumas, tristezas, dolores
> del otoño parisién
> son mágicos resplandores
> en los versos de Verlaine.
> En el parque, en la avenida,
> Lelián canta su canción;
> es la voz triste y sentida
> de su ardiente corazón.

*Canciones del suburbio* (1944), como define acertadamente Luis Guarner [28] "es —aunque publicada en estos años— plenamente de la época modernista". *Azorín* ve, en el prólogo de este libro, a Verlaine como guía de Baroja, a Verlaine, que, con sus palabras, "ha sido el más grande poeta francés después de Víctor Hugo".

---

[27] En una entrevista publicada en *La Esfera* y firmada por "El Caballero Audaz" declara don Pío: "No me interesan los poetas contemporáneos. Con raras excepciones, entre las cuales incluyo a Rubén Darío, yo encuentro la poesía actual un poco caótica. No dice nada, ¿verdad?... Se limita a la descripción y a una perfecta técnica; pero no hay espíritu, no hay emoción, no hay ideas. Y, dígame usted, ¿cómo es posible que perdure una poesía sin alma?...". (No tengo la fecha de cuándo se publicó.) Véase Erwin K. Mapes: *L'influence française dans l'oeuvre de Rubén Darío*, París, 1925.

[28] Paul Verlaine, *Obras poéticas* (antología, traducción y estudio preliminar de ..), Madrid, 1947, p. 45.

Y es Verlaine, como han notado Hans Jeschke [29] y Manuel Granell [30], quien da el credo poético —y aun para la prosa se podría añadir— a los escritores del 98:

> Rien de plus cher que la chanson gris
> Où l'Indécis ou Precis se joint.
>
> ..................................................
>
> Car nous voulons la Nuance encor,
> Pas la Couleur, rien que la nuance!
> Oh! lo nuance seule fiance
> Le rêve au rêve et la flûte au cor!

¿Y Unamuno? Su famoso *Credo poético* está concebido contra las ideas expresadas por Verlaine en su *Art Poétique*, pero cabe preguntarse leyendo las poesías de don Miguel: ¿observó lo que predicaba? Dejemos aparte su horror, repetidas veces expuesto, a la musicalidad verlainiana, porque tanto puede haber en ello de disgusto como de impotencia por lograrla, de lo que se resienten con frecuencia los versos de Unamuno. Pero y la entraña de la poesía de Verlaine, ¿no la sintió? Creo que sí. Él, tan preocupado de la idea, de lo trascendental, de la "poesía que pesa", escribió en el prólogo de *Alma*, el libro de Manuel Machado: "¿No es la poesía, en cierto respecto, la eternización de la momentaneidad?". Y, en cuanto a la técnica del verso, Unamuno usa, y abusa, del *enjambement* que, aunque no desconocido, ni mucho menos, en nuestra poesía, es Rubén quien lo pone de moda por influjo francés [31].

---

[29] *Ob. cit.*

[30] *Estética de Azorín*, Madrid, 1949.

[31] "El poeta al modo del ruiseñor, el de *allá van mis versos donde va mi gusto*, es cada día más difícil. Un Verlaine se da poco, y para eso tuvo dolores reales que le inspiraron su *Sagesse*, y, digan lo que quieran, Verlaine, con cultura, habría sido un portentoso poeta, lo que sin ella no pasa de un pájaro de trinos sentidos, pero pobres." Véase Manuel García Blanco, *Don Miguel de Unamuno y sus poesías*, Salamanca, 1954, p. 46. En otra ocasión, Unamuno valoriza el sonido de la palabra, y hasta está de acuerdo, por una vez, con *la musique avant toute chose* de Verlaine:

> *¿Qué os importa el sentido de las cosas*
> *si su música oís y entre los labios*

Verlaine, por sí mismo, por la lectura que hicieron de sus obras los escritores españoles [32], o a través de Rubén, fue un estremecedor huracán poético que conmovió —y conmueve— a todo el que se acerca a su poesía. Barrió antiguas formas de expresión y enriqueció el sentimiento al darle sinceridad, y aun los poetas que se pronunciaban en contra de su estética y espíritu, algo le deben. Aun esos mismos poetas regionalistas apegados, creían ellos, a lo antiguo que no a lo tradicional español, como un Gabriel y Galán, por ejemplo. Fue lo mismo que la bienaventurada racha que nos vino de Italia en el Renacimiento y que Garcilaso hizo fructificar y arraigar para siempre entre nosotros. ¿De qué vale que un Castillejo se opusiese en maliciosos y miopes sonetos si él mismo, en su interior, sabiéndolo o no, hacía también poesía italianizante? Por otra parte, y al igual que Dante, Petrarca y Boccaccio, las tres figuras principales del simbolismo francés: Baude-

---

*os brotan las palabras como flores*
*limpias de fruto?*

.................................................

*¡Oh, dejadme dormir y repetidme*
*la letanía del dormir tranquilo;*
*dejad caer en mi alma las palabras*
*sonoramente!*

.................................................

*¡Oh, la primaveral verde tibieza*
*que en mi pecho metiéndose susurra*
*secretos a mi oído y misteriosa*
*nada me dice!*

Esta poesía, bastante larga, titulada "Sin sentido", muestra cierta filiación con la modernista no sólo por lo que dice, sino también por el empleo de ciertos adjetivos delatores. Además, va incluida debajo del epígrafe "Caprichos", que también sirvió de título, como se sabe, a un libro primerizo de Manuel Machado.

32 No he podido precisar el año en que comienza a traducirse a Verlaine. La traducción del *Art Poétique*, por Eduardo Marquina y Luis de Zulueta, es de 1898; la de M. Machado, de 1910. En 1913 se publica la antología de Díez-Canedo y Fernando Fortún *La poesía francesa moderna.* Como traductores de Verlaine figuran, además de Canedo, Juan Ramón Jiménez, Eduardo Marquina y otros poetas hispanoamericanos. Más tarde, Ediciones Mundo Latino emprende la traducción de las *Obras completas,* a cargo de Emilio Carrère, E. Puche, Luis F. Ardavín, Díez-Canedo, Guillermo de Torre, H. Pérez de la Ossa, etc.

laire, Verlaine y Mallarmé influyen y dan nuevo rumbo también a la poesía de Italia, Inglaterra y otros países [33].

Si estudiamos detenidamente el vocabulario de los escritores considerados del 98 y el de los modernistas y algunos temas constantes, veremos que el parecido es mayor que la divergencia. Hans Jeschke, en el libro citado, lo ha hecho basándose en las obras del primer período de estos escritores. Los estudiados por él son: Benavente, Valle-Inclán, *Azorín* y Antonio Machado. En ellos

> ...se destaca, desde el punto de vista de la elección de palabras determinadas por el contenido, la abundancia de designaciones para conceptos del dominio del decadentismo y, en relación con ello, las excepciones para reproducir las impresiones de los sentidos finamente diferenciados, especialmente sensaciones de color.
>
> Todo lo que es enfermizo, efímero, negativo, atrae irresistiblemente a esta generación en una especie de simpatía final, y llega a ser para ella expresión simbólica de su sentimiento pesimista de la vida. El rasgo fundamental de este estado de ánimo es la tristeza, a la cual se siente resignadamente como fatalidad del Destino. Por esto no se puede escapar a ella, y por ella se deja llevar con placer incontrolado; la gusta totalmente con una especie de sensualidad infame y malsana que recorre toda la gran escala, desde la melancolía hasta el espanto [34].

Hans Jeschke, con cierto detalle, analiza la descripción de jardines, de paisajes, de puestas de sol, de fuentes que discurren o con el "agua muerta" podríamos añadir, y como "se trata de imágenes es-

---

33 Alfredo Galletti, *In novecento,* Milán, 1942; C. M. Bowra, *The Heritage of Symbolism,* Londres, 1951.

34 Dice Salinas: "Muy pronto los auténticos representantes del espíritu del 98 percibieron que aquel lenguaje [modernista], por muy bello y seductor que fuese, no servía fielmente a su propósito, y que en sus moldes no podría nunca fundirse su anhelo espiritual" ("El problema del modernismo en España..."). El "muy pronto" que afirma Salinas no es exacto. Manuel Machado, en *La guerra literaria* (1898-1914), Madrid, 1913, libro cuyo prometedor título no corresponde a la ligereza y falta de noticias de su contenido, dice que el modernismo en 1913 "realmente no existe ya" (pág. 32), y que el único que lo mantiene es Villaespesa (pág. 37), y que, hay que pensar en esa fecha, "Antonio Machado... trabaja... para simplificar la forma hasta lo lapidario y lo popular" (p. 37). Ya hemos visto cómo don Antonio Machado no se desprende de la influencia modernista del todo en su obra. Él, como

pirituales de estados de alma, que ellas tienen, por consiguiente, carácter simbólico, lo demuestra la descripción del mismo paisaje, otra vez, como es natural, con el uso preferente de nombres negativos, a la luz del sol poniente". Esto refiriéndose a Baroja, pero cuadra también a otros escritores de su tiempo [35].

Antonio Machado oye con impresionista y melancólica penetración los ecos de la tarde, plasma el otoño verlainiano [36] en silenciosos jardines, lo imita al evocar un recuerdo lejano (*Fue una clara tarde triste y soñolienta*) [37], y vuelve a cortar, a pesar de lo que dijo, en los jardines de Francia, las rosas del extraordinario Ronsard. Hacia 1919 (no consta la fecha) escribe tres bellísimos sonetos "Glosando a Ronsard" (CLXI).

El profesor Pierre Guiraud, en su *Index du Vocabulaire du Symbolisme,* tomo VI, dedicado a *Fêtes Galantes, La Bonne Chanson* y a *Romances sans Paroles* (París, 1954), da la siguiente lista de los principales cincuenta nombres-temas [38]: *oeil, coeur, comme, pas* (adv.), *amour, âme, où, aller, faire, plus, bien* (adv.), *tout* (adv.), *aimer, dire, doux, vouloir, ciel, jour, beau, triste, encore, deux, si* (adv.), *mourir, voir, espoir, noir, venir, aussi, blanc, main, petit, toujours, vent, voix,*

---

Bécquer con el Romanticismo, fue un depurador del Modernismo. Con respecto a Juan Ramón Jiménez, al que Rubén Darío llama, al comentar *Arias tristes* (1903) "...un lírico de la familia de Heine, de la familia de Verlaine", no acaba de liberarse de influencias francesas y del Modernismo hasta su segunda etapa, la de "poeta esencial" (1916), como la denomina Enrique Díez-Canedo en su estudio *Juan Ramón Jiménez en su obra,* Méjico, 1944.

En cuanto a la prosa, los novelistas españoles de este momento se detuvieron en la contención. Innovaron el lenguaje sin caer en el preciosismo, excepto Valle-Inclán (y luego Miró); pero no cabe duda de que también buscaron la palabra significativa de valor psicológico y estético y una precisión mayor en la sintaxis. La palabra dejó de ser oratoria o sojuzgada al pensamiento, a la idea, en jerarquía inferior, para alcanzar un rango igual.

35 *Ob. cit.*

36 Véase nuestro estudio "Sobre la interpretación de un poema de Antonio Machado", en *Los límites del modernismo,* Madrid, 1964.

37 En "Après trois ans" ("Ayant poussé la porte étroite qui chancelle, / Je me suis promené dans le petit jardin..."), que forma parte de *Poèmes saturniens.*

38 "Les mots-thèmes sont les mots qui ont la plus grande fréquence absolue; nous appelons mots-clés ceux qui ont la plus grande fréquence relative...".

*bon-ne, cher-e, air, amant, baiser, luire, nuit, seul, vieux, blue, chanter, charmant, instant, sourire.*

Y los dieciocho nombres-clave principales: *luire, coeur, baiser, espoir, amant, amour, oeil, triste, doux, ciel, vent, noir, charmant, chanter, sourire, mourir, voix, blue, cher.*

Ninguna de estas palabras es ajena a nuestros escritores del 98 y modernistas. Si tuviéramos un vocabulario preciso de estos prosistas y poetas podríamos llegar a la certeza que ahora, desgraciadamente, sólo podemos hacer a ojo, y si éste no falla hay bastante coincidencia entre las palabras más esenciales y más usadas por Verlaine y las de los hombres que nos ocupan [39].

Por último, la definición que da Manuel Machado de lo que era y significaba la nueva escuela literaria, conviene a todos estos escritores: "El modernismo... no fue en puridad más que una revolución literaria de carácter principalmente formal, pero relativa, no sólo a la forma externa, sino interna del arte. En cuanto al fondo, su característica esencial es la anarquía" (*La guerra literaria*, página 32).

* * *

Los escritores modernistas y los de la llamada generación del 98 no rompen con la generación inmediatamente anterior a la suya, como he intentado demostrar en otra ocasión, y hasta la admiran [40], y ésta es otra de las fallas a los requisitos que se exigen para que haya grupo generacional. No rompen (excepto Baroja), pero no les basta el mensaje y mucho menos la técnica literaria que les legan, y es Francia, como en otras ocasiones, la que da savia, iniciativas a prosistas y poetas españoles del 98 y modernistas. Nada tiene esto que alarmar a los

[39] El catedrático Manuel Alvar está preparando un vocabulario del modernismo español. Una buena fuente son las traducciones castellanas de Verlaine. Rafael Lapesa, en su excelente *Historia de la lengua española* (Madrid, 2.ª ed.), señala las características esenciales del "modernismo y la generación del 98": el empleo de neologismos conscientes, tanto en unos como en otros, así como también "el sabor venerable y ritual de los giros arcaicos" y de arcaísmos.

[40] "Un aspecto de la crítica literaria de la llamada generación del 98", en *Los límites del modernismo y del 98*, Madrid, 1964.

enemigos de influencias extranjeras, puesto que las consecuencias son óptimas, dado que nuestros escritores siguen a los franceses que dieron uno de los períodos más gloriosos de su literatura. Sólo la ligereza ha hecho creer que Verlaine es únicamente un poeta de café, borracho, peregrino de hospitales y con peculiares inclinaciones eróticas. No han visto su grandeza, como la vieron nuestros grandes literatos que se inspiraron en él. Casi lo mismo ocurre con los que califican a Rubén atendiendo a su poesía más trivial e ingeniosa y no a la que sigue teniendo una vigencia espiritual profunda.

La confusión que existía al denominar a los escritores que nos ocupan, y que Salinas quiso deshacer, tenía y tiene su indudable base. Es más, la calificación de modernistas y de noventa y ocho la ha complicado al ponerlos en bandos distintos. Hemos tardado mucho en reconocer, por culpa de la despectiva etiqueta literaria dada a ciertos escritores de nuestro siglo XVIII, a los afrancesados, cuánto españolismo noble de intención y aun de hechos había en ellos. Y no sólo en su actuar, sino también en la pureza de su castellano. En nuestros años de estudiante, en la Universidad, cómo nos ha desconcertado que un escritor, al que se le consideraba extranjerizante, sintiera honda y entrañablemente a España y sus problemas. O quién toma en cuenta hoy, en serio, la clasificación de culteranos y conceptistas. Ya sabemos cómo en un Góngora o en un Quevedo, representantes de estas escuelas, hallamos elementos (y no pocos) de las técnicas de las que se les hacía aparecer como antagónicos.

"El modernismo no fue una escuela, sino un movimiento que tendió a la renovación de la forma literaria y el libre desarrollo de la personalidad del escritor sin ponerle normas", dice, acertadamente, Max Henríquez Ureña [41]. Y bastantes años antes lo había expresado también Jacinto Benavente en su trabajo *Modernismo:*

> No se trata de romper moldes; ensancharlos, en todo caso; ni eso, porque moldes sobrados hay en donde caben sin violencia cuantas obras de arte pueda producir el ingenio humano. Ridículo es hablar de moldes rotos en el teatro español, donde, desde *La Celestina* a Calderón, en los autos sacramentales, hay moldes para todo lo real y lo ideal. Y ésa ha de ser la significación del modernismo, si alguna ha de

---

41 *Breve historia del modernismo,* Méjico, 1954, p. 519.

> tener en arte: no limitar los moldes a los moldes de una docena de años y de dos docenas de escritores; considerar que muchas veces lo que parece nuevo no es sino renovación...

Porque el modernismo no fue una escuela, sino un movimiento renovador, encontramos en nuestros escritores citados los mismos temas, técnica estilística, preocupaciones literarias, artísticas, políticas y religiosas [42], admiraciones y desprecios. Y todo esto, el entremezclamiento de actitudes que se han considerado opuestas, es lo que hace que los que siguen preocupándose en clasificarlos en modernistas y del 98 no se pongan de acuerdo en qué bando deben ir, que, al fin de cuentas, sería lo mismo si con ello no salieran perjudicados, pues el pertenecer a uno significa la privación de las cualidades y defectos del otro. Porque hondura, fantasía, decadentismo, musicalidad, elección cuidadosa de palabras, preocupación por lo plástico y por lo adjetivo no manido, virgen, por dar a la palabra la misma jerarquía que tiene el pensamiento, la idea, hay en cualquiera de los escritores que pasan como afiliados a escuelas distintas.

Hay, indudablemente, un punto de arranque común a todos ellos, como han señalado Salinas, Dámaso Alonso, Gerardo Diego, Max Henríquez Ureña [43]. Y esto debe tenerse muy en cuenta. Luego, y es natural que así fuera, porque si no hubieran quedado en escritores eco, en medianías, cada uno se ensancha en su dimensión propia, cada uno crea, al recrear genialmente lo recibido, su propio estilo: su personalidad literaria; cada uno se individualiza para suerte nuestra y para desgracia de los amantes de bautizos literarios. Dámaso Alonso, al estudiar con atención, sagacidad y enorme preparación a Manuel Machado, nos ha hecho ver cómo se va apartando del camino que siguió primero, para convertirse en un poeta más hondo. Pero ¿no es ésta

---

[42] No se ha estudiado el aspecto religioso de los escritores españoles considerados modernistas y del 98. Si exceptuamos a Maeztu, y eso después de su cambio religioso, todos bordean la heterodoxia o, por lo menos, profesan una fe no arraigada, con vacilaciones. Otro punto que cabría tocar es la devoción o respeto a Giner de los Ríos y a lo que éste representaba.

[43] Salinas: "El problema del modernismo en España..."; Dámaso Alonso: "Ligereza y gravedad en la poesía de Manuel Machado"; Gerardo Diego: "Los poetas de la generación del 98" (*Arbor*, diciembre 1948); Max Henríquez Ureña: *Breve historia del modernismo*.

una ley precisa y común a todo gran escritor? Rilke lo aclaró al definir la poesía de adolescencia y de experiencia. Hay en nuestros poetas y prosistas de finales del siglo pasado y comienzos del actual una división en su obra, pero a la manera que el mismo Dámaso Alonso determinó con el Góngora culto y el popular: no en unos años una actitud y luego otra, sino a través de toda la vida.

Las etiquetas preceptivas no cuadran bien en los humanos y los nuestros, que ahora nos preocupan: eran y son demasiado grandes para que quepan en los incómodos límites de un nombre común a todos, como si fueran minerales. Aun en esas clasificaciones generales a que se nos somete, ¡qué falta de precisión! Raza blanca o negra, o esas rayitas que tenemos que llenar en los pasaportes y visados: sexo, nacionalidad, religión. Contestando hombre, español o alemán, católico o protestante, ¿nos definimos realmente? Casi nos da por tomarlo a broma, como aquel divertido viajero inglés que, en los puntos correspondientes, a *sex,* escribió con humor: *not bad.* Porque es la *nuance,* el matiz, el detalle, en que tanto insistió el genial Paul Verlaine, lo único que individualiza y define.

DONALD F. FOGELQUIST

# EL CARÁCTER HISPÁNICO DEL MODERNISMO

Todos los países de habla española tienen, además de su lengua común, una tradición cultural derivada de la civilización greco-latina. Sin negar la importancia de la contribución de los grandes pueblos prehispánicos de América, puede afirmarse que la cultura de Hispanoamérica tiene su orígenes, remotos y cercanos, en Grecia, Roma y España. En América la herencia cultural mediterránea fue modificándose con las influencias recibidas de los pueblos indígenas —en algunos países más, en otros menos— pero sin que se perdiera en ninguno ese carácter peculiar y fundamental que llamamos lo hispánico. Esta tradición trasciende el tiempo, el espacio y las diferencias raciales. Ha perdurado a través de los siglos hasta el día de hoy. Les ha dado a los hispanoamericanos desde Sonora hasta Tierra del Fuego no solamente un modo de vivir, sino también un modo de sentir y pensar, de afrontar la vida y la muerte.

El hispanoamericano, sea de origen racial europeo, indio o africano, o el producto de la mestización de estas razas, tiene en su espíritu el sello hispánico inconfundible. Se ha producido a veces en la historia de América el fenómeno del indígena de raza pura destinado a ser el más alto representante de la cultura hispánica de su época: Juan de Espinosa Medrano lo fue en el Perú colonial; Ignacio Altamirano lo fue en el México del siglo XIX. Por más dispares que sean sus antecedentes raciales, económicos y sociales, y por más que ellos quieran aislarse dentro de sus agrupaciones nacionales, existe el fondo espiritual común. Nada tiene de extraño el que don Miguel de Unamuno haya reconocido en el gaucho argentino este carácter distintivo y que haya encontrado muy hispánica la gran epopeya criolla *Martín Fierro* [1]. El ilustre intelectual español y el rudo habitante de la pampa presentan los dos extremos de la escala cultural, pero tienen en su tradición ancestral común una base para la comprensión y el acercamiento.

Al señalar los antecedentes del modernismo se suele decir que es el resultado de la confluencia de tres corrientes literarias, que llegan a Hispanoamérica principalmente de Francia, y que son el romanticismo, el parnasianismo y el simbolismo. Pocos protestarán contra esta evidente simplificación, siendo Francia el país con el que se tiene que ver, pues conocida es la predilección de Hispanoamérica por todo lo francés. No hay nada más natural y razonable que este tributo de admiración y simpatía a la gran civilización francesa, si no trae como consecuencia el sentido de inferioridad de lo propio y el desconocimiento del patrimonio hispánico. Se debe naturalmente aprovechar el aporte cultural de otros países pero sin desaprovechar el propio. El que llega a despreciar lo suyo no es digno de admiración sino de lástima. Así lo entendió José Martí y así se expresó al dirigir su palabra honrada y sentenciosa a todos los hispanoamericanos: "El vino, de plátano; y si sale agrio, ¡es nuestro vino!".

El más original, el más americano y, a la vez, el más hispánico de todos los iniciadores del modernismo hispanoamericano es José Martí. Nadie le puede tachar de afrancesado ni de amanerado en ningún sentido. Es espontáneo y sincero en todo lo que piensa, hace y escribe. La oscuridad, si la hay en alguna frase o pasaje de Martí, nunca es resultado del empleo consciente de artificios literarios. Hay una oscuridad —como ha dicho Dámaso Alonso al hablar de Góngora— que es el efecto de la claridad que deslumbra. Y hay una sencillez, que por su profundidad y por la economía de su expresión, parece, a primera vista, oscura hasta ser incomprensible. Luego viene el golpe de luz, y nos sentimos maravillados ante la verdad tan admirablemente ex-

---

[1] Unamuno habló del "españolismo" de *Martín Fierro* de un modo tan concluyente que Ricardo Rojas le acusó de "exagerado iberismo", lo cual, sin embargo, no le quita al comentario de Unamuno su fondo de verdad. Véase la "Noticia preliminar" de Ricardo Rojas en la edición Biblioteca Argentina de *Martín Fierro,* p. XLVIII.

presada. Es el carbón transformado de repente en diamante, para emplear una metáfora martiniana.

Este don de síntesis, de claridad, difícil por la densidad del pensamiento y por la extrema concisión con que está expresado, es uno de los rasgos más hispánicos de la obra de Martí. No es imitador de Gracián, de Quevedo, de ningún otro escritor, pero su talento lo emparenta con el autor de *El criticón*, y hasta cierto punto con otros clásicos de los siglos dieciséis y diecisiete [2].

La profunda religiosidad de Martí es lo que más distingue su vida y su obra. Él mismo escribió: "el que sufre por la Patria y vive para Dios, en este u otros mundos tiene verdadera gloria" [3]. Y esta religiosidad no tiene nada que ver con los conceptos dogmáticos e intolerantes de lo que a veces suele pasar por religiosidad. La religión de Martí es la del amor. Martí obra de acuerdo con los más puros sentimientos del cristianismo: no se preocupa por el interés propio, se sacrifica por el prójimo y perdona al enemigo. El misticismo de Martí no es el del asceta que se retira del mundo; es la luz interior que le guía a través del mundo de los hombres y que le da la conciencia de que, a pesar de la brutalidad que a veces ve en los hombres, a pesar de las decepciones y tristezas de la vida, todo tiene su sentido, su lógica divina: "todo es música y razón".

Ha dicho Juan Ramón Jiménez que la poesía mística es la que mejor y más auténticamente traduce el espíritu español [4]. Luz, amor, intensidad es lo que distingue esta poesía, igual que la de Juan Ramón mismo. Y la luz, palabra que figura en innumerables hermosas metáforas de Martí, bien pudiera servir de símbolo de la vida y obra del santo cubano. La exaltación mística ante la vida y ante la naturaleza es la nota dominante en la más sublime expresión de dos poetas her-

---

2 Rafael Estenger encuentra en la prosa de Martí giros que recuerdan a Gracián, a Santa Teresa y a Saavedra Fajardo. Véase su "Guía de la poética de Martí", *José Martí, Poesías completas* (La Habana, 1953), p. 37.

3 Luis Rodríguez-Embil, *José Martí, el santo de América* (La Habana, 1941), p. 257.

4 "El campesino español es panteísta y místico, y por lo tanto delicado, fino, generoso, ya que ama, que misticismo y panteísmo son amor..." Juan Ramón Jiménez, "Poesía y literatura", *University of Miami Hispanic-American Studies* (Coral Gables, Florida, 1941), p. 79.

manos, José Martí y Juan Ramón Jiménez; es la fuente más honda y pura de su poesía (y prosa) y, a la vez, la más profundamente hispánica [5]. Téngase en cuenta que aquí no se habla del aspecto costumbrista y superficial del hispanismo sino de su espíritu y esencia, el hispanismo de Bécquer, de Fray Luis de León y de San Juan de la Cruz.

Ateniéndose solamente a la técnica se podría suponer que la influencia de Martí en el modernismo fue menos importante que la de otros precursores. Es cierto que Martí nunca fue modernista en la acepción común de la palabra, pero su expresión "centelleante y cernida", "cargada de idea", fue una gran fuerza vital que contribuyó a la depuración del lenguaje literario de las generaciones subsiguientes [6]. Conocida es la influencia que ejerció en Darío. Su acento místico, la intensidad de su percepción de la belleza en el universo —manifestaciones de su grandeza moral— son otros caracteres de su obra que no pudieron menos de ejercer una influencia honda y duradera; y todo esto dentro de lo más puro y lo más auténtico de la tradición hispánica.

Muy distinto es el caso de Rubén Darío, estrella y guía de los modernistas, para quien lo exótico tenía una atracción irresistible y cuyo entusiasmo por lo francés llegó, en una época de su vida, casi al delirio. Es lástima que las obras que más entusiasmaron a los contemporáneos hispánicos de Darío fueran precisamente las más afrancesadas y superficiales. *Prosas profanas,* por ejemplo, con sus innovaciones técnicas, su musicalidad, su delicadeza sentimental, deslumbró a toda una generación de poetas jóvenes dando origen al vicio literario llamado, no con completa justicia, rubendarismo. Pero la belleza un tanto superficial de *Prosas profanas* no es sino una modalidad pasajera en la obra de Darío. Por más que se le pueda reprochar su

---

[5] Un breve comentario de Juan Ramón Jiménez pone de relieve todo lo que distingue la vida y la obra de José Martí: "Quijote cubano, compendia lo espiritual eterno, y lo ideal español". Véase *Españoles de tres mundos* (Buenos Aires, 1942).

[6] Manuel Pedro González, (I) *Iniciación de Rubén Darío en el culto a Martí,* (II) *Resonancias de la prosa martiniana en la de Darío* (La Habana: Publicaciones de la Comisión Nacional Organizadora de los Actos y Ediciones del Centenario de José Martí, 1935), p. 9.

afrancesamiento, y sus pretensiones aristocráticas, sobre el gran talento de Darío y la sinceridad de su arte no hay nada que discutir. *Cantos de vida y esperanza* es la obra que mejor representa al Darío maduro, y que revela al poeta profundo y sincero que había en él.

A medida que Darío pasa por el otoño de su vida se observa en su obra la acentuación de dos tendencias: se siente cada vez más atraído por el mundo hispánico y su vieja tradición ancestral, y se intensifica en él el espíritu religioso. En lo que se refiere a lo primero, no se trata solamente de una reacción contra la guerra de 1898 que tantas repercusiones tuvo en el mundo hispánico. El cambio que se opera en él es algo parecido al retorno del hijo pródigo a la casa paterna. Aunque no tenía la sólida cultura hispánica de Martí, Darío conocía, ya en su juventud, la literatura clásica de España. Su formación literaria debía mucho, sin duda, a ese período de su vida durante el cual, como empleado de la Biblioteca Nacional de su país [7], se dedicó con tanto fervor a la lectura de los mejores autores de la literatura española. Vinieron después las largas ausencias en Francia, pero sin que Darío llegara nunca a atraerse verdadera simpatía en ese país. Todo lo contrario le sucede en España, donde le acogen con mucha simpatía, y donde intima con los escritores más renombrados del país. La solidaridad hispánica llega a ser una de sus mayores preocupaciones, y el amor a todo lo que tiene sabor hispánico es un sentimiento que impregna mucho de lo que escribe. No hay mejor testimonio de este amor que las palabras que él mismo escribió comentando su libro *Cantos de vida y esperanza:* "Hay, como he dicho, mucho hispanismo en este libro mío; ya haga su salutación al optimista, ya me dirija al rey Óscar de Suecia, o celebre la aparición de Cyrano en España, o me dirija al presidente Roosevelt... ¡Hispania por siempre! Yo había vivido ya algún tiempo y habían revivido en mí alientos ancestrales" [8].

En cuanto a la preocupación religiosa de Darío, no es preciso señalar el gran número de poemas suyos en que ésta encuentra expresión, ni insistir en que algunos de éstos figuran entre los más bellos

---

7 Rubén Darío, *Autobiografía* (Madrid, 1920), pp. 33-34.

8 Citado por Arturo Torres-Rioseco en su *Vida y poesía de Rubén Darío* (Buenos Aires, 1944), p. 174.

y profundos que escribió. Si el Darío joven es pagano, el Darío maduro es cristiano, o por lo menos aspira a serlo. Pasada la juventud, el espíritu quisiera sobreponerse a la carne, aunque nunca logra hacerlo. Esta es la tragedia de Darío y la fuente de mucha poesía suya. Sobre este particular ha escrito Pedro Salinas lo siguiente: "Lo único común a toda la poesía de Darío en cuanto se la mira en conjunto es el ir y venir de sus afanes de un arrimo a otro, del amparo de Afrodita a la sombra del Crucificado" [9].

Este aspecto de la vida de Darío tiene bastante en común con la de Verlaine y de Baudelaire, en quienes el sentimiento religioso se manifiesta a menudo en poemas de remordimiento desgarrador. Pero Darío seguramente conoció a los místicos españoles mucho tiempo antes de oir los nombres de Baudelaire y Verlaine. Cuando grita angustiado "¡He pecado mucho!" el principio de la conciencia religiosa que acabó por llevarle a esta crisis en su vida debe remontar a alguna experiencia o lectura de su juventud.

Si la poesía de inspiración religiosa representa en Darío una sola faceta de su obra, en su amigo Amado Nervo, es como un hilo de luz que atraviesa toda su producción. Se ha insistido en que, en Nervo, hay una profunda influencia de ciertas filosofías orientales. Existe sin duda esta influencia, pero si se toma como la más decisiva de su vida, se comete el error de pasar por alto los antecedentes más directos y cercanos. Es muy probable que sus estudios de seminarista y su conocimiento de la literatura mística hispana (con antecedentes en su propio país) contribuyeran más a su formación espiritual que todas las filosofías orientales juntas. Nervo, con todo su orientalismo, es de la familia de Sor Juana, Santa Teresa y Fray Luis de León.

Nervo, igual que Darío y otros modernistas hispanoamericanos, fue simbolista en un período de su desarrollo poético. Los simbolistas franceses, sin duda, contribuyeron mucho a su formación estética, pero el Nervo de esta época da la impresión del hombre que anda con paso vacilante por no estar muy seguro de su camino. Logra encontrarlo sólo cuando deja a un lado el báculo del simbolismo y se encamina, tranquilo, hacia el horizonte de su propia vida [10].

---

9 Pedro Salinas, *La poesía de Rubén Darío* (Buenos Aires, 1948), p. 201.

10 Sobre este asunto se expresó Nervo en las palabras siguientes: "No admito más que una escuela: la de mi honda y perenne serenidad". Véase

El compatriota de Amado Nervo, el fino Enrique González Martínez, cuya creación poética abarca medio siglo, merecería un comentario mucho más largo del que le podemos dedicar aquí. Su serena y profunda contemplación de la naturaleza, su sutil lenguaje poético y su entereza artística lo elevan al rango reservado para los más grandes poetas de la literatura hispanoamericana. Rechaza las fruslerías y el oropel del modernismo falso y señala a los poetas desorientados un mundo de misterio, de belleza y verdad eternos más allá del mundo físico de la naturaleza. Su influencia es profunda y benéfica. Es lástima que su mensaje no se haya entendido siempre. Se puede estar seguro de que cuando Enrique González Martínez recomendó que se torciera el cuello al cisne, no tuvo ninguna intención de desprestigiar al modernismo sino de quitarle lo que tenía de superficial y artificioso, y este elemento impuro puede encontrarse tanto en el realismo, el criollismo o el indianismo —llámese como se quiera— como en el modernismo. Hemos caído en la costumbre de identificar a González Martínez tan exclusivamente con su famoso soneto del cisne que se podría creer que este gran poeta no fue más que un cazador de cisnes. Sus palabras se han tergiversado para dar origen, o por lo menos pábulo, a la leyenda negra del modernismo, la leyenda de que el modernismo es falso, amanerado, extranjero, que no es americano ni hispánico. Ha servido de apoyo a los que creen que no hay otra literatura verdaderamente americana que la que se inspira en la miseria de la humanidad, sus vicios, sus instintos más bajos y brutales y que emplea como recursos literarios más eficaces el color local, la palabra grosera, el drama sexual y el descuido en el estilo... En la lógica de este sistema, la ignorancia es sincera y la cultura falsa, la vulgaridad es genuina y la finura afectada, la fealdad es vigorosa y la belleza decadente. Se caería de su peso, entonces, que lo antiestético es americano y lo estético es extranjero, que lo vulgar es nuestro y lo fino es de otros; el bandido y el politicastro son americanos, pero el poeta y el artista no lo son.

Volviendo a los modernistas podemos decir que en cada uno de ellos se pueden percibir rasgos de su tradición hispánica aunque esté

---

Carlos González Peña, *Historia de la literatura mexicana* (México, 1940), página 235.

oculta a veces bajo el ropaje simbolista y parnasiano. El anhelo de un cambio, de una intensificación de valores espirituales hizo espontáneamente en América una sensibilidad nueva en la literatura. Se manifestó simultáneamente en varios países de Hispanoamérica muy aislados los unos de los otros. Los americanos buscaron, y a veces encontraron, orientación en movimientos ya iniciados en otros países, pero el anhelo y la sensibilidad los tenían ya. Y los antecedentes literarios propios ya los tenían también en los místicos, en Góngora, Bécquer. Afirma Federico de Onís que el modernismo no representa, como se ha sostenido tantas veces, el afrancesamiento de las letras hispánicas sino su liberación de la dominación francesa que había durado casi dos siglos [11].

A este testimonio podemos agregar el de uno de los modernistas más destacados de América, Manuel Díaz Rodríguez. Dice lo siguiente:

> El misticismo español y el movimiento de arte moderno, que bajo el nombre de modernismo afectan muchos desdeñar, provienen de una misma causa recóndita, si acaso el último no viene casi directamente del primero, porque nutre su raigambre con la vieja savia mística.
>
> Si bien es innegable, se ha exagerado mucho la influencia directa que literaturas extrañas, la francesa en particular, han ejercido y ejercen sobre el modernismo español; en cambio, no se ha puesto lo bastante de relieve, ni siquiera se ha señalado jamás, la influencia más considerable, aunque indirecta, que en América y en España han ejercido aquellas literaturas, haciéndonos de modo indirecto remontar a las fuentes más castizas del arte literario español, hasta llevarnos adonde se oye, con la música del verso gongorino, la prosa mística de los siglos diez y seis y diez y siete. Así, en este caso, una influencia exótica ha sido saludable más bien, porque en vez de bastardear con elementos y espíritus extraños nuestra cultura, la ha depurado en la serena y honda corriente de la tradición castiza [12].

En conclusión, reafirmemos que el modernismo hispanoamericano, lejos de ser el pálido reflejo de una gloria extranjera, es una verdadera

---

11 Federico de Onís, *Antología de la poesía española e hispanoamericana* (Madrid, 1934), pp. XIV-XV.

12 Manuel Díaz Rodríguez, *Camino de perfección* (París, 1908), páginas 236-237.

manifestación de espíritu y genio hispánicos. Como herencia estética dejó a Hispanoamérica una literatura de rara e imperecedera belleza, y como herencia moral le dejó un legado de ideales nobles, elevados y universales. No hay valores más grandes que estos.

EDMUNDO GARCÍA GIRÓN

# EL MODERNISMO COMO EVASIÓN CULTURAL

De las características que se han atribuido al modernismo américolatino, la más profunda, la que da la nota al movimiento en el instante de su triunfo universal, es la evasión. Porque, viéndolo ahora, con la perspectiva de medio siglo, ¿qué otra cosa sino evasión son estos aspectos del modernismo: mimetismo, exotismo, cosmopolitismo, esteticismo, turrieburnismo, artificialidad? [1].

Los modernistas, durante la década de su mayor popularidad —de *Prosas profanas* (1896) a *Cantos de vida y esperanza* (1905)— se evaden de un mundo que para ellos no contiene ni belleza ni heroísmo; huyen de la realidad cotidiana y buscan asilo en formas excesivamente literarias, en aspiraciones idealistas. La poesía que producen es una poesía sin raíces autóctonas, basada no en la experiencia del mundo suyo sino en literaturas y tradiciones completamente ajenas a su propia realidad [2]. Por huir, como dice Alberto Zum Felde, "al caos de la complejidad racial y a la anarquía de una ancestralidad discorde", los modernistas se acercan a Francia, buscando "con necesidad y hasta con angustia la primacía de las virtudes de la razón —el orden, la claridad, la euritmia— que han caracterizado al espíritu francés" [3].

---

1 Luis Monguió, "Sobre la caracterización del modernismo", *Revista Iberoamericana*, VII, núm. 13 (noviembre, 1943).

2 Arturo Torres-Rioseco, *New World Literature* (Berkeley, California, 1949), pp. 187-189.

3 Alberto Zum Felde, *El problema de la cultura americana* (Buenos Aires, 1943), p. 137.

Y aun cuando un modernista como Chocano, por ejemplo, canta temas americanos, "lo hace de una manera pomposa, grandilocuente, retórica, que poco concuerda con el asunto, y nos da la sensación de una falta de vigor interno que el poeta quiere compensar con una superabundancia de lo meramente decorativo" [4].

Conviene indagar la causa de esta evasión. ¿Por qué no encuentran los modernistas motivos poéticos en la vida y el paisaje de América? ¿Por qué no hay belleza ni estatura heroica en su mundo, y por qué existe tal discrepancia entre asunto y expresión cuando logran escoger temas de la realidad que los circunda?

Notemos, de paso, que estas observaciones que venimos haciendo no son causas, sino efectos. El hecho de que algunos postmodernistas —Luis Carlos López, Neruda, López Velarde, las cuatro grandes poetisas— lograron captar la realidad de la América Latina indica que los modernistas sufrían de una ceguera poética que les obligó a incurrir en "...un sofisma estético... [confundiendo] una cuestión de *sensibilidad* con una cuestión de *objetividad;* creían ellos que la poesía estaba en tales o cuales formas de la realidad, y no en otras; ... obedecían, sin saberlo, al gusto de su tiempo por ciertos motivos y determinadas formas, cuya sugestión les venía del arte europeo" [5].

Yo creo que la causa de la evasión modernista está en la posición psíquica del poeta frente a la cultura de su época, y para explicar este fenómeno podemos utilizar, por vía de la analogía, el desarrollo del estilo en el Arte. Las investigaciones de los eruditos en el campo de las bellas artes, en particular las de Worringer [6] y Hulme [7], demuestran que en el estilo de su arte, cada cultura revela su actitud frente a la realidad del universo. Así, por ejemplo, a través de la historia de las artes plásticas se nota una alternación continua entre estilo naturalista y estilo no-naturalista —("naturalista" no en el limitado sentido literario del siglo XIX, sino en el sentido original de la palabra, es decir, la fiel representación de la naturaleza).

---

4 Torres-Rioseco, *op. cit.*, p. 187.

5 Zum Felde, *op. cit.*, pp. 56-57.

6 Wilhelm Worringer, *Abstraction and Emphaty* (New York, 1953).

7 T. E. Hulme, "Modern Art and its Philosophy", *Speculations* (New York, 1924).

Los períodos de naturalismo, como el griego clásico o el Renacimiento italiano, producen obras en las cuales predomina la visión realista y objetiva del mundo. En cambio, en los períodos no-naturalistas —como por ejemplo en los pueblos primitivos, las épocas bizantina y gótica, y nuestra era moderna— la tendencia es hacia un estilo abstracto, geométrico, que excluye la representación objetiva de la naturaleza.

Tal diferenciación en el estilo de una a otra época se debe a una voluntad artística fundamentalmente diferente; corresponde a diferentes necesidades espirituales, y ambos estilos podrán comprenderse solamente dentro de la sensibilidad de la época en la cual predomina el uno o el otro.

Según esta interpretación, las condiciones espirituales que producen un arte naturalista difieren radicalmente de las que conducen a un arte no-naturalista. El naturalismo surge en aquellas culturas que, como el período clásico griego, han alcanzado un estado de equilibrio con el medio ambiente debido a que dicha cultura se considera partícipe en la naturaleza orgánica, o porque cree poder dominar el mundo natural, como la época desde el Renacimiento hasta fines del siglo XIX. En ambos casos, las relaciones del hombre con el universo son de confianza e intimidad, y su arte se caracteriza por un naturalismo que se deleita en reproducir objetivamente las formas y apariencias del universo externo.

En cambio, cuando las relaciones entre el hombre y el universo carecen de equilibrio y armonía, vemos que se producen estilos no-naturalistas, abstractos. Si el mundo externo es un caos confuso y temible, como lo es en estados primitivos, o si el fíat eclesiástico lo rechaza por imperfecto y maligno, como en los períodos bizantino y gótico, entonces la voluntad artística de la época exigirá un arte que reduzca las apariencias del mundo a formas geométricas porque éstas muestran la armonía, la estabilidad y el orden que el hombre no encuentra en su universo, y dicho arte eliminará la vitalidad de las formas naturales, espiritualizándolas hasta aproximarse a la etérea tranquilidad de la existencia ultramundana.

En nuestra propia época, porque el hombre ya no puede comprender, y aún menos dominar, la complejidad de la vida moderna, podemos observar análogas tendencias abstractivas, y los artistas —"siempre los más sensitivos barómetros de cambios culturales" [8]— buscan inspiración en los estilos de épocas regidas por semejantes climas de sensibilidad. Y si esto es cierto en el campo del arte, tal vez no será ilógico suponer que la literatura obedece a los mismos impulsos y, por lo tanto, debe sufrir los mismos cambios.

Ahora, si examinamos el ambiente cultural del modernismo [9], quizá encontraremos la causa de su huida. La generación que llega a mayor edad para la última década del siglo pasado aparece en la escena americana durante el apogeo de una serie de factores políticos, económicos y sociales que se había iniciado con el movimiento de independencia.

Fue este un período de relativa estabilidad política forjada por gobiernos de tipo oligárquico; en lugar de caudillos anárquicos, el timón del estado pasa ahora a manos de políticos profesionales, banqueros, comerciantes e industriales cuyo interés principal está en mantener la paz. Ya para fines del siglo toda la América Latina se había emancipado por completo del dominio español, pero al mismo tiempo surge la amenaza imperialista de los Estados Unidos.

Como en todo el mundo, también en América Latina hay prosperidad hacia 1900, especialmente en las grandes ciudades que en esta época se desarrollan. Pero no se puede decir que la prosperidad sea general: la clase capitalista empieza a acumular sus vastas fortunas; se nota algún aumento en el bienestar económico de una clase media creciente, pero el trabajador y el campesino siguen en la miseria de siempre. El progreso material trae un notable incremento en la inmigración; se multiplican los ferrocarriles, los bancos y los periódicos; aparecen nuevas industrias y se extienden las ya establecidas; con la introducción de nuevas técnicas industriales se introduce la división del trabajo, y la naciente conciencia gremial pronto exige mejoras en

---

8 *Ibid.*, p. 92.

9 Para los rasgos generales de la cultura iberoamericana hemos consultado las siguientes obras con gran interés y provecho: Américo Castro, *Iberoamérica;* William R. Crawford, *A Century of Latin American Thought;* John A. Crow, *The Epic of Latin America;* Francisco García Calderón, *La creación de un continente;* Pedro Henríquez Ureña, *Las corrientes literarias en la América Hispánica*, e *Historia de la cultura de la América Hispánica;* Arturo Torres-Rioseco, *La gran literatura iberoamericana;* Alberto Zum Felde, *El proceso intelectual del Uruguay.*

legislación social; empiezan a multiplicarse las poblaciones de los países más favorecidos.

En filosofía predomina el positivismo de Comte y Spencer. El auge de la riqueza urbana da un fuerte empuje a la educación popular; pero esta enseñanza se orienta hacia las ciencias, descuidando las humanidades. Las universidades preparan a sus estudiantes principalmente para las profesiones de derecho y medicina —por eso se puede decir que la mayoría de los hombres de letras de este período son casi autodidactas.

En breve, el cuadro de la América Latina durante la transición del siglo XIX al siglo XX presenta, desde el punto de vista literario, artístico e intelectual, un ambiente achatado, de ideales burgueses de progreso, prosperidad y paz.

Tal, en grandes rasgos, es el ambiente cultural en que nace el modernismo. ¿Cuál es la reacción de los poetas de la generación finisecular hacia este ambiente? En primer lugar, puesto que para esta época "la literatura no era en realidad una profesión, sino una vocación, los hombres de letras se convirtieron en periodistas o en maestros, cuando no en ambas cosas" [10]. Por eso es tan cultivada la crónica periodística, forma que ni antes ni después ha gozado de tanta popularidad [11]. Unos cuantos, los más afortunados, reciben sinecuras diplomáticas, pero aun en estos casos, los reducidos sueldos y los repentinos cambios políticos apenas dan para "mal vivir y peor morir", como decía Rubén Romero. En otras palabras, los modernistas viven en una cultura que se niega a pagar la literatura; cuya actitud hacia sus poetas es de indiferencia; por lo tanto, no es sorprendente que los poetas, a su vez, fuesen indiferentes a los problemas sociales. Por eso Darío detesta la época en que le tocó vivir, y Rodó encuentra el suelo de América "poco generoso para el arte" [12].

Como la realidad americana no ofrece al poeta más que incomprensión u hostilidad, el poeta vuelve sus ojos hacia el mundo del arte y

---

10 Pedro Henríquez Ureña, *Las corrientes literarias en la América Hispánica* (México, 1949), p. 165.

11 *Ibid.*, p. 168.

12 José Enrique Rodó, "Rubén Darío", *Cinco ensayos*, 2.ª ed. (Madrid, sin fecha).

de la belleza, hacia el eterno e inmóvil universo del mito y de la fábula. Los dos maravillosos cuentos de Darío, *El rey burgués* y *El velo de la Reina Mab,* representan la inhumanidad de la sociedad hacia el poeta, así como la fuga del poeta al reino de la ilusión.

Como la realidad ofrece al modernista una sociedad en su esencia fútil y sin significado para el poeta, una sociedad que sólo sabe apreciar banqueros e industriales, políticos huecos, comediantes de pésimo gusto, "un vulgo errante, municipal y espeso" cuyas aspiraciones y costumbres son de lo más pedestre, el poeta huye en sus temas a épocas que contienen más significado poético y encanto artístico para él: a Grecia y a Roma, al Versalles dieciochesco, a los fabulosos reinos de pompa oriental, al Renacimiento, donde el artista triunfa y hasta los prelados son poetas, pintores y músicos, y donde el único requisito para ser universalmente apreciado es el talento y la gracia juvenil. El modernista sueña con regios palacios de mármol de Paros, majestuosos templos corintios, jardines que adornan graciosas y gráciles estatuas de faunos y ninfas, selvas en que pululan sátiros y centauros, cisnes enigmáticos en estanques especulares, diosas y marquesas, sultanas y princesas, flores de lis y nelumbos, joyas y música y eternas obras maestras del arte. El modernista no habla de los triunfos efímeros de diplomáticos y politicastros, sino de las figuras literarias y de los héroes de la Antigüedad y de la Edad Media. Y cuando se dirige a los hombres de letras, lo hace no a los consagrados autores, sino a sus coetáneos de ultramar, a los "raros" que también han visto la nueva luz. Sus entusiasmos por lo nuevo y por lo raro le llevan al campo de la traducción: jamás se han producido tantas y tan magníficas versiones en castellano de los poetas de todas las literaturas como durante el modernismo.

Porque el habla cotidiana es otro aspecto de la cultura que él detesta, el modernista la desdeña y prefiere inventar su propio medio de expresión. El vocabulario poético modernista, por lo tanto, se infla de palabras raras, extranjerismos, arcaísmos y cultismos. En su léxico, es curioso notar, se encuentra uno de los varios parangones que el modernismo tiene con el barroco, pues, como nota Dámaso Alonso, "...el cultismo no es... más que otro aspecto de esa huida. ...es la elisión de la palabra desgastada en el comercio idiomático y su sustitución por otra que abre... una ventana sobre un mundo de fantástica coloración..." [13].

Porque los consagrados metros y formas no le permiten todos los matices que anhela expresar, el modernista los modifica, resucita algunos que llevan siglos en desuso, inventa otros, y no vacila en adoptar los que le placen de otras literaturas.

Aun sus sensaciones ha de afinar y refinar para expresar su nueva sensibilidad, y así, gracias a los desarrollos del impresionismo en la pintura, la hiperestesia estética del modernista ahora distingue en los colores delicados matices que antes parecían no existir; y gracias a las investigaciones en fisiología y psicología de mediados del siglo, todo un nuevo mundo de sinestesias aparece en la poesía: el modernista ahora puede ver lo olfativo, escuchar lo visual, gustar lo auditivo.

Porque le disgusta la realidad, el modernista no produce novela, pues de todos los géneros el de la novela es el menos "artístico" y el de más estrecha inmediación con los problemas sociales y morales [14]. Lo cual no quiere decir que el modernista no haya escrito novelas, sino sencillamente que las pocas que escribió, más que novelas, son ejercicios en el arte del bien escribir.

Aún antes de que perdiera el modernismo su ímpetu revolucionario, parece que ya los poetas empiezan a cansarse de su evasión. Es entonces cuando por fin vemos un nuevo derrotero, el llamado "mundonovismo", y es entonces cuando el modernismo produce sus obras más universales y perdurables, porque ahora los poetas desentrañan de sí mismos "la realidad que está en su propia subconciencia, dando libre expresión al mundo oscuro, inédito, de su angustia, expresando el drama de su propia búsqueda y haciendo de él la sustancia patética de su poesía" [15]. Pero si en poesía abandonan los modernistas el sueño iluso de su juventud, en sus vidas siguen siendo "evadidos" [16], y algunos de ellos a menudo muestran tendencias de irresponsabilidad: alcoholismo, suicidio, neurastenia asocial. Otro síntoma de fatiga se

[13] Dámaso Alonso, *La lengua poética de Góngora* (Madrid, 1950), p. 116.

[14] Lionel Trilling, "Art and Fortune", *The Liberal Imagination* (Garden City, 1953), p. 265.

[15] Zum Felde, *El problema de la cultura americana*, p. 66.

[16] Arturo Torres-Rioseco, *La gran literatura iberoamericana* (Buenos Aires, 1945), p. 103.

nota en la propensidad a la burla poética y a los malabarismos versificados, como en Valle-Inclán:

> Por el Sol se enciende mi verso retórico
> Que hace geometría con el español
> ("La rosa del sol", *El Pasajero.*)
>
> Mi musa moderna
> Enarca la pierna,
> Se cimbra, se ondula,
> Se comba, se achula
> Con el ringorrango
> Rítmico del tango
> Y recoge la falda detrás.
> ("Apostillón", *Farsa y licencia de la reina castiza.*)

Así, pues, el modernismo forma una transición hacia los "ismos" que surgieron de la primera guerra mundial y hacia la tendencia abstractiva que ha caracterizado la poesía española postmodernista.

En resumen, podemos decir que el modernismo juvenil refleja la cultura iberoamericana en este sentido: evadiéndose de todo lo típico nacional, rechazando la modalidad de herencia española y buscando lo universal en el espíritu y el intelecto francés. El modernismo, es decir, refleja la característica principal de la América Latina: cosmopolitismo.

LUIS MONGUIÓ

# EL CONCEPTO DE POESÍA EN ALGUNOS POETAS HISPANOAMERICANOS REPRESENTATIVOS

En *Odas elementales,* el reciente libro de Pablo Neruda [1], aparece una "Oda a la Poesía", en la cual el poeta le dice (p. 169):

> Yo te pedí que fueras
> utilitaria y útil,
> como metal o harina,
> dispuesta a ser arado,
> herramienta,
> pan y vino.

Y en una "Oda a la sencillez", del mismo libro, dice también (p. 189):

> sencillez,
> vas conmigo ayudándome a nacer,
> enseñándome
> otra vez a cantar,
> verdad, virtud, vertiente,
> victoria cristalina.

Poesía útil y utilitaria, herramienta, sencilla, verdad y virtud que canta. Conceptos los de Neruda que se contraponen a los de otros poetas contemporáneos, que, como Bernardo Ortiz de Montellano, por

---

[1] Pablo Neruda, *Odas elementales,* Buenos Aires, Losada, 1954, 235 páginas.

ejemplo, "por dar a la Belleza un universo", no vacilaron en sacrificar "la dicha de vivir en acto y sin esfuerzo, / la bondad de ser útil" [2].

Expresiones las unas no muy alejadas, a través de dos mil años, del *prodesse,* del *utile dulci,* del *delectando pariterque monendo* horacianos [3]; concepción casi poeana la otra de la poesía como expresión no de la Verdad, sino de la Belleza [4].

Las dos posiciones que acabo de ejemplificar con citas de Neruda y de Ortiz de Montellano no serán novedad para el lector atento de poesía. No lo será tampoco reconocer el hecho de que tanto desde la una como desde la otra actitud se ha escrito poesía, auténtica poesía.

Escribiéndose, pues, hoy, y habiéndose escrito ayer, poesía desde distintos conceptos de lo que ésta sea, no resultará ocioso tratar de examinar qué idea de ella han expresado algunos poetas de la América de lengua castellana desde la Independencia hasta hoy. Tal es el propósito del presente trabajo, advirtiendo que se trata sólo de una cala en un limitado número de poetas y que su intento es ofrecer no una interpretación de su poesía, sino buscar en sus producciones en prosa y en verso términos concretos que puedan considerarse expresión de su concepto teórico de lo que la poesía sea. Téngase presente que a veces los poetas creen teóricamente que la poesía es una cosa, pero cuando la escriben hacen otra muy distinta; no es esto, repito, sino aquello, lo que aquí se trata de indagar. Los poetas estudiados fueron escogidos porque son generalmente estimados representativos de su momento por la historia literaria hispanoamericana y porque me pareció de antemano que la exploración de su obra podría ser fructuosa para mi propósito.

Los poetas de los años de la Independencia que en los últimos decenios del régimen colonial se habían educado en las ideas de la Ilustración es natural que comulgaran en las nociones que con respecto a

---

2 Bernardo Ortiz de Montellano, *Sueño y poesía,* México, Imprenta Universitaria, 1952, p. 261.

3 Quintus Horatius Flaccus, *De Arte Poetica,* vs. 333-334 y 343-344.

4 *The Works of Edgar Allan Poe,* VI, ed. Edmund C. Stedman & George E. Woodberry, New York, Charles Scribner's Sons, 1895, pp. 41-43 (en "The Philosophy of Composition" [1846]) y 9-12, 14, 33-34 (en "The Poetic Principle" [1850]).

la poesía se derivaban de las preceptivas neoclásicas entonces en boga. Clara muestra de ello la encontramos, por ejemplo, en José Joaquín de Olmedo (1780-1847), quien afirmaba que el Cielo había dado los versos a los poetas para que cantasen:

primero lo que es bueno,
después lo que es amable,
y luego lo que es bello.

La jerarquía en que se ordenan los valores en este poemita [5] (que por su carácter de convivial impromptu sugiere cierta espontaneidad que seguramente refleja el fondo mismo del pensamiento de su autor) es significativo: lo bueno, lo amable y lo bello son, por este orden, el objeto de la poesía. Lo bello con el previo requisito de ser amable y bueno; lo amable que precisa, para serlo, ser bueno. Todo ello rezuma los preceptos del Boileau del *Arte Poética* (1674) y de la *Novena Epístola* (1675) [6], tan reiteradamente traducido al castellano en el siglo XVIII, o puede proceder de la famosa definición de Luzán que enseñaba que el fin de la poesía es el mismo de la filosofía moral [7]. Lo esencial de la poesía está para Olmedo en la expresión de lo bueno, que abraza —no hay más que repasar sus versos— el amor a la patria, a la libertad, el heroísmo, la virtud, el civismo, el honesto querer, la moderación, la amistad. Su concepto de la poesía refleja así también evidentemente un pensamiento filosófico en que la bondad, la utilidad

[5] José Joaquín de Olmedo, *Poesías completas,* ed. Aurelio Espinosa Polit. México, Fondo de Cultura Económica, 1947, p. 156.

[6] Nicolás Boileau-Despréaux, *Oeuvres Poétiques,* ed. F. Brunetière, 3.ª edición, París, Hachette, 1899, pp. 189-228 y 163-168. Cf. "Aimez donc la raison", p. 191; "Qu'en savantes leçons votre Muse fertile / Partout joigne au plaisir le solide et l'utile", p. 224; "Aimez donc la vertu", p. 225; "Rien n'est beau que le vrai, le vrai seul est aimable", p. 165; "Rien n'est beau, je reviens, que par la vérité", p. 166; etc.

[7] Ignacio de Luzán, *La Poética o Reglas de la Poesía en general, y de sus principales especies* [1737], 2.ª ed. corr. y aum., Madrid, Sancha, 1789, I, p. 1: "Son muy notorias las prerrogativas de la Poesía... ya sea por el fin, que es el mismo que el de la filosofía moral; ya por los medios en los quales hace gran ventaja a todas las demás artes y ciencias, y aun a la misma filosofía; pues como dixo Horacio, enseña las mismas máximas que ella, pero con un modo mucho mejor y más eficaz".

y la belleza se confundían y entremezclaban, pensamiento imbuido de los ideales filantrópicos y utilitarios del "hombre sensible y bueno", del "buen ciudadano", del "hombre útil a la patria". La historia nos enseña que Olmedo lo fue, como era, en efecto, según él mismo nos declara en el lenguaje típico de la Ilustración, "un alma sensible / candorosa y tierna", que tenía el arte de hacerse "sociable", y que poseía algunas "naturales, propias / y adquiridas prendas" [8]. Su idea de la poesía está muy de acuerdo con los conceptos de diversos autores franceses, italianos y españoles del Setecientos y con el nuevo clasicismo literario interpretado por la serie de preceptivas y poéticas que en español inauguró en 1737 la de Luzán y que no se cerró hasta entrado el siguiente siglo [9].

Del mismo origen, aunque evolucionando más que Olmedo por caminos menos preceptivos en lo formal, debieron ser las ideas sobre la poesía de Andrés Bello (1781-1865). Formado como aquél en los estudios y los autores de la Ilustración, pero en contacto inmediato —gracias a su larga estancia (1811-1829) en la Inglaterra del primer tercio del XIX— con conceptos literarios más amplios, y críticamente atento siempre durante su larga vida a las novedades del siglo, las ideas que sobre la poesía expresó en el momento de mayor madurez de su pensamiento representan una transición, quizás sería mejor decir el fiel de la balanza, entre el preceptismo neoclásico y el libertarianismo ultrarromántico. Sus ideas en este punto aparecen sintetizadas por él mismo en los consejos que a los jóvenes poetas chilenos impartió en su fundamental discurso de inauguración de la Universidad de Chile en 1843.

Es evidente que Bello creía que el Bien, la Verdad y la Belleza son el objeto de la poesía. En el aludido discurso aconsejaba a los poetas: "Que los grandes intereses de la humanidad os inspiren. Pal-

---

[8] Olmedo, *Poesías completas,* p. 58.

[9] Algunos de los escritores antiguos y modernos que en esta materia pudieron serle familiares a Olmedo los dejan entrever (por referirme sólo a una conocida fuente americana de la época) las conversaciones tercera y cuarta —"La retórica y la poesía" y "Criterio del buen gusto"— del *Nuevo Luciano de Quito* (1799), de Francisco Javier Eugenio de Santa Cruz y Espejo. Ver la edición de Aurelio Espinosa Polit. Quito, Imprenta del Ministerio de Gobierno, 1943, pp. 26-47 y 48-70.

pite en vuestras obras el sentimiento moral. Dígase cada uno de vosotros, al tomar la pluma: 'Sacerdote de las Musas, canto para las almas inocentes i puras' "[10]. Corona con la cita de Horacio el obvio llamado a cantar el Bien y la Verdad, con temas como los que a renglón seguido señala: la patria, sus héroes, sus mártires, o los temas que, predicando con el ejemplo, él mismo había cultivado y cultivaba —la ciencia, el amor a la tierra americana, la agricultura y sus beneficios, la moralidad pública y privada, la familia— desde su juvenil oda "A la vacuna" (1804) hasta la adaptación de tan alto sentido moral, aquel mismo año de 1843, de "La oración por todos", de Víctor Hugo[11].

Nótese que para alcanzar la Belleza en la poesía estimaba Bello, citando a Goethe, que precisa "que el arte sea la regla de la imaginación y la transforme en poesía"; y curándose en salud —no en vano había sufrido el embate sarmentiano el año anterior— precisaba:

> Yo no encuentro el arte en los preceptos estériles de la escuela... en las cadenas con que se ha querido aprisionar al poeta a nombre de Aristóteles i Horacio... Pero creo que hai un arte fundado en las relaciones impalpables, etéreas, de la belleza ideal; relaciones delicadas, pero accesibles a la mirada del jenio competentemente preparado; creo que hai un arte que guía a la imajinación en sus más fogosos transportes; creo que sin ese arte la fantasía, en vez de encarnar en sus obras el tipo de lo bello, aborta esfinges, creaciones enigmáticas i monstruosas. Esta es mi fe literaria. Libertad en todo; pero yo no veo libertad, sino embriaguez, licenciosa, en las orjías de la imaginación. (VIII, 318.)

Quizás en sus años de la Gran Bretaña la escuela escocesa del XVIII había influido en este concepto de la belleza ideal en la poesía, impalpable, pero accesible al genio preparado que posea sentido íntimo para percibirla. Esta belleza ideal arquetípica, "el tipo de la belleza" que dice don Andrés ha de encarnar en la poesía, se alcanza según él por el arte porque nunca dejó Bello de creer que "la autori-

---

[10] Andrés Bello, *Obras completas,* VIII, Santiago de Chile, P. G. Ramírez, 1885, p. 317.

[11] *Ibid.,* III, Santiago de Chile, P. G. Ramírez, 1883, pp. 3-11 y 168-175. Las subsiguientes referencias a esta edición en el texto llevan allí, entre paréntesis, indicación del vol. y pág. de que proceden.

dad de la razón" debe prevalecer, hasta en la poesía (VIII, 318). Entre el Scila neoclásico y el Caribdis romántico adopta Bello una posición teóricamente ecléctica. En lo que sí permanece próximo al ideal de la Ilustración es en que, no obstante la distinción que en su "Alocución a la Poesía", de 1823, él mismo había indicado entre ésta y su "ambiciosa rival Filosofía" (III, 39), tendía siempre en su discurso de 1843 a seguir viéndolas hermanadas, en el mismo bando, bajo el pabellón de la Belleza, luchando en pro del Bien y de la Verdad, del "sentimiento Moral", de "los grandes intereses de la humanidad". Parece que fue imposible para los hombres formados en el pensamiento del siglo XVIII arrancarse del corazón y de la mente el impulso filantrópico y la pasión didáctica.

Otro poeta, José María Heredia (1803-1839), veinte años más joven que Olmedo y Bello, suele constituir con ellos ya tradicionalmente en las historias de la literatura hispanoamericana la trilogía de los poetas más notables de la época de la Independencia. Presenta en efecto Heredia en su expresión del concepto de la poesía notas que reflejan una actitud ideológica similar a las de aquéllos. Por ejemplo, en un poema fechado en Boston y en 1823 dice que su poesía "amor, virtud y libertad cantaba" hasta que en el destierro "el insano dolor" quebró su lira [12]. Y en otro poema en la edición de sus *Poesías* de Nueva York (1825), poema que es, según su autor, "tentativa para expresar el espíritu poético", indica también que la poesía eleva el corazón "al bien, a la virtud", "en ansia de gloria noble y bella" [13]. Sentimientos que seguramente no hubieran desaprobado Olmedo o Bello y cierto es que el último elogió desde Londres, en 1827 y en el *Repertorio americano,* la obra del joven cubano [14]. No debe extrañarnos ese concepto tan siglo XVIII de la poesía en Heredia si recordamos que su ilustrado padre había dirigido su educación en los términos que una carta suya indican: "A José María que estudie todos los días su lección de lógica... que repase la doctrina una vez a la semana, y el *Arte poético* de Horacio, que le hice escribir, y de Virgilio un pedazo

---

12 José María Heredia, *Poesías líricas,* París, Garnier, 1893, pp. 53-54.

13 *Ibid.*, pp. 169, 170 y 172.

14 Andrés Bello, *Obras completas,* VIII, Santiago de Chile, P. G. Ramírez, 1884, pp. 253-263, "Juicio sobre las poesías de José María Heredia".

todos los días y los tiempos y reglas del Arte..." [15]. Hartos poemas hay en su obra que no desdicen de las últimas modas del Setecientos ni del filosofismo de la época: fábulas, poesías eróticas, poemas morales y de circunstancias por un lado, apelaciones a la libertad o apóstrofes a la tiranía, a la esclavitud, a la superstición, a la crueldad, por otro lado. En cuanto a la forma de sus poesías, es igualmente la que debió aprender desde niño en las preceptivas cuya lectura recomendaba la autoridad paterna; sin embargo, en la forma de los poemas se notan no libertades, que no se las toma, sino descuidos, una despreocupación por el trabajo de lima, que serán más tarde típicos de ciertos románticos.

Es cierto que aparecen en determinadas poesías de Heredia las tendencias al romanticismo que la crítica ha señalado y, notoriamente, imitaciones y adaptaciones de poetas románticos europeos y traducciones ossiánicas. Por otra parte, no teoriza sobre la poesía en un sentido que pueda considerarse ya teoría romántica. Un poema que he mencionado antes ofrece a este respecto un atisbo interesante. Es aquél al que Heredia puso la nota: "¿Se tendrá por extravagancia esta tentativa para expresar el espíritu poético?" [16]. ¿Qué dice allí, además de expresar opiniones tan ortodoxas entonces como las antes citadas de que la poesía eleva el corazón al bien y a la virtud, que pueda hacerle temer ser considerado extravagante? Según esos versos la poesía es soplo abrasador, revela a los hombres atónitos los misterios del invisible mundo, es un torrente, es la pitonisa del fatídico acento. Nada de esto es nuevo; envuelto en cien figuras lo habían dicho antes cien poetas; lo que es distinto, sin embargo, es el temple del poema, o por mejor decir, el temple de algunas estrofas del poema, y Heredia no pudo menos de notarlo. Quizás para él, educado en la lógica, en el horacianismo, en el galo-aristotelismo literario (¿de quién sería esa segunda *Arte* cuyos tiempos y reglas había de estudiar de muchacho cada día, según la carta de su padre antes mencionada?), quizás para ese Heredia, digo, el hálito platónico de su poema, la expresión de que la poesía es locura divina y profética, pudo hacerle temer que sus

[15] Citado por Gustavo Adolfo Mejía, *José María Heredia y sus obras*, La Habana, Molina y Cía., 1941, p. 91, n. 261.

[16] Heredia, *Poesías líricas*, pp. 169-174.

contemporáneos le hallasen extravagante. Tiende Heredia, en efecto, en esos versos a teorizar el hallazgo de la poesía en la inspiración y no en el arte ("¡Sublime inspiración!"), en el éxtasis ("inefable deleite"), en lo irracional ("escuchar tus oráculos divinos"). Son estos conceptos casi platónicos y románticos; pero esa nota que le pone al poema, ese temor a parecer extravagante, esa timidez, ese respeto al ¿qué dirán?, es lo que detiene a José María Heredia, en la expresión teórica, al umbral del romanticismo.

No en el umbral de las teorías románticas sino de pleno dentro de ellas se nos presenta el poeta argentino Esteban Echeverría (1805-1851), quien escribió también muchas páginas en prosa en explicación de lo que, según él, era la poesía. Dice Echeverría, en efecto [17], que la poesía es la voz íntima de la conciencia, la sustancia viva de las pasiones, el profético mirar de la fantasía, el espíritu meditabundo de la filosofía, penetrando y animando con la magia de la imaginación los misterios del hombre, de la creación y de la Providencia, todo ello siguiendo la marcha de la civilización y, por lo tanto, cediendo al impulso de las doctrinas dominantes en la época en cuanto a los principios filosóficos e ideas morales y religiosas —en la época moderna, a las del cristianismo, pues la poesía romántica es para él indistintamente moderna o cristiana: el poeta moderno cede a la inspiración romántica y cristiana. En consonancia con tales premisas el poeta no debe imitar, copiar, sino buscar los pensamientos y las formas de su poesía en sí propio, en su religión, en el mundo que le rodea y producir con ellos obras bellas, originales. Por ser original, el poeta moderno no reconoce reglas en el sentido "aristotélico" de la palabra, porque tiene las suyas, que no son otras que las eternas de la naturaleza, fuente viva e inagotable fuente de la poesía; el poeta, repite Echeverría, se abrevará en la viva e inagotable fuente de toda poesía: la verdad y la naturaleza. Por ello todos los poetas verdaderamente románticos son originales y se confunden con los clásicos antiguos, que recibieron este nombre por ser modelos de perfección o tipos originales

---

17 Los textos en que se basa este resumen se hallan en *Obras completas de D. Esteban Echeverría,* V, Buenos Aires, Carlos Casavalle, 1874, a las páginas 74-149 y en *ibid.,* III, 91871, a las pp. 11-12. Las subsiguientes referencias a esta ed. en el texto llevan allí, entre paréntesis, indicación de volumen y página.

(los clásicos antiguos, pues, fueron románticos). La poesía es un instrumento que sólo tañe la mano del genio que reúne la reflexión a la inspiración, es decir, la poesía es concebida por la reflexión y ejecutada por el talento y, por lo tanto, debe desenvolverse conforme a las leyes de orden, proporción y simetría inherentes en los actos de la inteligencia, leyes que aun cuando no quiera debe observar el genio. Además, si la poesía refleja, según antes se ha dicho, el espíritu del siglo, ha de realizarse en un tiempo dado y en un lugar determinado, tiempo y espacio que son condiciones inherentes de su existencia. Lógico es por ello que la poesía sea nacional, que refleje los colores de la naturaleza física que nos rodea, nuestras costumbres, las ideas dominantes, los sentimientos y pasiones que nacen del choque inmediato de nuestros sociales intereses. Vale decir que cada pueblo o civilización tiene su poesía y sus formas poéticas características. A este respecto advierte que en poesía la forma es el organismo, el fondo es el alma, y que en la obra verdaderamente artística fondo y forma se identifican y completan. La forma nace con el pensamiento y es su expresión animada; pero siempre primero es el pensamiento o fondo y después la expresión o forma, y es en aquél, no en ésta, donde reside la poesía. Sólo es buena la poesía que satisface las condiciones intrínseca y extrínseca del arte —idea y forma, dibujo y tintas armoniosas—, entendiéndose que el metro, o mejor, el ritmo, y no de sonidos sólo, sino de afectos, de situación, de sentido, es indispensable, porque sin ritmo no hay poesía completa como tampoco hay efecto armonioso sin rima. Siendo así que la poesía consiste principalmente en las ideas, el poeta puede usar locuciones vulgares y nombrar las cosas por su nombre porque esto es mejor que los circunloquios para poner de bulto el objeto ante los ojos. Por otra parte, también es cierto que el poeta no copia sino a veces la realidad tal como aparece a la vista: El verdadero poeta idealiza, embellece y "artiza" lo natural, lo real, a imagen y semejanza de las arquetípicas concepciones de su inteligencia.

En esta teoría de la poesía de Echeverría aparecen entremezcladas ideas de diverso origen. Hay en ella trazas del idealismo germano y las de un realismo en parte costumbrista y en parte precursor de la estética de los naturalistas. Su nacionalismo literario debe proceder de Herder, quien había mantenido la idea del arte gobernado por las leyes de tiempo y lugar e igualmente la idea de la primordial influencia del ambiente sobre la literatura y no sólo del ambiente físico (que ya había indicado Montesquieu), sino del ambiente social, político y religioso; en Herder se halla también la idea de la libertad, la espontaneidad y la originalidad características de los artistas de tipo nacional [18]. Todo lo cual repite Echeverría. La ecuación que éste predica de la poesía romántica con la cristiana es análoga a la expresada por Chateaubriand y por Federico Schlegel, entre otros. Leyendo a Echeverría, el influjo de los dos hermanos Schlegel, Federico y Augusto Guillermo, me parece obvio, hasta en detalles como su entusiasmo por Shakespeare y Calderón. A todas estas inspiraciones hay que sumar otra evidentísima, la de Víctor Hugo, cuya personalidad y cuya obra de juventud debió conocer muy de inmediato el argentino en sus años europeos (1825-1830), precisamente los años de *Odas y Baladas* (1826), de *Las Orientales* (1827), de *Cromwell* y su prólogo (1827) y de *Hernani* (1830). De Hugo es la frase: "La poesía no está en la forma de las ideas sino en las ideas mismas" [19], y de Echeverría: "La poesía consiste principalmente en las ideas" (V, 144). Fue Hugo quien dijo: "El poeta no debe tener más modelo que la naturaleza ni más guía que la verdad" *(Poésie,* I, xl) y Echeverría repite: la verdad, la naturaleza, no imitar, no copiar (V, 97). De Hugo es: "Destruyamos las teorías, las poéticas y los sistemas... No hay reglas ni modelos; o, por mejor decir, no hay más reglas que las leyes generales de la naturaleza que se ciernen sobre el arte todo, y las leyes especiales que resultan para cada composición de las cualidades peculiares de cada asunto" *(Drame,* I, 31), y de Echeverría: "Probado está ya que el arte moderno, distinto del antiguo, no las reconoce [las reglas] porque tiene las suyas que no son otras que las eternas de la naturaleza", y "cada concepción poética tiene en sí su propia y adecuada forma" (V, 103, 763). Igualmente Hugo reitera la idea del cristianismo como

[18] Ver en Robert Reinhold Ergang, *Herder and the Foundations of German Nationalism,* New York, Columbia University Press, 1931, pp. 83-112 y 177-212; los caps. "Herder's Conception of Nationality" y "Nationality and Literature", excelentes sistematizaciones de las ideas de Herder en estas materias, dispersas por su obra.

[19] *Oeuvres complètes de Victor Hugo, Poésie, Tome 1.*er, París, Houssiaux, 1857, p. vii. Subsiguientes referencias a esta edición de 1857 en el texto llevan allí, entre paréntesis, indicación del vol. y p. de que proceden. Las traducciones en el texto son mías.

base de la poesía moderna ("la poesía nacida del cristianismo, la poesía de nuestro tiempo" [*Drame,* I, 21]) y Echeverría, como eco: "la poesía moderna o cristiana" y "la inspiración Romántica y Cristiana" (V, 112, 84); afirma Hugo la apasionada adhesión a la rima ("la rima, esclava reina, gracia suprema de nuestra poesía, generatriz de nuestro metro" [*Drame,* I, 38]) y Echeverría: "entiéndase que considero indispensable la rima al efecto armonioso" (V, 129). Y, similarmente, muchas otras ideas que, sin ser exclusivas suyas, afirma Hugo y afirma también en parecidísimas palabras Echeverría.

Con ideas románticas, propias y adquiridas, la de Echeverría es una teoría de la poesía que (resumiendo el anterior resumen) puede cifrarse en decir que: 1) La poesía se halla en el pensamiento y éste impone la forma que cada poema ha de tomar; 2) Las ideas inherentes en la poesía son las que predominan en cierto lugar y en cierto tiempo; 3) La poesía es así nacional y temporal; 4) Las formas en que se estructura han de ser armoniosas, libres de toda preceptiva pero rítmicas, métricas y rimadas. Siendo la ideología de Echeverría y sus amigos platenses en aquel tiempo una ideología cristiana, liberal y americana, específicamente argentina en su caso, lógico es, de acuerdo con su teoría, que para él la poesía en sus días y en su país haya de estar embebida de visión cristiana, liberal, americana y argentina.

Esta idea de la poesía hecha de pensamientos que reflejen la filosofía de la época y del lugar en que se escribe, más o menos idealizada o más o menos realista según cada poeta, parece predominar a través de varias generaciones de poetas americanos en el siglo XIX. Olegario Víctor Andrade (1839-1882), por ejemplo, entiende que los poetas y la poesía no sólo reflejan las ideas filosóficas, sino que son caudillos que van "enseñando a los pueblos rezagados / el rumbo de las grandes travesías, la senda de las cumbres inmortales", o, según dice en otra mesiánica estrofa del mismo poema [20]:

> Siempre al cambiar de rumbo en el desierto
> La caravana humana halla un poeta
> Que espera en el umbral, alta la frente
> Coronada de pálidos luceros,

20 Olegario Víctor Andrade, *Obras poéticas,* Barcelona-Buenos Aires, Maucci, 1909, pp. 92 y 96.

Sacerdote y profeta,
¡Para enseñarle el horizonte abierto
Y bendecir los nuevos derroteros!

En tono menos grandioso y con finalidad más inmediata, José Hernández (1834-1886), que combinó en el personaje de Martín Fierro la idea de la poesía como pensamiento y como natural inspiración [21], le hacía también poeta de opinión:

Yo he conocido cantores
que era un gusto el escuchar,
mas no quieren opinar
y se divierten cantando;
pero yo canto opinando,
que es mi modo de cantar.
.....................................
Pero voy en mi camino
y nadie me ladiará,
he de decir la verdá,
de naides soy adulón;
aquí no hay imitación,
ésta es pura realidá [22].

Aunque Fierro decía no ser "cantor letrao", los dos últimos versos citados transparentan la teoría poética de Hernández. Y si quisiera uno extremar el argumento, que quizás fuera extremarlo excesivamente en este caso, pudiera verse en el rechazo de la actitud de los cantores que "no quieren opinar / y se divierten cantando", un re-

21 José Hernández, *Martín Fierro* [1872], ed. Eleuterio F. Tiscornia, 2.ª edición, Buenos Aires, Losada, 1914, pp. 27 y 28, vs. 7-12 y 49-54.

*Pido a los santos del cielo*
*que ayuden mi pensamiento:*
*les pido en este momento*
*que voy a cantar mi historia*
*me refresquen la memoria*
*y aclaren mi entendimiento*
.....................................
*Yo no soy cantor letrao,*
*mas si me pongo a cantar*
*no tengo cuándo acabar*
*y me envejezco cantando:*
*las coplas me van brotando*
*como agua de manantial.*

22 *Ibid., La Vuelta de Martín Fierro* [1879], p. 107, vs. 61-66 y 85-90.

chazo de la teoría elaborada por los filósofos idealistas sobre la poesía como juego estético desinteresado.

Ejemplos como estos argentinos de Echeverría, Andrade y Hernández que he elegido pueden hallarse en el Ochocientos en poetas de cualquier país hispanoamericano. La utilidad pública de la poesía, como acertadamente la denominó Pedro Henríquez Ureña [23], era una posición general producto en buena parte de las necesidades de la vida americana en los años de su organización independiente y republicana. La poesía entendida de esa manera coadyuvaba a crear patrias. Así lo sugiere, por ejemplo, y por citar un caso del otro extremo de la América hispana, un mexicano de la misma época, Guillermo Prieto (1818-1897) en un cantar fechado en 1889:

> Cantando ni yo mismo sospechaba
> que en mí, la patria hermosa con voz nacía,
> que en mí brotaba
> con sus penas, sus glorias y su alegría,
> sus montes y sus lagos, su lindo cielo,
> y su alma que en perfumes se desparcía [24].

Aun en un poeta como Rubén Darío (1867-1916), tan al tanto y tan gustador de las doctrinas del "arte por el arte" de Théophile Gautier o de Edgar Allan Poe, aparecen bastantes expresiones de la creencia en el tipo de poesía de que hablábamos hace un momento, en la poesía que fuera "un clamor continental", por ejemplo [25]. Hay en la idea que Darío se hacía de la poesía una fusión de los principios de la de "utilidad pública" y de la de "desinterés estético". Pedro Salinas lo demostró hace unos años: recordemos su examen de los conceptos de poesía que Darío expresó en su poema "¡Torres de Dios! ¡Poe-

---

23 Pedro Henríquez Ureña, *Las corrientes literarias en la América Hispánica,* México, Fondo de Cultura Económica, 1949, p. 120. Ver también páginas 118 y 131.

24 *Poesía romántica,* prólogo de José Luis Martínez, selec. de Alí Chumacero, México, Biblioteca del Estudiante Universitario, n.º 30, 1941, p. 88.

25 Rubén Darío, *Poesías completas,* ed. Alfonso Méndez Plancarte, Madrid, Aguilar, p. 686. Las subsiguientes referencias a esta edición en el texto llevan allí, entre paréntesis, indicación de página.

tas!", y véase todo el capítulo "El arte, la poesía y el poeta" de su libro sobre Rubén[26]. A él me remito.

Detallaré solamente aquí, como complemento, que en los versos de juventud de Darío se encuentran, en efecto, expresiones de una idea de la poesía no muy alejada de la de Andrade que antes vimos, probablemente debido a su común origen en el Hugo profético y humanitario. En 1885 decía Darío del poeta (350):

> Que haga la luz en su mente
> y la dé al mundo después
> .......................................
> Que truene la profecía
> de su palabra de fuego
> .......................................
> que en la miel de la armonía
> dé el filtro de la verdad;
> que muestre a la Humanidad
> lo luminoso y lo santo.

Y es impresionante ver cómo veinte años más tarde, en "Yo soy aquél...", poema de 1904, la verdad, lo luminoso, y lo santo o lo puro, como objetos de la poesía, vuelven a aparecer (690):

> Vida, luz y verdad, tal triple llama
> produce la interior llama infinita;
> el Arte puro como Cristo exclama:
> Ego sum lux et veritas et vita!

Claro que la actitud muchachil de vate romántico que va a pensar y a iluminar el mundo con su pensamiento se ha transformado con la experiencia de los años en una actitud, también fundamentalmente romántica, pero no ya de romanticismo asertivo, de líder hugoniano, sino de romanticismo lleno de *Weltschmerz,* padre del simbolismo:

> Y la vida es misterio; la luz ciega
> y la verdad inaccesible asombra;

---

26 Pedro Salinas, *La poesía de Rubén Darío,* Buenos Aires, Losada, 1948, páginas 257-281.

la adusta perfección jamás se entrega,
y el secreto ideal duerme en la sombra.

Igualmente desde la adolescencia, y a través de toda la vida, la belleza le pareció objeto esencial de la poesía. El arte, dice en un poema de 1884 (485):

...inspira, en sus dones raros
a fantasías creadoras,
cuadros en notas sonoras,
poemas en mármol de Paros.
Trocado en inspiración,
muestra al hombre la belleza.

Y en 1907 decía siempre: "El verdadero poeta... halla la belleza bajo todas las formas" (778).

La poesía fue, pues, para Darío en el hervor de la juventud algo profético, redentor, que da a los hombres la verdad y la luz, la bondad y la belleza. Para el Darío vivido, sufrido, maduro, la poesía era algo que aspiraba a penetrar el misterio ideal de esa luz verdadera, de esa belleza perfecta que no se entrega. Lo extraordinario es a este respecto que hasta en su extrema juventud, hasta en la hora de las aseveraciones absolutas, Darío había expresado (374) la intuición de que:

Sutil encaje vaporoso vuela
alrededor de la belleza innata,
tejiendo con los rayos de esa aurora
que nunca expira y que alimenta el germen
con la sagrada inspiración sublime.

Esto es de 1884, de sus diecisiete años; su misma expresión imperfecta lo hace, retroactivamente, tanto más emocionante para nosotros. Porque luego de la eclosión de su arte en *Azul* (1888) todos tenemos en la memoria conceptos análogos a esos, aunque mucho mejor dichos, en los versos de "Autumnal" o en la prosa de "El velo de la Reina Mab", por ejemplo; y veintitrés años más tarde, en *El canto errante* (1907), seguía sintiendo la poesía como el instrumento que intenta penetrar —y que en ocasiones lo logra— el "sutil encaje vaporoso" que envuelve a la belleza ideal: el don de arte, el don de poesía "es un don superior que permite entrar en lo desconocido de antes y en lo ignorado de después, en el ambiente del ensueño o de la meditación" (778).

Si, según se ve, algunas expresiones teóricas de Darío sobre la poesía como vida, verdad, luz, santidad, belleza no están muy alejadas de las de sus antepasados románticos ni hasta de los neoclásicos que examinamos primero, en otras expresiones teóricas suyas respecto a la forma de la poesía también se observan analogías con las de los románticos. Decían éstos, según vimos, "no hay reglas ni modelos", y Darío, en 1896, "proclamado, como proclamo, una estética acrática, la imposición de un modelo o de un código implicaría una contradicción" (593), o bien, en 1907, "el arte no es un conjunto de reglas sino una armonía de caprichos" (777). Similitud hay también entre el romántico "la poesía no está en la forma de las ideas sino en las ideas mismas" y el dariano "la música es sólo de la idea, muchas veces" (595); sin embargo, hay que discriminar en esta materia porque "idea" en Darío no significa lo mismo que significaba en Echeverría, por ejemplo. En efecto, vimos que para Echeverría la poesía era una operación de la inteligencia realizada por el talento, reflexión e inspiración hermanadas, con el énfasis primordialmente en la reflexión, en la cerebración, en la inteligencia. Mientras que en Darío, desde su juventud, el énfasis se halla puesto no en el pensamiento, sino en la emotividad: el arte "trocado en inspiración, / muestra al hombre la belleza; / pero más que en la cabeza, / se posa en el corazón" (485); y en su madurez dijo que el don de poesía concede al poeta además de "visión directa e introspectiva de la vida... una supervisión que va más allá de lo que está sujeto a las leyes generales del conocimiento" (774). No es, pues, para Darío tan sólo, ni principalmente, la inteligencia la que actúa en la poesía; es algo mucho más que la inteligencia: emoción, visión de la realidad, y supervisión que va más allá de la realidad cognoscible por la inteligencia. Y esa poesía fuera de las leyes generales del conocimiento, esa supervisión del poeta, sugieren —diecisiete años antes del primer manifiesto del superrealismo— una poesía hija de algo más que el raciocinio, una poesía más allá de la realidad racional, una poesía como superrealidad; pero nótese que a diferencia de los superrealistas que pretenderán que su poesía funciona fuera de todo control psíquico, de todo control racional y de toda preocupación estética y moral[27], Darío viniendo a dar forma a su poesía asegura: "he impuesto al instrumento lírico mi voluntad del momento" (775), principio de control y de selección, y reiteradamente expresa también su creencia en la moralidad de la poesía de vida, de verdad, de luz.

Vimos a los románticos proclamar que la poesía debía ser libre de preceptivas, entender que la forma del poema nace con el fondo del mismo, estimar que el ritmo lo ha de ser de sonidos, de afectos, de situación, de sentido, y afirmar que no hay efecto armonioso sin rima. Darío, por su parte, dice en 1907: "No gusto de moldes nuevos ni viejos... Mi verso ha nacido siempre con su cuerpo y su alma, y no le he aplicado ninguna clase de ortopedia. He, sí, cantado aires antiguos; y he querido ir hacia el porvenir, siempre bajo el imperio de la música —música de las ideas, música del verbo" (773). Dada su estética acrática había que esperar que Darío hablase de la forma de la poesía subjetivamente, como de la forma de su poesía. Y lo que en sus palabras se expresa es, en el fondo, romántico: el verso con alma y cuerpo procede de ideas como "el fondo es el alma, la forma el organismo de la poesía" o "cada concepción poética tiene en sí su propia y adecuada forma", de Echeverría (V, 74); cantar aires antiguos procede del romanticismo como retorno; ir hacia el porvenir del romanticismo como progresismo; el imperio de la música habla tanto del sinfonismo de Hugo como del "Art Poétique" (1884) simbolista de Verlaine. Obsérvese, por fin, que nada dice aquí Darío de la rima, que los románticos estimaban indispensable al efecto armonioso: aunque Darío por lo general le fue fiel, en esta expresión teórica no hace *totem* de ella, como lo había hecho el romanticismo.

En las "Dilucidaciones" que puso Darío como prólogo a *El canto errante* (1907) se expresa una preocupación que ofrece una tipicidad distinta a la de los autores anteriores. Es su interés por la palabra, por la palabra como artefacto artístico. Los románticos que vimos hablaban de libertar el lenguaje poético del léxico neoclásico, querían nombrar las cosas por su nombre, usar locuciones corrientes; aun en los

---

27 André Breton, *Manifeste du Surréalisme*, París, S. Kra [Editions du Sagittaire], 1924. Citado por Maurice Nadeau, *Histoire du Surréalisme*, París, Aux Editions du Seuil, 1945, p. 85.

momentos de mayor énfasis poético sus teorías les impelían a "vulgarizar" el lenguaje de la poesía; su preocupación por el vocablo era, si acaso, la de evitar los estereotipos del lenguaje elevado de sus predecesores setecentistas, la de utilizar en el verso el lenguaje que todo el mundo usaba. En cambio, en Darío encontramos la expresión teórica de la preocupación por la palabra artística y el sentimiento de la adecuación de la misma a los propósitos de la belleza. Cierto que en las ediciones de 1901 a *Prosas profanas* había dicho: "Yo persigo una forma que no encuentra mi estilo... Y no hallo sino la palabra que huye" (681); pero ahora en 1907 Darío cree en el poder de la palabra y su dominio sobre ella. Ya anotamos antes su expresión: "He impuesto al instrumento lírico mi voluntad del momento"; y ahora, aunque declara que "jamás [ha] manifestado el culto de la palabra por la palabra", muestra sin embargo su real preocupación por ese instrumento: "La palabra nace juntamente con la idea, o coexiste con la idea, pues no podemos darnos cuenta de la una sin la otra... En el principio está la palabra como única representación. No simplemente como signo, puesto que no hay antes nada que representar. En el principio está la palabra como manifestación de la unidad infinita, pero ya conteniéndola. *Et verbum erat Deus*... La palabra no es en sí más que un signo, o una combinación de signos; mas lo contiene todo por la virtud demiúrgica. Los que la usan mal, serán los culpables, si no saben manejar esos peligrosos y delicados medios" (776-777). Entremezcla ahí Darío lo metafísico y lo físico, la abstracción y el signo, y resuelve en unas líneas problemas que han hecho, y seguirán haciendo, gemir las prensas; pero mi objetivo al transcribir esas palabras es sencillamente hacer observar el hecho de que Darío, entre los poetas hispanoamericanos, estuvo en la primera línea de esta nueva preocupación. Desde entonces, en los poetas del siglo XX, han de encontrarse más y más disquisiciones sobre la palabra poética, sobre la palabra como instrumento de la poesía.

Creo que el concepto de lo que sea la poesía, sus formas y sus elementos, que tenía Darío, le sitúa en una posición teórica desde la que por varias líneas enlaza sin solución de continuidad con el pensamiento de sus antecesores y enlaza también por varias avenidas con el de sus sucesores. Simplemente porque él se mueve sin embarazo tanto en la tradición como en el avance; sencillamente porque, según él mismo dijo, como poeta siempre había tendido a la eternidad (775). Y, en efecto, lo extraordinario en Darío no es la teorización sino la poetización, no la poética sino la poesía.

Es curioso observar cómo otros poetas de la era modernista suelen extremar en sus pronunciamientos uno u otro trazo que en los de Darío se puede encontrar también pero expresado con matices más suaves. Por ejemplo, en Darío la actitud "torre de marfil" existe pero circunscrita por su inmenso amor por la vida, la luz y la verdad. En Guillermo Valencia (1873-1943), por citar un caso, se halla en cambio teóricamente la expresión del turriseburnismo más absoluto:

> ¡Ábreme, Torre de marfil, tus puertas!
> El mal y el bien, los hombres y la Vida
> a ti no alcanzan, ni el amor que olvida
> roba tu paz con esperanzas muertas.
> ..............................................................
> Vive a tu amparo la Belleza: muda,
> impasible, glacial... [28].

La Belleza era el ideal poético de Darío, según vimos, pero no esta belleza muda, impasible, glacial, alejada del bien y del mal, de los hombres y de la vida; todo lo contrario. Jamás dijo Darío, como Valencia, "sacrificar un mundo para pulir un verso" (45). Claro que uno sospecha que estas expresiones de estricto objetivismo de Valencia, estas declaraciones parnasianas de amor a la perfección marmórea de la poesía cubren un fondo tan romántico como el que más, pues de él es igualmente el "querer sentirlo, verlo y adivinarlo todo" (46), de concepto tan parecido a la expresión dariana de querer expresar "lo expresable de mi alma... penetrar en el alma de los demás, y hundirme en la vasta alma universal" (774).

Fue antes curioso observar como los románticos dijeron: no hay reglas, pero la poesía nacional, pero la rima, pero... Más tarde algunos modernistas fueron hijos de la estética acrática de Darío, pero... Por ejemplo, Leopoldo Lugones (1874-1938), que mezcló la proclama

---

[28] Guillermo Valencia, *Obras poéticas completas,* Madrid, Aguilar, 1952, página 99. Las subsiguientes referencias a esta edición en el texto llevan allí, entre paréntesis, indicación de página.

de la libertad moderna con el dogma de ciertas limitaciones. Según él, en 1909 [29], el verso es música, con medida, con ritmo —no tan estricto como el de la poesía antigua puesto que no se cuenta en castellano por cantidades prosódicas sino por la acentuación— y con rima. La rima precisamente es para Lugones elemento esencial del verso moderno, puesto que con ella se sustituye, mucho más complejamente, el perdido efecto musical de la antigua cantidad; sin rima no hay verso, dice; el pretendido verso sin rima es un recurso de la impotencia. La libertad poética moderna la representa el verso que Lugones llama libre y que se basa no en la ausencia de rima sino en la variedad métrica y acentual que atiende al conjunto armónico de la estrofa, subordinándole el ritmo de cada miembro para que resulte más variada. La estrofa moderna, de miembros desiguales combinados a voluntad del poeta, y de rima varia y hermosa, es el triunfo de la armonía moderna sobre la antigua melodía. No rechaza Lugones las combinaciones clásicas, que para él representan organismos triunfantes en el proceso de selección poética, pero les niega la exclusividad, porque la evolución que las creó continúa y nuevas combinaciones nacen con los nuevos tiempos. La misión del poeta es hacer un buen verso, conciso, claro, que enriquezca el idioma y lo renueve con imágenes nuevas y hermosas. Puesto que el verso vive de la metáfora, y toda metáfora —incluyendo todo vocablo, metáfora también si bien se mira— acaba por hacerse lugar común, la función poética es pensar conceptos nuevos en nuevas metáforas, con nuevas expresiones. El poeta con su poesía renueva así y enriquece el idioma, bien social, el elemento más sólido de la nacionalidad.

En este caso, como en el parecido de Ricardo Jaimes Freyre (1868-1933) con sus *Leyes de la versificación castellana* (1912) —publicadas primero como artículos de revista en 1906—, se halla la sistematización de algo que Darío había indicado: que había cantado aires antiguos y que había también ido hacia el porvenir. Lugones reconociendo las formas clásicas, pero no su exclusividad, formula en otras palabras la primera parte del dictum rubeniano, y transforma la segunda

---

29 Leopoldo Lugones, *Obras poéticas completas*, Madrid, Aguilar, 1948. Resumen basado en las páginas 191 a 196, del "Prólogo" a *Lunario sentimental* (1909). Las subsiguientes referencias a esta edición en el texto llevan allí, entre paréntesis, indicación de página.

en una regulación de la libertad moderna dentro de una forma preferida por él, la que llamó el verso libre rimado. Jaimes Freyre por su parte aceptaba sólo como versos lo que él denominaba "períodos prosódicos" iguales o análogos, es decir, del mismo número de sílabas, o de distinto número de sílabas pero todos pares o todos impares; y el resto era prosa. En otras palabras, Darío predicó la libertad en poesía; Lugones y Jaimes Freyre la legislaron, cada cual a su entender.

Nótese en Lugones la creencia en el valor poético del vocablo que ya anotamos en Darío. El concepto del vocablo como metáfora, instrumento básico de la poesía, es común a ambos. Y Lugones además es un antecesor de las escuelas vanguardistas de los años de la primera postguerra en su insistencia en la metáfora como soplo vital del verso; de ahí a declarar (lo que él no hace) que el verso es sólo la metáfora (que es lo que hicieron casi todas las escuelas de vanguardia) va un paso.

Quisiera también recalcar el horror por el lugar común, por el vocablo gastado y convertido en lugar común, que Lugones expresa. Esta declaración suya implica la teorización de uno de los hechos diferenciales del modernismo con respecto al romanticismo tan aficionado éste, por el contrario, al idioma corriente en la expresión poética.

Por otra parte, quisiera también hacer notar la expresión de la idea de participación, de comunicación social, que Lugones atribuye a la poesía. Aparte de la expresión que ya vimos sobre la poesía como renovadora del bien común, del elemento básico de la nacionalidad, que es el idioma, se muestra Lugones consciente de la poesía como forma de comunicación del poeta con el lector y del lector con el poeta, de la poesía como verbalización por el poeta de la experiencia común de los hombres. Así dice en el "Prefacio" dirigido al lector de su *Romancero* de 1924 (175):

Aun cuando sea mi historia
Lo que voy aquí a contarte,
Si logro hacerlo con arte
Será común nuestra gloria.

Y en el poema "Gaya ciencia" (718):

Que el secreto de las cosas
Y de las almas lo sé,

Y las canto por sabidas
Sin saberlas a la vez.
Pues para que bien cantase,
Mi hada madrina, al nacer,
Del gozo y pena de todos
Me hizo la dura merced.

Por fin, compañero de Darío, heredero de románticos y neoclásicos y de más antiguos antecesores también, la tradición ética muestra su imperio sobre él —la verdad, bellamente dicha, es objetivo de la poesía (764): "En espejo de belleza / El rostro de la verdad".

Un solo poeta más de la época modernista, Amado Nervo (1870-1919), como ilustración de otro pensamiento y de otra expresión teórica dentro del complejo del modernismo. ¿Qué fue la poesía para él? "El estado de poesía —dijo— es de exaltación divina, de beatitud, de éxtasis, que se halla fuera del tiempo y del espacio; es la identidad misma con el 'yo' trascendente e inmanente" [30]. En otras palabras, la idea de los románticos filosóficos, de Shelley, por ejemplo, que dijo también que "la poesía, verdaderamente, es algo divino" y que "el poeta participa en lo eterno, lo infinito, lo uno" [31]. Casi al final de su vida, en 1917, añadía Nervo (II, 908):

> El éxtasis poético, semejante a todos los éxtasis, no es más que el acceso a una dimensión nueva y la consiguiente deleitosa y admirable sensación de que se han quebrantado *los límites* que encierran nuestras percepciones del universo como rejas invisibles.
>
> ... ... ... ... ... ... ... ... ... ... ... ... ... ... ... ... ... ... ... ...
>
> El cerebro, por un momento, parece poner al espíritu menos obstáculos para la inmersión de éste en una dimensión desconocida, en que ya no hay más que unidad, una pacífica y jubilosa unidad.

[30] Amado Nervo, *Obras completas,* ed. Francisco González Guerrero y Alfonso Méndez Plancarte, 2 vols., Madrid, Aguilar, 1951 y 1952, 1454 y 1889 pp. La cita está en II, p. 651. Las subsiguientes referencias a esta edición en el texto llevan allí, entre paréntesis, indicación de vol. y pág.

[31] *The Works of Percy Bysshe Shelley in Verse and Prose, VII,* ed. Harry Buxton Forman, London, Reeves and Turner, 1880, pp. 136 y 104. Citado en Katherine Gilgert y Helmut Kuhn, *A History of Esthetics,* rev. ed. Bloomington, Indiana University Press, 1953, pp. 405-406.

> Lo negro y lo blanco, el mal y el bien, el dolor y la alegría, cesan de existir. Comprendemos que eran sólo limitaciones. El conjunto es indescriptible: de una armonía infinita, para lo cual no hay todavía una palabra en nuestros léxicos.
>
> Esta armonía está aún más allá, mucho más allá de la Paz.

En la tradición cultural de Nervo, en su propia juvenil educación religiosa pueden hallarse algunas de las raíces de esta definición del éxtasis poético: lo que hace Nervo es trasponer conceptos religiosos a términos literarios. Cierto es, sin embargo, que el concepto nirvánico —cesación del mal y del bien, del dolor y de la alegría— debe de proceder más bien de sus lecturas orientales, puesto que el concepto del bien y de la bienaventuranza de la unión con la divinidad son, por el contrario, esenciales al objetivo de la vía unitiva en la mística cristiana. Con todo, buena parte de su idea del éxtasis pudo hallarla a mano en las *Moradas* de Teresa de Ávila y en la suprema obra de San Juan de la Cruz, quienes, en efecto, habían sobrepasado los límites de nuestras percepciones de que Nervo hablaba. De San Juan es, por ejemplo, aquel: "Entréme donde no supe, / Y quedéme no sabiendo / Toda sciencia trascendiendo" [32], propio del éxtasis del hombre fuera de sí, más allá de la connatural aprehensión de los sentidos y de la razón, cuando es levantado al conocimiento superior, cuando es elevado al conocimiento de cosas que sobrepujan su razón y sus sentidos, según la definición tomística [33]. Nótese, sin embargo, que en el pasaje antes transcrito Nervo invierte el orden generalmente aceptado en la teología mística católica —quietud, unión, éxtasis— transformándolo en la secuencia éxtasis, unidad, armonía. Por esta razón, entre otras, podría discutirse si el éxtasis poético que describe Nervo es tal éxtasis. Nada se ganaría aquí con ello. Limitémonos, pues, a señalar la posición de Nervo en la materia y quede para cada cual tomar sus palabras literal o metafóricamente. Cabe pensar también que hay en su concepto de éxtasis, quietud y armonía algún recuerdo del concepto del camino a la poesía de Poe, esa "encumbrante conmoción del alma", que al alcanzar su objetivo se resuelve en poesía, que "al

---

32 San Juan de la Cruz, *Poesías completas,* ed. Pedro Salinas, Santiago de Chile, Cruz del Sur, 1947, p. 28.

33 Santo Tomás de Aquino, *Summa,* II, Q. XXVIII, 3.

encumbrarla, tranquiliza el alma" [34]. En Nervo, en los modernistas, voraces y cosmopolitas lectores, se hace muy complicado desenmarañar los hilos que se entrelazan en la intrincada madeja de su pensamiento.

Señalemos también que Nervo creía en el afinamiento no sólo del espíritu (requerido para la condición extática), sino en "el refinamiento cada día mayor de nuestros sentidos..., la agudeza cada vez más intensa de nuestras percepciones" (I, 1405), en un afinamiento, una sutilización de las almas, los nervios y los sentidos de la especie (II, 397). Habrá también que relacionar su concepto de éxtasis poético con esta idea de la evolución y progreso físico y espiritual del hombre, y particularmente del poeta, que para él "es el ser representativo, por excelencia, de la humanidad" (II, 396). La parte fisiológica de su idea de la poesía es evidente, por ejemplo, cuando dice que "lo que se llama inspiración es un estado de supersensibilidad, de hiperestesia, de nerviosidad intermitente y pasajera" (II, 345). Parece un texto de Claude Bernard y casi, casi, de Max Nordau. Éxtasis o hiperestesia, en todo caso la poesía era para Nervo una exaltación.

¿Cómo creía Nervo que esa exaltación podía expresarse o comunicarse? Difícilmente. La identidad de la poesía con lo divino, lo trascendente, lo inmanente (II, 651) la hace para él algo absoluto que por tener desgraciadamente que ajustarse "al cartabón de ese gran relativo que se llama el lenguaje, no puede sino como relativo manifestarse con imágenes e ideas exteriorizadas por la palabra... que está, desde luego, encastillada en un lenguaje regional, variable, movedizo y efímero", por lo cual afirmaba Nervo la superioridad de la música —"por su amplitud y su inefable vaguedad"— sobre el instrumento que tenía que emplear el poeta (I, 902). "Un mal compositor valdrá siempre más que un buen poeta, porque dispone de un instrumento de expresión mucho más perfecto", llegó a decir (I, 1405). Nunca le abandonó esta convicción de la superioridad de la música sobre la poesía. En un poema de 1916 (II, 1723) hacía Nervo decir al Numen en su respuesta a las querellas del poeta:

"La idea que codicias
existe, y yo te diera sus divinas primicias;

---

[34] Poe, *Works, VI* (1895), pp. 33 ("an elevating excitement of the soul") y 136 ("Poetry in elevating tranquilizes the soul").

pero tú no eres músico, y ella es toda orquesta!".
Sólo las claves, sólo las pautas y las notas,
revelarán al mundo sus bellezas ignotas.
Platón oyó a los orbes su concierto ideal,
y Beethoven, a veces, lo escuchó en el mutismo
nocturno. Todo es música: los astros, el abismo,
las almas... ¡y Dios mismo
es un Dios musical!

Darío había hecho su poesía bajo "el imperio de la música —música de ideas, música de verbo" (773); Lugones afirmó que "el verso es música" (195); todo ello de acuerdo con el tan citado "música antes que nada" verleniano [35]. El modernismo está permeado de esta tendencia a la musicalidad de la poesía, como recuerdo de Bécquer, y como herencia del simbolismo francés que lo estuvo a su vez por admiración del simbolismo poético y musical de Wagner entre otras razones. Nervo extremó la nota hasta el rebajamiento total de la poesía ante la música: "Ningún poeta —decía— ha logrado aún sorprender, asir, *atrapar,* una de esas infinitas melodías de la naturaleza que inspiraban, a Beethoven, a Wagner, a Bulow, a Brahms, siquiera con la perfección de un músico mediano" (I, 1405) [36].

Y, sin embargo, el poeta necesita decir su poesía con palabras. ¿Cómo podrá hacerlo, según Nervo? Buscando un verso novedoso "en la combinación de la frase, en el primor del metro, en el colorido de la estrofa que despierta sensaciones extrañas" (I, 596); procurando un estilo que tenga la virtud de "combinar los vocablos como se combinan los colores; buscar el prestigio del matiz, el perfume nuevo de la expresión no hallada hasta entonces" (II, 54) —color, matiz, perfume, sensación, paralelo de los perfumes, los colores y los sonidos del famoso soneto de las "Correspondencias" de Baudelaire, y de la preocu-

[35] Paul Verlaine, *Jadis et naguère,* París, 1884, "Art poétique" ("De la musique avant toute chose").

[36] Ni Mallarmé, que había llamado Dios a Wagner, llegó al extremo de Nervo; en efecto, para él la música y la literatura "sont la face alternative ici élargie vers l'obscur, scintillante là avec certitude, d'un phénomène, le seul, je l'appelai l'Idée". Ver Stéphane Mallarmé, *La musique et les lettres,* París, Perrin et Cie., 1895, p. 52.

pación por el matiz de Verlaine—[37]; alejándose, por fin, de la tendencia poética de "ver hacia fuera" y acercarse a la de "ver hacia dentro" (II, 396) —expresión que recuerda las dos clases de poesía que distinguía Bécquer en su comentario de 1861 sobre la colección de cantares de Augusto Ferrán[38].

Para verbalizar esa poesía que "ve hacia dentro" ¿qué hubo que hacer, según Nervo?:

> Naturalmente, para auscultar estos latidos íntimos del Universo, así como también las íntimas pulsaciones de los nervios modernos, del alma de ahora, hemos necesitado palabras nuevas... Para decir las nuevas cosas que vemos y sentimos no teníamos vocablos: los hemos buscado en todos los diccionarios, los hemos tomado, cuando los había, y cuando no, los hemos creado.
>
> Las viejas combinaciones gramaticales, los viejos arreglos fonéticos, habían perdido, además, su virtud primitiva. Eran un "sésamo, ábrete" que ya no abría nada. Su poder de expresión estaba agotado. La humanidad pensaba y hablaba con locuciones rituales, con frases hechas, que le distribuían en cada generación los académicos. Hemos creado nuevas combinaciones, nuevos regímenes; hemos construido de manera inusitada, a fin de expresar las infinitas cosas inusitadas que percibíamos (II, 396-397).

Nótese cómo este último párrafo es paralelo de la opinión de Lugones sobre la misión de la poesía como renovadora y enriquecedora del idioma con vocablos, imágenes y metáforas nuevas y hermosas que vengan a sustituir las antiguas, hechas ya lugar común. Y nótese la coincidencia con él y con Darío —a pesar del cacareado desprecio de Nervo por el idioma como instrumento poético— en la valoración del vocablo. Valoración llevada hasta el extremo de las buscas por los diccionarios, tal como Mallarmé dícese que las hacía por el francés de Littré.

---

37 "Les parfums, les couleurs, et les sons se répondent", del soneto "Correspondances". Verlo en Charles Baudelaire, *Oeuvres complètes*, ed. F. F. Gautier (París, Nouvelle Revue Française, 1918), I, p. 29. Y del "Art Poétique", de Verlaine antes citado (n. 35, *supra*): "Car nous voulons la Nuance encor / Par la Couleur".

38 Gustavo Adolfo Bécquer, *Obras completas*, Madrid, Aguilar, 1954, página 1298.

Un último detalle de importancia en materia de ideas estéticas expresadas por Nervo es su rechazo de lo que él llamó el pintoresquismo:

> ...nosotros no queremos estar pintorescos: queremos ser los continuadores de la cultura europea (y si es posible los intensificadores). Dejemos, por tanto, en paz al Chimborazo, al Tequendama, al Amazonas, al cóndor (sobre todo al cóndor...) y a los árboles milenarios de nuestras selvas vírgenes (II, 399).

Puesto que Nervo consideraba la poesía como un absoluto, fuera del tiempo y del espacio, lógico sería que rechazara para ella toda localización y toda actualización; pero es menos lógico que rechazando para ella lo americano se sitúe, en cambio, en el ámbito de la cultura europea que en Europa misma, y más en las Américas, está dentro de un tiempo y de un ambiente específicos. No se olvide, sin embargo, que como muchos europeos y no europeos de aquellos días la cultura europea debía parecerle *la* cultura, la única, sin adjetivos o con uno solo, cultura europea igual a cultura universal. Es una actitud a la que se puede poner una fecha tope. Probablemente era no lógico, pero sí inevitable que Nervo creyera en la universalidad de la cultura europea y solamente en nuestros días podemos ver en ello un signo de los suyos [39]. *Tempora mutantur.*

El absolutismo poético que Nervo teorizó fue llevado a sus extremos por algunas de las escuelas literarias que ahora solemos comprender bajo el apelativo de "vanguardistas", las que proliferaron en América, como en Europa, en los años inmediatamente siguientes a la primera guerra mundial. Vicente Huidobro (1893-1947), el caudillo del creacionismo, por ejemplo, exaltó hasta lo máximo el absolutismo poético llegando a decir en 1916: "El poeta es un pequeño Dios" [40].

---

[39] Sobre este punto ver, p. ej., el cap. "Toma de conciencia" en Leopoldo Zea, *Conciencia y posibilidad del mexicano,* México, Porrúa y Obregón, 1952, páginas 9-32, y otros estudios del mismo autor.

[40] Vicente Huidobro, *Antología.* Prólogo, selección, traducción y notas por Eduardo Anguita, Santiago de Chile, Zig-Zag, 1944, p. 42. La cita procede de la obra *El espejo de agua,* que se dice publicada en Buenos Aires por la Editorial Orión en 1916, con 2.ª ed. en Madrid, 1918. Se han expresado dudas acerca de la fecha real de la primera publicación. No importan aquí.

Si para Nervo, según vimos, la poesía se identificaba con el yo trascendente, inmanente, es decir, con algo, Dios, espíritu, cosmos, externo al poeta, al que éste tenía que ascender por el éxtasis, en busca de unión y armonía, para Huidobro, por lo menos en el concepto citado, parece ser el poeta lo trascendente, lo inmanente, el Dios, que crea poesía, que "inventa nuevos mundos" (42). Pronto, sin embargo, expresó Huidobro teorías menos extremas en este punto: "El poeta crea fuera del mundo que existe el que debiera existir... El poeta hace cambiar de vida a las cosas de la Naturaleza", dijo en una conferencia de 1921 (248), o bien, en 1925: "Cuando yo escribo: 'El pájaro anidado en el arco iris', os presento un fenómeno nuevo, una cosa que nunca habéis visto, que no veréis jamás y que, sin embargo, os gustaría ver" (261). Con lo que está casi en la línea de pensamiento que sobre la poesía formuló John Donne en el siglo XVII al decir: "La poesía es una Creación falsificada, que hace cosas que no son, como si fuesen" [41].

La exaltación extática que para Nervo era vía de acceso a la región más allá de los límites de nuestras percepciones, la supervisión que ve más allá de lo que está sujeto a las leyes generales del conocimiento que intentó Darío, eran grietas en el muro del mundo alrededor, del mundo racional, por las que su poesía tendía a una suprarrealidad poética, intuida. Huidobro y casi toda su generación fueron más allá por este camino de ruptura con el mundo en torno, con el ámbito de lo racional: "La poesía es un desafío a la Razón, el único desafío que la Razón puede aceptar, pues una crea su realidad en el mundo que ES y la otra en el mundo que ESTÁ SIENDO... La poesía no es otra cosa que el último horizonte, que es a su vez la arista en donde los extremos se tocan, donde no hay contradicción ni duda. Al llegar a ese lindero final, el encadenamiento habitual de los fenómenos rompe su lógica, y al otro lado, en donde empiezan las tierras del poeta, la cadena se rehace en una nueva lógica" (248-249). Pasa por aquí, como

---

Las citas subsiguientes de la *Antología* en el texto llevan allí, entre paréntesis, indicación de página.

[41] "Poetry is a counterfeit Creation, and makes things that are not, as though they were". Cit. en James Craig La Drière, Art. "Poetry and Prose", del *Dictionary of World Literature, Criticism, Forms, Techniques*, ed. Joseph T. Shipley, New rev. ed., New York, Philosophical Library, 1953, p. 314 a.

por las ideas de todo el vanguardismo, la sombra de Freud reforzando el convencimiento en la quiebra de la autoridad de la razón en un mundo desgarrado. Así, en el antiquísimo debate entre la poesía y la filosofía, Huidobro no ve a aquélla como sometida a su rival, ni cree que tenga el mismo fin que ella, sino que la ve como *otra* filosofía, como *otra* razón, con tanto derecho a *su* verdad y a *su* mundo como la filosofía racional a los suyos. Por eso, cuando el poeta *crea* un poema éste es, según Huidobro, "un hecho nuevo, independiente del mundo externo, desligado de toda otra realidad que él mismo, pues toma lugar en el mundo como un fenómeno particular aparte y diferente de los otros fenómenos" (261). El poema creado es un objeto, algo no realista sino realidad en sí mismo; un poema, creación del hombre, "es un poema como una naranja es una naranja y no una manzana" (269).

Sin embargo, Huidobro debía de saber que ésta era una Creación contrahecha porque si bien decía: "Hice correr ríos que nunca han existido / De un grito levanté una montaña" (68), un río es un río y una montaña es una montaña; y si bien afirmaba: "Un poema es una cosa que será / Un poema es una cosa que nunca es, pero que debiera ser", cerraba el circuito con la frase "Un poema es una cosa que nunca ha sido, que nunca podrá ser" (86).

En cuanto a la objetivación de la poesía, Huidobro teorizó la necesidad de expresar lo inusitado por medios también inusitados. Ya lo habían dicho antes los modernistas; pero Huidobro llevó este punto a su última consecuencia al afirmar que: "No hay poema si no hay lo inhabitual" (262). Así las imágenes, metáforas, greguerías, figuras de todo género, han de ser inventadas "sin ninguna preocupación por lo real o por la verdad anterior al acto de realización" (262), y se precipitan en busca del hecho nuevo, independiente (en la teoría al menos) de toda realidad exterior. Este valor de lo inhabitual, de lo sorpresivo, realiza para Huidobro la tensión poética. E inevitablemente debió comprender que lo nuevo de hoy es, como había dicho Lugones, el lugar común de mañana; por eso indicaba: "La vida de un poema depende de la duración de su carga eléctrica. Me pregunto si los habrá eternos" (262).

La teoría huidobriana de la poesía, el creacionismo, como ejemplo de las teorías vanguardistas hispanoamericanas de los años mil novecientos veintitantos a treinta y tantos resulta en definitiva una teoría de la poesía como juego de sorpresas, del poema como cosa, como objeto de arte [42].

La quiebra de la creencia en la autoridad de la razón, de la inteligencia, que antes mencionábamos, la reflejaron las ideas de casi todos los poetas hispanoamericanos de entreguerras y no es sólo reflejo de las teorías vanguardistas europeas —futurismo, dadaísmo, expresionismo, superrealismo, y cien más—, sino una actitud muy generalizada en esa coyuntura de la historia. El mismo Huidobro andaba a veces a vueltas con el valor mágico del poema (247); Bernardo Ortiz de Montellano, a quien mencionamos al principio, veía al poeta que "en sus sueños mexicanos / matiza nocturna magia, palabra de idolatría", veía en el poeta al hombre que quiere confiarnos las "escondidas relaciones entre las cosas, increíbles para la mayoría de los mortales" [43].

Sin embargo, el irracionalismo puro parece no haber satisfecho a los poetas hispanoamericanos, aun cuando no hayan querido privarse de las ventajas que les ofrecen algunas de las técnicas de la poesía irracionalista [44]. Con agudeza de crítico y de poeta practicante lo expresó en 1941 Xavier Villaurrutia:

> La poesía de unos parece formarse en el abandono más puro, pero también, la de otros, y en mayor intensidad, en la atención más profunda. Conviene, pues, tener presente que, sin desdeñar la corriente de irracionalismo, antes bien asimilando las nuevas posibilidades y aportaciones de esta forma de libertad, otros espíritus se mantienen —aun dentro del sueño— en una vigilia, en una vigilancia constantes [45].

---

42 En otros lugares me he ocupado de otras ideas vanguardistas hispanoamericanas sobre la poesía. Ver, en último término, mi trabajo *La poesía postmodernista peruana,* Berkeley; University of California Press, 1954, en particular las páginas 38-43, 58-59, 60-86, 153-154, 156-162, 167-172, *et passim,* y los caps. sobre poesía social y nativista.

43 Ortiz de Montellano, *Sueño y poesía,* pp. 179 y 216.

44 Para un análisis de este fenómeno ver mi libro citado (nota 42, *supra*), páginas 69-70, 75-76, 158-161 y 181-183.

45 Prólogo de Xavier Villaurrutia a *Láurel, Antología de la poesía moderna en lengua española,* México, Editorial Séneca, 1941, p. 26.

De esta vigilancia autocrítica y de la final insatisfacción con las teorías irracionales de la poesía no hay mayor ejemplo en América que el de Pablo Neruda (n. 1904), que en su día fue uno de sus mayores exponentes. Él, que se había confesado poeta de lo confuso, poeta que cedía sin rumbo a lo que arribaba, a lo que surgía, a lo que se le iba haciendo [46], proclama ahora:

> No escribo para que otros libros me aprisionen
> ni para encarnizados aprendices de lirio
> sino para sencillos habitantes que piden
> agua y luna, elementos del orden inmutable,
> escuelas, pan y vino, guitarras y herramientas [47].

Con razón ha dicho Cardona Peña que la nueva poética de Neruda puede resumirse así: "Contra lo sobrenatural, lo natural; contra la metafísica, la física; contra lo dogmático, la libertad nacida de la vida misma; contra las estrellas, las piedras. En una palabra: poner el cielo en la tierra y hacer de los hombres sus gobernadores" [48].

En efecto, después de haber sido hasta 1935 el poeta de una poesía hermética, Neruda ha querido desde entonces hacer algo más que el ir hacia las muchedumbres de que hablaba Darío ("Yo no soy un poeta para las muchedumbres. Pero sé que indefectiblemente tengo que ir a ellas" [686]). Neruda no quiere *ir* al pueblo, quiere *ser* pueblo y que la poesía sea pueblo. Dice así en su "Oda al hombre sencillo":

> mi obligación es ésa,
> ser transparente,
> cada día me educo,
> cada día me peino
> pensando como piensas,
> y ando
> como tú andas,
> como, como tú comes,
> tengo en mis brazos a mi amor
> como a tu novia tú,

46 Pablo Neruda, *Poesías completas,* Buenos Aires, Losada, 1951, p. 170.

47 Pablo Neruda, *Canto General,* 2.ª ed., México, 1952, p. 559.

48 Alfredo Cardona Peña, *Pablo Neruda y otros ensayos,* México, Ediciones De Andrea [Colección Studium, 7], 1955, p. 75.

y entonces
cuando esto está probado,
cuando somos iguales
escribo,
escribo con tu vida y con la mía,
con tu amor y los míos,
con todos tus dolores [49].

Según se recordará, este sentido de la poesía como comunicación y participación colectivas lo hallamos expresado por Lugones y antes que él por los románticos de tipo herdiano. Neruda entiende también ahora a la poesía como útil y utilitaria, herramienta, sencilla, verdad y virtud. Expresiones que nos recuerdan la poesía de utilidad pública, que hemos visto tradicional en América con apenas brevísimos eclipses. El eticismo ha vuelto en Neruda por sus fueros: pensamiento como acción, arte como acción, poesía como acción. Quevedo, Jovellanos, Unamuno, han dejado sucesor.

No es que un nuevo racionalismo a lo siglo XVIII o un nuevo positivismo a lo siglo XIX invadan el pensamiento teórico de los poetas actuales, pero sí parece que —sin llegar siempre al deseo de total instrumentalidad de la poesía expresado por el último Neruda— existe un general reconocimiento de ciertos límites y de ciertas obligaciones del poeta.

Octavio Paz (n. 1914), por ejemplo, dice que:

Lo visible y palpable que está afuera
Lo que está adentro y sin nombre
A tientas se buscan en nosotros
Siguen la marcha del lenguaje
Cruzan el puente que les tiende esta imagen [50].

Es decir, que la poesía reconoce el límite y el cauce de su órgano, la palabra, pero también se gloria en la aventura de esa palabra descubridora que hace el puente entre lo sentido inefable y su posible verbalización —obstáculo y espuela.

---

[49] Pablo Neruda, *Odas elementales*, Buenos Aires, Losada, 1954, páginas 92-93.
[50] Octavio Paz, *Semillas para un himno*, México, Tezontle, 1954, p. 18.

Por otra parte, Jaime Torres Bodet (n. 1902) en un libro de este mismo año [51], acaba de explicar el carácter que a su ver tienen la libertad y las obligaciones del poeta. Reflexionando sobre las recientes teorías poéticas, algunas de cuyas expresiones hispanoamericanas se han indicado antes, Torres Bodet repudia el simbolismo como una deformación de la poesía por la música, así como el impresionismo pulverizador, y el superrealismo irracionalista. Éste, en particular, le reveló:

> la servidumbre peor de la libertad al buscar la expresión más libre... en el automatismo de la escritura [puesto que] la total espontaneidad no explica jamás por sí sola la cristalización de las obras maestras aunque sí, por desgracia, algunos de sus defectos. La creación implica, siempre, un continuo esfuerzo de rechazo y de selección (195-196). Ser artista consiste en eso —y en eso precisamente: en la aptitud de escoger—. El que escoge afirma su libertad. Pero así entendida, la libertad excluye el libertinaje e impone al creador más libre múltiples servidumbres [porque] la libertad no es un desahogo de caprichos, sino un equilibrio de obligaciones (197-198). [Es más,] la obra de arte es obra de razón y de voluntad... la libertad, en poesía, no es la consecuencia de una falta de obligaciones, sino del dominio de estas obligaciones por el ejercicio del talento (111).

Parecen oírse en estas palabras ecos de las de Bello: libertad en todo, pero sin orgías; y parece sentirse un paralelismo con el ordenado pensamiento poético moderno de un Paul Valéry o un Jorge Guillén, además del de André Gide que taxativamente menciona.

De su conciencia de la poesía como equilibrio infrangible y retribuyente a la vez (198) son muestra las líneas que Torres Bodet ha puesto como frontispicio a su más reciente libro de poemas: "Fronteras del silencio con el canto, / de la vigilia con el sueño / y de la soledad con el tumulto...!" [52].

---

[51] Jaime Torres Bodet, *Tiempo de arena*, México, Fondo de Cultura Económica [Letras Mexicanas], 1955, 349 páginas. Las citas en el texto llevan, entre paréntesis, indicación de la página de este volumen de que proceden.

[52] Jaime Torres Bodet, *Fronteras*, México, Tezontle, 1954, p. 7.

Son, pues, éstos, recientes conceptos de la poesía como puente y como linde, como instrumento sin intencional instrumentalidad, como órgano del sentir y del pensar, como comunicación y como expresión, dentro de los límites del habla, idioma y lenguaje, en la balanza del control y la selección artísticos promovidos por el talento y el gusto, la razón y la voluntad del poeta que puede aprovecharse de todas las libertades porque sabe escoger, sabe rechazar algunas, rehusándose así al caos y a la confusión.

Terminado este recorrido por el pensamiento teórico de algunos poetas hispanoamericanos de los últimos ciento cincuenta años, además de las coincidencias y derivaciones que se han ido señalando a lo largo del estudio ¿qué básica concatenación de ideas puede deducirse entre los diversos teorizantes?

Creo que resalta ante todo una línea de pensamiento estético que desde Bello, pasando por los románticos, y por Darío y Lugones, llega a nuestros días, y que considera la Verdad, la Bondad y la Belleza como objetivo de la poesía y la poesía como instrumento de ellas. Teoriza esa línea de pensamiento una poesía que, aplicándole la frase de Pedro Henríquez Ureña, pudiera llamarse poesía de utilidad pública. Sus ideas acerca de lo que sea de pública utilidad pueden ser tan distintas como las que se deducen del conservadurismo de Bello, el liberalismo de Echeverría, el eclecticismo político de Darío, o el comunismo de Neruda; pero el común denominador de la poesía como servicio está, sin embargo, presente en todos. Y la teoría se expresa en la práctica, al cantar esos teorizantes, en la "Silva a la agricultura de la zona tórrida", el "Prometeo", la "Salutación del optimista" o la oda "A Roosevelt", los *Poemas solares,* o el *Canto general.*

Otra línea aparece también que partiendo de los modernistas —Darío, Valencia, Nervo— y pasando por los vanguardistas tales como Huidobro, también llega a nosotros. Representa la antítesis de la primera citada y cree en la poesía gratuita, fin en sí misma, sin más objetivo que ella misma. Verdad y Bondad son, como había dicho Poe, incidentales en esta poesía: la Belleza lo es todo. Y la teoría se expresa en la práctica, al cantar estos teorizantes, en "Era un aire suave...", en "Leyendo a Silva", en *Elevación,* en *Altazor.*

Los adherentes a la primera línea de pensamiento parecen ver la poesía como expresión y como comunicación a la vez. Los adherentes a la segunda línea de pensamiento parecen ver la poesía como algo inmanente a que tratan de ascender y que (muchas veces con el convencimiento de fallar en ello por defectos que creen inherentes al instrumento poético) tratan de expresar, sin darle gran importancia a la comunicación; es más, en los casos extremos, ni la expresión les importa, lo que les importa es la creación de un poema como quien crea un objeto.

Nótese que una y otra línea se intersectan a veces. Es el caso cumbre de Darío. A partir de él, de esa intersección en él, se visualiza el nacimiento de una tercera línea de pensamiento estético: la de los que creen que poesía de utilidad y de desinterés, de realidad de afuera y de adentro, pueden aunarse, pero teniendo en cuenta los límites y las obligaciones del poeta que vive en su mundo y en este mundo. Piensan estos teorizantes en una poesía totalmente comprehensiva que se objetiviza con orgullo, pero sin satanismo, en la palabra de los hombres, con voluntad y con talento.

Los teorizantes de esta tercera línea parecen hoy día en América paralelizarse con los de la primera, de tan fuerte tradición continental, todos en busca de una responsable libertad para los poetas que digan —que dicen— a sus contemporáneos todo lo que experimentan y que experimentamos.

Allen W. Phillips

# RUBÉN DARÍO Y SUS JUICIOS SOBRE EL MODERNISMO

Hace tiempo, en las páginas de la *Revista Iberoamericana* (Volumen VII, núm. 13, pp. 69-80) Luis Monguió hizo una caracterización del modernismo a base de una serie de opiniones críticas. Advirtió en aquella ocasión la posibilidad de complementar sus precisiones con un estudio que tuviera en cuenta las aseveraciones de los creadores mismos del movimiento. A pesar de los años transcurridos y las nuevas aportaciones, cada día más extensas, a la ya imponente bibliografía sobre el modernismo, no se ha estudiado con el rigor necesario tan interesante aspecto del tema. Limitándonos por ahora a uno de esos creadores, nos proponemos ordenar aquí algunos textos de Rubén Darío que revelan su actitud ante el movimiento que él mismo encabezó a partir de la publicación de *Azul*... No tenemos ninguna pretensión de arrojar nueva luz sobre un asunto tan exhaustivamente estudiado por la crítica como el modernismo. Sencillamente un modesto propósito práctico motiva este trabajo: el de utilidad. Si bien en el caso de muchos poetas y prosistas del período, los textos necesarios todavía quedan sepultados en revistas y periódicos inaccesibles, en cuanto a los materiales aprovechados en nuestro trabajo, la tarea ha sido relativamente fácil debido a las investigaciones de los darístas Saavedra Molina, Mapes y Silva Castro. Es de esperar que se complete nuestro modesto esfuerzo con más trabajos que se valgan de escritos menos divulgados de otros artistas del modernismo.

### LA PALABRA MODERNISMO EN RUBÉN DARÍO

No es nuestra intención hacer aquí una historia de la palabra *modernismo* en la obra de Darío, una historia ya trazada esquemáticamente por Enrique Anderson Imbert [1] y con un poco más de detalle por Max Henríquez Ureña [2], quienes a su vez se apoyan en datos suministrados por Ernesto Mejía Sánchez [3]. Sin embargo, conviene tener en cuenta algunos de estos textos tempranos ya señalados por la crítica para ver cómo poco a poco la palabra y sus derivados van cobrando categoría crítica para designar el movimiento de renovación que despuntaba en Hispanoamérica. Con razón Mejía Sánchez piensa que Darío utilizaba la palabra por primera vez en su artículo "La literatura en Centro-América" (*Revista de Artes y Letras, Santiago de Chile,* 1888) [4]. Aquí da al vocablo un sentido muy genérico porque, al aludir al escritor mexicano Ricardo Contreras radicado en Centroamérica, habla de su "absoluto modernismo en la expresión" [5]. Dos años más tarde en su bien conocido "Fotograbado" de Ricardo Palma el poeta debía sentirse más seguro de sí mismo y del nuevo arte que él había iniciado. Se refiere ahora con más precisión al nuevo espíritu revolucionario y la palabra *modernismo* se va llenando de significado concreto. Aunque el texto ha sido citado varias veces, transcribimos la parte que más interesa por ser una primera definición *directa* del movimiento:

> En sus juicios literarios se deja ver su conocimiento del arte y su fina percepción estética. Él es un decidido afiliado a la corrección clásica y respeta la Academia. Pero comprende y admira el espíritu nuevo

1 Enrique Anderson Imbert, "Estudio preliminar", *Poesía de Rubén Darío* (México, 1952), XVII-XIX.

2 Max Henríquez Ureña, *Breve historia del modernismo* (México, 1954), páginas 156-169.

3 Ernesto Mejía Sánchez, *Los primeros cuentos de Rubén Darío* (México, 1951).

4 *Ibid.,* nota 31, p. 88.

5 "La literatura en Centro América", *Obras desconocidas de Rubén Darío escritas en Chile y no recopiladas en ninguno de sus libros,* edición recogida por Raúl Silva Castro (Santiago de Chile, 1934), p. 201.

> que hoy anima a un pequeño pero triunfante y soberbio grupo de escritores y poetas de la América española: el modernismo. Conviene saber: la elevación y la demostración en la crítica, con la prohibición de que el maestro de escuela anodino y el pedagogo chascarrillero penetren en el templo del arte; la libertad y el vuelo, y el triunfo de lo bello sobre lo preceptivo, en la prosa; y la novedad en la poesía: dar color y vida y aire y flexibilidad al antiguo verso que sufría anquilosis, apretado entre tomados moldes de hierro. Por eso él, el orfebre buscador de joyas viejas, el delicioso anticuario de frases y refranes, aplaude a Díaz Mirón, el poderoso, y a Gutiérrez Nájera, cuya pluma aristocrática no escribe para la burguesía literaria, y a Rafael Obligado, y a Puga y Acal y al chileno Tondreau y al salvadoreño Gavidia y al guatemalteco Domingo Estrada... [6].

Este "Fotograbado", escrito en Guatemala, lleva la fecha de 1890. La primera publicación conocida por Mejía Sánchez es la de *El Perú Ilustrado* (8 de noviembre de 1890), pero no cree que ésta sea la original. Sospecha que antes apareció en el *Diario de Centro América* (Guatemala) [7]. Por su parte, M. Soto-Hall recuerda algunos libros ideados por Darío, inclusive uno que iba a ser titulado *Fotograbados*, una serie de estudios sobre escritores conocidos por el poeta. Fueron publicados solamente tres de ellos: Ricardo Palma, Valero Pujol y J. J. Palma. Este último, según Soto-Hall, en el *Diario de Centro América* [8]. Aunque Darío dice que el motivo de su artículo fue una visita que hizo a Palma en febrero de 1888, Raúl Silva Castro cree que tal viaje es una leyenda y que la entrevista tuvo lugar al año si-

6 Rubén Darío, *Crónica literaria*, vol. IX, *Obras completas* (Madrid, sin fecha), pp. 28-29. M. Soto-Hall también reproduce el mismo texto: *Revelaciones íntimas de Rubén Darío* (Buenos Aires, 1952), pp. 116-125. Sobre las relaciones entre Palma y Darío son interesantes las cartas publicadas por Alberto Ghiraldo en *El Archivo de Rubén Darío* (Santiago de Chile, 1940) y especialmente, dentro del caso, la fechada 1 de mayo de 1894, donde Palma alude a su hijo Clemente diciendo: "...Sus doctrinas literarias son, en mucho, opuestas a las mías. El muchacho es *modernista*, y, por consiguiente, entusiasta amigo de usted" (pp. 140-141). Max Henríquez Ureña anota cómo este "Fotograbado" fue muy difundido porque Palma, halagado por los elogios, lo recogió con otras apreciaciones de su obra en la edición barcelonesa de sus *Tradiciones peruanas* (1893). *Ob. cit.*, pp. 157-158.

7 Mejía Sánchez, *ob. cit.*, nota 42, p. 85.

8 Soto-Hall, *ob. cit.*, pp. 115-116.

guiente cuando el poeta volvía de Chile, de donde partió a principios de 1889 para Centroamérica [9].

Cuando en 1893 Darío prologa la *Historia de tres años* por su amigo Jesús Hernández Somoza habla de "un hermoso período de primavera literaria" y de un movimiento de entusiasmo en la juventud nicaragüense. Agrega luego que "...Modesto Barrios traducía a Gautier, y daba las primeras lecciones de modernismo, no las primeras, porque antes que él, un gran escritor, Ricardo Contreras, habíanos traído las buenas nuevas predicándonos el evangelio de las letras francesas" [10]. A partir de 1893, como veremos, las palabras *modernismo, modernos, modernistas* alcanzan amplia difusión, no sólo en la obra de Darío y otros poetas, sino también en la de los críticos que emplearon estos términos, en conjunción con el mote decadente, con claro sentido despectivo y burlón para caracterizar a los poetas nuevos. Después de la época argentina y conforme a su manifiesto desprecio por las escuelas literarias, Darío no prodiga en sus escritos esta designación de *modernismo,* como si quisiera rehuir ya la insuficiencia de tal nombre.

### CENTROAMÉRICA, CHILE Y LA ÉPOCA DE "AZUL"...

Hacia 1902 Rubén Darío escribió, con cierta nostalgia y orgullo a la vez, las siguientes palabras apropiadas para encabezar esta sección de nuestro trabajo: "¡Los comienzos! Es decir, los sueños, las esperanzas, el entusiasmo. Esos principios son más bellos muchas veces que las más triunfantes victorias. Siquiera porque toda esperanza es hermosa, y todo logro quita el placer de esperar y da el cansancio humano de lo conseguido. La posesión de la gloria es lo mismo que la posesión de la mujer" [11]. Este es el momento que evocamos ahora:

9 Raúl Silva Castro, *Rubén Darío a los veinte años* (Madrid, 1956), páginas 263-264.

10 Rubén Darío, *Crónica política,* vol. XI, *Obras completas* (Madrid, sin fecha), p. 118.

11 Rubén Darío, *La caravana pasa,* vol. III, *Obras completas* (Madrid, 1922), p. 144.

el de juventud, de esperanza, de indecisión y de tanteo; de la progresiva afirmación de su personalidad literaria y de la creciente seguridad de su papel de reformador. Y, como se ha dicho, Darío no sólo se destacó entre todos por su verdadero talento y genio sino también por haberse propuesto, desde temprano, y con toda conciencia, un programa estético [12]. Tracemos, pues, algunos pasos en esta evolución artística hacia la madurez definitiva.

No hay por qué insistir una vez más en lo castizo de la formación intelectual de Darío ni en cómo va infiltrándose poco a poco en su espíritu inquieto el gusto por la literatura francesa [13]. Sin embargo, recordemos cómo en 1886, al comentar en *La Época* el libro de poesías de Pedro Nolasco Préndez, *Siluetas de la Historia,* proclama su fe en el renacimiento de las letras, mas al mismo tiempo da el siguiente consejo al autor: "Yo me atrevo a pedir a mi laureado amigo, un tanto de cariño a los preceptos clásicos, que adunándolos a los vuelos de su rica fantasía, darán por resultado un eclecticismo literario puro y soberano..." [14]. Un poco después, en 1887, expresó las mismas ideas: "Yo tengo fe ciega en un renacimiento de las letras en Chile; fe en la juventud, en una pequeña parte de la juventud que tiene aliento, constancia, nobleza, el fuego sagrado; apoyada, eso sí, indispensablemente, por las pocas columnas que nos quedan de los buenos tiempos que pasaron" [15]. Tales conceptos merecen transcripción para mostrar la actitud admirativa de Darío ante los valores consagrados de su propia tradición hispánica.

En otro sentido, sin embargo, de mucha más importancia que estas notas marginales es un estudio publicado por Darío en *La Libertad Electoral* en abril de 1888 bajo el título de "Catulo Méndez [*sic*], Par-

---

[12] Anderson Imbert, *ob. cit.*, p. XX.

[13] Sobre los primeros años de Darío y sus publicaciones iniciales la indispensable fuente de consulta es el libro de Diego Manuel Sequeira, *Rubén Darío criollo* (Buenos Aires, 1945). Quisiéramos llamar atención aquí sobre uno de los muchos textos reproducidos por Sequeira: el comentario de Darío sobre evolución posterior (pp. 149-151).

[14] "Rubén Darío, Poesías y prosas raras compiladas y anotadas por Julio Saavedra Molina", *Anales de la Universidad de Chile,* XCVI (núms. 29 y 30, 1938), nota, p. 146.

[15] "Carta prólogo de *Renglones cortos,* 1887, Poesías de Alfredo Irarrázaval Z.", *ibid.,* p. 144.

nasianos y Decadentes" [16]. Estas páginas, con el pretexto de comentar al escritor francés, constituyen la primera detallada exposición que conocemos de sus propios ideales estéticos y trazan indirectamente gran parte de las aspiraciones de la nueva poética que empezaba a circular en América. Más aún: Darío explica sus propias renovaciones ensayadas en *Azul*... La publicación de este artículo es anterior a su libro y, según Saavedra Molina, viene a ser el manifiesto de su obra, comparable, por lo tanto, a los prólogos posteriores que encabezan otros poemarios [17]. Resumamos, pues, el contenido de tan significativo trabajo. Darío elogia al poeta Mendès, pero, naturalmente, es al cuentista a quien admira más. Es Mendès, desde luego, quien más influye en la renovación de esta temprana prosa de Darío, una prosa ya novedosa en la primera edición de *Azul*... [18]. Expone la técnica del escritor francés y anota cómo su prosa refinada se nutre del ideal parnasiano y sobre todo de las transposiciones artísticas [19]. Elogiada la sinestesia practicada por los hermanos Goncourt ("...pintar el color de un sonido, el perfume de un astro, algo como aprisionar el alma de las cosas", p. 168), pasa a combatir a los que critican en los decadentes la preocupación formal y el descuido del fondo. Darío parece dar la medida de su propio arte verbal cuando escribe:

> Juntar la grandeza a los esplendores de una idea en el cerco burilado de una buena combinación de letras; lograr no escribir como los papagayos hablan, sino hablar como las águilas callan; tener luz y color en un engarce, aprisionar el secreto de la música en la trampa de plata de la retórica, hacer rosas artificiales que huelen a primavera,

---

16 *Obras desconocidas de Rubén Darío...*, pp. 164-172.

17 *Obras escogidas de Rubén Darío publicadas en Chile,* edición crítica y notas de Julio Saavedra Molina y Erwin K. Mapes (Santiago de Chile, 1939), páginas 128-129.

18 Cf. "Historia de mis libros", *El viaje a Nicaragua e historia de mis libros,* vol. XVII, *Obras completas* (Madrid, 1919), p. 170.

19 Citamos textualmente lo que dice Darío: "...Creen y aseguran algunos que es extralimitar la poesía y la prosa, llevar el arte de la palabra al terreno de otras artes, de la pintura verbigracia, de la escultura, de la música. No. Es dar toda la soberanía que merece al pensamiento escrito, es hacer del don humano por excelencia un medio refinado de expresión, es utilizar todas las sonoridades de la lengua en exponer todas las claridades del espíritu que concibe" (p. 168).

he ahí el misterio. Y para eso, nada de burgueses literarios, ni de frases de cartón (p. 170).

Al lado de estos anhelos de un arte refinado y el culto de una nueva forma elegante, la caracterización final de Mendès revela otras actitudes típicas y otros ideales expresivos que se suelen asociar con el modernismo.

> Aborrece a los gramáticos, a los filólogos de pacotilla, a los descuartizadores de las partes de la oración, por sus disciplinas, por sus anteojos, porque aturden con sus reglas y se sientan sobre sus diccionarios; y no obstante es Mendès gramático consumado, puesto que no olvida nunca ser correcto y bello al escribir. Conoce más que lo que enseña el señor profesor; tiene el instinto de adivinar el valor hermoso de una consonante que martillea sonoramente a una vocal; y gusta de la raíz griega, de la base exótica, siempre que sea vibrante, expresiva, melodiosa. Sabe que hay vocablos maravillosamente propensos a la armonía musical. Las letras forman, por decir así, sus cristalizaciones en el lenguaje. Las eles bien alternadas con eres y enes, enlazando ciertas vocales, la q, la y griega, son propicias a las palabras melódicas. Hay letras diamantinas que se usan con tiento, porque si no se quiebran formando hiatos, angulosidades, cacofonías y durezas (171).

Ya definidas estas sutilezas lingüísticas, la parte final del artículo que glosamos es también significativa. Darío encuentra pocos espíritus audaces que profesen el culto por lo francés y por la forma artística. Sin embargo, el anhelo de renovación a base del arte francés no implica un desprecio por los ilustres antepasados. Con frases que recuerdan otras del prólogo a *Prosas profanas*, alaba, pues, el estilo de Santa Teresa, Cervantes y Quevedo y, con respecto a la lengua española, su sonoridad, viveza, coloración, vigor, amplitud, dulzura, fuerza y gracia. Darío cree en la necesidad de una expresión libre y renovada, desde luego, pero las nuevas formas debieran extraer del pasado español lo más valioso: "Se necesita que el ingenio saque del joyero antiguo el buen metal y la rica pedrería, para fundir, montar y pulir a capricho, volando al porvenir, dando novedad a la producción, con un decir flamante, rápido, eléctrico, nunca usado..." (página 172)[20] Finalmente, tal empeño formal, nada frívolo y superficial, no debiera ser realizado, so pena de franca debilitación, "con polvos de arroz y hojarascas de color de rosa, a la parisiense" (p. 172). En el ya citado trabajo sobre "La literatura en Centro América" el poeta vuelve a insistir en las mismas ideas. No censura, pues, el apego a lo más hermoso y selecto de los maestros clásicos. Desea, no obstante, más vuelo y entusiasmo, un arte que coincida con el desarrollo y progreso de América: "...tenemos el convencimiento de que hemos llegado a un estado tal en Nuestra América, hemos vivido una vida tan rápida, que es preciso dar nuevas formas a la manifestación del pensamiento, forma vibrante, pintoresca y, sobre todo, llena de novedad y libre y franca"[21].

Hay otros textos útiles para demostrar la evolución del pensamiento artístico de Rubén Darío en esta primera etapa. Por estos años el poeta se ocupa, por lo menos en dos ocasiones, de la obra poética de su amigo el chileno Narciso Tondreau. Cuando en *La Época* (14 de enero de 1887) habla de *Penumbras,* se refiere a cómo la moda francesa va invadiendo la literatura española, lo cual "...ha hecho que la lengua castellana se convierta en una jerga incomprensible"[22]. La tendencia de imitación se ha generalizado. En ella ve Darío un peligro. Recomienda, sin embargo, a los escritores que sigan a los franceses "...en cuanto al sujeto y lo que se relaciona con los vuelos de la fan-

---

[20] También con respecto a la raíz hispánica de su obra reproducimos dos fragmentos de la *Historia de mis libros,* ed. citada: "...un soplo de París animaba mi esfuerzo de entonces; mas había también, como el mismo Valera lo afirmaba, un gran amor por las literaturas clásicas y conocimiento de todo lo moderno europeo. No era, pues, un plan limitado y exclusivo" (página 174), y más adelante, al explicar la famosa frase "mi esposa es de mi tierra; mi querida, de París", incorporada a las "Palabras liminares" de *Prosas profanas,* diría Darío: "...En el fondo de mi espíritu, a pesar de mis vistas cosmopolitas, existe el inarrancable filón de la raza; mi pensar y mi sentir continúan un proceso histórico y tradicional; mas de la capital del arte y de la gracia, de la elegancia, de la claridad y del buen gusto, habría de tomar lo que contribuyese a embellecer y decorar mis eclosiones autóctonas" (páginas 188-189).

[21] "La literatura en Centro América", *Obras desconocidas de Rubén Darío...,* p. 208.

[22] "Apuntaciones literarias. *Penumbras* (Poesías de Narciso Tondreau)", *ibidem,* p. 92.

tasía", pero, al mismo tiempo, que hagan "...el traje de las ideas con el rico material del español idioma, adunando la brillantez del pensamiento con la hermosura de las palabras" (p. 92). Pasaron dos años. El concepto de Darío parece ahora algo diferente aunque, en el fondo, permanece igual. Ya de vuelta en Centro América y ya publicado *Azul*..., escribe el extenso prólogo para el libro *Asonantes* de Tondreau, libro que nunca llegó a publicarse [23]. Otro examen de conciencia y declaración de principios. Darío evoca toda una serie de recuerdos literarios de Chile, más frescos en la memoria que cuando escribió su *Autobiografía;* alude a los escritores conservadores o académicos que se atenían a lo preestablecido, y a los otros, más jóvenes, que adoptaban "a modernas ideas, moderno estilo" (p. 286); y de Tondreau mismo dirá lo siguiente:

> La originalidad de Tondreau consiste en la novedad de la imagen, en el dominio del adjetivo, en la pasión plástica y eufónica, en la aplicación del colorido y en la libre y franca manifestación de la idea, aristocratizando todos los vocablos.
>
> Luego, aplica al verso castellano ciertos refinamientos del verso francés. Hay en este idioma exquisiteces y secretos artísticos que introducidos por él al español, lengua armónica y rítmica por excelencia, forman una novedad bella, un conjunto de incrustaciones, de giros, de arabescos preciosos. Aquí lo exótico no salta a la vista; ambas lenguas tienen un mismo origen y florecen en un solo trance y por las mismas raíces. Sin ser decadente en algunas de sus creaciones, sin llegar a las orquestaciones poéticas de los neorrománticos, se acerca algo a esa

---

[23] "El libro *Asonantes* de Narciso Tondreau", *ibidem*, pp. 278-295. Citamos según esta reproducción del texto. También puede leerse en *Crónica literaria*, pp. 81-113. Copiamos aquí un párrafo de una carta de Darío a Tondreau, fechada en 1887: "...Es un arte exquisito el que usted ha empleado en esas estrofas. Ese arte, ese procedimiento que yo adoro, es visto con ojos turbios por los poetas de cierta especie, devotos de San Hermosilla, amigos de los ovillejos de circunstancias, y hacedores de alejandrinos a lo Mármol, de aquellos del invariable tamboreo. Mejor. Quien mire a Lillo como a un dios lírico, a Rodríguez Velasco como el *summum* de cuanto a poesía se refiere, a Valderrama como poeta, y a Matta como un simple versero, no podrá gustar de esos lindos versos de usted, y hallará mil defectos al vigoroso don Guillermo. Éste, para mí, es el único de los 'viejos' que presintió un renacimiento, un arte nuevo". Raúl Silva Castro, *Rubén Darío a los veinte años*, páginas 82-83.

nueva y brillante escuela que un escritor de París ha llamado propiamente la escuela del cerebralismo. Busca la idea rara, la comparación bizarra, y escoge las joyas de la lengua, las más rítmicas que se vocalizan en el recinto adorable de las musas, y así hace de sus estrofas cuadros, bajorrelieves, y sobre todo pone el sagrado temblor de su armonía (pp. 289-290).

El texto que acabamos de citar, contemporáneo del "Fotograbado" de Palma, se explica por sí solo y viene a ser otra temprana declaración indirecta del nuevo credo artístico. En el mismo lugar Darío hace, por lo demás, un elogio entusiasta de los hermosos metros españoles [24]; destaca en Tondreau su originalidad e independencia de escuela (p. 292); y escribe también esta defensa de sus propios procedimientos poéticos:

Así, pues, los escritores en lengua española, que como Tondreau, tengan culto por el idioma propio, no cometen pecado alguno en seguir ese bello arte francés, para hacer más rica, más vibrante, más colorida la expresión del pensamiento. Yo, por mi parte, me huelgo del "galicismo mental" que encontró don Juan Valera en uno de mis pobres libros... Busquemos, pues, ese procedimiento exquisito de los artistas de la palabra escrita, y que cada escritor muestre el pequeño mundo interior que lleva en su alma, con manera artística (p. 291).

La doctrina implícita en los textos que hemos citado revela hasta qué punto Darío había formulado, desde temprano, un programa poético. Era consciente de la necesidad de reforma pero solía exponer sus ideales en forma indirecta, descubriendo en Mendès y luego en Tondreau procedimientos estilísticos que él mismo iba a hacer triunfar plenamente en su anhelo de combatir lo anquilosado y lo mediocre que veía a su alrededor. Frente a la tradición clásica española, una actitud de selección y de pureza. Lo que censuraba eran las formas caducas, fosilizadas y convencionales que se mantenían tenazmente debido a los estrechos preceptos y prejuicios académicos. Respeta, pues, en la li-

---

24 Sobre los metros castellanos, superiores a los franceses, dice Darío: "En castellano se ha procurado introducir por algunos poetas la medida de los hexámetros griegos y latinos... Nosotros no necesitamos de todo eso. ¡Ah, metros castellanos! El endecasílabo es digno de la lira griega" (p. 290). Comparar con lo que dice en el prólogo a *Cantos de vida y esperanza.*

teratura del pasado la calidad, pero desea romper ruidosamente con lo rutinario. Exalta el arte y la libertad creadora; proclama ya la aristocracia del pensamiento engarzado en una nueva forma elegante; y cree que la renovación va a ser realizada por la cuidadosa adaptación de ciertos refinamientos franceses a la lengua española. Recordemos, una vez más, sus elogios de las cualidades del idioma castellano y sus francas reservas ante la indisciplinada imitación de los modelos franceses. Como hemos visto, aparecen ya en estos escritos alusiones frecuentes a otros rasgos modernistas, verbigracia la musicalidad, la plasticidad y la renovación léxica. Darío se sentía distinto a la mayoría de los escritores y se daba cuenta de que comenzaba un nuevo espíritu. Y así, en ese ambiente de optimismo y de confianza, aparece en Guatemala (1890) la segunda edición de *Azul...*, ahora enriquecida con nuevos versos y prosas.

### BUENOS AIRES: LA ÉPOCA DE "LOS RAROS" Y "PROSAS PROFANAS" [25]

Cuando Rubén Darío llegó a Buenos Aires en 1893 encontró un medio intelectual ya preparado. Por vez primera estaba rodeado de espíritus afines con las mismas inquietudes poéticas. Su acogida en la capital fue cordial y un núcleo coherente profesó inmediata adhesión a la causa renovadora. Estos años, no obstante, son de lucha y de polémica, porque el modernismo no se impuso sin la acendrada oposición de los tradicionalistas, provocando más de un escándalo como el del "blanco horror". También es un Darío diferente. Cada vez más seguro de su propio talento, es un Darío que había realizado su sueño de visitar a París, donde vio el triunfo del simbolismo; un Darío que ahora se atreverá a habérselas con Clarín, con Groussac. Poco después llega Leopoldo Lugones, de Córdoba, y, de Bolivia, Jaimes Freyre [26].

25 Sobre esta época del modernismo en la Argentina son útiles las páginas de Carlos Alberto Loprete, *La literatura modernista en la Argentina* (Buenos Aires, 1955), pp. 7-63, y también las investigaciones de Rafael Alberto Arrieta incorporadas a su *Introducción al modernismo literario* (Buenos Aires, 1955) ofrecen notables precisiones sobre la eclosión del movimiento en Buenos Aires.

26 Unos años después Rubén Darío, en un artículo muy profético con

Se completa el triunvirato. Se fundan revistas importantes y se logra bajo el genio del recién llegado la unificación definitiva de todo lo disperso. Y siempre Darío consagrará recuerdos cariñosos a Buenos Aires, donde se libró la verdadera batalla del modernismo.

Darío dirá, desde luego, en las "Palabras liminares" de *Prosas profanas,* que no le pareció ni oportuno ni fructuoso un manifiesto. Se disculpa por varias razones demasiado conocidas para detallarlas aquí [27]. No hay por qué tomarlo en serio y precisamente esas "Palabras liminares", como antes "Los colores del estandarte", vienen a ser claras exposiciones de los principios artísticos que le guiaron en su tarea de reformador. El momento era propicio: el modernismo tenía ya sus adversarios y el medio intelectual estaba caldeado. Con energía Darío sale a la palestra en defensa de su arte. El tono combativo, pues, caracteriza sus palabras sobre la nueva estética, que poco a poco va conquistando terreno e imponiéndose por el talento de sus adeptos. No debe sorprendernos tampoco que Darío, a falta de mejor designa-

---

respecto al desarrollo futuro del poeta cordobés, alude a su llegada y lectura de poemas en el Ateneo ("Un poeta socialista. Leopoldo Lugones", *El Tiempo,* 12 de mayo de 1896, en E. K. Mapes, *Escritos inéditos de Rubén Darío* [New York, 1938], pp. 102-108). De él escribe: "Es uno de los 'modernos', es uno de los de la Joven América. Él y Ricardo Jaimes Freyre son los dos más fuertes talentos de la juventud que sigue los pabellones nuevos en el continente. Mi pobre y glorioso hermano Julián del Casal hubiera amado mucho a este hermano menor que se levanta en la exuberancia de sus ardores valientes y masculinos, obsedido por una locura de idea. Sigue los nuevos pabellones por ser su temperamento de artista puro, su espíritu violento y vibrante, su vocación manifiesta e invencible para padecer bajo el poder de los Pilatos de la mediocridad... He dicho que es, ante todo, un revolucionario; y un revolucionario completamente consciente. Él sabe por qué sigue los pabellones nuevos. Con Jaimes Freyre y José A. Silva, es entre los 'modernos' de lengua española, de los primeros que han iniciado la innovación métrica a la manera de los 'modernos' ingleses, franceses, alemanes e italianos" (páginas 102-103).

27 Cf. también *Historia de mis libros,* p. 186. Refiriéndose a Marinetti y el futurismo escribe Darío: "Lo único que yo encuentro inútil es el manifiesto. Si Marinetti con sus obras vehementes ha probado que tiene un admirable talento y que sabe llevar su misión de Belleza, no creo que su manifiesto haga más que animar a un buen número de imitadores a hacer 'futurismo' a ultranza, muchos, seguramente, como sucede siempre, sin tener el talento ni el verbo del iniciador...", *Letras* (París, s. f.), p. 236.

ción, se apoye en los vocablos *modernismo* y *modernos* para referirse a los novedosos ideales expresivos que él había puesto en marcha desde la época anterior [28].

Poco después de su llegada a Buenos Aires, Darío publica en *La Nación* (30 de enero de 1894) un artículo titulado "Pro domo mea", en el cual contesta a un palique de Clarín que había leído en *La Prensa*. Este escrito, importante por su actitud de combate, también pone de manifiesto ciertas significativas preocupaciones literarias del poeta que merecen destacarse. Afirma rotundamente Darío que él "...no tiene la obligación de cargar con todas las atrocidades *modernistas*, llamémoslas así, que han aparecido en América después de la publicación de su *Azul*..." y, a renglón seguido, que "...le revientan más que a Clarín todos los afrancesados cursis, los imitadores desgarbados, los coloretistas, etcétera" [29]. Niega también la existencia de una escuela pero, ya orgulloso de una generación propiamente americana digna de medirse con la española, alude a un pequeño grupo selecto de escritores, desconocidos por supuesto en España, que merecerían los elogios de Clarín si los leyera. Darío aconseja al temido crítico que estudie a los buenos poetas hispanoamericanos sin condenarlos por un neologismo o un galicismo. Y finalmente escribirá: "Yo no soy jefe de escuela ni aconsejo a los jóvenes que me imiten; y el 'ejército de Jerjes' puede estar descuidado, que no he de ir a hacer prédicas de decadentismo ni a aplaudir extravagancias y dislocaciones literarias" (p. 51). Estas palabras, además de indicar su indiferencia ante las escuelas literarias [30], anticipan sus frecuentes e insistentes admoniciones a los poetas para que cultiven, por encima de todo, su propia personalidad [31].

---

28 Hasta en una ocasión llega a emplear el verbo cuando, tratándose de Rafael Núñez en 1894, dice: "Si quisiese *modernizaría*". "De un libro de Páginas íntimas. Rafael Núñez, 1892", Mapes, *Escritos inéditos...*, p. 65.

29 *Ibidem*, p. 51.

30 En su comentario a los *Bajo relieves* de Leopoldo Díaz escribe Darío al respecto: "...Y no olvide que las escuelas y cenáculos, si tienen razón de ser al comienzo de toda propaganda, se disuelven después, cuando la individualidad se impone. La única escuela que permanece siempre la misma, temible a la cual hay que hacer a la continua persecución de inquisidores, es la numerosísima escuela de la insensatez", *ibid.*, p. 82.

31 Por ejemplo, al aludir a Manuel Rodríguez, afirma Darío: "... Es éste un espíritu de excepción, de los pocos que forman la naciente y limitada

Por lo demás, la poesía y el arte son oficios serios para Darío. Implican estudio, disciplina y preparación [32]. Según vimos, Darío se disculpa por ciertas atrocidades modernistas y de la contaminación del arte en manos de los que carecen en absoluto de verdadero talento individual. Leamos ahora lo que dice de Rafael Núñez en otra crónica de *La Nación:*

> ...Es un sacerdote del arte, mas su manera no es artística, en el sentido moderno. Y más vale así, con su modo magistral, sereno, vigoroso; que si hubiese sido contaminado el 'maestro' con la plaga colorista y artística que hoy se despierta en toda la América española, donde sin comprender que lo primero es el sentido común y lo segundo el incesante estudio, muchos inexpertos que contemplan el triunfo de unos pocos vencedores, pretenden por el peligroso camino

aristocracia mental de América. Es un entendimiento serio y reflexivo, aislado de las bulliciosas tentativas de un arte de moda, como de las filas de momias que duermen entre sus bandelettes tradicionales. Desde su primer libro, la nobleza de su pensamiento y la distinción de su estilo le colocaron en un lugar aparte en nuestra literatura... Yo quisiera que todos los nuevos talentos de América cultivasen la propia personalidad con la firmeza y discreta gallardía de este generoso trabajador...", *La caravana pasa,* p. 156. "...Todo ello está por cierto lejos de la pirotécnica verbal, y de los descoyuntamientos de pianista que suelen tomarse como distintivos de una fuerza poética incontestable, y que se achaca al influjo de un modernismo —llamémosle así— *que no hizo bien sino a quienes se lo merecían*", *Cabezas,* vol. XXII, *Obras completas* (Madrid, s. f.), p. 46 (la letra cursiva es nuestra).

[32] De 1895 data el siguiente fragmento que interesa citar aquí: "Se vencerá ¡oh jóvenes amigos, oh compañeros de América! Pero no os embarquéis en galeras de oro al reino nuevo, sin preparar un buen bagaje y una buena coraza: no dejéis de llevar con vosotros a nuestra vieja nodriza la Gramática; y si veis más tarde, en el mar inmenso, una barca que flota, ya casi desvencijada y al irse a pique, que tenga por nombre *Azul...*, no echéis en olvido que un pobre antecesor vuestro trajo en ella las gallinas...", "Prefacio de *Gotas de absintio*" por Emilio Rodríguez M. [Santiago, 1895], en Saavedra Molina, "Poesías y prosas raras...", p. 156. Años más tarde escribía Darío: 'Aun entre algunos que se habían apartado de las antiguas maneras, no se comprendía el valor del estudio y de la aplicación constante, y se creía que con el solo esfuerzo del talento podría llevarse a cabo la labor emprendida. Se proclamaba una estética individual, la expresión del concepto; mas también era precisa la base del conocimiento del arte a que uno se consagraba, una indispensable erudición y el necesario don del buen gusto...", *Historia de mis libros,* pp. 186-187.

de la imitación, llegar a la posesión del arte más elevado, pasando sobre reglas y preceptos, y encasquetándose el gorro frigio, en regiones donde blancas musas imperiales los miran espantados destrozar las flores, manchar las estatuas de mármol, democratizar los alcázares en que reina la más encumbrada y augusta de las jerarquías [33].

En estos años de lucha Darío mira a su alrededor y se encuentra con una enérgica juventud deseosa de expresarse con dignidad artística. En ese grupo de espíritus selectos ve un nuevo progreso y una prometedora madurez intelectual. Según dijimos, se enorgullece, pues, de la generación americana en que figuran escritores talentosos que superan a los mejores de España. ¿Por qué se verifica en tierras americanas el renacimiento poético? Desde luego, para Darío, porque España, amurallada y cerrada, se ha estancado dentro de su tradicionalismo. No se cansa de hablar del españolismo tan arraigado en la península que no permite entrar los aires de renovación:

> ...se dice que yo he contagiado a la juventud de América, que ya no puede pasar el alimento español... Hemos pecado, es cierto. ¿Pero quién ha tenido la culpa sino la madre España, la cual, una vez roto el vínculo primitivo, se metió en su Escorial y olvidó cuidar la simiente moral, que aquí dejaba? Un puente de ideas habría habido de continente a continente; pero no se procuró más unión desde entonces, que la que podía sostener unas cuantas telarañas gramaticales tendidas desde la madrileña calle de Valverde...

y luego explica la actitud americana ante España y, por otra parte, su relación con el espíritu de otras naciones:

> La innegable decadencia española aumentó nuestro desvío, y el verdadero o aparente aire de protección mental y de desprecio que respecto al pensamiento de América manifestaran algunos escritores peninsulares, secó en absoluto nuestras simpatías y nos alejó tanto de la antigua madre patria, que la actual generación intelectual, los pensadores y artistas que hoy representan al alma americana, tienen más relación con cualquiera de las naciones de Europa, que con España ...Y tuvimos que ser entonces políglotas y cosmopolitas y nos comenzó a venir un rayo de luz de todos los pueblos del mundo [34].

---

33 Mapes, *Escritos inéditos...*, p. 65.

34 "María Guerrero" (*La Nación*, 12 de junio de 1897), *ibidem*, p. 125

Sin embargo, Darío no es del todo pesimista con respecto a España y conviene advertirlo. Cree en la renovación de la cultura hispánica, lo cual permitirá a España recobrar su antigua fuerza intelectual al asomarse a lo que está pasando en las naciones que avanzan [35].

Es bien sabido que Pablo Groussac enjuicia en dos ocasiones la obra de Rubén Darío, desde las columnas de su importante revista *La Biblioteca.* Primero se ocupa con severidad de *Los raros* y, poco después, con más benevolencia, de *Prosas profanas* [36]. Darío, ya seguro de su papel, contesta el primer artículo con "Los colores del estandarte" (*La Nación,* 27 de noviembre de 1896) [37], en que se habla de su propia obra y de la influencia que Groussac mismo ejerció en sus tentativas de renovación. Así, con gracia e ingenio, Darío le devuelve algunas de las más acerbas críticas que había hecho de *Los raros.* Admitida su decidida deuda literaria con Groussac, confiesa cómo el mismo escritor francés estuvo a punto de figurar en las "hagiografías literarias" de su libro. Con aseveraciones que anticipan lo que dirá mucho más tarde en la *Historia de mis libros,* Darío puntualiza la génesis de *Azul...* y sus relaciones con el parnasismo. Su éxito —lo confiesa— se debe al sonado galicismo mental ya advertido por Valera [38]. Este artículo de Darío no sólo defiende su arte sino que tam-

35 *Ibidem,* p. 126.

36 Los dos textos, sumamente significativos y no lo bastante conocidos, pueden leerse íntegros en el número de homenaje a Darío de la revista *Nosotros,* X (núm. 82, febrero de 1916), pp. 150-160.

37 El texto de "Los colores del estandarte" ha sido reproducido en varios lugares. Nosotros citamos según Mapes, *Escritos inéditos...,* pp. 120-123.

38 Merecen citarse algunas palabras suyas sobre lo francés: "...Mi adoración por Francia fue desde mis primeros pasos espirituales honda e inmensa. Mi sueño era escribir en lengua francesa. Y aun versos en ella que merecen perdón porque no se han vuelto a repetir... Al penetrar en ciertos secretos de armonía, de matiz, de sugestión que hay en la lengua de Francia, fue mi pensamiento descubrirlos en el español, o aplicarlos. La sonoridad oratoria, los cobres castellanos, sus fogosidades, ¿por qué no podrían adquirir las notas intermedias, revestir las ideas indecisas en que el alma tiende a manifestarse con mayor frecuencia?... Y he aquí cómo, pensando en francés y escribiendo en castellano que alabaran por lo castizo académicos de la Española, publiqué el pequeño libro que iniciaría el actual movimiento literario americano, del cual saldrá, según José María de Heredia, el renacimiento mental de España. Advierto que como en todo esto hay sinceridad y verdad, mi modestia queda intacta" (p. 121).

bién explica sus procedimientos literarios. Traza una semblanza personal, que puede compararse con la más conocida de sus "Palabras liminares", cuando afirma:

> En verdad, vivo de poesía. Mi ilusión tuvo una magnificencia salomónica. Amo la hermosura, el poder, la gracia, el dinero, el lujo, los besos y la música. No soy más que un hombre de arte. No sirvo para otra cosa. Creo en Dios, me atrae el misterio; me abisman el ensueño y la muerte, he leído muchos filósofos y no sé una palabra de filosofía. Tengo, sí, un epicureísmo a mi manera: gocen todo lo posible el alma y el cuerpo sobre la tierra, y hágase lo posible para seguir gozando en la otra vida. Lo cual quiere decir que lo veo todo en rosa (p. 121).

Habla de su "sed de novedad" y su "delirio de arte", todo lo cual lo llevó a leer con espíritu ecléctico a los franceses para absorber luego lo que de ellos le agradaba e imponer su propio sello individual en todas aquellas incitaciones. De ahí su originalidad *(Ibidem)*. Recuerda cómo en Europa había conocido personalmente a algunos de los llamados decadentes, los buenos y los extravagantes:

> ...Elegí los que me gustaron para el alambique. Vi que los inútiles caían; que los poetas, que los artistas de verdad, se levantaban y la sátira no prevalecía contra ellos... ¡Ah, jóvenes que os llamáis decadentes porque mimáis uno o dos gestos de algún poeta raro y exquisito, para ser decadente como los verdaderos decadentes de Francia, hay que saber mucho, que estudiar mucho, que volar mucho! (páginas 121-122).

y ahora con alusión específica a su obra misma explica:

> ...No son *raros* todos los decadentes ni son decadentes todos los *raros*. Leconte de Lisle está en mi galería sin ser decadente a causa de su aislamiento y de su augusta aristocracia... No son los *raros* presentados como modelos; primero porque lo *raro* es lo contrario de lo normal, y después, porque los cánones del arte moderno no nos señalan más derrotero que el amor absoluto a la belleza —clara, simbólica o arcana— y el desenvolvimiento y manifestación de la personalidad. Sé tú mismo; esa es la regla. Si soy verleniano no puedo ser moreísta, o mallarmista, pues son maneras distintas (pp. 122-123) [39].

---

[39] En su comentario "Influencia del sentido de la belleza", a propósito

Aunque lo niega Darío, el segundo manifiesto del período es el pequeño prólogo a *Prosas profanas*, a cuyo texto no tenemos que referirnos por ser tan conocido. Sin embargo, quisiéramos recalcar una vez más la constante insistencia sobre el culto de la individualidad como elemento esencial de toda creación duradera. Menosprecio de escuela y supremacía del talento personal. Vemos, pues, en esa voluntad de estilo el rasgo más característico del modernismo. Eso sí ha perdurado en la literatura posterior. Lo que ha muerto indefectiblemente fue lo que tenía que morir: el parnasismo exterior y decorativo, pronto superado el momento de entusiasmo inicial.

Un recorrido detenido de las prosas críticas de Darío en esta época, algunas de las cuales hemos visto ya, muestran en comparación con las anteriores una nueva actitud de confianza y de afirmación. Hasta de desafío. El movimiento se ha consolidado; tiene sus enemigos; y el tono de lucha en sí mismo implica que ya se tomaba en serio el nuevo arte. Darío sabe que América es donde va a llevarse a cabo la anhelada renovación; España se ha retrasado; pero la juventud americana, nutrida de ideales cosmopolitas, se adelanta. Por lo demás, Darío continuamente combate la indiferencia del medio que le rodea y la mediocridad general [40]. Él, como todos los modernistas,

---

de las apreciaciones injustas del escritor inglés Richard Le Gallienne, Darío hace una defensa de los llamados decadentes, *Páginas de arte*, vol. IV, *Obras completas* (Madrid, s. f.), pp. 39-47. Conviene citar aquí en parte el breve prólogo a la segunda y definitiva edición de *Los Raros* (Barcelona, 1905): "Hay en estas páginas mucho entusiasmo, admiración sincera, mucha lectura y no poca buena intención. En la evolución natural de mi pensamiento, el fondo ha quedado siempre el mismo. Confesaré, no obstante, que me he acercado a algunos de mis ídolos de antaño y he reconocido más de un engaño de mi manera de percibir. Restan la misma pasión de arte, el mismo reconocimiento de las jerarquías intelectuales, el mismo desdén de lo vulgar y la misma religión de belleza. Pero una razón autumnal ha sucedido a las explosiones de la primavera" (pp. V-VI).

[40] Nos parece pertinente la transcripción de un fragmento de su artículo sobre Almafuerte (*La Nación*, 3 de mayo de 1895): "...En resumen: juzgo que es digna de los que observan cultamente la evolución intelectual de nuestra América, la personalidad sincera y vigorosa de *Almafuerte*, su vuelo sobre la general mediocridad; la manifestación de su pensamiento libre y propia; tanto más, en este tiempo en que nuestra producción, con casos excepcionalísimos en contrario, se reduce a pastosas banalidades que chorrean el agua-

quería distinguirse, elevarse sobre la mayoría y encarnar gustos minoritarios. No debe extrañarnos que haya proclamado con más firmeza que antes su consagración al ideal de un arte puro, la devoción al oficio literario y el amor a la poesía. Este es, además, uno de los temas más frecuentes de sus cuentos desde temprano, el del poeta en un mundo hostil y desdeñoso [41]. Muestra impaciencia ante la inmovilidad y concreta su odio ante los clisés tanto mentales como verbales. En fin, el programa teórico ha sido unificado y fortalecido. En él aparecen ya todos los ideales modernistas claramente definidos. Por último, en Buenos Aires, en medio del asombro de los tradicionalistas y del entusiasmo de los jóvenes, Rubén Darío llega a publicar sus dos obras "de escuela".

### EUROPA Y LA ÉPOCA DE "CANTOS DE VIDA Y ESPERANZA"

En los escritos que corresponden a la época europea de Darío desaparece el tono agresivo y polémico que caracteriza los de Buenos

---

chirle de la tradición castiza; o esponjados y chillantes globos oratorios; o ridículas eyaculaciones líricas de efebos poseídos de una incontenible brama de estilo; en este tiempo en que repórteres indoctos discuten ideales estéticos y cretinos mascametáforas hacen la higa ante el altar del Arte, en que el ignorante llama decadente a todo lo que no entiende, y el bachiller ornitocéfalo da vuelta a su rabiosa ruleta verbal; en este tiempo, en fin, en que todo el mundo se cree con derecho a tener una opinión; en que de todo se habla ignorándose todo; en que se confunde en una misma línea y en la más abominable promiscuidad el esfuerzo del intelectual con el cómodo dilettantismo de los sportmen de las letras y la palabra de los maestros con la algarabía de los colegiales; en que lo mismo pasa el caudal ganado pacientemente por el estudioso, que la moneda prestada por la erudición insolvente en el almacén de pedantería de los diccionarios enciclopédicos...", Mapes, *Escritos inéditos*, p. 78.

[41] Raimundo Lida, "Estudio preliminar", *Cuentos completos de Rubén Darío* (México, 1950), pp. XXIV y ss. Nos permitimos citar también las siguientes acertadas palabras del mismo distinguido crítico argentino: "...Ya se alza ante nosotros la figura cabal del poeta que ha decidido —no por asombrar ni enfadar al burgués, sino por lealtad al propio anhelo de perfección— vivificar el español, o su español, con cuantos fermentos le brinden las literaturas extranjeras, sin respetar aduanas de palabras, de ideas ni de gustos" (página XXXIV).

Aires. Es natural por haberse asegurado el triunfo del movimiento. A raíz de la guerra del 98, pues, Rubén Darío fue enviado a España como corresponsal de *La Nación,* encargado de comentar la situación de la madre patria. Tales observaciones, de muy varia índole, las recogió luego en el libro *España contemporánea* (1901). En esta obra y otras más o menos del mismo período la escena española y sobre todo su literatura ocupan un primer plano en sus prosas. El panorama intelectual que encontró el poeta fue desolador, excepción hecha de Cataluña, cuyo espíritu de modernidad y de progreso no deja de encomiar con frecuencia a través de esas páginas. Aunque la simpatía de Darío es bien manifiesta en sus crónicas, el cuadro de la cultura española es triste. Vuelve a lamentar el arraigado españolismo que tanto mal había hecho y deplora el decaimiento general de las letras españolas. La poca esperanza que hay de una renovación la hace derivar de los aportes americanos:

> ... En lo intelectual, he dicho ya que las figuras que antes se imponían están decaídas, o a punto de desaparecer; y en la generación que se levanta, fuera de un soplo que se siente venir de fuera y que entra por la ventana que se han atrevido a abrir en el castillo feudal unos pocos valerosos, no hay sino literatura de mesa de café, la mordida al compañero, el anhelo de la peseta del teatro por horas, o de la colaboración en tales o cuales hojas que pagan regularmente; una producción enclenque y falsa, desconocimiento del progreso mental del mundo, iconoclasticismo infundado o ingenuidad increíble, subsistente fe en viejos y deshechos fetiches. Gracias a que escritores señaladísimos hacen lo que pueden para transfundir una sangre nueva, exponiéndose al fracaso; gracias a eso puede tenerse algunas esperanzas en un próximo cambio favorable. Mal o bien, por obra de nuestro cosmopolitismo, y, digámoslo, por la audacia de los que hemos perseverado, se ha logrado en el pensamiento de América una transformación que ha producido, entre mucha broza, verdaderos oros finos, y la senda está abierta... [42].

El centro de la nueva literatura —sigue diciendo Darío— era Buenos Aires, metrópoli abierta a todas las literaturas y no a la francesa ex-

---

[42] *España contemporánea* (París, s. f.), pp. 25-26. Todas las citas reproducidas corresponden a esta edición de Garnier Hermanos.

clusivamente, donde los jóvenes tenían la necesidad de ser políglotas y cosmopolitas (p. 130). Sin embargo, los poetas valiosos de América son desconocidos en España, cuyos literatos, salvo notables excepciones como Valera y Castelar, persisten en ignorarlos. De estos años también data la polémica con Unamuno, quien afirmó el excesivo parisianismo de la literatura de Buenos Aires, una polémica que no sólo interesa por la actitud de cada uno sino también por haber abierto camino para las relaciones más cordiales entre los dos escritores [43]. Además, a *España contemporánea* Darío incorpora una crónica, fechada a fines de 1899, titulada "El modernismo". Este escrito arranca de unos ataques a los modernistas, decadentes y estetas publicados en la prensa madrileña, ataques no justificados según el poeta porque "...ni el carácter, ni la manera de vivir, ni el ambiente, ayudan a la consagración de un ideal artístico" (p. 316). No existe, pues, en España tal modernismo por la falta de voluntad y de entusiasmo en el medio del país. De nuevo el blanco es el españolismo y ahora por primera vez Darío menciona la anarquía como base de la nueva estética, escribiendo: "...Esto impide la influencia de todo soplo cosmopolita, como

[43] La correspondencia entre Unamuno y Darío ha sido recogida por Alberto Ghiraldo en *El Archivo de Rubén Darío,* ya citado, y también en *Epistolario I,* vol. XIII, *Obras completas* (Madrid, s. f.). Del último libro copiamos lo siguiente de una carta de Darío fechada el 21 de mayo de 1899: "Por otra parte, no sabe usted lo que yo he combatido el parisianismo de importación que he tenido la mala suerte de causar en buena parte de la juventud de América; y en el prólogo de mis *Prosas profanas* he dicho bien claro que no puede tomarse como modelo y guía lo que en mí es producto de mi individualidad y de mi educación literarias..." (p. 28).

Puede leerse en *Semblanzas,* vol. XV, *Obras completas* (Madrid, s. f.) el estudio de Darío titulado "Unamuno, poeta", pp. 25-33. De él transcribimos dos fragmentos pertinentes: "...No es, desde luego, un virtuoso, y esto casi me le hace más simpático mentalmente, dado que, tanto en España como en América, es incontable, desde hace algún tiempo a esta parte, la legión de pianistas. Él no da tampoco superior importancia a la forma. Él quiere que se rompa la nuez y vaya uno a lo que nutre" (p. 28); y luego dice Darío: "Esto no es renegar de mis viejas admiraciones ni cambiar el rumbo de mi personal estética. Tengo, gracias a Dios, una facultad que nunca he encontrado en tantos sagitarios que han tomado mi obra por blanco: es la de comprender todas las tendencias y gustar de todas las maneras. Todas las formas de la belleza me interesan, y no sé por qué razón habría de desdeñar la orquídea por el girasol o el girasol por la orquídea..." (pp. 32-33).

asimismo la expansión individual, la libertad, digámoslo con la palabra consagrada, el anarquismo en el arte, base de lo que constituye la evolución moderna o modernista" (p. 311). Explica la eclosión del movimiento modernista en América, antes que en España, por las siguientes razones:

> ...por nuestro inmediato comercio material y espiritual con las distintas naciones del mundo, y principalmente porque existe en la nueva generación americana un inmenso deseo de progreso y un vivo entusiasmo, que constituye su potencialidad mayor, con lo cual poco a poco va triunfando de obstáculos tradicionales, murallas de indiferencia y océanos de mediocracia. Gran orgullo tengo aquí de poder mostrar libros como los de Lugones o Jaimes Freyre, entre los poetas ...Y digo: esto no será modernismo, pero es *verdad*, es realidad de una vida nueva, certificación de la viva fuerza de un continente... (página 314).

No se trata de escuelas ni de fórmulas —dice Darío— sino de verdaderos artistas y escritores de talento. El arte moderno no es improvisación e insiste de nuevo en la seriedad de sus propósitos artísticos: "...Hoy no se hace modernismo —ni se ha hecho nunca— con simples juegos de palabras y ritmos. Hoy los ritmos nuevos implican nuevas melodías que cantan en lo íntimo de cada poeta la palabra del mágico Leonardo: *Cosa bella mortal passa, es non d'arte.* Por más que digan los juguetones ligeros a los niños envejecidos y amargos, fracasa solamente el que no entra con pie firme en la jaula de ese divino león, el Arte"... (pp. 315-316)[44].

Ni en crónicas y comentarios posteriores puede desvincularse el tema de España de las opiniones literarias de Darío. Lo que importa

---

[44] Siempre Darío combatió, como hemos visto repetidamente, la farsa y la imitación insincera. Al comentar la obra del poeta costarricense Aquileo J. Echeverría esta actitud se patentiza, cuando escribe: "...en los cuentos y descripciones criollas, aun en los que casi se dirían trabajos de *folklorista,* me perfuma y melifica el humor, me brinda el impagable regalo de la risa, de la honradez literaria, después de soportar tanta imitación desatentada, tanto pseudo modernismo, tanta farsa intelectual como los que han invadido la literatura española e hispanoamericana al amparo de la libertad del Arte y de la sinceridad y noble entusiasmo de los iniciadores", *Todo al vuelo,* vol. XVIII, *Obras completas* (Madrid, s. f.), p. 91.

señalar, sin embargo, es su cambio de actitud. En *Tierras solares* (1904), por ejemplo, su impresión del medio intelectual español es bien distinta: habla de "un estremecimiento de vida", "una fragancia de juventud", "una próxima era de victorias", etc. [45]. En fin, España despierta y promete renacer por los aires de afuera que van entrando en la península. Aquí también prodiga alabanzas del Juan Ramón Jiménez de *Arias tristes*, y fiel a su propio credo estético, encuentra en el poeta andaluz la individualidad del canto: "... Como todo joven poeta de fines del siglo XIX, ha puesto el oído atento a la siringa francesa de Verlaine. Mas, lejos del desdoro de la imitación y ajeno a la indigencia del calco, ha aprendido a ser él mismo —être soi même— y dice su alma en versos sencillos como lirios y musicales como aguas de fuente..." [46]. Cuando Gómez Carrillo le preguntó sobre el estado actual de la poesía española Darío contestó con una nota "Nuevos poetas de España", recogida luego en *Opiniones* (1906), en que reafirma su fe en la nueva generación española y caracteriza acertadamente la obra poética de los Machado y Pérez de Ayala, entre otros escritores. Quisiéramos transcribir las siguientes afirmaciones, en las cuales Darío rehuye la palabra *modernismo*, cada vez menos frecuente ahora en sus prosas, y revela su optimismo para un futuro prometedor:

> Lo que sí se advierte en el primer momento es que la manera de pensar y de escribir ha cambiado. La liberación de la intelectualidad es un hecho, y más que la europeización, la universalización del alma española. En mi *España contemporánea* he hablado del movimiento mental que por la influencia del simbolismo francés transformó las letras hispanoamericanas. Ese movimiento, aunque tardío, llegó a España, y dio nueva vida a las letras españolas. Se acabaron el encantamiento, la sujeción a la ley de lo antiguo académico, la vitola, el patrón que antaño uniformaba la expresión literaria. Concluyó el hacer versos de determinada manera, a lo Fray Luis de León, a lo Zorrilla, o a lo Campoamor, a lo Núñez de Arce, o a lo Bécquer. El individualismo, la libre manifestación de las ideas, el vuelo poético sin trabas, se impusieron. Y eso trajo una floración nueva y desconocida. Y el nivel de los espíritus subió. Hasta hace pocos años, apartando al gran Zorrilla, los poetas castellanos estaban en segundo o tercer término entre

---

45 *Tierras solares*, vol. III, *Obras completas* (Madrid, 1917), pp. 12-13.

46 *Ibidem*, p. 74.

los de Europa. Ahora, entre los poetas jóvenes de España, los hay que pueden parangonarse con los de cualquier Parnaso del mundo. La calidad es ya otra, gracias a la cultura importada, a la puerta abierta en las viejas murallas feudales...[47].

Como puede advertirse a través de los textos citados de esta época, apenas se preocupa Darío por una defensa de sus propios principios estéticos. La obra misma fue un elocuente testimonio y no había ninguna necesidad, ya logrado el triunfo del modernismo. Cuando enjuicia las letras españolas se nota en seguida un fondo de orgullo natural, un orgullo a la vez personal y americano. En vez de referirse directamente a sus procedimientos artísticos, el comentario literario tiende a ser más general cada vez que se ocupa del arte nuevo, de cuyo cosmopolitismo se ha beneficiado indudablemente la literatura peninsular. En las palabras "Al lector" que encabezan sus *Cantos de vida y esperanza,* sin embargo, Darío vuelve al autoanálisis y siente la necesidad de explicarse ante el público lector. Más significativa aún, en este sentido, es la composición inicial del libro, una confesión integral e historia personal de su vida y pasado literario. Este poema, escrito bajo el signo de la sinceridad, da la tónica a la colección y explica con toda honradez la esencia de su arte desde el esteticismo de épocas anteriores hasta la poesía hondamente reflexiva y humana que predomina, al lado de lo social y lo hispánico, en *Cantos.* Si bien el tono serio y preocupado de este poemario, el mejor de cuantos escribió Darío, se diferencia notablemente del de *Prosas profanas,* libro de escuela, el poeta no niega nunca su pasado proclamando otra vez que su respeto "por la aristocracia del pensamiento, por la nobleza del Arte es el mismo". Un tema ciertamente del poema introductorio es la preeminencia del Arte y la belleza. No creemos que haya cambio fundamental en la actitud de Darío, sino un nuevo y más insistente acento en temas menos atendidos por el poeta en etapas anteriores. Es decir, lo que llamó la atención fue el esteticismo sin que la crítica se haya detenido lo bastante en la seriedad de sus preocupaciones vitales. En el corto prólogo a *Cantos* el modernismo se define una vez más como "el movimiento de libertad" que el poeta había iniciado y

---

47 *Opiniones,* vol. X, *Obras completas* (Madrid, 1918), pp. 201-202.

cuyo triunfo ha sido logrado tanto en América como en España. Vuelve a aludir a su condición aristocrática y elegante; admite que no es poeta para muchedumbres; pero luego califica esta posición minoritaria diciendo "pero sé que indefectiblemente tengo que ir a ellas". Reafirma su individualidad esencial y voluntad de estilo, *leit motiv* de tantas aseveraciones del poeta. No recomienda la imitación de lo que es en él personal y producto de su propia educación literaria. Recordemos que ya no es el joven apasionado quien escribe este libro: la obra encierra, según Darío, "las esencias y savia de mi otoño" [48].

### UN PRÓLOGO FINAL

*El canto errante* (1907) lleva como prólogo unas palabras tituladas "Dilucidaciones" dirigidas "A los nuevos poetas de las Españas". De todas las prosas críticas y teóricas de Darío, ésta se destaca por su valor de síntesis y reafirmación reflexiva de ciertas constantes en su credo estético. Es, pues, una breve autobiografía literaria, una declaración de principios y un significativo resumen de los móviles de su arte. Aquí Darío subraya con insistencia varios tópicos que ya ha tratado en otros lugares, tópicos que consideramos nosotros consustanciales con el modernismo (individualidad, voluntad de estilo y de distinción, libertad, etc.).

Proclama, desde un principio, su fe en la poesía; aplaude "lo sincero, lo consciente, y lo apasionado"; y cree que la poesía está destinada a modificarse continuamente en busca de la verdadera expresión. Siempre habrá un sector de los que no comprenden, pero afortunadamente una *élite* intelectual conservará "una íntima voluntad de pura belleza, de incontaminado entusiasmo". Darío repite que nunca se ha propuesto reglas; que no ha deseado convertirse en modelo para los otros poetas; y señala cómo ha combatido la retórica inmovilizada "en nombre de la amplitud de la cultura y de la libertad". Dándose cuenta de que algunos vieron en él un excesivo culto de la forma dice que no se trata de formas sino de ideas: "El clisé verbal es dañoso porque encierra en sí el clisé mental, y, juntos, perpetúan la anquilo-

---

[48] *Historia de mis libros,* p. 203.

sis, la inmovilidad". Antes, en "Pro domo mea", había aludido a lo de sus versos del "Pórtico" y el famoso juicio del siempre admirado Menéndez y Pelayo. Ahora agrega: "No gusto de *moldes* nuevos ni viejos... Mi verso ha nacido siempre con su cuerpo y su alma, y no le he aplicado ninguna clase de ortopedia. He, sí, cantado aires antiguos; y he querido ir hacia el porvenir, siempre bajo el divino imperio de la música —música de las ideas, música del verbo". Sigue desarrollando la cuestión formal:

> Jamás he manifestado el culto exclusivo de la palabra por la palabra... la palabra nace juntamente con la idea, o coexiste con la idea, pues no podemos darnos cuenta de la una sin la otra... La palabra no es en sí más que un signo, o una combinación de signos; mas lo contiene todo por la virtud demiúrgica. Los que la usan mal serán los culpables si no saben manejar estos peligrosos y delicados medios. Y el arte de la ordenación de las palabras no deberá estar sujeto a imposición de yugos, puesto que acaba de nacer la verdad que dice: el arte no es un conjunto de reglas, sino una armonía de caprichos.

Afirma Darío que no es iconoclasta. No ha querido destruir sino construir y, al terminar esta síntesis de su arte, escribe con manifiesta sinceridad: "...El don de arte es un don superior que permite entrar en lo desconocido de antes y en lo ignorado de después, en el ambiente del ensueño o de la meditación. Hay una música ideal como hay una música verbal. No hay escuelas; hay poetas. El verdadero artista comprende todas las maneras y halla la belleza bajo todas las formas. Toda la gloria y toda la eternidad están en nuestra conciencia".

El poeta que habla aquí es el que ha sufrido y ha meditado conscientemente sobre la vida y el arte que practica. Desaparece en esas palabras todo concepto de poesía exterior y se oye la voz de la intimidad de Darío. Cuando se escriba el estudio definitivo sobre la estética del poeta, estas opiniones dirigidas a los nuevos poetas ocuparán un lugar señero en tal exégesis. Mientras tanto, estimamos en esa confesión la sinceridad, el tono meditativo y el valor de síntesis [49].

---

[49] Aunque la *Historia de mis libros* pertenece a la época final del poeta, hemos preferido cerrar nuestro recorrido con el importante prólogo a *El canto errante*. A lo largo de nuestro trabajo hemos citado oportunamente estos tres artículos publicados por primera vez en *La Nación* (1913). Además de ser

RESUMEN

En la presentación de los materiales textuales de Rubén Darío optamos por un orden cronológico para demostrar una progresiva evolución en su pensamiento sobre la literatura modernista que él encarnaba, no sólo por su genio de escritor sino también por su capacidad para unificar todo lo disperso en un programa positivo. Primero, una etapa de indecisión y experimentación, luego de lucha y defensa, y finalmente de triunfo definitivo. En suma, una rápida afirmación de su personalidad y talento, desde la época chilena hasta los últimos años de su vida, casi todos ellos pasados en España y Francia. Aunque los libros de Darío anteriores a 1888 apenas revelan al escritor innovador, sus prosas periodísticas y de comentario literario indican con qué conciencia se iba proponiendo un programa estético que en el corto espacio de una década, poco más o menos, revolucionaría el estilo del verso y de la prosa en lengua española.

En su tentativa de reforma, Darío no se rebela en contra de lo valioso de su pasado hispánico. Combate, sí, con porfía, lo rutinario y lo inmóvil, el patrón establecido y el remedo inveterado de los moldes y formas tradicionales. El modernismo representa, sin duda, en este respecto la liberación de dogmatismos literarios y preceptivas académicas. Todo eso fue necesario. Por lo tanto, el modernismo vino a ser con los años la acentuación de individualidades. Y Darío deseaba que lo fuera así pero no a despecho de un buen gusto en todo. Insiste repetidamente en la absoluta necesidad de que los poetas cultivaran ante todo su propia personalidad. Por otra parte, si bien constantemente recomienda a los jóvenes que encuentren su propia ruta poética y muestra un aparente desdén por las llamadas escuelas literarias, al mismo tiempo no deja de enorgullecerse por ser guía y centro de una verdadera generación americana, superior a la española y unida en sus anhelos de renovación y libertad artística. Frente a los que sólo ven en el modernismo la exquisita frivolidad y el preciosismo lingüís-

---

una exégesis de gran parte del contenido de sus tres libros más conocidos, ellos constituyen valiosa síntesis de las técnicas, propósitos y génesis de estas obras. Menos rica en datos que nos interesan aquí es la *Autobiografía* de Rubén Darío publicada en Barcelona (1915).

tico de *Prosas profanas* y poemas parecidos que no fueron recogidos en este libro, puede reafirmarse, al lado de las raíces hispánicas de su obra, la seriedad de los propósitos literarios de Darío. La poesía, para él, es arte, arte que implica necesariamente estudio, preparación, disciplina y amplitud de visión cultural. Rechazada la improvisación romántica, desde luego, no bastaba el talento indisciplinado. Los años de la plenitud modernista, por lo demás, culminan en un nuevo renacimiento cuando América, como la España del siglo XVI, se abre para sintonizarse con todo lo nuevo y lo cosmopolita de la literatura universal. Las letras no podían menos de beneficiarse de este supremo y consciente eclecticismo. Del parnasismo y del simbolismo franceses los modernistas asimilaron lecciones saludables, pero no todo fue pura imitación. Darío por su indiscutible talento supo igualar y, en muchos casos, superar a los modelos que había estudiado. Precisamente en esta parodia de lo francés por poetas de segunda categoría veía él uno de los grandes y más serios peligros para la nueva literatura. Junto con la voluntad de estilo y el deseo de distinción en todo, Darío considera el modernismo como la consagración a un ideal de arte y la expresión digna de una nueva mentalidad universal.

Queda fuera de nuestro propósito actual resumir una vez más los tópicos y técnicas más característicos del modernismo, casi todos ellos aludidos por Darío en las prosas citadas. Sin embargo, al concluir estas notas, opinamos que una definición del movimiento no debiera limitarse solamente al esteticismo, culto formalista y posición minoritaria de muchos creadores, sino extenderse para incluir a otros, no menos modernistas, que cultivaron con arte una temática más seria, más humana y, si se quiere, más americanista. No se trata, pues, de temas sino del modo de configurarlos.

Raúl Silva Castro

# EL CICLO DE "LO AZUL" EN RUBÉN DARÍO

El empleo de la expresión azul en el título de una obra le fue reprochado a Rubén Darío por don Juan Valera en fecha tan remota como 1888, lo que bastaría para dar a este año el carácter diferencial que ostenta por haber sido dentro de sus meses publicado el primer libro modernista de la literatura española. Valera confesaba que miró, al comienzo, aquel libro "con indiferencia, ...casi con desvío", a pesar de que, por principio, le interesaba todo el que llegara de América, acuciándole a inmediata lectura. Y era el título, *Azul...*, quien "tuvo la culpa". Explicando su sentir, el ilustre comentarista de las letras hispánicas de la época agregaba:

> Victor Hugo dice: *L'art c'est l'azur;* pero yo ni me conformo ni me resigno con que tal dicho sea muy profundo y hermoso. Para mí, tanto vale decir que el arte es lo azul como decir que es lo verde, lo amarillo o lo rojo. ¿Por qué en este caso, lo azul (aunque en francés no sea *bleu,* sino *azur,* que es más poético) ha de ser cifra, símbolo y superior predicamento que abarque lo ideal, lo etéreo, lo infinito, la serenidad del cielo sin nubes, la luz difusa, la amplitud vaga y sin límites, donde nacen, viven, brillan y se mueven los astros?

Y es significativo notar, antes de seguir adelante, que en este fragmento Valera iba definiendo, con los más acertados rasgos, todo lo que deseaba exactamente sugerir Darío con el empleo de la voz azul, hasta el punto de que si la oración se vuelve por pasiva y el crítico hubiera depuesto un instante su actitud hostil, aquellos mismos términos le habrían bastado para lograr el más cumplido elogio de la expresión empleada por el escritor nicaragüense. ¿Se dejó ganar Valera del encanto de aquella palabra, sin confesarlo por orgullo, o fue la inteligencia ágil, acostumbrada a comprender, lo que llevó esta vez, como otras, a dar exquisita vestidura a la supuesta doctrina del contrario?

Cuando llegó, en 1890, la sazón de publicar en segunda edición este libro, Rubén Darío detúvose a comentar lo que le había dicho Valera, y en la parte correspondiente al empleo de la voz azul, escribió todo lo siguiente:

> Esta frase de Victor Hugo que sirve de epígrafe al prólogo de don Eduardo de la Barra, explica el por qué del título de la obra. Evocado por la palabra azul, surge del fondo de nuestro ser "lo ideal, lo etéreo, lo infinito, la serenidad del cielo sin nubes, la luz difusa, la amplitud vaga y sin límites, donde nacen, viven, brillan y se mueven los astros". Palabras de Valera. Y dice el primero de los poetas: "L'art c'est l'azur".
>
> Recuerdo aquella canción del mismo Victor Hugo en *Les Châtiments: Le chant de ceux qui s'en vont sur mer,* que comienza:
>
> Adieu, patrie!
> L'onde est en furie.
> Adieu, patrie,
> azur!

Jean Aicard ha escrito después: *L'amour, c'est l'azur...*

En esta nota de 1890 puede verse, por lo demás, lo que decíamos antes, a saber: que la definición de lo azul en Valera era tan ajustada a lo que el propio Darío podía sentir de aquella palabra, que el poeta bien pudo prohijarla.

El tema se presta a las más varias observaciones, entre las cuales pudiera ocupar el primer sitio la teoría de la simbolización emocional de los colores, tanto más cuanto que en los mismos años en que Rubén Darío llamaba azul a uno de sus libros, ciertos escritores de lengua francesa habían querido colorear las vocales, que no es lo mismo, aun cuando parezca obedecer a idéntica inclinación del espíritu. No nos ocuparemos ahora, sin embargo, en la teoría de la coloración de las letras, ya que no cabe dentro de la obra que efectivamente publicó

Rubén Darío en 1888; lo que sí haremos es seguir la historia del empleo de azul en la producción del autor, para demostrar entre otras cosas las siguientes:

1. En Rubén Darío el empleo de la voz azul como símbolo de etéreo, celestial, artístico, propicio al ensueño, delicado, sugerente, etcétera, es constante y permanente desde fechas inmediatamente anteriores a la publicación del libro *Azul*... en 1888, y en especial dentro del período que empieza en Chile, en junio de 1886.

2. Con la publicación de este libro culminaba en él un procedimiento de arte que era, si se quiere, nuevo para las letras españolas, pero en todo caso coherente dentro de los usos de su autor.

Nos anticipamos a decir que ninguna de estas dos conclusiones pudo formularla Valera en la forma que nosotros les damos, de modo que si mantuvo en su comentario crítico objeciones al empleo de azul (con toda la sinonimia que él mismo le daba), no cabe duda de que con esta reserva quería propinar al nicaragüense una lección de teoría literaria o de filosofía del estilo, que podría estar destinada, entre otras consecuencias, a llamar a reflexión a Rubén Darío.

Dentro del mismo libro que estaba examinando Valera aparece un cuento titulado "El pájaro azul", que para el empeño que llevamos entre manos presenta una singularidad interesantísima. Es el primero, en fecha, de los fragmentos acogidos en el *Azul*..., ya que vio la luz en el diario santiaguino *La Época* el día 7 de diciembre de 1886[1]. Claro está que la expresión *pájaro azul*, en su tenor literal, nada ofrece de extraña, puesto que en la naturaleza se dan aves cuyo plumaje ostenta efectivamente esa coloración; pero Valera, que había leído el libro, no podía ignorar que esta vez no era el tenor literal el que se debía contemplar. En el relato hay un poeta, Garcín, a quien se le ha ocurrido que lleva albergado en el cerebro un pájaro azul. El autor habla en nombre de los amigos de aquel ingenio, y cuenta que ellos leían los versos de éste y le auguraban feliz y venturoso futuro: "Era un ingenio que debía brillar. El tiempo vendría. ¡Oh, el pájaro azul volaría muy alto!". Aquí, como se ha visto, quedan absolutamente

[1] Las precisiones de fechas en las producciones del período 1886-89 han sido tomadas del libro *Obras desconocidas de Rubén Darío escritas en Chile y no recopiladas en ninguno de sus libros*, que publiqué en 1934, donde hay una Bibliografía que forma parte de la Introducción.

identificados, en una sola entidad, el talento poético que se revelaba en aquellas producciones y el pájaro azul en que, para el poeta del cuento, estribaba su ser vocado al arte.

Claro es que para tolerar la doctrina contenida en este cuento debemos aceptar las muestras de neurosis que da Garcín, una de las cuales consiste precisamente en defenderla: "Y repetía el poeta: Creo que siempre es preferible la neurosis a la estupidez". Cuando andaba solo por las calles, vagando, sin rumbo, solía volverse al café a pedir ajenjo entre sus amigos, y exclamaba: "—Sí, dentro de la jaula de mi cerebro está preso un pájaro azul que quiere su libertad...". A esta expresión, poco más adelante, se daba forma en unos versos que dicen así:

> ¡Sí, seré siempre un gandul,
> lo cual aplaudo y celebro,
> mientras sea mi cerebro
> jaula del pájaro azul!

El mismo sujeto "comenzó un poema en tercetos, titulado, pues es claro: 'El pájaro azul'. Cada noche se leía en nuestra tertulia algo nuevo de la obra. Aquello era excelente, sublime, disparatado". Sigue el narrador dando cuenta de la obra en proyecto, y anota en fin este detalle que es trascendental en el estudio del tema: "El epílogo (del poema a que hacíamos referencia) debe de titularse así: De cómo el pájaro azul alza el vuelo hacia el cielo azul". Y es trascendental, porque de allí sale el epílogo de la breve historia. Garcín se mata; sus amigos llegan hasta su cuarto y allí hacen un descubrimiento:

> Cuando, repuestos de la impresión, pudimos llorar ante el cadáver de nuestro amigo, encontramos que tenía consigo el famoso poema. En la última página había escritas estas palabras:
>
> Hoy, en plena primavera, dejo abierta la puerta de la jaula al pobre pájaro azul.

El comentario de Darío, asaz revelador, pone fin de este modo al cuento: "¡Ay, Garcín, cuántos llevan en el cerebro tu misma enfermedad!". Valera no consideró este cuento en el estudio de *Azul*..., porque, al parecer, encontró más dignos de estudio otros fragmentos del libro. La aplicación de la voz azul como denotadora de una región empírea hacia la cual tienden los anhelos de los artistas, concretados además en el pájaro azul que a ella vuela, está dada, sin embargo, en este relato con aplastante elocuencia.

Poco después ocurre nueva incidencia en el tema, menor si se quiere, pero siempre digna de estudio. En *La Época,* el día 15 de mayo de 1887, publicábase otro de los cuentos que iban a pasar al *Azul...* de 1888, "El palacio del sol", y aquí, aun cuando no se habla de lo mismo, se hace de la voz azul un uso que parece coincidente con el que ya hemos indicado.

> A vosotras —comienza diciendo—, madres de las muchachas anémicas, va esta historia, la historia de Berta, la niña de los ojos color de aceituna, fresca como una rama de durazno en flor, luminosa como un alba, gentil como la princesa de un cuento azul.

Esta referencia de Berta, inclusive con la apelación al cuento azul, se repite varias veces en el curso de la narración, puesto que Darío, como explicaba más adelante, en una nota de la edición de 1890, con este cuento había ensayado "el empleo del leit-motiv", el cual es lo mismo que en la literatura española se habría llamado estribillo. Ahora, como se ha visto, es un cuento el azul, es decir, una especie de cuento, aquel en que se narran sucesos más propios del aire, de la fantasía, del reino de las hadas, como entrevistos en las brumas del ensueño, que cosas efectivamente tomadas de la vida cotidiana. El poeta lo revela en todos los detalles de su narración, que sería para el caso demasiado prolijo especificar o enumerar.

Las menciones de azul que concurren en el poema "Autumnal", publicado por primera vez en Santiago, en *La Época,* el 14 de abril de 1887, cuando el autor se hallaba en Valparaíso, no calzan totalmente con el tema a que se refieren estas notas; pero deben considerarse precisamente para señalar el contraste. La primera, al iniciarse el poema, nada tiene que ver con la connotación espiritual de azul que tanto prodigó el poeta en otras de sus creaciones. Hela aquí:

> En las pálidas tardes
> yerran nubes tranquilas
> en el azul; en las ardientes manos
> se posan las cabezas pensativas.

Es evidente que el poeta ha llamado azul al cielo sólo porque a sus ojos se muestra teñido de ese color. En la segunda y última mención parece, en cambio, abrirse paso a la insinuación de azul como comarca íntima, sin perjuicio de que siga siendo el cielo azul:

> —¿Más?... dijo el hada. Y yo tenía entonces
> clavadas las pupilas
> en el azul; y en mis ardientes manos
> se posó mi cabeza pensativa...

Cosa semejante cabe decir de "Pensamiento de Otoño", que el poeta dio como traducción de Armand Silvestre en su publicación de *La Época,* 15 de febrero de 1887, donde se leen los siguientes versos:

> Y así como el del pájaro
> que triste tiende el ala,
> el vuelo del recuerdo
> que al espacio se lanza
> languidece en lo inmenso
> del azul por do vaga.

Y ya que estamos revistando el repertorio de *Azul...*, anotemos otra composición allí contenida, "Ananke", también publicada antes en *La Época* de Santiago (11 de febrero de 1887). La mención de azul que leemos aquí es sumamente explícita, al revés de lo que se ha podido ver en los ejemplos inmediatamente anteriores, y por ella podemos divisar aquella identidad que solía producirse para el espíritu del poeta entre azul como sinónimo del cielo que se divisa desde la tierra y como región anímica. Es la paloma la que canta:

> ¡Oh inmenso azul! Yo te amo. Porque a Flora
> das la lluvia y el sol siempre encendido;
> porque siendo el palacio de la aurora,
> también eres el techo de mi nido.
> ¡Oh inmenso azul! Yo adoro
> tus celajes risueños,
> y esa niebla sutil de polvo de oro
> donde van los perfumes y los sueños.

Amo los velos tenues, vagorosos,
de las flotantes brumas,
donde tiendo a los aires cariñosos
el sedeño abanico de mis plumas.

Se sabe que Rubén Darío aceptó la insinuación que se hacía con el Certamen Varela, y que a él presentó un canto épico a las glorias de Chile, que fue premiado, y un grupo de rimas titulado "Otoñales", que mencionó el jurado como digno de la publicación pero sin recompensa monetaria. Los versos de esta serie han debido ser escritos hacia el mes de julio de 1887, y en todo caso en Valparaíso, donde a la sazón residía el poeta. Pues bien, allí, como número final de las "Otoñales", volvemos a encontrar una mención de azul que interesa a nuestra pesquisa.

El ave azul del sueño
sobre mi frente pasa;
tengo en mi corazón la primavera
y en mi cerebro el alba.

En este caso el poeta está diseñando el estado de espíritu que se le ofrece cuando sabe que le ama la mujer a quien él prefiere; como contraste dice en seguida:

Cae sobre mi espíritu
la noche negra y trágica;
busco el seno profundo de sus sombras
para verter mis lágrimas.

Una vez más, aquí ha prevalecido la usual correspondencia simbólica de azul como color alegre, risueño, contrastando con el negro de la noche, para describir alternativamente lo que siente el poeta cuando se sabe amado y cuando, al revés, se le engaña.

Poco después, el 15 de agosto de 1887, publicaba Darío en la *Revista de Artes y Letras* de Santiago el *Álbum porteño,* escrito, como indica su nombre, en el puerto de Valparaíso, y allí volvemos a tener un indicio útil para estudiar el empleo de la voz azul. Dice el autor:

Había allí (en lo alto de la colina) aire fresco para sus pulmones, casas sobre cumbres, como nidos al viento, donde bien podía darse el gusto de colocar parejas enamoradas; y tenía además el inmenso espacio azul, del cual —él lo sabía perfectamente— los que hacen los salmos y los himnos pueden disponer como les venga en antojo.

Y en una entrega siguiente de la misma *Revista,* la correspondiente al 15 de octubre del mismo año, dábase a luz el *Álbum santiagués,* donde un breve poema en prosa con que finaliza el conjunto vuelve a traernos otra mención curiosa de la voz azul. El poeta describe a una mujer de belleza triunfal que pasa por la calle, y arrobado, empavorecido por su hermosura, exclama:

> Y yo, el pobre pintor de la Naturaleza y de Psiquis, hacedor de ritmos y de castillos aéreos, vi el vestido luminoso de la hada, la estrella de su diadema, y pensé en la promesa ansiada del amor hermoso. Mas de aquel rayo supremo y fatal sólo quedó en el fondo de mi cerebro un rostro de mujer, un sueño azul.

Esta vez azul es sólo epíteto, si bien corresponde más a la región anímica de que hemos venido haciendo mención, que a cosa alguna. Y dentro del mismo año, en el mes de octubre, el poeta daba a conocer estos cuatro versos, que no fueron recogidos en *Azul*... y que repiten las tres imágenes finales que hallamos en aquel *Álbum:*

NUMEN

¡Pasa el Dios, se estremece el inspirado
y brota el verso como flor de luz;
y quedan en el fondo del cerebro
un rostro de mujer, un sueño azul!

Otro de los cuentos que en seguida iban a pasar a las páginas de *Azul...*, "El velo de la reina Mab", fue también compuesto, o por lo menos publicado, por esos días, ya que veía la luz en *La Época* de Santiago el 2 de octubre de 1887; y ha sido considerado, desde su publicación inicial, como una de las obras maestras de Darío. Aquí, bajo los rasgos shakesperianos de la creación del poeta, vuelve a comparecer la mención del azul en forma ligeramente diferente a lo anterior, y por eso mismo muy seductora.

Describe el autor a los "cuatro hombres flacos, barbudos e impertinentes" a quienes visita la reina Mab, y dice que los cuatro se quejaban, si bien "al uno había tocado en suerte una cantera, al otro el iris, al otro el ritmo, al otro el cielo azul", con lo cual indica que eran, respectivamente, escultor, pintor, músico y... poeta. Cada uno refiere a su modo la faena de arte que le cabe en suerte, y es el poeta precisamente a quien le toca hacer uso de la voz azul para contar lo que siente:

> —Todos bebemos el agua clara de la fuente de Jonia. Pero el ideal flota en el azul; y para que los espíritus gocen de su luz suprema, es preciso que asciendan.

Cuando los cuatro habían lanzado ya sus confidencias, entonces la reina Mab produjo el milagro; pero es preciso oírselo al propio narrador, pues él encontró allí manera de hablar nuevamente de azul, en forma hasta ese día inusitada en su obra:

> Entonces la reina Mab, del fondo de su carro hecho de una sola perla, tomó un velo azul, casi impalpable, como formado de suspiros o de miradas de ángeles rubios y pensativos. Y aquel velo era el velo de los sueños, de los dulces sueños que hacen ver la vida de color de rosa. Y con él envolvió a los cuatro hombres flacos, barbudos e impertinentes. Los cuales cesaron de estar tristes porque penetró en su pecho la esperanza, y en su cabeza el sol alegre, con el diablillo de la vanidad, que consuela en sus profundas decepciones a los pobres artistas.
>
> Y desde entonces, en las bohardillas de los brillantes infelices, donde flota el sueño azul, se piensa en el porvenir como en la aurora, y se oyen risas que quitan la tristeza, y se bailan extrañas farandolas alrededor de un blanco Apolo, de un lindo paisaje, de un violín viejo, de un amarillento manuscrito.

Existen en la obra de Rubén Darío algunas porciones que son menos conocidas que el *Azul...* y los demás libros ordenados por él mismo y publicados dentro de sus propios días; y es de temer que entre estas porciones, la chilena sea una de las menos difundidas de todas. Porque ocurre que Rubén Darío vivió en Chile desde junio de 1886 hasta febrero de 1889; que en este período de tiempo produjo todas las piezas que formaron la primitiva edición de *Azul...*, como publicada en 1888, y que son también de esos días otros fragmentos de prosa y de verso en los cuales, por motivos que son obvios, nuevas huellas encontraremos del uso de azul con la connotación de comarca anímica, que es la más característica del estilo dariano. Permítasenos, pues, buscar en la fracción propiamente chilena de la obra de Darío otros fragmentos útiles para seguir el paso de la concepción de lo azul como territorio aéreo y país de ensueño, que ya hemos visto en algunas de las composiciones acogidas en el libro titulado precisamente *Azul...*

En el mes de febrero de 1888, desde Valparaíso, Darío pudo colaborar en el diario santiaguino *La Época*, que en su llegada a Santiago, en el mes de agosto de 1886, había sido su primer hogar literario, el más querido de todos por la bullente y animada tertulia que se efectuaba en sus salones noche a noche. Y fue allí, en *La Época*, donde apareció el 3 de febrero la poco conocida "Carta del país azul", que el autor subtituló "Paisajes de un cerebro", nombres los dos sobremanera reveladores para quien haya recorrido "El pájaro azul", ya comentado. El fragmento merece algún estudio, y aun sin ahondar demasiado en él, puédese anotar desde luego que ha sido escrito sin duda en presencia de la carta de alguno de sus buenos camaradas de Santiago, y que comienza diciendo:

> ¡Amigo mío! Recibí tus recuerdos, y estreché tu mano de lejos, y vi tu rostro alegre, tu mirada sedienta, tus narices voluptuosas que se hartan hoy de perfume de campo y de jardín, de hoja verde y salvaje que se estruja al paso, o de pomposa genciana en su macetero florido. ¡Salud!

Y a seguida de esta bella introducción, en plan de confidencias, el poeta sigue su carta en esta forma:

> Ayer vagué por el país azul. Canté a una niña; visité a un artista; oré, oré como un creyente en un templo, yo, el escéptico; y yo, yo mismo, he visto a un ángel rosado que desde su altar lleno de oro me saludaba con las alas.

Luego pasa a narrar ordenadamente los tres sucesos que reunidos indican la vagancia por el país azul, en pequeños cuadros llenos de inquietantes confesiones, vagancia que aparece coronada por un cuarto suceso no anunciado en aquella enumeración de más arriba. Después de haber ido al templo y de haber orado en él, sale el poeta a caminar por el paseo público, "entre los álamos erguidos, bañados de plata por la luna llena que irradiaba en el firmamento, tal como una moneda argentina sobre una ancha pizarra azulada llena de clavos de oro"; y allí encuentra, al paso, una mujer que se desliza "huyente, rápida, misteriosa", y la define diciendo que es pálida "como si fuera hecha de rayos de luna". El comentario final que le sugiere este encuentro viene muy bien a nuestro intento de agotar el contenido de la voz azul en las producciones de Darío:

> No me queda de ella sino un recuerdo; mas no te miento si te digo que estuve en aquel instante enamorado; y que cuando bajó sobre mí el soplo de la media noche, me sentí con deseos de escribirte esta carta, del divino país azul por donde vago, carta que parece estar impregnada de aroma de ilusión; loca e ingenua, alegre y triste, doliente y brumosa; y con sabor a ajenjo, licor que, como tú sabes, tiene en su verde cristal el ópalo y el sueño.

Aquí vemos, como en el ya señalado cuento "El pájaro azul", configurado un país azul en el cual se mueve, siquiera por momentos, el alma del poeta; pero ahora, con mayor relieve que en aquel cuento, se nos señala cómo es aquel país azul, qué emociones produce en quien lo frecuenta y qué recuerdos se guardan de las vagancias realizadas por su territorio. Confesión autobiográfica en todos sentidos, esta "Carta del país azul" es pieza fundamental para el estudio del alma de Rubén Darío, por lo menos en el período chileno de su existencia.

Pocos días después, siempre en Valparaíso, Darío, como redactor de *El Heraldo*, concibió la idea de concretar en artículos titulados "La Semana" [2] los principales hechos ocurridos en los siete días anteriores. En el correspondiente al 10 de marzo, el poeta comentaba el término de la temporada veraniega: "se van los que vinieron en busca de sol y de fragancias del mar", y después de ensayar una especie de letanía sobre estos grupos de veraneantes que iban dejando vacías y solitarias las playas, escribió:

---

2 Estas "Semanas" pueden leerse en las *Obras desconocidas* ya citadas.

> Las familias santiaguinas que han venido a Valparaíso y Viña del Mar van de vuelta. Se van a sus hogares de siempre, mas es de dudarse que no lleven —digo, las almas jóvenes y soñadoras— la esperanza del año que viene. El año que viene es siempre azul. Se ve un arco iris en todo porvenir de mujer, una libélula fugaz y cristalina, un vago ensueño, y las damas son las que tienen más derecho de llevar, si no esperanza, al menos recuerdos.

Hemos copiado entero el fragmento porque el contexto dentro del cual aparece la frase que nos interesa, en gran medida ayuda a comprenderla. La asimilación de azul y de etéreo es aquí inmediata y perfecta: en cuanto el poeta ha puesto aquella palabra, surge en su imaginación la remembranza del arco iris, como fenómeno celestial el más conspicuo para simbolizar la dicha, si no actual, presentida. Y si la mera lectura de estas expresiones no basta para configurar el verdadero concepto de que el poeta cargaba la palabra azul, en seguida habremos de ver, por contraste, algo más de lo mismo. Siguieron las semanas de *El Heraldo*, y al comenzar la del 17 de marzo se lee:

> "El año que viene es siempre azul". Así dije en una de las semanas anteriores, y no habría creído que mi frase fuera la causa de una dulce confidencia de mujer.
>
> El año que viene suele ser gris, lectoras, y para vosotras escribo esta demostración de ello.

Y sigue un cuento, todo un cuento [3], en el cual se narran los amores desastrados de dos mancebos tiernos y virginales, que se conocieron y se declararon su pasión a la orilla del mar. Cuando llega el momento de separarse:

> Él quedó en la vida de la esperanza [4], agitado, conmovido y soñando en el año venidero.
>
> ¡El año que viene es siempre azul! —pensaría.

---

[3] Como tal cuento fue acogido por Ernesto Mejía Sánchez en su primorosa colección de *Cuentos completos* de Rubén Darío, publicada en México, 1950, que seguimos en otras partes de este estudio.

[4] Aun cuando la expresión "vida de la esperanza" parezca deficiente, hay que aceptarla porque así se lee en *El Heraldo*. Darío escribía con letra clara, pero no siempre ella habría de bastarle para evitar errores.

> La hermosura encontró admiración en la gran capital. Su mano fue solicitada por muchos pretendientes. Pero aquel corazón de mujer fiel y rara tenía su compañero aquí, junto al gran Océano, donde sopla un viento salado y hay ondas pérfidas, como las mujeres, según el poeta inglés.
>
> Y pensaba —¡ella también!— en la dicha del año que viene, del año azul.

En la capital aquel ensueño de amor no pudo cumplirse porque la chica se puso tísica y murió; y el poeta comenta, para poner término a su historia:

> La lectora de *El Heraldo* que me ha referido esta historia fue confidente de la muerta enamorada.
>
> Le reveló su secreto al morir y cerró los ojos para siempre, pensando en el amado, que era casi un adolescente, con su sedoso bozo y su primera pasión.
>
> Y la narradora agregó:
>
> —¡Oh! Ese joven es hoy un escéptico y un corazón de hielo. El año que vino fue para él negro.
>
> —¡Sí, pero para ella siempre fue azul! Voló a ser rosa celeste, alma sagrada, donde debe de existir el ensueño como realidad, la poesía como lenguaje y como luz el amor!

El año que viene es azul cuando dos almas virginales que se aman tiernamente son las que lo esperan; es gris si se interponen contrastes entre aquellas almas, contrastes que las distancian; y es negro, en fin, cuando la muerte da abrupto término al iniciado idilio. Esta vez, con mayor claridad que en otros casos, nos hallamos en presencia de la simbolización emocional de los colores, y acaso dentro de la más común y trivial en lo que se refiere al uso respectivo de gris y de negro, pero nada trivial por lo que toca al empleo de azul. Hasta entonces, los días por venir, cargados de risueñas esperanzas, aparecían dorados o de color de rosa; la dicha era blanca, celeste a veces, y la esperanza verde. En los fragmentos que acabamos de citar la esperanza es azul, si bien Darío no la califica así en forma directa.

A la distancia de algunos años, en uno de los "Mensajes" que Darío firmaba para *La Tribuna* de Buenos Aires con el seudónimo

Des Esseintes leemos unas cuantas líneas que vienen como anillo al dedo a estas observaciones que llevamos hechas sobre la simbolización de azul y de negro:

> Bendito sea aquel que siempre anuncia la aurora.
>
> ¿Acaso porque sufres tienes derecho a emponzoñar el mundo con tus dolores?
>
> Escritores, el primer deber es dar a la humanidad todo el azul posible.
>
> Guerra a lo negro.
>
> ¡Azul! ¡Azul! ¡Azul!

No es mi ánimo negar la presencia de lo azul en la obra de Darío posterior a 1889, para lo cual, de otra parte, sería preciso pasar revista a muchos centenares de páginas periodísticas, porque en ellas sin duda se presentaron al autor no pocas oportunidades de volver a las imágenes que más caras le habían sido en los años de la juventud. Pero sin proceder a ese análisis exhaustivo, limitándose a dos cuerpos coherentes de producción que tienen además la ventaja de contener los mejores frutos de Darío, las poesías y los cuentos, cabe, sí, señalar la circunstancia de que las menciones a lo azul son menos frecuentes, más espaciadas, después de 1890, y, según nos parece advertir, faltan ya a las alturas de 1893 en los cuentos y en una fecha tal vez más avanzada, en las poesías, fecha que no se puede precisar hoy, ya que no se conoce una cronología estricta para cada una de éstas. Como prueba de lo que venimos diciendo, he aquí, en fin, lo que hemos encontrado en materia de menciones de azul en la obra de Darío posterior a febrero de 1889.

Algunas de estas producciones corresponden al ciclo de *Azul...*, esto es, a la permanencia del poeta en Chile, como ocurre con el cuento titulado "La muerte de la emperatriz de la China", el cual, por muchos motivos, debe tenerse por escrito en Chile a las alturas de 1888, si bien no se publicó antes de 1889, cuando ya el autor se hallaba en Centroamérica. Allí, pues, se lee:

> ...Porque el Amor, ¡oh jóvenes llenos de sangre y de sueños!, pone un azul de cristal ante los ojos, y da las infinitas alegrías.

También existen pocos datos acerca de la fecha de composición del extenso poema titulado "El salmo de la pluma"; si lo suponemos compuesto dentro del año 1889, y parte en Chile y el resto en el viaje de vuelta a Nicaragua, caería dentro del ciclo de *Azul...* La mención de azul que allí encontramos es en todo caso reveladora e interesante:

> Vense, al través del tul
> de tu flotante veste, las rosas argentinas
> que sienten, todas trémulas, las ráfagas divinas
> en el jardín azul.

Mayormente lo que es la que vemos en los últimos dos versos que Darío dedicó "A una estrella" en 1890:

> Princesa del divino imperio azul,
> ¡quién besara tus labios luminosos!...

Las menciones que siguen proceden de otros cuentos que vienen, cronológicamente hablando, poco después, si se respetan las indicaciones de fechas de publicación como equivalentes a las fechas de composición.

"El Dios bueno", 1890.

> Cuando ella iba a su lecho, pequeño y tibio como para que se echase en él una paloma, pensaba en todos los bienes de que se gozaba por el abuelo del cielo, el de la capilla, el que había creado el azul, los pájaros, la leche, las muñecas, la casulla del cura y la hermana Adela que la persignaba y arrullaba a modo de una madre de verdad.

"La novela de uno de tantos", 1890.

> El escritor deleita, pero también señala el daño. Se muestra el azul, la alegría, la primavera llena de rosa, el amor; pero se grita ¡cuidado! al señalar el borde del abismo.

"La resurrección de la rosa", 1892.

> Conmovióse el bondadoso Padre, por virtud de la lágrima paternal, y dijo estas palabras:
>
> —Azrael, deja vivir esa rosa. Toma, si quieres, cualquiera de las de mi jardín azul.

"Esta era una reina", 1892.

> ...y venían juntas la Regente, doña Cristina, erguida, majestuosa, y, risueño el precioso rostro, la reina Amelia, una reina de cuento azul, propia para prometida del príncipe de Trebizonda...

"Este es el cuento de la sonrisa de la princesa Diamantina", 1893.

> Diamantina viste toda de blanco; y es ella, así, blanca como un maravilloso alabastro, ornado de plata y nieve; tan solamente en su rostro de virgen, como un diminuto pájaro de carmín que tuviese las alas tendidas, su boca en flor, llena de miel ideal, está aguardando la divina abeja del país azul.
>
> ... ... ... ... ... ... ... ... ... ... ... ... ... ... ... ... ... ... ... ... ...
>
> Una alba se enciende en el blanco rostro de la niña vestida de brocado blanco, como un maravilloso alabastro. Y el diminuto pájaro de carmín que tiene las alas tendidas, al llegar una abeja del país azul a la boca en flor llena de miel ideal, enarca las alas encendidas por una sonrisa, dejando ver un suave resplandor de perlas...

"En la batalla de las flores", 1893.

> Aquellos cuyo nombre no resuena ni resonará jamás en la bocina de oro de la alada divinidad; pero que me llaman y me son fieles, envueltos en el velo azul de los ensueños.

Y debe notarse, como indispensable escolio, que en algunas de las citaciones que acabamos de hacer aparecen expresiones que ya habíamos encontrado en la otra etapa de la pesquisa, esto es, en el ciclo de *Azul...* correspondiente a junio de 1886 hasta febrero de 1889. Las expresiones aludidas son *jardín azul,* en "La resurrección de la rosa", *cuento azul* en "Esta era una reina", ambos en 1892, y *velo azul* en el cuento "En la batalla de las flores", que es de 1893.

En el verso, en años siguientes, hay también algunas menciones curiosas, si bien no todas hayan de atribuirse a la connotación de lo azul como comarca espiritual. He aquí algunas que recordamos:

"Alaba los ojos negros de Julia", 1895 *(Prosas profanas).*

> Venus tuvo el azur en sus pupilas;
> pero su hijo no. Negros y fieros,

encienden a las tórtolas tranquilas
los dos ojos de Eros.

"Bouquet", 1896 (*Prosas profanas*).

Yo por ti formara, Blanca deliciosa,
el regalo lírico de un blanco *bouquet,*
con la blanca estrella, con la blanca rosa
que en los bellos parques del azul se ve.

"Cantos de vida y esperanza", 1904.

Yo soy aquél que ayer no más decía
el verso azul y la canción profana...

"A Phocas el campesino", 1904.

Sueña, hijo mío, todavía, y cuando crezcas
perdóname el fatal don de darte la vida,
que yo hubiera querido de azul y rosas frescas...

Hemos insistido en las fechas de esta pesquisa, para dejar demostrado que dentro de la evolución espiritual de Rubén Darío tuvo el fenómeno nacimiento y término; pero también conviene saber si en otra etapa de esa evolución se presenta, siquiera en parte, el rasgo de estilo a que hemos pasado revista.

Una mención de azul en la cual podría verse algo de lo que se comprobará después se nos ofrece a fines de 1884 en un artículo dedicado a Manuel Reina, que Rubén Darío publicó en *El Porvenir de Nicaragua* y que permaneció desconocido u olvidado hasta que lo dio a luz Diego Manuel Sequeira en su *Rubén Darío criollo,* 1945. El contexto que nos interesa dice así:

> A las veces se torna rudo y grave, y entonces pulsa el arpa resonante sobre una cumbre; la melena alzada, con el rostro hacia el sol: le dan de lleno los rayos en la frente; los espíritus que vuelan agitando las tormentas en el azul, se acercan, le rodean...

En este primer período de su obra, anterior al viaje a Chile, no vemos otro fragmento útil, lo que parecería indicar que fue la maduración modernista lograda de 1886 en adelante lo que hizo nacer en el poeta el concepto de azul como sinónimo de región etérea y de comarca anímica a que hemos aludido antes. Porque, desde luego, en el fragmento configurado vino por la vía de la metáfora (cielo = azul), mientras que de 1886 en adelante no hay metáfora alguna y se habla de lo azul, así como de pájaro azul y de cuento azul, en calidad de hechos propios de la vida poética.

Las observaciones que preceden han estado encaminadas, como pudo verse, a diseñar aquel período de la existencia de Rubén Darío en el cual mostrábase éste interesado en señalar, junto a la vida cotidiana, o —mejor— por encima de ella, una región azul en la que podía el poeta entregarse al ensueño, región que era una especie de patria común de los artistas, es decir, "lo ideal, lo etéreo, lo infinito", como tan bien había dicho, aunque en sorna, don Juan Valera. Pero mientras el crítico español, muy alejado del poeta por mil motivos, había mirado las cosas en forma un tanto superficial, otro escritor a quien privilegiaba el trato directo con el autor del libro titulado *Azul*... podía revelar hasta el fondo lo que el poeta había pretendido al aplicar a su obra semejante título. Porque la definición de lo azul, como hemos querido ejemplificarla en los pasajes anteriormente citados, había quedado expuesta en forma sintética por el prologuista de la edición de 1888, Eduardo de la Barra. El escritor chileno encabezaba su prólogo con un epígrafe donde se leía: "L'art c'est l'azur. Víctor Hugo". Y dentro de esa pieza decía:

> En la portada de su libro, sobre la tapa de su cofre cincelado, brilla la palabra Azul..., misteriosa como es el océano, profunda como el cielo, soñadora como los ojos azul cielo.

Y éstos, que podían ser simples juegos de palabras, caprichos de un autor que se deleita en el ejercicio de la pluma, tenían esta vez grande importancia crítica porque se trataba de alcanzar la definición de algo por esencia indefinible. Después de copiar otra vez las palabras de Víctor Hugo que le habían servido de epígrafe, Eduardo de la Barra comentaba:

> Sí; pero aquel azul de las alturas que desprende un rayo de sol para dorar las espigas y las naranjas, que redondea y sazona las pomas, que madura los racimos y coloca las mejillas satinadas de la niñez.

> Sí, el arte es el azul, pero aquel azul de arriba que desprende un rayo de amor para encender los corazones y ennoblecer el pensamiento y engendrar las acciones grandes y generosas.
>
> Eso es el ideal, eso el azul con irradiaciones inmortales, eso lo que contiene el cofre artístico del poeta.

Y de que era nuestro prologuista perfectamente consciente de lo que estaba diciendo hay no pocas muestras más en el curso de aquella pieza crítica, que honra por cierto a la literatura chilena. Después de señalar las condiciones que, conforme su criterio, debe reunir la obra literaria para interesar a sus lectores, decía:

> Aplicad, lindas lectoras, aplicad estas reglas del sentimiento a las armonías azules de Rubén Darío, y vuestro juicio será certero. Vuestros ojos, lo sé, derramarán más de una lágrima, vuestros labios gozosos dirán: ¡Qué lindo! ¡Qué lindo!... y luego os quedaréis pensativas, como traspuestas, como flotando en el país encantado de los sueños azules.

El aprovechamiento que hace Eduardo de la Barra de la expresión azul en su prólogo no puede ser más intencionado. En el resto de ese prólogo se intentan censuras a algunas de las inclinaciones artísticas manifiestas del autor; pero lo que llevamos dicho basta para señalar cuán puntualmente había seguido el prologuista, en los labios del propio poeta, la teoría de lo azul, que debía materializarse en las composiciones del libro y aun en algunas que no fueron incluidas en él hasta la segunda edición de 1890, y otras nunca, como son las que hemos tomado en las *Obras Desconocidas*. Y no es raro que así sea: en 1888 Valera no había visto jamás a Rubén Darío, y nada supo de él sino lo que le revelaba aquel libro y lo que le contaba su primo Antonio Alcalá Galiano, cónsul de España en Valparaíso, que se lo envió por amistad con el autor. En cambio, en aquella misma fecha Eduardo de la Barra, el prologuista de *Azul...*, tenía ya dos años cumplidos de trato con el poeta nicaragüense, quien más de una vez le había pedido consejo y guía en la lucha de las letras. Y si bien se vieron distanciados en 1887, de resultas del Certamen Varela, en que Eduardo de la Barra fue premiado por sus *Rimas,* y Rubén Darío no, después volvieron a unirse, y tanto que el *Azul...* fue prologado por el poeta chileno. En aquellas alturas de la existencia literaria de Darío era, pues, Eduardo de la Barra el más caracterizado para ser su intérprete.

Darío ensayó, mucho después, una explicación del uso de la palabra azul como título de su libro de 1888, al intentar una *Historia de mis libros*, que vio la luz en 1909. Esta explicación aparece afeada por una afirmación extrañísima, la de que no conocía en 1888 "la frase huguesca *l'art c'est l'azur*"; y decimos que la afea porque, como ya vimos, esta sentencia es el epígrafe del prólogo de Eduardo de la Barra. Todo nos lleva a presumir que este prólogo fue discutido más de una vez entre los dos escritores, que en esas horas vivieron la mayor intimidad en su contacto de dos años, de manera que resulta no poco peregrino que Darío niegue el conocimiento de la "frase huguesca", así como de las implicaciones de teoría literaria por ella sugeridas y que el prologuista chileno desarrolló en su estudio. Pero en el fragmento de *Historia de mis libros* que estamos aduciendo hay algo más que considerar. Después de negar aquello, Darío acepta haber conocido "la estrofa musical de *Les châtiments*", esto es, de Hugo también:

> Adieu, patrie!
> L'onde est en furie!
> Adieu, patrie,
> azur!

Y agrega:

> Mas el azul era para mí el color del ensueño, el color del arte, un color helénico y homérico, color oceánico y firmamental, el "caeruleum", que en Plinio es el color simple que semeja al de los cielos y al zafiro. Y Ovidio había cantado:
>
> *Respice vindicibus pacatum viribus orbem*
> *qua latam Nereus caerulus ambit humum.*
>
> Concentré en ese color célico la floración espiritual de mi primavera artística.

De ser efectivas estas reminiscencias que Darío aglomera, azul habría sido para el poeta, esencialmente, lo cerúleo, como ampliación por vía metafórica del color azul del cielo; aunque, cual ha podido verse en no pocos de los ejemplos aducidos más arriba, la connotación de lo azul va mucho más lejos. Fácil sería, por otra parte, ensanchar el límite de estas páginas agregando tales y cuales nociones de carácter enciclopédico bebidas en los diccionarios, para hacer referencia tanto a las connotaciones meramente cromáticas de azul como a las otras, a las menos usuales.

De las citaciones de ejemplos literarios que hace Littré en su muy autorizado *Dictionnaire de la Langue Française,* al tratar de la voz *azur,* queda perfectamente en claro que se la empleó, en verso y en prosa, a lo largo de muchos años, como denotadora del color del cielo, y precisamente del color más claro, que bien podría ser, en español, celeste. Pero con esas citas no se saca nada. Lo que importa es el empleo que dio a la voz el poeta Rubén Darío, en cierto período de su vida literaria en que la usó mucho, y la reminiscencia íntima que en él persistió en años siguientes, cuando también volvía a usarla, si bien con menos intención, según parece, de producir en el lector determinados efectos de sugestión estética. Más importancia tiene, acaso, explicar lo que Rubén Darío llamaba cuento azul y jardín azul, como vemos en algunos de los ejemplos acopiados más arriba. Cuento azul, según el propio Littré ya citado, es cuento de hadas y otros relatos de ese tipo, "llamados así porque de ordinario estaban cubiertos de un papel azul; y, por extensión, relatos imaginarios, razones sin fundamento, naderías". Para Darío, digamos al paso, sólo eran cuentos de hadas y no otra cosa, según se desprende por el contexto de los sitios en que aparecen mencionados.

Pero hay también que diferenciar el uso de azul cuando aparece en calidad de sustantivo, y cuando se le emplea como adjetivo. En el primer caso (no cabe duda en presencia de los ejemplos aducidos) azul es una comarca espiritual, íntima, que posee o señorea el artista por el mero hecho de serlo; que no comparte con nadie; que le sirve de refugio cuando se trata de soñar, de cantera para proveerse de imágenes adecuadas a la elaboración de sus obras, de almohada, en fin, para descansar de las agresiones de la lucha por la vida. Allí se cobra aliento para la batalla del arte, y aun se busca inspiración en el trabajo propiamente creador, porque allí hay todo lo que el mortal quiere suponer, movido por las alas de la fantasía. En el segundo caso, esto es, cuando se emplea la voz azul como adjetivo, la connotación cambia según la palabra a la cual va a calificar, de modo que pájaro azul, como se ha visto antes, es cosa distinta de jardín azul, cuento azul, etcétera. Todo esto puede ser convencional en el grado que se quiera, pero en la obra de Rubén Darío, y más precisamente de 1886 a 1889, es tan coherente y sistemático como si ya en sus días la palabra azul hubiese tenido la acepción que convenía al poeta. La verdad es que era y es un neologismo, y que procede directamente del francés, en cuya lengua literaria sin duda encontró Rubén Darío los ejemplos adecuados para guiarse.

Iván A. Schulman

# GÉNESIS DEL AZUL MODERNISTA

Entre los críticos que estudian el modernismo hispanoamericano se ha generalizado la tendencia a sobrevalorar el azul y considerarlo el color modernista por antonomasia, siendo relegados a un plano secundario los demás matices de la expresión modernista. Tal error se debe, en gran parte, al juicio hondamente arraigado de que el *Azul*... de Darío marca el principio del modernismo, y, por consiguiente, es, como quiere Raúl Silva Castro [1], el primer libro modernista de la literatura hispánica. Estas afirmaciones, tanto como la popularidad perenne de *Azul*..., explican la resonancia que el color cerúleo ha adquirido como el predilecto y característico del estilo de los modernistas.

## CRONOLOGÍA Y FUNCIÓN DE AZUL

El azul inspiró la definición huguesca "L'art c'est l'azur", prestó la magia de su color al título de la revista parisiense *La Revue Bleue*, y al de los cuentos de Catulle Mendès *Les oiseaux bleus* (1888). Mallarmé, encantado por este matiz, hubo de exclamar: "*Je suis hanté!* L'Azur! L'Azur! L'Azur! L'Azur!". Es dudoso que la insistencia con que aparece el azul en los escritos modernistas pueda atribuirse directamente a una de estas fuentes francesas, mas es innegable que

1 "El ciclo de lo 'azul' en Rubén Darío", *Revista Hispánica Moderna*, XXV (1959), p. 81.

entre los iniciadores del modernismo José Martí, antes que ningún otro, descubrió las seducciones estéticas del azul, e incorporó este color a su léxico como constante estilística. El azul, sin embargo, sólo representa uno de tantos rasgos expresivos de estirpe genuinamente modernista presentes en su obra entre 1875 y 1885 —fenómeno que refuerza la aseveración de que a Martí, como a Nájera, Silva y Casal, hay que clasificarlo como modernista y no como precursor del modernismo.

El ya aludido ensayo del distinguido crítico chileno, perito en la obra primigenia de Rubén, rastrea el azul en los escritos del bardo nicaragüense, y analiza este color en su doble vertiente de valor anímico y estilístico. Quisiéramos complementar dicho trabajo con un análisis sistemático y cronológico de la función y sentido del azul en la obra de Martí que, según Juan Ramón Jiménez, "vive (prosa y verso)" [2] en el arte de Rubén. No pretendemos perpetuar la inexacta concepción de que el azul es el color más trascendente del modernismo; para nosotros sólo representa uno entre varios colores relevantes de que se sirvieron los modernistas en la creación de su estilo. Martí principió a utilizar el azul simbólicamente a partir de 1875, y este hecho confirma la necesidad de concederle la prioridad de haber iniciado, junto con Manuel Gutiérrez Nájera —al menos en prosa—, formas modernistas que enriquecieron los procedimientos estilísticos de las letras hispánicas.

El año 1875 marca la primera llegada del exiliado Martí a México; el azul en este año reviste las siguientes manifestaciones: "Está muy lejos el azul soñado" [3]; "...ama [Pedro Castera] lo azul, porque lo azul da idea poética del exquisito espíritu por quien siente amor tan alto..." (50:24). Y del proverbio teatral *Amor con amor se paga*, estrenado en la capital mexicana el mismo año, entresacamos las líneas siguientes:

> TERESA: ¿Por sueño?...
> JULIÁN: ¡El alma enamora!

---

[2] *Españoles de tres mundos* (Buenos Aires: Losada, 1942), p. 33.

[3] *Obras completas* (La Habana: Trópico, 1936-1953), XLII, 98. De aquí en adelante daremos el volumen y la página de esta edición en números arábigos dentro del texto.

TERESA: ¿Por encanto?...
JULIÁN: ¡Azul parece! (26:186)

ÉL: Nada es azul en la vida,
¡Oh mortal de lo que ves,
Si no miras al través
De una mujer bien querida!
.........................................
¡Leonor, mi amada Leonor,
Cómo más presto me hablaras,
Si en el alma me miraras
El lago azul de tu amor!
.........................................
Que después de haber oído
"¡Te amo!" de tu boca bella,
Hay más azul en el cielo,
Hay más calor en la tierra,
Y el aire un beso, otro beso,
Onda tras onda se lleva (26:191-193).

Estas citas contienen los textos que inician el ciclo azul de la obra martiana, y en ellos está patente ya el sentido genérico que este tropo tendrá en las producciones maduras del artista; sugerirá idealismo, belleza, alegría, perfección moral o espiritual, y el deseo de evadirse de la realidad y encontrar solaz en una región empírea. Éstas, precisamente, son las cualidades que don Juan Valera percibió en el azul de Darío, aunque el crítico español puso en tela de juicio el valor de encarnarlas en el azul:

> ¿Por qué, en este caso, lo azul (aunque en francés no sea *bleu,* sino *azur,* que es más poético) ha de ser cifra, símbolo y superior predicamento que abarque lo ideal, lo etéreo, lo infinito, la serenidad del cielo sin nubes, la luz difusa, la amplitud vaga y sin límites, donde nacen, viven, brillan y se mueven los astros? [4].

¿En qué consiste el fenómeno estilístico que Valera denomina "cifra, símbolo y superior predicamento"? Raúl Silva Castro capta lo

4 *Cartas americanas* (Madrid: Imprenta Alemana, 1915), pp. 267-268.

esencial de este problema técnico cuando asienta la necesidad de diferenciar entre el uso de azul en calidad de sustantivo y de adjetivo:

> En el primer caso [el del sustantivo]... azul es una comarca espiritual, íntima, que posee o señorea el artista por el mero hecho de serlo... cuando se emplea la voz azul como adjetivo, la connotación cambia según la palabra a la cual va a calificar... [5].

Aunque abundan los casos de símbolos cromáticos de valor sustantivado —tanto en Darío como en Martí [6]— lo más común es que sean de naturaleza adjetiva. Según nuestro entender, el epíteto cromático adquiere categoría de símbolo cuando su función de calificador de un sustantivo dado implica más que el sentido literal, es decir, cuando evoca una realidad imaginada que rebase los límites de la física. El símbolo cromático formado así tendrá un doble plano de significación. Tomemos como ilustración una cita de Darío: "Sí, dentro de la jaula de mi cerebro está preso un pájaro azul que quiere su libertad..." [7]. Este pájaro azul, claro está, induce al lector a imaginar mucho más que un ave de tal color; de ahí la doble faceta de la imagen. Al símbolo cromático de este tipo aplicamos la terminología de Carlos Bousoño y lo llamamos símbolo bisémico. En cambio, cuando la relación de adjetivo y sustantivo es sinestésica, es decir, cuando el adjetivo cromático y el sustantivo yuxtapuestos no integran una relación lógica (e. g. pensamiento azul), entonces la catacresis que resulta encarna un símbolo cromático potencial. Para constituirse en símbolo auténtico se necesita que la unión catacréstica de sustantivo y adjetivo tenga valor estético o decorativo y, a la vez, un estrato poético-emotivo.

Volviendo al tema, el primer rastro de azul que Silva Castro descubre en la obra rubeniana data de 1884, nueve años posterior a los

---

[5] *Op. cit.*, p. 95.

[6] V. como ejemplo de este procedimiento el siguiente recado de Martí a Manuel A. Mercado:

"Aquí va la correspondencia de esta semana, en que he puesto su poco de color, por lo que de nuevo me recomiendo a la bondad del caballero que repasa las pruebas, no vayan a salir borrones los que yo he procurado repartir de modo que donde se debe haya *azul*, y donde cabe, amarillo" (69:59). (La letra cursiva es mía.)

[7] *Cuentos completos* (México: Fondo de Cultura Económica, 1950), página 22.

ejemplos ya citados de la obra martiana. En esta manifestación inicial se trata de una conjugación implícita de cielo y azul, imagen que vio la luz en un texto desconocido hasta que Diego Manuel Sequeira lo publicó en su libro *Rubén Darío, criollo* (1945):

> A las veces se torna rudo y grave, y entonces pulsa el arpa resonante sobre una cumbre; la melena alzada, con el rostro hacia el sol: le dan de lleno los rayos en la frente; los espíritus que vuelan agitando las tormentas en el azul, se acercan, le rodean... [8].

La palabra *azul* del sintagma *agitando las tormentas en el azul* carece de la categoría simbólica que esta voz adquirirá en el período 1886-1889, que Silva Castro denomina el del ciclo de lo azul en Darío.

En la obra de Martí el azul tiene semejante forma embrionaria, i. e., la aproximación de cielo y azul, éste sin embargo, con valor adjetival. En una poesía sentimental, titulada "Sin amores", leemos (1875):

> ¡Oh, cuán triste verdad que en las memorias
> Fugaces del amor, —en que el olvido
> Con repugnante página de cieno
> Del pecho de la muerte recogido
> Cierra tantas bellísimas historias
> De cielo azul y resbalar sereno, — (42:47).

Pero en ese mismo año el azul comienza a cobrar mayor significación subjetiva, como se notará en la cita siguiente, donde se presagia el uso simbólico del tropo denotador de lo excelso, lo etéreo, lo imaginativo:

> Sin discusión alguna, en Madrid se vive estrecha vida científica, y abundante y buena vida literaria. Son en esto, sin duda, parte principal, las condiciones imaginativas y el cielo todavía azul de los españoles, no muy asimilables ciertamente a las graves especulaciones alemanas en que, a despecho de la originalidad, mas con trabajo y ampliación notables, ocupó su inteligencia Sanz del Río, y la ocupan hoy Patricio Azcárate, Mesía, Francisco Giner y el lógico, el honrado, el vigoroso Salmerón (47:95).

---

8 Citado por Raúl Silva Castro, *op. cit.*, p. 92.

Cuando por segunda vez el vate nicaragüense utiliza la voz azul, ésta revela atributos totalmente modernistas; se trata del *pájaro azul* —símbolo bisémico del cuento con idéntico título (1886)— que denota "una región empírea hacia la cual tienden los anhelos de los artistas" [9]. Idéntica imagen que, por cierto, recuerda *L'oiseau bleu* (1908) de Maeterlinck y *Les oiseaux bleus* (1888) de Mendès, fue utilizada por Martí un año antes en su novela *Amistad funesta* (1885):

> Estaban las tres amigas en aquella pura edad en que los caracteres todavía no se definen: ¡ay! en esos mercados es donde suelen los jóvenes generosos, que van en busca de pájaros azules, atar su vida a lindos vasos de carne que a poco tiempo, a los primeros calores fuertes de la vida enseñan la zorra astuta, la culebra venenosa, el gato frío e impasible que les mora en el alma! (25:18).

Los pájaros azules martianos son de índole tan idealista como el pájaro azul rubeniano; tienden su vuelo a una región igualmente elevada, pero, a diferencia del de Darío, no evocan las ansias de libre creación artística, sino la ilusión, alegría y perfección espiritual que anhela la juventud.

Al año siguiente —1887— se da la segunda de las dos variantes del símbolo cromático adjetival en la obra de Darío, el símbolo que está montado sobre una base catacréstica —*cuento azul:* "...la historia de Berta, la niña de los ojos color de aceituna, fresca como una rama de durazno en flor, luminosa como un alba, gentil como la princesa de un cuento azul" *(El palacio del sol)* [10].

Este símbolo cromático de filiación sinestésica, tan característico del estilo modernista [11], aparece en la obra martiana en 1876 —una década antes de su primera manifestación rubeniana. Se encuentra en un pasaje donde Martí identifica la música con la creación literaria—, principio éste que proviene del venero verleniano de la estética simbolista:

---

[9] Silva Castro, *op. cit.*, p. 83.

[10] *Cuentos completos*, p. 35.

[11] Carmelo Bonet en *La técnica literaria y sus problemas* (Buenos Aires: Nova, 1957), p. 59, ofrece ejemplos de relaciones sinestésicas en los autores del Siglo de Oro español: canoro sueño, verdes halagos (Góngora); blanca aurora, verde edad (Lope).

> Pero hay entidades poéticas cantores de lo venidero, arúspices divinos de una religión vasta y azul. Si no supiera yo que andan intencionadamente, diría que estos poetas andan equivocadamente por la tierra. Si los espíritus tuviesen forma, se diría que unos tienen forma de terruño; éstos de nube. Viven entre claridades opacas, realzan lo que tocan, embellecen lo que miran, purifican donde hablan... Es un lenguaje rumoroso, una cadencia tenue; algo de amanecer y de gorjear lejano de aves (50:170-171).

De 1876 en adelante empiezan a abundar los símbolos cromáticos de naturaleza sinestésica en la obra de Martí. En 1877, viajando con destino a Guatemala, describe sus impresiones de Curaçao, y utiliza la imagen *días azules:*

> El aire es cálido: La atmósfera transparente, desnuda a los ojos curiosos el aseado ajuar exterior de las pesadas casas, que con sus árboles menguados, y sus tejados rotos y sus paredes altas, agujereadas por ventanas menudísimas... recuerdo a la memoria, que se goza generosamente en volvernos a nuestros inmaculados días azules; esos juguetillos de madera que labran y pintan en sus horas de ocio los labriegos de la opaca Alemania (55:159).

Y del mismo año es el recado alicaído a Manuel A. Mercado: "...no ha habido en todo el mes un solo día azul" (69:62).

En 1878, dos tropos de significación antitética —*año negro* y *años azules*— indican la tristeza y la alegría de años sucesivos:

> Con esto; con mi propósito de pagar aquí, esclavo de mis deudas un año, e irme; y con que Carmen cante a mi lado tan gozosamente como ahora canta, paso este año negro y espero otros años azules. ¡Quién sabe si el permanente azul no es de la tierra! (68:60).

Es un hecho de sumo interés y de gran trascendencia para trazar el empleo del azul simbólico entre los modernistas que Darío se sirve del mismo tropo diez años más tarde, al comentar el estado de ánimo de la gente que se prepara a poner fin a la temporada veraniega chilena:

> Las familias santiaguinas que han venido a Valparaíso y Viña del Mar van de vuelta. Se van a sus hogares de siempre, mas es de du-

darse que no lleven —digo, las almas jóvenes y soñadoras— la esperanza del año que viene. El año que viene es siempre azul. Se ve un arco iris en todo porvenir de mujer, una libélula fugaz y cristalina, un vago sueño, y las damas son las que tienen más derecho de llevar, si no esperanzas, al menos recuerdos [12].

En un cuento del mismo año Darío une los colores simbólicos *negro* y *azul* —como Martí en el texto de 1878. Se trata de la muerte repentina de una muchacha y el trágico desenlace subsiguiente de un idilio. El contenido anímico de *negro* y *azul* recuerdan el párrafo de Martí. En *El Heraldo* de Valparaíso del 17 de marzo de 1888 escribió Darío:

—¡Oh! Ese joven es hoy un escéptico y un corazón de hielo. El año que vino fue para él negro.

—¡Sí, pero para ella siempre fue azul! Voló a ser rosa celeste, alma sagrada, donde debe de existir el ensueño como realidad, la poesía como lenguaje y como luz del amor [13].

En ambos modernistas el estado eufórico producido por el amor evoca la voz azul, y el negro concretiza los sentimientos de desilusión, tragedia y fracaso.

En la obra de Martí y Darío hay otro caso de coincidencia en el uso de azul. El 3 de febrero de 1888, en *La Época* de Santiago, vio la luz el cuento rubeniano titulado "Carta del país azul" que lleva por subtítulo "Paisajes de un cerebro". El valor del azul simbólico del título lo sugiere el cuentista al comienzo de su narración:

Ayer vagué por el país azul. Canté a una niña; visité a un artista; oré, oré, como un creyente en un templo, yo el escéptico: y yo, yo mismo, he visto a un ángel rosado que desde su altar lleno de oro me saludaba con las alas. Por último, ¡una aventura! [14].

El paisaje interior que Darío caracteriza, sirviéndose del etéreo azul, es el del amor, de la emoción religiosa y de la experiencia estéti-

---

[12] *Obras desconocidas de Rubén Darío,* ed. Raúl Silva Castro (Santiago: Prensas de la Universidad de Chile, 1934), p. 129.

[13] *Cuentos completos,* p. 78.

[14] *Ibid.,* p. 65.

ca; el poeta, en su vagar por aquel país célico, lo contempla todo a través de un cristal azul —*cáliz azul* y *mirada azul* son otras dos imágenes de este relato— y escribe una 'carta' "impregnada de aroma de ilusión" [15].

La variante martiana aparece en el plural en un pasaje de *Amistad funesta* (1885):

> Todo en la tierra, en estos tiempos negros, tiende a rebajar el alma, todo, libros y cuadros, negocios y afectos, aun en nuestros países azules (25:37-38).

En esta crítica del materialismo de su época Martí yuxtapone otra vez el azul y el negro, simbolizando las cualidades espirituales y nobles de "nuestra América" con el adjetivo azul [16].

En otras formaciones simbólicas de azul —todas escritas antes de la publicación de *Azul...*— encontramos en la obra martiana conjugaciones inusitadas de filiación simbolista como las siguientes: *sueñecillos azules* (1881), *tristeza azul* (1882), *azul el mar y el alma* (1883), *rosas azules* (1885), *los ojos de un azul claro y los pensamientos* (1886) [17].

> Y de noche, entre los rizos rubios de los niños, revuelan sobre la cándida almohada, sueñecillos azules (28:47).
>
> Emerge de sus versos [los de Longfellow] una hermosa tristeza, la tristeza azul de aquel que no ha sufrido, no la tristeza mordedora, inquieta y bárbara de los infortunados (17:216).
>
> [En junio es] azul el mar y el alma (29:168).
>
> ...Lucía que cuando veía entrar a Juan sentía resonar en su pecho unas como arpas que tuviesen alas, y abrirse en el aire, grandes como soles, unas rosas azules, ribeteadas de negro... (25:30).

---

15 *Ibid.*, p. 69.

16 Manuel Pedro González ha comentado esta coincidencia tropológica: "Me inclino a creer que Darío leyó amorosamente *Amistad funesta* y que de estos *países azules* martianos desciende en línea recta el título del relato "Carta del país azul"... ["José Martí: Jerarca del modernismo", en *Miscelánea de estudios dedicados al Doctor Fernando Ortiz por sus discípulos, colegas y amigos* (La Habana, 1956), p. 742, n. 22]

17 Otros ejemplos antes del 88 se darán más adelante en el apartado sobre la significación de azul.

> Tiene los ojos de un azul claro [la esposa del Presidente Cleveland], y los pensamientos (33:185).

Una variante de azul —celeste— aparece en la época primigenia del cromatismo martiano, en 1876:

> ...tal podría decirse que todos los poetas españoles habían besado a las mujeres en la boca, y que fue Ruiz de Alarcón el primero que supo que podía besárseles la frente. Así impregnada de casta tenuidad, es la mujer celeste de Alarcón (50:162).

El valor genérico del plano real de este matiz simbólico es pureza e idealismo, como se verá en la configuración de 1877 que a continuación ofrecemos:

> Un espíritu celeste, el de mi amorosa criatura, me ha dado brío secreto para quebrantar en bien de todas éstas, para nadie útiles, ligaduras: ¿qué habrá erróneo que nazca en su espíritu altísimo y perfecto? (68:19).

La mayoría de los textos martianos aducidos hasta ahora se definen por el uso catacréstico del símbolo cromático. Igualmente frecuente es la técnica bisémica que presta una dimensión simbólica al lenguaje discursivo. La bisemántica permite una descripción objetiva que, a la vez, abarca actitudes e impresiones subjetivas del poeta, expresadas éstas en el plano figurado de la imagen. Tal, precisamente, es el procedimiento de las líneas siguientes (1888):

> Y el reverendo, vestido de negro, que lee en aquel instante su estudio laureado sobre la "mente automática" en un diminuto cuaderno de cubierta azul, que por lo que dice y por la manera de decirlo es digno de más aplausos y público (36:77).

El detalle del cuaderno azul, usado por un reverendo que pronuncia un discurso ante un congreso antropológico, podría pasar inadvertido por el lector no avisado. En la obra de Martí el procedimiento bisémico, a veces muy sutil, indica su estado de ánimo frente a la realidad circundante. En el texto citado hay una implícita aprobación de la opinión general, del todo favorable, respecto al reverendo.

En la siguiente construcción bisémica el poeta se sirve del vocablo *precisamente* para insuflar valor espiritual en el adjetivo *azul* (1886):

> Se ve que muchos niños han nacido en la noche, y que, bajo una tienda azul precisamente, vinieron de una misma madre dos gemelos (33:86).

Martí admiró tanto el "esprit de corps" de los habitantes de Charleston, Carolina del Sur, ciudad destruida por un terremoto, que al describir el acontecimiento en una crónica de prosa épica, hizo del azul vehículo de nobles e ideales dimensiones.

La hipálage, figura que atribuye a un sustantivo el adjetivo que corresponde a otro nombre del mismo texto, también da origen a formas simbólicas de color azul. En 1888, Martí describe el heroísmo de algunos marineros incapacitados y jubilados; a través de un desplazamiento implícito del color del océano, el azul cobra significación moral:

> A la otra banda de Nueva York, en Staten Island, hay una casa de inválidos —"Snug Sailor's Harbor"— donde no van más que las víctimas de la guerra de mar... No es necesario mucha poesía para sonreír con ternura cuando pasan aquellos viejos, callados y azules! (36:156).

Similar proceso de simbolización cromática se observa en el párrafo que ofrecemos a continuación, donde en la imaginación del artista el color del cielo se difunde y tiñe toda la atmósfera. Martí está presenciando el desfile de trabajadores en una fiesta nacional y la imagen *aire azul* da idea de su alma conmovida (1887):

> Y no se ha escogido el día cuando el frío hostil cierra las almas, como cierra la noche las flores sensibles; no cuando el cielo está negro ceñudo; no cuando caen las hojas; sino cuando, como en símbolo de la humanidad creada, lo viste todo de fiesta natural el aire azul de Septiembre... (35:10).

A diferencia de la evolución del azul en la obra de Darío, quien parece esquivar esta voz cromática durante los años posteriores a 1890 [18], en Martí este tropo retiene su vigor anímico, poético y estético

---

[18] Silva Castro, "El ciclo de lo 'azul' en Rubén Darío", p. 90: "...las

hasta la muerte del poeta. En 1890, un lustro antes de su inmolación en Dos Ríos, escribió:

> Los bávaros[19] han estado de gran fiesta, para que se vea que no olvidan a Bavaria, ni a su romántico rey Luis, que por rey murió y vive por poeta, e iba en uno de los cuadros, sentado tristemente, a la sombra de una roca azul, en un bote de oro (39:96).

En 1893:

> La hermana poetisa, que vive de enseñar, habla enamorada de nuestros trabajos y de nuestro valer, de la emigración honrosa de Cuba, del rincón azul donde se cría el genio (10:207).

En 1894[20]:

> No se enoje ni se encele [Gualterio García]. Ya estoy bueno. Fue, dígale a Rosalía, a Alí, a Fefa, el corazón azul (67:42).

Y, finalmente, en un diario que contiene apuntes escritos al vuelo unos días antes de morir (1895):

> Al fondo de la casa, la vertiente con sus sitieríos cargados de cocos y plátanos, de algodón y tabaco silvestre: al fondo, por el río, el cuajo de potreros; y por los claros, naranjos, alrededor los montes, redondos, apacibles: y el infinito azul arriba con esas nubes blancas, y surcan perdidas... detrás la noche. —Libertad en lo azul— (56:105-106).

### SIGNIFICACIÓN DE AZUL

El azul martiano pertenece al léxico modernista en el sentido de que comparte el tenor idealista que caracteriza su manifestación en la

---

menciones a lo azul son menos frecuentes, más espaciadas, después de 1890, y, según nos parece advertir, faltan ya a las alturas de 1893 en los cuentos y en una fecha tal vez más avanzada, en las poesías...". A continuación Silva Castro reproduce citas correspondientes a los años 1890, 1892, 1893, 1895, 1896, 1904 en que figura el azul como elemento artístico.

[19] Me he tomado la libertad de reemplazar la palabra *bárbaros* que aparece en el texto original de la Edición Trópico por *bávaros*.

[20] V. más adelante la cita de la poesía escrita el mismo año y dedicada a la hijita de Manuel Gutiérrez Nájera.

obra de otros modernistas. Pero nunca reviste valores convencionales, nunca es un tropo carente de un sentido anímico profundo y subjetivo. La doble dimensión de la vida martiana —la heroica y la artística— presta matices originales a éste, igual que a todos sus símbolos y metáforas. Es que en la dilucidación de cualquier elemento estilístico de Martí hay que tener en cuenta que fue uno de aquellos excelsos espíritus cuya alma Edith Hamilton pintó con las siguientes frases nobles:

> They suffer for mankind, and what preoccupies them is the problem of pain. They are peculiarly sensitized to the "giant agony of the world". The world to them is made up of individuals, each with a terrible power to suffer, and the poignant pity of their own hearts precludes them from any philosophy in the face of this awful sum of pain and any capacity to detach themselves from it. They behold, first and foremost, that most sorrowful thing on earth, injustice, and they are driven by it to a passion of revolt... And yet they never despair. They are rebel fighters. They will never accept defeat. It is this that gives them their profound influence, the fact that they who see so deep into wrong and misery and feel them so intolerable, never conclude the defeat of the mind of man [21].

De ahí que en la ontología martiana el azul se vincule con un mundo espiritual que alcanzan los que se han sacrificado en el servicio de la humanidad (1883):

> Hay criaturas que se salen de sí, y rebosan de amor, y necesitan darse, y traen a la tierra una espada invisible, siempre alta en la mano, que enciende con su fulgor los campos de batalla, mientras viven, y cuando caen en tierra cubiertos de toda su armadura, vuela cual llama azul, al sol (29:45).

Sólo el visionario, el hombre superior, llega a ver las capas superiores del mundo ideal martiano, morada de filiación platónica (1883):

> Es dado a ciertos espíritus ver lo que no todos ven; y allí se vieron como juramentos al Cielo azul por espadas de oro; y lágrimas con alas (18:91-92).

---

[21] *The Greek Way to Western Civilization* (Nueva York: New American Library, 1959), p. 199.

La *espada invisible* y la *armadura* de la penúltima cita simbolizan la lucha humana, la misma que en el último texto se expresa por medio de *espadas de oro* y otros dos tropos idealistas, *cielo azul* y *lágrimas con alas.*

El azul también es el vehículo expresivo de los sueños, las aspiraciones y las utopías que Martí elaboraba como formas de evasión (1892):

> Pero de ese argumento del interés se ha de tomar nota, por lo que tiene de humano, y de fuerte por tanto, y por lo que hay en él de justo. Pero no se ha de responder a él, con la arrogancia de la profecía que ofrece, por la potencia del deseo, democracias milagrosas y repúblicas de madreperlas, con celajes de azul y oro... (3:190).

En éste, como en otros textos, el azul está unido al oro, intensificando así la nota idealista por medio de dos componentes cromáticos de significado parecido.

La alegría que proporciona la perfección humana está involucrada en el siguiente empleo de azul (1882):

> ¿Viste en la mar la nave rota por la tremenda furia de los vientos? Así es, así destruye el alma el borrascoso amor del adulterio. Y viste luego cuando en el hogar todo es azul, cuando la confianza resplandece, cómo semeja el corazón huerto florido, lleno de frutas sazonadas y de flores con perlas de rocío? (26:166-167).

Grossman está hablando con Fleisch en este pasaje de la segunda versión del drama moral *Adúltera,* rehecho, según Willis Knapp Jones, en 1882 [22]. Este diálogo en que Grossman evoca un cuadro de felicidad doméstica *(azul, huerto florido, frutas sazonadas, flores con perlas de rocío)* falta por completo de la primera versión escrita en 1872. El hecho de que únicamente en la refundición aparezca la voz azul es de suma trascendencia para trazar la cronología de azul en la obra de Martí.

La felicidad de un estado eufórico suscita la siguiente voz azul usada en una carta a Enrique Estrázulas, de visita en París (1888):

---

22 "José Martí, dramaturgo", en *Memoria del Congreso de Escritores Martianos* (La Habana, 1953), p. 721.

> Desde que llegamos a los boulevares, y nos cortamos la barba en pico, no ha habido memoria, ni elocuencia, ni pintura, más que para las señoritas. ¡Ahora sí que me van a venir buenas cartas de allá, humeantes como la sangre y empapadas de azul! (65:182).

El azul denota asimismo excelencia espiritual y superioridad moral:

> Sé de un hogar, esmaltado
> de tres nelumbios azules
> que sobre la alfombra vuelan
> vaporosos como nubes
> ..........................................
> Tengo yo un ángel amigo
> del orden de los querubes
> que al hogar de sus hermanos,
> cariñoso me conduce
> y entre las almas gemelas
> del ángel de alas de nube,
> no vi yo tres más hermosas
> que estas tres flores azules.
>
> (73:107-108).

El artista modernista, el esteta, se revela notablemente en el tropo catacréstico *música azul* (1894) que aparece en un poema dedicado a la hijita de Manuel Gutiérrez Nájera:

> En la cuna sin par nació la airosa
> niña de honda mirada y paso leve,
> que el padre le tejió de milagrosa
> música azul y clavellín de nieve.
>
> (42:195).

El azul simbólico de Martí no es tan poliédrico como el oro; carece de las ramificaciones estéticas de éste en el sentido de que raramente se usa como representación de la perfección literaria, de la excelencia estilística [23]. Pero en aquellas ocasiones, cuando sí reviste tal tenor, se aproxima en valor noético al oro:

---

[23] De los muchos ejemplos que podríamos aducir, bastarán estos dos textos: ¡Qué entendimiento de coloso!, ¡qué pluma de oro y seda! y ¡qué alma de paloma! (18:42).

> He [Antonio Fernández Grilo] sings of everything that weeps —a child without a mother, a house without a head— a woman without love, a tree without leaves, a land without glory. If verses could have colors, his would be blue and rose colored (51:23).

Esta atrevida correspondencia de versos y colores formó parte de un artículo publicado en 1880 en el *Sun* de Nueva York. El azul y el rosa evocan cualidades de ternura y sensibilidad literaria en este ensayo, uno de los primeros textos significativos de la cromología martiana. Con él rematamos el análisis cronológico y estilístico del azul martiano.

Esta voz cromática representa uno de los relevantes recursos estilísticos inspirados por el Parnaso, el Simbolismo y el Impresionismo —movimientos europeos coevales que fueron asimilados por José Martí y Manuel Gutiérrez Nájera entre 1875 y 1882, los años decisivos en la metamorfosis de la renovación artística que denominamos modernismo. Martí utiliza la voz azul a partir de 1875; Nájera, desde 1876[24], y Darío, por primera vez en 1884. Tal estudio comparativo señala, una vez más, la imprescindible necesidad de rectificar el esquema cronológico que todavía mantiene la crítica tradicionalista, la cual sigue fijando el comienzo del modernismo en 1888, y, a la vez, considera a Manuel Gutiérrez Nájera, José Martí, José Asunción Silva y Julián del Casal como precursores del movimiento. Reconózcase la labor trascendental de los *iniciadores* del modernismo y emúlese la franqueza de Juan Ramón Jiménez, quien, al considerar la influencia de Martí —amén de la de Díaz Mirón y Casal— sobre Darío, afirmó:

> Pero en él estaba Martí. Éste, con los *Versos sencillos,* influyó en Darío. Recuerde el poema de aquél donde habla de "la bailarina española". Muchos poemas de Martí se condensan y quedan reducidos

---

...y en párrafos que resplandecían como círculos de oro recoge esos deseos de amor y trabajo, y anuncia a la república unida que el sur ha muerto, y ha nacido otro. (33:216).

24 La primera manifestación de azul con valor simbólico en Nájera se da en el poema "Luz y sombra", 1876: "Es blanca tu conciencia y azul tu pensamiento" V. Iván A. Schulman, "Función y sentido del color en la poesía de Manuel Gutiérrez Nájera", en *Génesis del modernismo* (México: El Colegio de México / Washington University Press, 1966), pp. 131-144.

en Darío a una línea. Martí le llamaba su hijo y quería que fuese su sucesor. Le sucedió como cronista en *La Nación*, de Buenos Aires, y el artículo que allí escribió Rubén en ocasión de la muerte de Castelar parece de Martí. De éste le vino, también, el amor por los clásicos españoles y los giros estilísticos en los poemas de tipo menor:

> La niña de Guatemala,
> la que se murió de amor.

Darío tiene un poema dedicado a Bonafoux que parece de Martí, por sus galas y sus gracias. Hay un cierto Darío que no se comprende sin Martí. *La bailarina española* de Rilke, a su vez, recuerda *La gitanilla* de Darío. *El soneto a Carolina*, de éste, es Martí puro. También Díaz Mirón influyó sobre Darío. Y Julián del Casal, en *Azul*[25].

### TEORÍA LITERARIA

Además de lo indicado hasta ahora respecto a la cuestión del color en la obra de Martí, hay que tener en cuenta que acompaña su cromología simbólica un cuerpo nutrido de ideas teóricas que revelan la conciencia que tenía de la revolución artística que realizaba en el período que va de 1875 hasta la publicación de *Azul*... Desgraciadamente, la naturaleza de este estudio no permite el análisis de la multifacética doctrina literaria de Martí; tendremos que limitarnos a explorar en detalle sólo aquellos pronunciamientos vinculados con el tema del color.

En 1875 Martí asentó los siguientes conceptos que en su época no debieron ser considerados menos que revolucionarios:

> El color tiene más cambiantes que la palabra, así como en la gradación de las expresiones de la belleza, el sonido tiene más variantes que el color. Como la belleza es la conformidad del espíritu con todo lo indescifrable, lo exquisito, lo inmedible y lo vago, lo bello se expresa mejor en tanto que tiene más extensión en que expresarse, menos trabas para producirse, más medios con que reflejar la abstracta necesidad, la mórbida concepción, las combinaciones tempestuosas o apa-

[25] Ricardo Gullón, *Conversaciones con Juan Ramón Jiménez* (Madrid: Taurus, 1958), pp. 58-59.

cibles de esta presunción de lo venidero, religión de la soledad, propio hogar del hombre, que llamamos caprichosa fantasía (50:59).

Este párrafo revela hasta qué punto Martí había bebido en las fuentes simbolistas francesas, porque en él se patentiza el principio verleniano de la vaguedad y de la musicalidad. El ascendiente de los experimentos sinestésicos de Rimbaud indudablemente orientó las siguientes líneas de Martí, escritas en 1881:

> Entre los colores y los sonidos hay una gran relación. El cornetín de pistón produce sonidos amarillos; la flauta suele tener sonidos azules y anaranjados; el fagot y el violín dan sonidos de color de castaña y azul de Prusia, y el silencio, que es la ausencia de los sonidos, el color negro. El blanco lo produce el óboe[26].

A más de la influencia simbolista, la teoría martiana evidencia la huella del arte glíptico de los seguidores de Gautier, como el texto que a continuación ofrecemos (publicado en 1881 en la segunda entrega de la *Revista Venezolana*) comprobará:

> Sólo que aumentan las verdades con los días, y es fuerza que se abra paso esta verdad acerca del estilo: el escritor ha de pintar, como el pintor. No hay razón para que el uno use de diversos colores, y no el otro (20:32).

La necesidad de cultivar un estilo coloreado y plástico, concepto en consonancia no sólo con el arte parnasiano sino con el de los impresionistas, reaparece en unas notas escritas entre 1886 y 1887:

> El estilo tiene su plasticidad, y después de producirlo como poeta, se le debe juzgar y retocar como pintor: componer las distancias y valores, agrupar con concierto, concentrar los colores esenciales, desvanecer los que dañan la energía central (63:175).

En 1887 Martí declaró a su íntimo amigo Manuel A. Mercado que buscaba anhelosamente formas cromáticas de expresión:

---

26 José Martí, *Sección constante*, ed. Pedro Grases (Caracas: Imprenta Nacional, 1955), p. 126.

¡Y yo que a veces estoy, con toda mi abundancia, dando media hora vueltas a la pluma, y haciendo dibujos y puntos alrededor del vocablo que no viene, como atrayéndolo con conjuros y hechicerías, hasta que al fin surge la palabra coloreada y precisa! (68:174-175).

En otros escritos se funden los elementos parnasianos y simbolistas con el principio clásico de la proporción y armonía. Estos que siguen provienen de apuntes y fragmentos sin fecha:

Hay algo de plástico en el lenguaje, y tiene él su cuerpo visible, sus líneas de hermosura, su perspectiva, sus luces y sombras, su forma escultórica y su color, que sólo se perciben viendo en él mucho, revolviéndolo, pesándolo, acariciándolo, puliéndolo. En todo gran escritor hay un gran pintor, un gran escultor y un gran músico (73:87).

Para mí las palabras han de tener a la vez, en saludable [proporción], sin exceso de ninguna de las tres, sentido, música y color (73:132).

Esta es la gran ley estética, la ley matriz y esencial. Ni el lenguaje ha de salirse, por lo sobrentusiasta o lo frío, del tono natural del sentimiento, ni los colores han de ser más que lo que requiere la importancia del tema... (73:45).

En 1889, en la *Edad de oro* alude a su deseo de hacer poesía "...de manera que se vea en los versos como si estuviera pintando con colores" (24:27), y en el mismo año habla de "frases de colores" al poner de manifiesto su creencia en la efectividad de la literatura como magisterio social:

...una cosa es echar al aire frases de colores para que se las lleve el viento como las bombas de jabón, y otra clavar en los corazones de los hombres, como el asta banderas en la cuja, las ideas con que se han de levantar los pueblos (38:9).

Los textos citados, casi todos anteriores a 1888, son de genuina prosapia modernista, y a base de ellos, y de lo dicho en las secciones precedentes de este trabajo, tendremos que disentir con los que le conceden al vate nicaragüense la gloria de haber iniciado el arte modernista.

La primera exposición teórica de estirpe netamente modernista en la obra de Rubén data de 1888, y su estilo delata la presencia de Martí (*tener luz y color, hablar como las águilas callan, la trampa de plata,* etcétera), cuya prosa comienza a fecundizar la de Darío a partir de 1886. Escribe el poeta nicaragüense:

> Creen y aseguran algunos que es extralimitar la poesía y la prosa, llevar el arte de la palabra al terreno de otras artes, de la pintura verbigracia, de la escultura, de la música. No. Es dar toda la soberanía que merece al pensamiento escrito, es hacer del don humano por excelencia un medio refinado de expresión, es utilizar todas las sonoridades de la lengua en exponer todas las claridades del espíritu que concibe... Janín llamaba "estilo en delirio" al estilo de Julio y Edmundo, y consideraban un absurdo, una locura, pretender pintar el color de un sonido, el perfume de un astro, algo como aprisionar el alma de las cosas... Ah, y esos desbordamientos de oro, esas frases kaleidoscópicas, esas combinaciones de palabras armónicas, en periodos rítmicos, ese abarcar un pensamiento en engastes luminosos, todo eso es sencillamente admirable... Juntar la grandeza o los esplendores de una idea en el cerco burilado de una buena combinación de letras; lograr no escribir como los papagayos hablan, sino hablar como las águilas callan; tener luz y color en un engarce, aprisionar el secreto de la música en la trampa de plata de la retórica, hacer rosas artificiales que huelen a primavera, he ahí el misterio [27].

En este artículo titulado "Catulo Méndez [*sic*] Parnasianos y Decadentes" hay resonancias no sólo de giros martianos sino de conceptos doctrinales relacionados con el arte literario, y en particular, con el cromatismo modernista, que Martí —como ya hemos comprobado— había desarrollado muchos años antes. Está fuera de nuestro propósito seguir comparando las ideas teóricas de Martí y Darío; baste decir que en los años posteriores a 1888 hay inequívocas coincidencias, tanto en la teoría de la cromología como en todos los aspectos de la expresión modernista. Y, en varios casos, no sería aventurado hablar no ya de coincidencias, sino de influencias, puesto que la preceptiva martiana alcanzó su desenvolvimiento máximo antes que la de Darío. Sirva para comprobar esta aseveración el siguiente rosario de textos martianos escritos todos antes de la primera exposición teórica rubeniana de filiación modernista:

---

27 *Obras desconocidas de Rubén Darío*, pp. 168-170.

[1875]

La música es más bella que la poesía porque las notas son menos limitadas que las rimas: la nota tiene el sonido, y el eco grave, y el eco lánguido con que se pierde en el espacio: el verso es uno, es seco, es solo: —alma comprimida— forma implacable —ritmo tenacísimo. La poesía es lo vago; es más bello lo que de ella se aspira que lo que es en sí (50:23-24).

[1881]

... el escritor ha de pintar, como el pintor. No hay razón para que el uno use de diversos colores, y no el otro. Con las zonas se cambia de atmósfera, y con los asuntos de lenguaje. Que la sencillez sea condición recomendable, no quiere decir que se excluya del traje un elegante adorno (20:32-33).

[1882]

El verso es perla. No han de ser los versos como la rosa centifolia, toda llena de hojas, sino como el jazmín del Malabar, muy cargado de esencias. La hoja ha de ser nítida, perfumada, sólida, tersa. Cada vasillo suyo ha de ser un vaso de aromas. El verso, por donde quiera que se quiebre, ha de ser luz y perfume... Pulir es bueno, más dentro de la mente y antes de sacar el verso al labio. El verso hierve en la mente, como en la cuba el mosto. Mas ni el vino mejora, luego de hecho, por añadirle alcoholes y taninos; ni se aquilata el verso, luego de nacido, por engalanado con aditamentos y aderezos (20:66-67).

[1887]

El arte de escribir ¿no es reducir? La verba mata sin duda la elocuencia.

Hay tanto que decir, que ha de decirse en el menor número de palabras posibles: eso sí, que cada palabra lleve ala y color (34:45).

[1887]

No hay música más difícil que la de una buena prosa (68:159).

Podríamos continuar con citas de Martí, pero los textos que ya hemos reproducido demuestran a las claras que Martí se anticipó a Darío en el empleo del azul, en la elaboración de una teoría cromática con raíces parnasianas y simbolistas, y en la formación de una teoría literaria ciento por ciento modernista. De este iniciador del modernismo hay que decir, con Pedro Henríquez Ureña, que "en el terreno del estilo, así como en lo que está detrás del estilo y se hace expresión su poder de invención fue inagotable" [28].

---

[28] *Las corrientes literarias en la América hispánica* (México: Fondo de Cultura Económica, 1954), p. 168.

Bernardo Gicovate

# ANTES DEL MODERNISMO

La debilidad del pensamiento hispánico del siglo pasado, y sobre todo de fines del siglo pasado, no es cuestión de una falta de universalidad interna, de esfuerzo paciente, sino un fenómeno independiente del valor intrínseco de las obras que se escriben, producido por un aislamiento sólo en parte voluntario de los países de habla española. De hecho, aun el término aislamiento es inexacto, ya que se viaja, se conoce, se importa del extranjero. Lo que es desconcertante es la ignorancia suma de lo hispánico fuera de los límites arbitrarios de cada país y su actividad intelectual. Y, también, lo que pasa de desconcertante es la miopía hispánica con respecto a lo propio en cada país y a lo inmediato y gemelo en los países vecinos. No se descubre a sí mismo el hombre de habla española en la prosa de Sarmiento o en la de Pérez Galdós y cuando llega el momento no se oyen más que quejas acerca de la pobreza circundante.

Más lamentable que el estado de las letras del idioma es el pesimismo con respecto a la capacidad de continuar que se marca más y más en España con el fin de siglo. El ambiente poético de ambos lados del océano andaba dominado entonces por las figuras de Núñez de Arce, Ramón de Campoamor y se leía mucho a Gustavo Adolfo Bécquer, aunque quizá no en los mismos círculos de lectores. Todos ellos tenían cierto conocimiento de lo europeo y las influencias extranjeras en Bécquer, por ejemplo, se han estudiado extensamente [1] y están pa-

[1] Véanse, entre otros, los estudios de W. S. Hendrix, "Las rimas de Bécquer y la influencia de Byron", en *Boletín de la Academia de la Historia,*

tentes en las obras de los otros poetas del siglo XIX español. Sin embargo, hay dos puntos en que basar la tesis de un aislamiento español que se reflejaba en América. Los poetas del momento seguían corrientes y maneras ya muy viejas en el resto de Europa y el mundo europeo no prestaba atención a lo español. Por lo tanto, le era posible al que vivía en España mirarse a lo narciso sin la mínima corrección de la imagen que proporcionan los espejos menos favorables del extranjero.

Por una parte, el lector español se adormece en cierta ufana seguridad de lo suyo, mientras el hispanoamericano desorientado señala la debilidad en palabras balbucientes o en despego, aunque contradiciéndose a menudo al seguir las huellas de Núñez de Arce y clamar contra la pobreza intelectual reinante. Lo cierto es que será mucho más fácil burlarse de la mala poesía anterior después de 1900, cuando es posible ya hablar de causas y defectos y puntualizar las medidas que hubieran salvado la integridad intelectual cuando no la territorial de un pasado reciente. Todo ello no era tan claro antes de 1898 y pocas mentes de las más acertadas y pujantes se habían atrevido a ver la debilidad reinante. Lo que se verá claro desde 1899 en España había existido desde el romanticismo al menos en todo el mundo español: una como resignada aceptación del presente y sus males producida por una hipertrofia de humildad ante el pasado. Lo que explica de inmediato por qué los renovadores —desde Echeverría a Rubén Darío— tenían que ser extranjerizantes y refuerza la necesidad del estudio del siglo XIX y lo que va del XX desde el punto de vista de la literatura comparada. Sólo los métodos de esta disciplina pueden aclarar la originalidad alcanzada a través de las importaciones. Lo extraordinario es que aquellos que pretendían romper con la tradición, aun los más opuestos a ella como Domingo F. Sarmiento, consiguieron realmente enriquecerla como no podían hacerlo todos los imitadores reverentes.

---

Madrid, XCVIII (1931), pp. 850-894, y Dámaso Alonso, "Originalidad de Bécquer", en *Ensayos de poesía española*, Buenos Aires, 1956, pp. 261-304. Dámaso Alonso estudia las influencias de Byron, Heine, Musset y otras de menor importancia y dedica unos párrafos (p. 277) a la presencia de Bécquer en la poesía del siglo XX.

I

La confusión de valores es extrema en la América Hispánica de las últimas décadas del siglo XIX. Ya en 1880 se atrevía José Martí a afirmar que "el corazón no siente al leer a Núñez de Arce ese grato calor que queda al leer los versos de un verdadero poeta" [2] aunque dieciséis años más tarde todavía se podrá decir que Núñez de Arce es "el más estimado, el más amado de los poetas" [3]. La poesía en España había claudicado su función directora del pensamiento para refugiarse en la expresión restringida y personal de Bécquer o Rosalía de Castro, cuyas obras, a pesar del valor de su perfección, carecían de la fuerza necesaria para conducir las mentes jóvenes.

Lo que más hacía falta no era un hombre, como clamarían más tarde algunos jóvenes apasionados, sino pensamiento claro, aunque doloroso. Por eso es que el cosmopolitismo, que se estudia a menudo como característica superficial del modernismo hispanoamericano, se nos revela a la luz de este pensamiento anquilosado, como una necesidad vital, no como adorno de jóvenes desequilibrados. Y el pesimismo modernista, que no sigue solamente a Campoamor o a Bartrina en su complacencia pesimista sino también al fin de siglo europeo con su desesperación en la creencia de que el mundo de Occidente ha llegado a su caduca vejez, es una solución, una avenida de resolución. En contra de los soporíferos dañosos vendrán las tristezas y los suicidios saludables.

La facultad de pensar se había adormecido en España con la cursilería de Campoamor y la vocinglería de Núñez de Arce, pero no se despierta al oír la delicada música de Bécquer, como se ha querido en un esfuerzo por rehacer la historia, porque se leía entonces en Bécquer no lo que es pensamiento, sino su sentimentalismo, no su variedad y riqueza, sino su monocorde sentimiento amoroso [4]. He aquí

[2] José Martí, *Obras completas*, La Habana, Editorial Lex, 1946, tomo I, página 876. En lo sucesivo las referencias a la obra de Martí se harán por volumen y página de esta edición.

[3] Justo Sierra, "Introducción", en Manuel Gutiérrez Nájera, *Poesías completas*, México, 1953, p. 10.

[4] Un eco tardío de esta restricción crítica se da en la afirmación de Federico de Onís de que Bécquer es "un gran lírico, único e insustituible, pero

la razón por la que creerán los modernistas que ellos descubren a Bécquer.

De Campoamor, así como de los demás poetas del momento, han de aprender y derivar todos los poetas del fin de siglo hispánico, ya que no les es posible desentenderse de lo que es el ambiente en que les es dado vivir. Las influencias formativas no se escogen por lo común. Y las dos más importantes en los primeros modernistas son la de Campoamor y la de Bécquer. La primera es el resultado de una equivocación crítica que les hace ver en su filosofícula negativa y burguesa el tedio que llevan dentro. Se va rectificando en los años sucesivos este error, aunque todavía en los primeros ensayos poéticos de Pedro Salinas, en los *Presagios* de 1923, se pueden ver rastros remotos de aquel prosaísmo cuentista:

> Este hijo mío siempre ha sido díscolo...
> Se fue a América en un barco de vela,
> no creía en Dios, anduvo
> con mujeres malas y con anarquistas,
> recorrió todo el mundo sin sentar la cabeza...
> Y ahora que ha vuelto a mí, Señor,
> ahora que parecía...
> Por la puerta entreabierta
> entra un olor a flores y a cera.
> Sobre el humilde pino del ataúd el hijo
> ya tiene bien sentada la cabeza [5].

Quizá haya un eco de este prosaísmo en la obra de Antonio Machado, por ejemplo en el "Llanto por las virtudes y coplas por la muerte de don Guido", lo que demostraría una continuidad de Campoamor a los modernistas, a la generación del 98 y a sus sucesores que iluminaría el problema de la utilización de lo prosaico con propósitos poéticos. El siglo XX ha asimilado la dicción prosaica en su esfuerzo de totalidad y los antecedentes del fenómeno en Campoamor le de-

---

monótono en el sentimiento y en la expresión", en *Antología de la poesía española e hispanoamericana* (1882-1932), Madrid, 1934, p. 577.

[5] Pedro Salinas, *Poesías completas,* Madrid, 1955, p. 19.

vuelven al poeta algún valor histórico al menos, y por esta ruta sería aún posible comprender cierta revaluación reciente de su poesía [6].

La influencia de Bécquer, por lo contrario, no es la asimilación de un rasgo ni una equivocación ineludible. Hay aquí un aprendizaje lento que trata de nutrirse de todo lo que hay en Bécquer. A través del sentimentalismo de buena ley de las *Rimas* se van a apoderar las generaciones modernistas de una poética parecida a la del fin de siglo francés. En Bécquer se había producido como resultado de sus lecturas inglesas y alemanas algo muy parecido a lo que habría de ocurrir más tarde, como resultado de las mismas lecturas, en los poetas franceses, en Verlaine mismo. Pero lo extraordinario es que el lector español no hubiera visto a Bécquer en Bécquer hasta después del descubrimiento de lo francés en el modernismo.

La crítica que veía "suspirillos germánicos" en estas poesías apretadas y ligeras no era solamente la crítica miope oficial, sino realmente toda la crítica del momento, inclusive la que se ejercía por la admiración. Pecaban de incomprensión los que leían a Bécquer con cariño tanto como los que querían desacreditarlo. Cuando se da esta doble traición crítica —caso parecido en la actualidad se encuentra en la apoteosis y la oposición a Juan Ramón Jiménez, quizá ambas desprovistas de comprensión— es difícil decidir qué es lo más destructor: la admiración o la burla. Para establecer claramente la distancia entre el poeta venerado de entonces y el que será el guía de los modernistas inmediatos y los vanguardismos del siglo XX será necesario detenerse a repasar las distintas facetas de su obra que han atraído en los últimos años a los continuadores de las *Rimas*. En todo análisis de influencias formativas —sea en un autor o en un período— es necesario deslindar exactamente lo que se recibe, ya que el aprendizaje en un mismo poeta puede producir efectos muy distintos. En la poesía reciente se nutren de Bécquer personalidades muy distintas que encuentran en él aspectos muy diversos. Un estudio de esta diversidad podrá también dar una pauta para la valoración de la complejidad real de una obra al parecer monótona.

---

6 Véase el capítulo "Ramón de Campoamor" en Luis Cernuda, *Estudios sobre poesía española contemporánea*, Madrid, 1957, pp. 29-41.

## 2

Como ejemplo de lo que la mejor crítica española al gusto premodernista veía en Bécquer nada mejor que recordar la selección de Marcelino Menéndez y Pelayo para *Las cien mejores poesías líricas*. Al elegir de entre las *Rimas* "Del salón en el ángulo oscuro" y "Cerraron sus ojos" revela Menéndez y Pelayo la manera de leer a Bécquer en el mundo culto en que se desarrolló su juventud y del que no pudo nunca librarse completamente, a pesar de su generosidad para con los jóvenes posteriores. De fines del siglo a nuestros días ha sufrido muchos cambios la imagen de Bécquer en la mente poética española. Del poeta sepulcral, heredero del romanticismo remoto, al "huésped de las nieblas" surrealizado de ayer, los cambios que se han operado en la lectura asidua de Bécquer han contribuido a dar una fisonomía especial a cada momento de los últimos años. Seguir paso a paso la evolución de su vigencia, desde el arpa a la región "donde habite el olvido", es un problema fascinante de la historia reciente.

Lo que más atrae al principio en la obra de Bécquer es todavía continuación del romanticismo extranjero y español, la adaptación de Musset, Heine, Byron o Shelley. Este último, por ejemplo, continúa ejerciendo influencia en español cuando ya se lo ha olvidado casi en el resto de Europa. Quizá porque su introducción es tardía o por las misteriosas dificultades del idioma no parece haberse descubierto en el mundo hispano la pobreza pasada de moda de su poesía, ni menos, es claro, redescubierto sus valores innegables como ha sucedido en inglés. En las *Rimas* hay una, la número IX, cuyo parecido con un poema de Shelley no ha sido señalado:

> Besa el aura que gime blandamente
> las leves ondas que jugando riza;
> el sol besa a la nube en Occidente
> y de púrpura y oro la matiza;
> la llama en derredor del tronco ardiente
> por besar a otra llama se desliza,
> y hasta el sauce inclinándose a su peso,
> al río que le besa, vuelve un beso.

Extraño que use aquí Bécquer la pomposa octava real, aunque sepa él hacerla delicada y casi etérea. Quizá se deba esta singularidad al hecho de que sigue aquí al poeta inglés en la idea central y en una aproximación a su forma:

LOVE'S PHILOSOPHY

The fountains mingle with the river
And the rivers with the Ocean,
The winds of Heaven mix for ever
With a sweet emotion;
Nothing in the world is single;
All things by a law divine
In one spirit meet and mingle,
Why not I with thine?

Quizá aquí nos hallemos en presencia de otro de los poemas becquerianos que responden a un romanticismo ya anticuado y todavía no en las rimas de mayor importancia para nuestro siglo. Sin embargo, ya en esta ligera imitación se comienza a vislumbrar la muy moderna originalidad del sevillano. Con instinto seguro ha rechazado Bécquer la queja de amor del original inglés y ha trastrocado la visión de la naturaleza por medio de los verbos rizar, deslizar, inclinarse, que dan un movimiento y un afán especial al sauce, la llama, el aura, mientras que Shelley se había limitado a repetir el concepto del hermanarse de distintos elementos cambiando solamente los verbos por sinónimos más o menos equivalentes:

See the mountains kiss high Heaven
And the waves clasp one another;
No sister-flower would be forgiven
If it disdained its brother;
And the sunlight clasps the earth
And the moonbeams kiss the sea:
What is all this sweet work worth
If thou kiss not me?

Como resultado del esfuerzo de pensamiento lo que había sido juego madrigalesco se convierte en visión de armonía universal que por la misma cualidad tenue y firme de la estrofa parece dejar una imprecisión, una vaga sugestión que va a ser constante en lo mejor de Bécquer.

Pero el Bécquer que va a guiar al modernismo posterior no será sólo el de los sepulcros, ni siquiera el de las armonías filosóficas. La sugestión, que ya aparece en esta octava, va a ser la obsesión del período y se repiten en un poema juvenil de Rubén Darío las palabras complejas de la Rima I [7]. Nadie en español había proclamado tan claramente la necesidad de un trabajo de persecución de la forma: el ideal romántico-simbolista de transformar en música y color las palabras poéticas. Al deseo mismo, "palabras que fuesen a un tiempo / suspiros y risas, colores y notas", lo acompaña el ejemplo de una imagen extraordinaria en la que el sonido adquiere solidez y se "dilata en las sombras". Y esto, obsérvese, sin apartarse por entero de la tradición, ya que el alba que se anuncia en la noche del alma es una transposición del lenguaje de San Juan de la Cruz: lo que había sido visión divina se transforma en la iluminación del pensamiento poético. Ecos de estos deseos de transformación de los sentidos se van a dar en Silva y en Darío, y aunque en ellos actúe ya el programa sinestésico de Baudelaire o de Verlaine, son las palabras sencillas de Bécquer las que han preparado el terreno y las que ofrecen el hilo conductor dentro de la tradición. Este Bécquer de las musicalidades extrañas, de las combinaciones métricas novedosas y sutiles y de los asonantes imperceptibles es el que guía la iniciación modernista [8].

Pero hay otro poeta más profundo que trata de definir una poética más allá de los efectos sensoriales, que trata de llegar a lo esencial. Y es este Bécquer el que va a dirigir con su atisbo de concepción de

---

7 Una de las *Otoñales (Rimas)* de Darío, escritas en 1887, repite palabras de Bécquer:

> *¡Y flotando en la luz el espíritu,*
> *mientras arde en la sangre la fiebre,*
> *como "un himno gigante y extraño"*
> *arrancar a la lira de Bécquer!*

*Poesías completas*, ed. de Alfonso Méndez Plancarte, Madrid, 1954, p. 566.

8 Charles F. Fraker en "Gustavo Adolfo Bécquer and the *modernistas*", en *Hispanic Review*, Filadelfia, III (1935), pp. 36-44, encuentra ciertos ecos, a veces realmente parecidos fortuitos, entre la prosa becqueriana y los poetas modernistas de Nájera a Herrera y Reissig.

la poesía lo más profundo de Darío a veces y lo central de Juan Ramón Jiménez más tarde, para dar luego pábulo al pensamiento distante de Jorge Guillén:

> Espíritu sin nombre,
> indefinible esencia,
> yo vivo con la vida
> sin formas de la idea.

Se inaugura en Bécquer una línea de poetas intelectuales que en el momento actual están en contradicción aparente, sólo aparente, con la poesía, también becqueriana, que se refugia en la región "donde habite el olvido" y que procede por medio de excursiones poéticas en las regiones insondables del entresueño. Que haya cabida en la obra exigua de Bécquer para tantas visiones diversas del hecho poético, sin contar la revolución estilística de su prosa, indica por una parte su potencia, pero también quizá la falta de otras personalidades directivas en la literatura española del momento, falta que ha obligado a las generaciones posteriores a extender una pequeña faceta de las *Rimas* para hacerla abarcar toda la concepción del arte que buscaban. Gracias a los atisbos becquerianos, sin embargo, les es posible a las generaciones sucesivas apoderarse de muchas novedades extranjeras sin dejar de continuar una tradición inmediata. En este esfuerzo el siglo XX ha restaurado en Bécquer, lo mismo que en Lope o Gil Vicente, muchos aspectos necesarios. Sólo así puede ahora rehacerse la historia y volverse a comprender el curso ininterrumpido de la poesía del idioma. Si el concepto de progreso histórico puede aplicarse a la literatura será exclusivamente en este sentido, como una evolución que ensancha el horizonte mental para abarcar pasado y presente, para comprender y aceptar la variedad pasada en un presente más completo.

3

En Bécquer se funden, pues, un poeta sentimental y hasta fácil que vive con su tiempo, un renovador estilístico en prosa y verso que conduce a todos los modernistas en sus innovaciones, un poeta consciente, intelectual y casi filosófico, que es base de la poesía cerebral y exaltada de una parte del siglo XX, y un poeta del entresueño y la realidad extrasensoria que se abre camino en las distintas maneras de todas estas modas sucesivas y que llega a influir en los distantes ecos españoles del surrealismo. A cada una de estas facetas de la influencia de Bécquer corresponde un interés por distintas épocas o formas de la literatura extranjera en el ambiente hispánico, pero la asimilación sólo es posible porque hay un antecedente español a mano. Por ello es que no se debe nunca dar por sentado que tal concepto de la poesía o tal manera poética es producto total de una influencia extranjera, cuando en realidad la influencia generalmente viene a acentuar lo que se tenía ya en esencia por familiaridad juvenil con la tradición inmediata anterior, pero sin nombre todavía.

El escritor hispanoamericano ha considerado siempre que el patrimonio español es suyo por el derecho innegable de hablar la lengua. El español, en cambio, aun después del modernismo, se interesa por lo hispanoamericano fraternalmente, pero rara vez lo acepta sin oposición como pasado suyo. De esta manera la tradición que sustenta al poeta de América, que paradójicamente se queja de falta de tradición, es mucho más rica que la que aceptan los españoles. Como excepción, de las que hay muchas por fortuna, Valle Inclán por ejemplo refuerza su idioma y lo enriquece en *Tirano Banderas* como resultado de una concepción de la hermandad de los países de su lengua [9].

El hispanoamericano de fin de siglo sigue a Bécquer, a Campoamor, a Núñez de Arce y también continúa a sus propios poetas, quizá con cierto nacionalismo. Por desgracia lo que realmente era pobre en el momento anterior al modernismo era la capacidad crítica, como podría probarse con la reflexión nada halagüeña de que todos los poetas posteriores tuvieron que dedicarse a la crítica seria y a la periodística para suplir esta carencia. Como resultado no se distinguió hasta mucho después lo valioso de lo deleznable y se postergó la incorporación de lo gauchesco, para citar el caso más obvio, a la vida culta de la literatura hasta bien entrado el siglo XX. Por el contrario, los primeros modernistas se entusiasmaron a menudo al leer la poesía hoy relegada de Manuel Acuña u Olegario Víctor Andrade. Así an-

---

[9] Véase el estudio de Emma Susana Speratti Piñero, *La elaboración artística en Tirano Banderas*, México, 1957.

daba de descaminada la crítica. El mismo Martí afirma en 1881 la estima en que se tiene a Andrade: "En certamen de poetas reunidos para ensalzar a Víctor Hugo, él (i. e.: O. V. Andrade) fue el premiado. En certamen reciente citado a alabar glorias de América, de él fue el premio, y de todos el asombro, ante su obra pujante. En España no bien lo oyen, lo consagran altísimo bardo. ¡Bienvenido sea a la estima de los hombres el que es capaz de amarlos y maravillarlos!" [10]. La admiración de Martí por Manuel Acuña es bien conocida y también sigue su manera Manuel Gutiérrez Nájera en sus poemas juveniles. Los versos de "La duda" de 1877 imitan al malogrado Acuña y marcan lo primerizo de Gutiérrez Nájera que va a pasar por la influencia de Bécquer, muy clara en el poema "Sicut nubes, quasi navis, velut umbra" de 1879, que repite el metro de "Volverán las oscuras golondrinas". Ya el título, no obstante, indica un paso en su evolución hacia una poesía "de cultura", característica de un momento del modernismo, y que va a darle sus triunfos locales en la década siguiente. La evolución de Gutiérrez Nájera de lo local, a través de Bécquer, a un cosmopolitismo literario avasallador y programático —como se ve en su preconización del cruzamiento en literatura [11]— es típica del joven de entonces y marca lo superficial del modernismo. Sin embargo, dentro de estos cambios hay una continuidad en Gutiérrez Nájera que se expresa en términos de delicado becquerianismo y que le vale sus mayores aciertos. Aun después de la intoxicación francesa de "La duquesa Job" de 1884, un poema como "Después", de 1889, muestra la supervivencia de lo juvenil becqueriano:

> ¡Sombra, la sombra sin orillas, ésa,
> ésa es la que busco para mi alma!

Si bien es cierto que algunas de estas influencias formativas, con la excepción evidente de la de Bécquer, tienen poca o ninguna importancia en la mayor parte de la obra de valor real que producen

---

[10] José Martí, vol. II, p. 31.

[11] "El cruzamiento en literatura", en *Revista Azul,* 9 de septiembre de 1894, pp. 289-292. Pero téngase en cuenta que ya en 1876 Nájera preconizaba renovaciones que pueden considerarse atisbos modernistas en el artículo "El arte y el liberalismo" que puede leerse en el libro de Boyd G. Carter, *Manuel Gutiérrez Nájera, estudios y escritos inéditos,* México, 1956.

los modernistas, no debe olvidarse nunca el papel de la tradición inmediata, buena o mala, porque sin este asidero se pierde en el estudio de la personalidad de cada poeta algo esencial suyo, lo primero y más puro a veces; el cambio, la evolución, la conquista, otras. Por esta razón tendrá el crítico que volver en cada caso y señalar en la obra primera de cada autor sus debilidades y desaciertos; pero, al hacerlo, al decir que la juventud titubeante de un poeta habla con el tono de Guido Spano o Federico Balart, habrá que entenderse que se señala un comienzo para aquilatar un progreso, no para tergiversar el hecho crítico innegable de que Balart, Guido Spano, Acuña, Andrade, Bartrina, Núñez de Arce han dejado de existir tan pronto como la lengua supo adquirir poetas.

No se llegaría a entender del todo el momento modernista en Hispanoamérica si nos restringiéramos al estudio del verso, aunque por razones didácticas haya que hacerlo a menudo. El hecho es que la revolución más clara y primera en el tiempo es la de la prosa y aquí habrá que señalar lo opuesto a lo que pasaba en poesía. Aquí se da realmente un esfuerzo continuo y extenso de Larra a Bécquer en España, de Sarmiento a Montalvo en América. En la prosa de Martí y Darío, por citar sólo a los dos nombres más excelsos del modernismo, se ejerce la influencia formativa de Sarmiento, Montalvo y Ricardo Palma tanto como la de Bécquer. La tradición americana es más visible en Martí por la afinidad de temas y sentimientos, mientras en Darío la huella de Bécquer, en tema, actitud, vocabulario, es más clara desde su primer cuento, "A orillas del Rhin" [12].

La labor modernista nos parece al cabo de esta excursión preliminar una labor múltiple. El escritor de entonces quiere empujar a su nación pequeña o a su continente hacia la universalidad del reconocimiento de lo extranjero y su asimilación al mismo tiempo que ansía el reconocimiento europeo para los esfuerzos de su lengua. Tiene el deber ineludible también de recordar y reestudiar lo más alto de su

---

12 Véase la edición de *Cuentos completos de Rubén Darío,* México, Buenos Aires, 1950, estudio preliminar de Raimundo Lida. Para la influencia de Montalvo, véase Enrique Anderson Imbert, *El arte de la prosa en Juan Montalvo,* México, 1948, pp. 42, 112, 193, y Ernesto Mejía Sánchez, "Darío y Montalvo", en *Nueva Revista de Filología Hispánica,* México, II (1948), páginas 365-367.

tradición para reafirmarlo en el concierto de la cultura, y de ahí la peculiaridad estudiosa y tradicionalista del modernismo que, con toda su iconoclasia, es uno de los períodos en que se trata con mayor ahinco de revalorar a escritores olvidados o de reivindicar a los combatidos, así como de recordar y reafirmar a los indiscutibles.

Como parte de su labor de universalización admite el modernista la necesidad de instruir al lector español trayéndole las novedades extranjeras. Y esta labor de difusión cultural, por medio de la traducción, la biografía, el ensayo crítico, el esbozo periodístico, se realiza con tal entusiasmo y vigor que parece a ratos que va a consumir todas las fuerzas del escritor. En Martí, en Casal, en Darío, el artículo sobre la poesía reciente, o sobre el drama estrenado en París, o acerca de las novedades científicas del momento, tiene un significado especial. Por una parte, proviene de la carencia de educadores y daña a los poetas que podrían haberse restringido y perfeccionado en proporción al tiempo empleado para tareas afines aunque no esenciales. Por otra parte, esta misma falta se convierte en virtud, ya que les confiere la fortaleza extraordinaria que se adquiere por medio del estudio y la autoridad que resulta de haber ejercitado la pluma en batallas literarias.

Bernardo Gicovate

# EL MODERNISMO: MOVIMIENTO Y ÉPOCA

Dentro de las décadas últimas del siglo XIX y las primeras del siglo XX, lo que se llama a falta de mejor nombre el modernismo, caben la generación española del 98 y la uruguaya del 900, así como las actividades de los precursores muertos antes del fin de siglo. Los problemas de entonces definen, puntualizan la actividad intelectual del período. Cuando han desaparecido los problemas no es, claro, porque hayan sido resueltos, sino más bien porque el intelecto se ha decidido a abordar otros problemas más inmediatos y ha disminuido en general el interés por lo que era problema candente entonces. Por ejemplo, ni el escapismo bohemio ni la rebelión exotista que caracterizan el comienzo del modernismo, ni el descontento y el pesimismo que lo nutren, son parte ya de la conciencia cultural hispana de hoy, ni es ya problema fundamental a resolverse el saber si se debe o no leer lo extranjero o si, por el hecho de hablar español, se debe sujetar la mente a los confines del Diccionario de Autoridades o la colección Rivadeneyra. Los cambios sucesivos dentro de los años modernistas caracterizan diversas facetas del período, el que, aun en lo céntrico de su deseo de emancipación repite y continúa el romanticismo anterior, como el fin de siglo francés y europeo continúa también el romanticismo.

Aun cuando parezcan distintas unas de otras las facetas sucesivas del modernismo o aun las actitudes de cada promoción, desde la aristocracia desdeñosa de José Asunción Silva o Juan Ramón Jiménez al orgullo nacionalista de ciertos aspectos de la obra de Leopoldo Lugones o las vituperaciones de Antonio Machado, todas ellas pertenecen igualmente a este pasado que habría de definirse en lo que tiene de distinto y peculiar sin atender a las divergencias individuales de cada escritor y mejor encompasándolas todas en la visión general y aseverando que se consideraba entonces problema fundamental del escritor hispánico, su deber como escritor, establecer y definir una relación entre su obra y su ambiente nacional. Inventado entonces y olvidado después, este hecho fundamental nos define en el período el desdén de Juan Ramón Jiménez, su atención exclusiva "a la inmensa minoría", tanto como el popularismo incipiente de lo proverbial en Antonio Machado y el conflicto claro del prefacio de *Cantos de vida y esperanza,* en el que reafirma Darío que no es "un poeta para las muchedumbres" pero ve que es su destino "ir a ellas" indefectiblemente. En la historia literaria hispanoamericana esta conciencia de ambiente llega realmente al fin de una larga experiencia.

El movimiento modernista es entonces ni más ni menos que un período a estudiarse. Sus comienzos se podrán situar vagamente alrededor o un poco antes de 1880 y ha de terminar cuando ya el ser modernista sea cosa vieja y aceptada y nuevos problemas con otros motes aparezcan en el campo de batalla literario. Los escritores modernistas, no obstante, no pudieron todos morirse oportunamente, como Herrera y Reissig y Rubén Darío, para beneficio del crítico futuro, y, como siguieron viviendo, sus obras han continuado más allá del momento, a veces siguiendo rutas nuevas, otras veces anquilosándose o repitiéndose. En ambos casos, no dejan los escritores de haber sido modernistas, aunque la cultura, la historia en la que actúan después no sea ya modernista. Aunque gran parte de su actividad, en las décadas recientes, no pertenezca al período, podremos en consecuencia colocar a Juan Ramón Jiménez en el modernismo porque su formación y primer choque con el público fueron modernistas y su obra toda es testimonio de la continuidad histórica del fin de siglo y lo que va del nuestro.

Será necesario entonces en todo estudio histórico señalar las preocupaciones que unen a las distintas generaciones modernistas y también los cambios que se introducen en el transcurso del movimiento así como las características privativas de cada una de las personalidades que componen el todo del momento. El problema más que de crítica o de valoración es de estudio, de investigación, de definición. Pero luego habrá de apoyarse en el estudio la valoración crítica de la misma manera que la definición y la investigación se han hecho necesarias sólo porque se había valorado previamente y rechazado ya lo deleznable del período, lo que a la distancia se sitúa cómodamente en el olvido, mientras que lo valioso se perfila más y más como aquello que, compendiando lo mejor de su tiempo, puede hablarnos al presente a través de problemas rechazados pero insolubles.

Desde los primeros momentos del modernismo habían visto los que iban a la vanguardia del pensamiento cómo iba a realizarse el cambio y en contra de qué fuerzas se iba a luchar. Aunque no se tuviera al principio, ni mucho después, la clara visión posterior para valorar y desvalorar a cada una de las grandes figuras anteriores, y de hecho el modernismo no fue iconoclasta sino muy superficialmente, se puede definir desde el comienzo la enfermedad misma y el remedio que había de dar al pensamiento hispánico la vida nueva y el florecer del siglo XX. En enero de 1882, ya escribía Martí, entreviendo el cosmopolitismo pronto a venir, y dando, lo que se olvida a menudo hoy, la razón clara de su necesidad, que "vivimos los que hablamos lengua castellana, llenos todos de Horacio y Virgilio, y parece que las fronteras de nuestro espíritu son las de nuestro lenguaje. ¿Por qué nos han de ser fruta vedada las literaturas extranjeras, tan sobradas hoy de ese ambiente natural, fuerza sincera y espíritu actual que falta en la moderna literatura española? Conocer diversas literaturas es el medio mejor de libertarnos de la tiranía de algunas de ellas" [1].

Ya se definen aquí las bases que van a formar la originalidad del período inmediato: la libertad de hurgar por el vasto mundo de las literaturas, así como el procedimiento paradójico de hallar la originalidad, propio a través del conocimiento y asimilación de todas las variedades del pensamiento extranjero. La pauta de la obra de Rubén Darío se ha dado en las palabras de José Martí, pero, además, ya está aquí en germen la persecución ideal de la totalidad que definirá a Juan Ramón Jiménez en el momento mismo en que el último poeta moder-

---

1 José Martí, *Obras completas*, La Habana, Editorial Lex, 1946, tomo II, página 1855. En lo sucesivo las referencias a la obra de Martí se harán por volumen y página de esta edición.

nista se convierte en el centro de otro episodio en la cambiante historia del siglo XX.

Como actitud consciente, este deseo o decisión de incorporar lo más posible del extranjero es el don hispanoamericano que agradece España, a regañadientes a veces, en todas las figuras del siglo. En Unamuno, aunque él mismo no quisiera ver la deuda, el ímpetu que había recibido de América está muy presente en su búsqueda por el pensamiento inglés[2], alemán, danés, italiano, para constituir su propia personalidad. Y es así cómo por debajo de las rencillas y oposiciones se unen las figuras de un mismo momento histórico obedeciendo las directivas superiores que impulsaban entonces hacia porvenires fructíferos a la cultura homogénea de los diversos países españoles. Pero aún más, la preponderancia de lo nórdico en las lecturas de Unamuno no debe entenderse como una rebelión antigala, sino como parte de su filiación modernista y afrancesada, si se recuerda que fue la moda francesa la que impuso en el siglo XIX el interés por lo anglosajón y lo alemán. Quien tanto se opuso al galicismo mental de su tiempo llevaba dentro de sí la actitud extranjerizante del romanticismo y del fin de siglo franceses: es que Francia misma se había adjudicado la misión de librar al mundo literario de la influencia ya un poco arrumbada de su clasicismo. Y, en su admiración por la poesía inglesa, seguía también Unamuno a su querido e incomprendido José Asunción Silva.

De esta misma característica central, de esta directiva cosmopolita del movimiento, nace la necesidad de un estudio encaminado a establecer el alcance y la variedad de las influencias extranjeras y su función en la obtención de una novedad de expresión. Al principio, es muy posible, lo novedoso atrajo como novedad y la originalidad se quedó en copia del clisé ajeno. Hubo mucho, justo es reconocerlo, que a la distancia no parece otra cosa que cambiar un clisé viejo por lo que podríamos llamar, si se admite la paradoja, un clisé nuevo: la

---

[2] Manuel García Blanco en "Poetas ingleses en la obra de Unamuno", *Bulletin of Hispanic Studies*, XXXVI (1959), pp. 88-106, y "Unamuno y tres poetas norteamericanos", *Asomante*, XV (1959), pp. 39-44 estudia en general la influencia de lo inglés en Unamuno y Anna Krause en "Unamuno and Tennyson", *Comparative Literature*, VIII (1956), pp. 122-135, la de Tennyson en particular. Véase Peter G. Earle, *Unamuno and English Literature*, New York, 1960.

Filis eglógica por la entristecida princesa. Sin embargo, lo que nos queda hoy de aquellas novedades, lo que se ha hecho tradición después de haber sido novedad, se ha conseguido por la paciencia de una originalidad esforzada y consciente. La época es una de concentración y diligencia. Quizá la mitad del deber crítico consista entonces en distinguir lo genuino de lo espurio, lo artístico de lo artificial, lo original de lo novedoso.

Además, de la naturaleza misma de un movimiento que establece modas nuevas proviene otra dificultad: paralela a la de señalar sus principios se da la dificultad de hallar su término y dar una fecha que satisfaga al erudito encasillador. Así como era imposible la precisión para señalar el principio, ya que cuando se lo define, como lo hace Martí en 1882, es porque la idea misma ha venido madurando en su cerebro tanto como en los de sus lectores, no será fácil precisar cuándo la asimilación total de las maneras nuevas marca el fin del período. Hay un momento, no obstante, aunque no preciso en su fecha, en el que ya no es para el escritor cuestión de batallar el ir en busca de novedades extranjeras. Viajar en la mente o en el espacio es, en la segunda década del siglo XX, una virtud aceptada y los jóvenes de las generaciones vanguardistas un poco más tarde encontrarán oposición, cierto, pero solamente por lo que traen o sustentan, no por traerlo del extranjero. Es a través de la universalidad alerta de Juan Ramón Jiménez, heredada de Darío, que se realiza esta total aceptación de la renovación preconizada por Martí y Gutiérrez Nájera y es en su prólogo al *Diario de un poeta recién casado*, de 1917, donde se espiritualiza en su significado esencial la búsqueda del viaje, no en el "afán de necesarias novedades", sino en el viaje de un "alma entre almas".

La suerte final del modernismo, como de todo movimiento triunfante, es la de amalgamarse con la tradición y encauzarse preparando una renovación más que iba a venir en el movimiento de vanguardia. Los años, aproximadamente de 1880 a 1920, son todos parte de este período homogéneo, en el cual sutiles distinciones pueden establecer la iniciación de los precursores, un modernismo central, un postmodernismo inmediato y aun un ultramodernismo posterior [3]. De hecho,

[3] Federico de Onís en su magistral *Antología de la poesía española e hispanoamericana (1882-1932)*, Madrid, 1934, concibe una división de la cronología literaria del período aceptada hasta la fecha en su mayor parte.

la repetición y el agotamiento, por una parte, y el afán de superación constituyen las facetas inmediatas que adquieren fisonomía propia momentáneamente pero que se pierden luego para dar cabida a lo distinto del vanguardismo. Sin tenerse en cuenta lo que hay de continuidad en la cultura, se ha tomado, sin embargo, lo superficial por lo verdadero y, en un error explicable, se ha señalado un soneto modernista, en tema, en forma, en fecha, como un manifiesto antimodernista y la señal del fin. No habrá más que recordar la dependencia de las palabras iniciales de este soneto de González Martínez, "Tuércele el cuello al cisne de engañoso plumaje", con respecto a un verso del "Art poétique" de Verlaine, "Prends l'éloquence et tords-lui son cou!", para darse cuenta de cómo este soneto alejandrino, forma de moda modernista, obedece a los impulsos mismos de extranjerización del movimiento y se opone a la garrulería altisonante que habían combatido los modernistas y es en realidad un documento tardío del movimiento, como se desprende además de las palabras posteriores del autor [4].

Fijados con la vaguedad necesaria los términos de un movimiento que gobernó el destino de las letras hispánicas durante unas cuatro décadas nos incumbe luego el problema mayor de definir su significado, su contribución total al patrimonio enriquecido de la tradición. Este problema, se ha de admitir de antemano, es el que guía a todos los críticos sucesivos en el estudio de los movimientos literarios y su solución abrogaría de un golpe tanto la crítica como la erudición futuras. Lo que se ofrece, al ofrecerse soluciones, no será nunca entonces la última palabra, sino más bien un ensayo más, una aproximación más que al juntarse a los esfuerzos anteriores prepare el esfuerzo venidero.

Si lo que queda del modernismo es en parte esta libertad universalista, primer intento aquí de ver el total en conjunto, no debemos nunca reprocharle a este cosmopolitismo, maestro de superficialidades, la superficialidad resultante, ya que ésta proviene del mal aprovechamiento de una directiva histórica necesaria, y, no se olvide, el

---

4 Véase "Arte de Rubén Darío", en *La obra de Enrique González Martínez,* México, 1951, p. 182; José Manuel Topete, "La muerte del cisne", *Hispania,* Connecticut, XXXVI (1953), pp. 273-277, y Raúl Leiva, *Imagen de la poesía mexicana contemporánea,* México, 1959, pp. 28-30.

estudio define y valora, pero no reprocha a lo que ha sido el haber sido. También habrá que recordar que de esta libertad y de esta búsqueda se desprendieron en la época los enriquecimientos del idioma y del pensamiento: el lujo y la variedad del verso, sus posibilidades sensorias nuevas, la prosa sutil de los novelistas del siglo, el lirismo del ensayo, todo lo que ha hecho posible la existencia de una literatura aceptada en el concierto de Occidente, lo que se reconoce cada día más en otros idiomas y que hace necesaria la inclusión de lo hispánico en los panoramas literarios del siglo XX [5]. El mayor triunfo del modernismo fue esta conquista de la atención extranjera y fue Antonio Machado el que primero vio la importancia de este triunfo que devolvió a los pueblos españoles la confianza en su dignidad y el orgullo de su puesto en el mundo. Y como fueron las obras de Unamuno entre las más importantes en esta conquista de un lugar perdido, es en una dedicatoria de un poema de Machado en donde se puede encontrar la pauta de un período ya triunfante, el hallazgo consciente de una razón de ser, de un galardón apetecido: "Al gigante ibérico Miguel de Unamuno, por quien la España actual alcanza proceridad en el mundo" [6].

Para España es entonces Unamuno el modernista por excelencia, como lo había sido Darío para América, y la oposición de sus puntos de vista resulta en una visión histórica un incidente nimio que ni siquiera refleja el pensamiento aquilatado y sereno de Unamuno, tal como aparece más tarde cuando rinde su homenaje a Rubén Darío [7]. De hecho, los dos son figuras paralelas que se complementan y tanto el uno como el otro significan, para sus respectivas tierras, el ingreso,

---

[5] R. M. Albérès en su *L'Aventure intellectuelle du XXe siècle. Panorama des littératures européennes 1900-1959*, París, 1959, se refiere a menudo a acontecimientos literarios españoles, aunque no siempre con acertada comprensión, mientras que, por lo contrario, el libro de Mario Praz, *The Romantic Agony*, 2.ª ed., Londres, 1951, no menciona nada español y ciertamente no por ignorancia del erudito autor, sino por tratarse de una época en la que se puede prescindir fácilmente de ello.

[6] Dedicatoria del poema CLXII de las *Obras completas* de Antonio Machado que forma parte del libro *Nuevas canciones* (1917-1930).

[7] Véase Miguel de Unamuno, "¡Hay que ser justo y bueno, Rubén!", en Juan González Olmedilla, *La ofrenda de España a Rubén Darío*, Madrid, 1916, pp. 25-34.

o reingreso, en el concierto cultural de Occidente, el que se alcanza en ambos mediante la absorción del pensamiento ajeno, ya que "no fue Unamuno menos extranjerizante que Rubén Darío" [8].

---

[8] Federico de Onís, "Martí y el modernismo", *Memorias del Congreso de Escritores Martianos,* La Habana, 1953, p. 439.

Manuel Pedro González

# EN TORNO A LA INICIACIÓN DEL MODERNISMO

En el presente año de 1962 se cumple el octogésimo aniversario de la auténtica iniciación del movimiento literario más trascendente que en América se ha producido: el modernismo. Sospecho que la peripecia histórica tendrá escasa o ninguna resonancia. En torno al tema prevalece todavía entre "el vulgo letrado" una vieja falacia que la inercia mental de los comentadores repite sin curarse de su origen fraudulento. Esta superchería se acreditó mediante un proceso reiterativo y a nadie se le había ocurrido investigar su espurio fundamento y denunciar su bastarda oriundez. A pesar de la montaña de libros, folletos y artículos que sobre el modernismo se ha publicado en el presente siglo, hasta muy recientemente no se había explorado su génesis, y muchísimos profesores, historiadores y críticos siguen repitiendo un sofisma ilegítimo que desde comienzos del siglo se impuso y alcanzó categoría de hecho apodíctico. Durante casi cincuenta años nadie se había atrevido a poner en tela de juicio —y menos a rectificar— el afortunado fraude. En el éxito de este dislate tan iterado han intervenido dos factores: la admiración que a todos merecía quien lo inventó, y la ignorancia de quienes aceptaron el *quid pro quo* sin someterlo a un riguroso careo crítico con la realidad histórica. La desidia de los críticos, por una parte, y el desconocimiento de la obra de José Martí, por la otra, han hecho prevalecer este embuste histórico por más de cinco décadas.

## ERRORES DE ENFOQUE

Desde fines de la pasada centuria los críticos del modernismo lo concibieron y estudiaron en función de poesía en verso únicamente. La prosa fue preterida y desdeñada, o cuando más considerada como un producto de menor rango artístico que no mereció la atención de los exegetas hasta años recientes. No han parado mientes los escoliastas del movimiento en el hecho de que dicha renovación se realizó en la prosa mucho antes que en el verso. Tampoco se dieron cuenta de que la conquista de la prosa artística representó un progreso estilístico de mucha mayor significación que el cambio operado en el verso porque transformó y superó el estilo de todos los géneros —novela, cuento, ensayo, drama, crítica, etc.— y aun creó otros como el poema en prosa.

Otra pifia de la crítica consistió —y la falla persiste aún— en no haber percibido la doble fase en que, *ab initio,* se bifurcó el movimiento. Estas dos vertientes en que el modernismo se plasmó —la que entronca con el clasicismo que Martí encarna, y la afrancesada representada por Gutiérrez Nájera— surgieron simultáneamente, y ambas se manifestaron en prosa mucho antes de que la reforma invadiera el campo de la poesía en verso. Esta precedencia de la prosa artística con relación al verso se dio hasta en Rubén Darío. *Azul...* antecedió en varios años a los poemas modernistas de Rubén, precisamente porque desde 1882 se había consumado ya el proceso renovador del arte de la prosa en las dos vertientes aludidas.

Todavía cabe señalar otro error tradicional en el que reinciden no pocos comentaristas y profesores: el de considerar como "precursores" de la renovación modernista —es decir, de Rubén Darío—, a las dos figuras que lo iniciaron en sendas orientaciones (José Martí y Manuel Gutiérrez Nájera), y a Julián del Casal y José Asunción Silva que son modernistas ciento por ciento. El modernismo tuvo sus precursores —y hasta órganos periodísticos— que prepararon y propiciaron su advenimiento, pero éstos no fueron los cuatro poetas que acabo de citar [1].

---

1 *Vid.* al respecto mis dos libros: *Notas en torno al modernismo,* Fa-

Testimonio irrecusable de la insipiencia con que han procedido los intérpretes del modernismo es otro error inicial de enfoque. Consiste en haber tomado como modernismo lo que sólo fue una fase o aspecto del mismo: aquella variante preciosista y afrancesada que Nájera inició y acaudilló Rubén Darío entre 1888 y 1898. Esta modalidad que *Azul...*, *Prosas profanas* y *Los raros* fomentaron, tuvo muchos émulos en toda América y acabó degenerando en el cacareo mimético que denominamos rubendarismo, producto bastardo y amanerado que Martí fue el primero en repudiar y proscribir, y más tarde el propio Rubén. Pero Darío tuvo la debilidad de proclamarse —muertos ya Martí y Nájera—, en 1896, cuando su fervor parisiense y su "galicismo mental" alcanzaban máxima temperatura, "iniciador" del modernismo[2]. La enorme popularidad y el prestigio de que Rubén gozaba por aquellos días dieron pábulo al doble fraude: a) que todos o casi todos aceptaran como verdad revelada e inconcusa que el movimiento se había iniciado con *Azul...* en 1888; b) que el modernismo consistía en la modalidad galicista, amanerada y exótica que los tres libros rubenianos precitados habían puesto de moda. En varias ocasiones posteriores se autoadjudicó Rubén la paternidad del modernismo. Entre otras, en el prólogo a *Cantos de vida y esperanza* (1905), y en el preámbulo de una nueva edición de *Los raros* aparecida en 1905 también. En este último reclama, *pro domo sua,* refiriéndose al simbolismo francés: "Me tocó dar a conocer en América ese movimiento...". Esto implicó un grandísimo falso testimonio, pues desde 1875 venía Martí aplicando la teoría y los procedimientos simbolistas, y Nájera desde 1877. Los artículos a que Darío alude se publicaron en 1893 en *La Nación.* Todavía al final de su vida, en 1913, en el cuarto artículo que consagró en *La Nación* a "José Martí, poeta", reincide Rubén en una doble falacia. Después de transcribir el prólogo que Martí había escrito para sus *Versos libres,* comenta Darío: "¿No se diría un precursor del movimiento que me tocara iniciar años después?". Ni Martí fue su precursor ni Rubén iniciador. Propagador sí

cultad de Filosofía y Letras, Universidad Nacional Autónoma de México, 1958, e *Indagaciones martianas,* Cuba, Universidad Central de Las Villas, 1961.

2 *Vid.* "Los colores del estandarte", *La Nación,* Buenos Aires, 27 de noviembre de 1896. Recogido por E. K. Mapes en el libro: Rubén Darío, *Escritos inéditos,* New York, Instituto de las Españas, 1938, p. 121.

lo fue Darío de ambas variantes o modalidades —de la afrancesada hasta 1898, y de la que Martí inició, después, hasta su muerte. Pero tal era la fascinación que Darío ejercía y tal la fortuna con que estos falsos testimonios han navegado desde entonces, que todavía se repiten hoy mecánicamente por mucha gente de letras.

No son pocos los críticos indolentes que siguen creyendo que el modernismo se reduce a la modalidad afectada, preciosista y artificiosa que Darío simbolizó entre 1888 y 1898, sin tener en cuenta que tanto Nájera —a partir de 1888— como Rubén desde 1899, la repudiaron. Tampoco se han percatado estos críticos rutinarios y miopes de la antinomia que tal limitación implicaba, pues al concebir y definir el modernismo en términos del grupo afrancesado en que Rubén pontificaba durante la década supradicha, no sólo vulneran la realidad histórica sino que excluyen del movimiento a muchos de sus más eminentes representantes. Si aceptáramos esta concepción retaceada y apócrifa tendríamos que preterir a muchos de los más ínclitos valores que prestigiaron el modernismo, tales como Manuel González Prada, Salvador Díaz Mirón, José Martí, Guillermo Valencia, José Asunción Silva, Ricardo Jaimes Freyre, Rufino Blanco Fombona, Manuel Díaz Rodríguez, Enrique Larreta, Carlos Reyes, José Enrique Rodó, Amado Nervo, Enrique González Martínez, Baldomero Sanín Cano y otros muchos que como los citados jamás se afrancesaron ni se sometieron a la batuta de Rubén. Federico de Onís es, quizás, el crítico que mejor ha comprendido el carácter del modernismo. En la entrega correspondiente a diciembre de 1956, p. 17, de *Cuadernos* de París, decía el maestro español al respecto:

> Por todo lo dicho hay que rechazar el error común de identificar el modernismo con una de las escuelas que en él se formaron, aquélla que deriva principalmente del Rubén Darío de *Prosas profanas*.

Cuatro años antes, en 1952, en el número conmemorativo del centenario martiano de la *Revista Hispánica Moderna*, publicó De Onís otro medular ensayo sobre Martí en el cual encontramos estos conceptos definidores:

> Lo cierto es que este hecho de ser individual e inclasificable es el carácter esencial de la nueva época que con él (Martí) más que con

nadie, empieza en las letras hispanoamericanas. No sólo perteneció a ella, sino que fue su mayor creador...

Si miramos el modernismo como debe mirarse, no como una escuela literaria, sino como una época, que fue el principio de ésta en que vivimos todavía, Martí se nos impone como el creador y sembrador máximo de las ideas, formas y tendencias que han tenido la virtud de perdurar en ella como dominantes y que están cada vez más llenas de posibilidades para el futuro. Mirar el modernismo como una escuela es negar y destruir su propia esencia, que consistió en Rubén Darío como en su opositor Unamuno y en todos los demás hombres de valía de la época, en lo mismo que constituyó el valor de Martí: en ser individuales y únicos, en tener una voz y un estilo inconfundible, en buscar la máxima originalidad personal por medio de la asimilación de las más varias influencias antiguas y modernas, porque como Martí dijo, "conocer diversas literaturas es el medio mejor de librarse de la tiranía de algunas de ellas". Lo que les hace a todos ellos modernistas no es tanto aquello en que se parecen como aquello en que se diferencian de la generación anterior y entre sí mismos: su voluntad de íntima originalidad más lograda en Martí que en ningún otro. Lo que hace a Martí el primero de los modernistas es por lo tanto más aquello en que se diferencia de su hijo Rubén que aquello en que éste se parece a él, y que la crítica se ha esforzado por demostrar cumplidamente.

Lo mismo en cuanto a las influencias recibidas. No es carácter del modernismo la influencia francesa, aunque la hubiera en mayor o menor medida en todos, incluso Martí; lo fue más bien la liberación de la influencia francesa, como Martí quería, mediante la influencia de las demás literaturas, cosa que ocurre en el mismo Rubén Darío, gran asimilador, como Martí, de todas las literaturas antiguas y modernas.

De ahí nace que el valor de Martí sea esencialmente estético, como va a serlo el de toda la literatura modernista, y consiste en crear sus medios propios de expresión, su lengua y su estilo, en constante esfuerzo innovador.

Era siempre poeta, en prosa o en verso, en todos los géneros, pues los cultivó todos; otro rasgo del modernismo, que rompe la formalidad de los géneros literarios para reducirlos a uno en diversas formas, todas líricas.

Hay que decir que todo esto que indicamos sumariamente como característico de la nueva época de América, tiene su origen en José Martí, mientras que éste lo tiene en sí mismo, en su originalidad subjetiva, libre, innovadora, modernista y americana.

Errónea y arbitraria me parece también la división en dos períodos que del modernismo hace Max Henríquez Ureña en su libro *Breve historia del modernismo* [3], por lo demás tan rico de información y tan valioso por haber estudiado en él la prosa modernista. Según el erudito historiador, el modernismo se divide en dos períodos: el de proclividad preciosista y amanerada, y una segunda etapa en que desaparecen estas tendencias. Henríquez Ureña parece haber tomado como base para establecer esta clasificación de períodos sucesivos, la evolución que se opera en la obra de Darío —prosa y verso—, de 1888 a 1898, primer período, y la que advendrá en 1899. Lo curioso es la contradicción en que el autor incurre sin darse cuenta, ya que en el mismo libro sostiene la tesis correcta de que fue José Martí el iniciador del modernismo muchos años antes de que viera la luz el *Azul...* de Darío.

## GÉNESIS Y BIFURCACIÓN DEL MODERNISMO

Las anteriores afirmaciones han menester de prueba fidedigna para que no se las tilde de arbitrarias o caprichosas. Algunos estudios recientes han arrojado ya mucha luz sobre este embrollado y debatido asunto [4], pero no está de más volver sobre el tema para desfacer el entuerto de una vez por todas.

Como dije, el modernismo aparece ya escindido en dos expresiones estilísticas muy distintas, simultáneas y perfectamente definidas hacia 1882. Repitamos: las dos variantes cristalizaron en la prosa y se habían perfeccionado en este año. El verso tendrá que esperar todavía una década para alcanzar equivalente evolución. Una de estas dos facetas es de marcada oriundez gálica y tiene como precursor al argentino

---

[3] México, Fondo de Cultura Económica, 1954.

[4] *Vid.* al respecto, además de la *Breve historia* de Max Henríquez Ureña ya aludida, los dos ensayos de Federico de Onís y el de Enrique Anderson Imbert recogidos en mi *Antología crítica de José Martí*, Editorial Cultura, 1960. Muy esclarecedor es también el muy documentado estudio del profesor Iván A. Schulman "Génesis del azul modernista", *Revista Iberoamericana*, volumen XXI, n.º 50, y sobre todo su brillante libro *Símbolo y color en la obra de José Martí*, Madrid, Editorial Gredos, 1960, 541 páginas. Por último, los dos libros citados en la primera de estas notas.

Miguel Cané, hijo, al que podría aplicársele aquello de "galicismo mental" que don Juan Valera le endilgó a Rubén Darío al comentar *Azul...* Cané se educó bajo la amorosa y sapiente rectoría pedagógica del francés Amadeo Jacques, y durante sus años formativos leyó probablemente más en francés que en castellano. Entre 1870 y 1880 introdujo en América el género "crónica" que luego cultivarán modernistas como Martí, Nájera, Casal, Darío, Nervo, Urbina, Domingo Estrada, Vargas Vila, Gómez Carrillo y cien más. En Cané no hay intención renovadora todavía, pero sí conciencia y voluntad de estilo. No es un prosista de tamaño mayor como Martí, Lugones, Rodó y el propio Darío, pero amaba la levedad, la ligereza, el matiz, la gracia, el color y la musicalidad de la prosa francesa y los adoptó sin propósitos reformadores. Manuel Gutiérrez Nájera prolonga y supera, entre 1877 y 1885, esta modalidad afrancesada que culminará en la prosa de *Azul...* (1888), y en verso con *Prosas profanas* en 1896. A despecho de la tautología, permítaseme transcribir aquí unos párrafos en que resumí hace algunos años este doble proceso estilístico de la inicial prosa modernista:

> Por lo que atañe al cultivo de la prosa con conciencia e intención artística, el empeño renovador surgió en América bifurcado en dos vertientes paralelas y simultáneas entre 1877 y 1882. *Ab initio* este afán superador se desdobla en dos manifestaciones bien definidas y diferenciadas. Es notable el sincronismo que preside su aparición. Ambas expresiones se encuentran ya en forma embrionaria a fines de la década del setenta y culminan, una en 1882 y la otra en 1888.
>
> La última es de orientación francesa aunque se escriba en correctísimo castellano. Trata de adaptar al español la ligereza, la gracia, la flexibilidad, el cromatismo plástico y musical, y todos los recursos poéticos de forma y estilo —y hasta de sintaxis— de la trabajada prosa francesa de Gautier, Flaubert, Mendès, Coppée, Baudelaire, Renan, los Goncourt, Daudet, etc. Los iniciadores de esta corriente son: Miguel Cané en la Argentina, y Manuel Gutiérrez Nájera en México. Por ser más poeta, Nájera alcanza en su estilo un diapasón lírico y una riqueza metafórica superiores a los de Cané. Sólo Darío, que le debe mucho más a Nájera de lo que nunca confesó, llegó a superar el arte de la prosa refinada, colorida y melódica, nutrida a las ubres galas que Nájera cultivó durante la década del ochenta. Rubén poseía una fantasía más plástica y su imaginería poética era mucho más rica que las de

Nájera. La vena elegíaca, en cambio, tiene una resonancia mucho más intensa y transida —lo mismo en verso que en prosa— en el mexicano. Ambos eran sensuales y refinados; ambos acataron durante años el magisterio francés; pero entre 1888 y 1900, Darío era un espíritu pagano troquelado en los moldes de la estética parnasiana; en tanto que en Nájera, la frustración de la fe religiosa, las desdichas amorosas y el desencanto de una vida consumida en la rutina agotadora de galeote del periodismo propiciaron su proclividad pesimista y melancólica, y acentuaron su incurable romanticismo. De ahí el diferente matiz y el divergente diapasón de su respectiva prosa; más sensual, trabajada y cromática la de Rubén; más lírica y atormentada la de Nájera, aunque en ambas se perciba el influjo de la magistral rectoría parisiense. Después de *Azul...* ya fueron legión los que cultivaron esta particular modalidad estilística.

La otra variante que se gesta entre 1877 y 1882 es de raigal procedencia clásica española —aunque se beneficiara tanto del modelo francés como la que Cané, Nájera y Darío encarnan. Es, de las dos modalidades, la que a la larga predominó y la que con infinita variedad de matices individuales se cultiva todavía. Su virtualidad renovadora, aunque menos aparatosa y menos emulada en su hora, ha sido mucho más perdurable y fecunda. Su forjador —ya se adivina— fue José Martí, y Caracas la ciudad de donde primero irradió a toda América en 1881 y 1882.

Martí poseía un temperamento poético tan generosamente dotado como el de Darío y una imaginación mucho más plástica y potente que la del nicaragüense. A mayor abundamiento, era uno de los pensadores más originales y robustos que América ha producido. Por último, su cultura clásica era más sólida y bien asimilada que la de los tres coetáneos precitados. Cuando entre 1880 y 1882 entró en contacto íntimo con la literatura francesa, era ya un espíritu adulto en posesión de un gusto firme. Por todas estas circunstancias pudo asimilar las grandes conquistas estéticas de la prosa francesa sin convertirse en tributario de ningún corifeo parisiense, como les ocurrió a ratos a Nájera y Darío. Ambos —Nájera y Rubén— absorbieron las exquisiteces parisienses en plena adolescencia y antes de haber madurado. De ahí los excesos en el calco literal en que los dos dieron al principio. Justo es aclarar que los dos se redimieron a su hora de este deslumbramiento. Al propósito de estos comentarios es de capital importancia puntualizar el hecho de que la metamorfosis que se opera en América en el arte de la prosa entre 1880 y 1890, es tan radical y profunda como la que sufrió la expresión en verso y la precedió en casi una década.

La opulenta prosa martiana, tan proteica y coruscante, tan épica y a la vez tan melódica, fue la que en definitiva predominó por ser de más entrañable entronque clásico español. La otra variante devino moda, y como toda moda, su imperio fue útil en su momento, pero efímero. El prestigio de Martí como escritor fue enorme en toda América entre 1885 y 1895. Su prosa adquiere categoría paradigmática por estos años [5]. Luego, durante el primer cuarto del siglo presente, se opacó porque la nueva generación no la conocía; mas cuando a partir de 1925 empezaron a circular los ocho volúmenes de sus obras publicados en Madrid, se le reconoció otra vez universalmente su prestancia artística.

Pero si los mencionados fueron los principales cinceladores de la prosa castellana que entre 1880 y 1890 la remozan, enriquecen y redimen de su tradicional penuria artística, fueron muchos los que en este empeño renovador colaboraron en América, especialmente de talla, y todos escribieron con aguda preocupación estilística [6].

Nájera y Darío son, ante todo, poetas en verso, condenados a escribir en prosa en los periódicos para ganarse la vida. Ambos poseen un temperamento y una imaginación esencialmente líricos y encuentran su cauce más adecuado en el verso. Martí es tan emotivo como ellos, pero además era un pensador recio y un espíritu apostólico que se consumía en ansias redentoras. A su dimensión poética añadía el fervor libertario y anhelos altruistas de que Nájera y Darío estaban horros o poco menos. Junto al sumo artista que era alentaba el hombre de máxima talla y el pensador. De ahí que fuera mayor poeta en prosa que en verso —con haberlo sido tan insigne en éste. Por eso reclamaba con insistencia cansona "música y color" en la prosa, y además, ideas. De 1882 data este postulado teórico que publicó en *La Opinión Nacional* de Caracas. Nótese cómo se funden en él forma y contenido, y aún llega a otorgar preeminencia a la idea sobre la "fermosa covertura". Sólo un pensador de fuste que a la vez fuera un venerador

---

[5] *Vid.* "Evolución de la estimativa martiana", en *Antología crítica de José Martí.*

[6] *Notas en torno al modernismo,* pp. 79-84.

de la expresión original y bella pudo haber formulado esta teoría del estilo:

> ¡Qué ridícula cosa, un pensamiento enano con manto de rey, o vestidura de gigante! va el ruin pensamiento como ahogado, y llama la atención, y muere a poco. La forma, que no es más que traje, ha de ajustar al pensamiento, que ha de tener siempre cuerpo. Y como ajusta la buena ropa: para realzar el cuerpo, y no para sofocarlo o desfigurarlo. A veces los pensamientos, luego de examinados, quedan como aquel Rey Luis XIV, que pintó el ingeniosísimo escritor inglés Thackeray, al cual pintó en tres partes, de las que era la primera un rey magnífico, de peluca soberana, bastón de alto puño, manto regio y luengo, y zapatos encintados; y la parte segunda era el gran manto, y la peluca grande, y los zapatos vacíos de rey; y la parte tercera era el rey mísero, como era sin manto, todo encorvado, y muy pobre de carnes; y muy lleno de arrugas, y más flaco que el común de los mortales, con lo que se demuestra cuán pobre cosa suelen ser los hombres, si se les quita el manto: —así a ciertos pensamientos. La belleza de la frase ha de venir de la propiedad y nitidez del pensamiento en ella envuelto. Ni ha de decirse escritores, sino pensadores, en justo castigo de haber venido dando funestísima preferencia al arte de escribir sobre el de pensar. Algo más que sastres y embadurnadores de fachadas han de ser los escritores buenos. Ha de borrarse del papel toda frase que no encierre un pensamiento digno de ser conservado, y toda palabra que no ayude a él [7].

Por aquellos años todavía los preceptistas hablaban de fondo y forma, de continente y contenido, de idea y estilo, como si fuesen elementos distintos, desligados entre sí e independientes el uno del otro. Martí creo que es el primer teorizante moderno que en español concibe el quehacer literario o poético como unidad indivisible, como una totalidad expresiva indisoluble, a la manera como el perfume se integra, se impregna y se exhala en los colores de la rosa. En formas diversas expresó muchas veces este novísimo concepto. Él se adelantó a la estilística moderna en nuestra lengua al concebir el estilo como simple "forma del contenido". Expresión y esencia son en él una misma y sola cosa.

---

7 José Martí, *Sección constante.* Recopilación y prefacio de Pedro Grases, Caracas, 1955, pp. 371-372.

Así como el verso es el troquel natural de la emoción poética, la prosa es el molde congénito y lógico del pensamiento. Cuando ambos dones —la emoción inefable y lo cogitativo— se conjugan en iguales proporciones en un autor, se da el caso rarísimo de un gran prosista que a la vez es también un excelso poeta en verso. Lo corriente es el desequilibrio en estas dos facultades. En América, Martí representa el más ínclito ejemplo de fusión de ambas. La perfecta eclosión de estos elementos es muy rara. Sarmiento, Montalvo y Rodó, de una parte; Valencia, Herrera y Reissig y Enrique González Martínez, son modelos de la regla.

Como ya se indicó, en el año 1882 cuaja definitivamente el proceso de evolución estilística de José Martí. Desde 1877 —año clave en el desarrollo y perfeccionamiento artístico de su prosa— venía Martí ensayando diversas expresiones de prosa artística o poética que culminarán cinco años más tarde en la que escribió para *La Opinión Nacional* de Caracas y para *La Nación* de Buenos Aires. Ya desde 1875 había introducido en nuestra lengua en enunciados teóricos los principios del simbolismo verlainiano de la musicalidad y la vaguedad, y hasta le declara la guerra a la rima por considerarla camisa de fuerza y "túnica de Neso" para la cabal y libre expresión de las ideas [8]. Martí se detuvo en París en diciembre de 1874 y seguramente compró el libro *Romances sans paroles,* que acababa de publicar Verlaine, en el cual aplica ya estos conceptos. En dicho año de 1874 escribió Verlaine el famoso poema "Art poétique", en el que dio forma teórica a los principios poéticos aludidos; pero "Art poétique" no se publicó hasta 1884 cuando lo incluyó en el libro *Jadis et Naguére.* En el año de 1875 también comenzará Martí a emplear símbolos y colores de connotación simbólica, tales como el azul y el oro, que veinte años más tarde se convertirán en valores mostrencos muy usados por los modernistas. Pero los procedimientos impresionistas de legítima procedencia gala, ya perfectamente asimilados y convertidos en método y técnica personalísimos, no surgirán en su prosa hasta 1877. Martí debió recibir el influjo impresionista leyendo a los Goncourt, a los que admiraba profundamente, pues la novela *Les rois en exil,* de Alfonso Daudet, escrita

[8] *Vid.* "Conciencia y voluntad de estilo en Martí (1875-1880)", en *Indagaciones martianas,* pp. 83-139.

en estilo impresionista puro, y el ensayo de Ferdinand Brunetière que lo analiza, "L'impressionnisme dans le roman", no se publicaron hasta 1879. Sin embargo, toda la prosa de Martí escrita en 1877 lleva el sello de esta técnica. La primera muestra la encontramos en el siguiente párrafo de una carta a su fraterno amigo, Manuel A. Mercado, escrita precisamente el 1 de enero de 1877 en Veracruz. Nótese el derroche de colores y los contrastes cromáticos. Esta es prosa imaginativa y poética, muy inusitada en castellano por aquellos años:

> Jamás vi espectáculo más bello. Coronaban montañas fastuosas el pedregoso escirro y sombrío niblo; circundaban las nubes crestas rojas y se mecían como ópalos movibles; había en el cielo esmeraldas vastísimas azules, montes turquinos, rosados carmíneos, arranques bruscos de plata, desborde de los senos del color; sobre montes oscuros, cielos claros, y sobre cuestas tapizadas de violetas, arrebatadas ráfagas de oro. Gocé así la alborada, y después vino el sol a quitar casi todos sus encantos al paisaje, beso ardiente de hombre que interrumpía un despertar voluptuoso de mujer. El ópalo es más bello que el brillante [9].

En otra carta a Mercado escrita el 11 de agosto del mismo año encontramos el mismo tropo de oriundez parnasiana, pero dilecto a los simbolistas e impresionistas también, que había empleado para resumir el párrafo que acabo de transcribir. La técnica es idéntica en ambos:

> Hoy andan de paseo las alegrías, y están tenazmente despiertas las tristezas. —Breve, pues—. Mis amarguras son éstas de mi vida, que provienen precisamente de vivir. Si fueran piedra preciosa, serían ópalo [10].

Martí nació (1853) y se formó en un momento crucial de la cultura occidental. Este detalle es de suma importancia para aquilatar su pensamiento, su actitud vital y su estética. Vino al mundo en un instante crepuscular y a la vez auroral, cuando el romanticismo declinaba y moría acosado y preterido por el positivismo comteano, el rea-

---

9 José Martí, *Cartas a Manuel A. Mercado*, México, Ediciones de la Universidad Nacional Autónoma, 1946, p. 5.

10 *Ibid.*, p. 23.

lismo en Flaubert, el parnasismo, el auge cientifista y el socialismo. Durante sus años formativos surgieron en el orden literario el parnasismo, el realismo, el naturalismo, el impresionismo y el simbolismo. En la compleja personalidad de Martí, en su ideación y en su obra se reflejan y funden todas estas corrientes filosóficas y estéticas mejor acaso que en ningún otro escritor coevo de nuestra lengua. Romanticismo de un lado y positivismo, realismo y parnasismo del otro. Tesis y antítesis. Martí será la síntesis, especie de milagrosa catálisis intelectual que amalgama y aglutina todos estos elementos al parecer contradictorios. De todos se alimenta y todos los resume, tomando de cada uno lo que tiene de valor esencial y permanente. "Hombre de su tiempo y de todos los tiempos", Martí, hombre, encarna las más puras y nobles esencias románticas y a la vez los jugos imperecederos de las nuevas teorías y escuelas. Ecléctico por temperamento y convicción, Martí es un hombre síntesis, un símbolo perfecto de las dos vertientes en que se escinde el siglo XIX. Jorge Mañach ha definido, mejor que nadie acaso, esta imagen bifronte que el apóstol cubano representa:

> [Martí] Es un romántico por la sensibilidad, por el anhelo de absolutos, por la sobrevaloración de lo espiritual, por la tendencia a proyectar la intimidad del yo sobre la realidad externa, por la confianza en la bondad innata del hombre y el optimismo mesiánico que de ella se deriva. Pero todo ese romanticismo está frenado, equilibrado en Martí por la conciencia vivísima del sentido objetivo y científico en que su siglo reaccionaba a los excesos anteriores del entusiasmo y de la fantasía.
>
> Martí está hecho de "ala" y también de "raíz", para aludir a sus palabras favoritas. Generado en la fuga ideal del romanticismo, su pensamiento se repliega sobre lo concreto y cotidiano; su absolutismo se ensancha para acoger lo relativo; acomódase en él lo espiritual a lo sensible, y el optimismo ensoñador se modera de cautelas realistas [11].

En su dimensión humana, en sus ideales y en su función política es un romántico de altísima calidad, el más excelso que se descubre en el ámbito de la cultura hispánica. Pero en cuanto escritor y poeta, repudió la retórica romántica, y todo el arsenal de fantasmagoría y estulticia ampulosa y palabrera que dicha escuela acumuló. Martí criba

---

[11] *Archivo José Martí*, 9 (1945), 163.

siempre cuanto asimila y desecha la escoria y los excesos en que caen las escuelas y teorías que devienen moda y se amaneran. No se incorporó a ninguna, pero se benefició de todas en la medida en que cada una de ellas representó un valor positivo y una superación. En el robusto tronco de su formación clásica injertó todas las conquistas estilísticas de la nueva era. Su mejor epitafio serían las palabras con que él definió a Emerson:

> Se sintió hombre, y Dios, por serlo. Dijo lo que vio; y donde no pudo ver, no dijo. Reveló lo que percibió, y veneró lo que no podía percibir. Miró con ojos propios en el Universo, y habló un lenguaje propio. Fue creador, por no querer serlo. Sintió gozos divinos, y vivió en comercios deleitosos, y celestiales. Conoció la dulzura inefable del éxtasis. Ni alquiló su mente, ni su lengua, ni su conciencia. De él como de un astro surgía luz. En él fue enteramente digno el ser humano [12].

Por eso fue tan eminente prosista y tan raigalmente original, a pesar de las múltiples corrientes literarias y filosóficas que en su estilo y en su ideación se conjugaron. Si el conocido apotegma de Buffón tuvo alguna vez aplicación exacta fue en el caso de Martí. El hombre se proyecta y transfiere en su estilo. Cada giro, cada página y cada precepto teórico, filosófico, estético o moral están avalados por su autor, y entrañablemente enraizados en su idiosincrasia y en su conducta. No creo que exista en nuestra lengua otro caso de tan íntima fusión y compenetración entre los valores estilísticos y los éticos y filosóficos, entre el autor y su obra. En un ensayo reciente leo estas dos sentencias: "Artista y hombre no se identifican nunca totalmente"... "La biografía de un autor oculta mucho más su texto de lo que lo aclara" [13]. Esto es cierto en la inmensa mayoría de los casos, pero no en el de Martí. De él puede afirmarse sin titubeos que *le style est l'homme même.* El cubano no escribía con tinta sino con su propia sangre, como él pedía que se escribiera. De ahí la indisolubilidad entre escritor y escritura. Martí está en su obra tan transvasado y di-

[12] José Martí, *Obras completas,* vol. I, La Habana, Edición Lex, 1946, página 1054.

[13] Óscar Ernesto Tacca, "Hombre y estilo", *Universidad,* Rosario, Argentina, octubre-diciembre, 1916, pp. 41 y 47, respectivamente.

luido como la sal en el agua. Pero volvamos a los años de 1877 a 1882, que es el quinquenio en que se fragua su peculiarísima modalidad estilística.

Escaso es el número de piezas publicadas entre 1877 y 1880, pero dejó muchos escritos y apuntes inéditos redactados en este trienio que revelan el proceso ascendente y acendrador de su mente esclarecida. Martí era un artista intuitivo que se apoyaba siempre en la razón y la lógica. Las ideas y la emoción poética se le presentaban de modo intempestivo y fugaz como relámpagos en los instantes más inoportunos a veces. Llegaban a su mente y conmovían su espíritu ya acuñadas en verso o en prosa, según predominara en estos ramalazos el tono cogitativo o agitara su espíritu la tensión inefable y lírica. Tenía —por fortuna— el hábito de transcribir en cuadernos y papeles sueltos estos pensamientos y estas intuiciones poéticas que rarísima vez pulió ni desarrolló ni publicó. Olvidados y desdeñados quedaron a su muerte estos cuadernos hasta que el editor de la *Edición Trópico* [14] recogió los que se conservaron. Lo probable es que muchos otros se perdieran, y es lamentable porque tales apuntes tienen importancia capital para discernir y aquilatar su teoría literaria tanto como su pensamiento filosófico. Otras veces redactó de modo provisional párrafos y hasta páginas con la intención de retomar y reelaborar más tarde estos temas. Unas veces lo hacía en español y otras en francés. En francés escribió entre 1877 y 1880 artículos enteros que todavía no sabemos si fueron publicados o no. Muchos de sus principios teóricos más interesantes sobre el verso y el arte de la prosa quedaron olvidados y desconocidos en estos borradores hasta que Trópico los dio a luz.

La nota predominante en mucho de lo que escribió y no publicó en 1877 —ya se dijo— es de factura impresionista pura. No se ha dilucidado la razón por la cual el impresionismo, ya peritamente asimilado y convertido en procedimiento personalísimo, irrumpe en su estilo en el dintel mismo de este año de modo tan obsesionante. La explicación probable es que por aquellos días leyó a los Goncourt. Ya en 1874 se había realizado en París la primera de las ocho exposiciones que hicieron los pintores impresionistas y Martí, tan apasionado de la pintura, se familiarizó con aquella modalidad plástica durante su es-

14 La Habana, Editorial Trópico, 1936-1953, 74 vols.

cala en Lutecia en diciembre de aquel año. Pero lo cierto es que esta técnica tiene escasa importancia en sus escritos hasta el 1 de enero de 1877. En cambio, se convierte en constante a partir de este día.

Durante el viaje de La Habana a Guatemala, realizado en 1877, visitó Martí una serie de islas caribeñas y de cada una de ellas nos dejó un "croquis", una "impresión" en forma de apunte provisional, lo que los Goncourt llamaban una "sensación". Es una larga serie de bosquejos descriptivos, paisajes esquematizados según la fórmula impresionista. Son esbozos o instantáneas en las que predomina el color, la imagen fugitiva y cambiante, aprisionada en el instante en que el autor la percibe [15]. Cualquiera de estos bocetos podría servirnos de prueba. He aquí uno:

> ...Un sol suave y alegre bañaba la ciudad, y del silencio de las seis, que era como una flor de oro, iba saliendo el peón pobre y descalzo, con el chiste seco y la castiza conversación, que va alternando con los porteros que abren; el señor domingón, todo él negro y gris, con bombín filipino y el bastón de caña y hueso, el oficial de bocamangas sangrientas, pulcro y pechudo; la paseadora de mañana, con su saya de seda, el despacioso botín, por los hombros el pañolón amarillo y azul, con los flecos que barren, y en la cabellera suelta y ondeada un lazo de cinta; y la indiecita ostentosa, que va comiéndose la tierra, oronda en su saya blanca y su rebozo de fresa escarchada, y detrás de ella, y como ella descalzas, las tres o cuatro chacalinas, como mujeres en miniatura. Y el sol pica y chispea: la música viene ya de calle arriba: la campana, revoloteadora, llama a misa de ocho: plaza y calles están llenas de los mozos de chaqueta negra y blanco *panamá*, con la faja de color por el cinto y el calzón de dril, y el pie recio y descalzo: un jinete, caracoleando, echa de un lado y otro el grupo: van y vienen, entre las chaquetas negras, los pañolones, amarillos o azules, los rebozos negros, con flores de realce, los rebozos de fresa escarchada: sable al pecho, y con las gorras de honor, pasa el cuartel del día, en un vuelo de música: como pintada en el cielo, al viento liso, luce, sobre la azotea del palacio, roja y blanca y azul, la bandera nacional [16].

---

15 *Vid.*, al respecto, *Indagaciones martianas*, pp. 104-121.

16 José Martí, *Obras completas*, Lex, vol. 11, pp. 618-619.

Anotemos de pasada la curiosa incidencia de que la última de las tres concepciones estilísticas francesas coevas que Martí incorpora en su prosa es la parnasiana, no obstante el hecho de que en Francia precedió al auge del impresionismo y del simbolismo. Acaso se debiera esta inicial resistencia a la escasa simpatía que Martí sentía por aquella estética impersonal, alquitarada y fría. Después de 1880, sin embargo, se dejó ganar por el anhelo de perfección y de belleza plástica que el parnasismo encarnó. Como siempre le ocurre, de los parnasianos tomó e injertó en su estilo y en su poética aquellos elementos de mayor virtualidad estética y desechó los otros.

En diciembre de 1879 hizo otra escala en París y debió adquirir allí muchos libros recientes porque a partir de su regreso se percibe un notable progreso en el arte de su prosa, y una gran familiaridad con el ambiente literario y artístico de Lutecia. En 1881 llegó a Caracas y los meses que allí pasó fueron decisivos en las letras venezolanas. Mariano Picón Salas es quien mejor ha definido la significación que para Venezuela tuvo la presencia de Martí en la capital:

> Frente a la prosa muy oratoria de algunos de los viejos escritores venezolanos, había surgido en la Caracas de 1881, como un acontecimiento, la prosa de párrafos más incisivos y cortados, de mayor aderezo estético, del gran proscrito cubano José Martí. En la prosa de Martí, que no había renunciado, sin embargo, a algunos esmaltados arcaísmos, el castellano alcanzaba efectos impresionistas, rapidez sintética, don pictórico, semejantes a los de la prosa artística francesa del mismo período. La sintaxis más suelta hacía prevalecer en ella lo plástico y visual sobre lo puramente auditivo. Los que entonces tenían 20 años —Lisandro Alvaredo, José Gil Fortoul, Zumeta— se acercaron a Martí [17].

La estancia de Martí en Caracas fue breve, pero dejó huella profunda. A poco de llegar fundó —y en gran parte escribió— la *Revista Venezolana,* de la que el dictador de turno, Antonio Guzmán Blanco, sólo le permitió publicar dos entregas que aparecieron el 1 y el 15 de julio de 1881, respectivamente. En la primera dio a luz el ensayo "Miguel Peña", pieza de tamaño mayor escrita en un estilo épico, rítmico y sonoro. Lo más significativo de esta semblanza es la intención

[17] Max Henríquez Ureña, *op. cit.,* p. 277.

melódica. En ella se engarzan las cláusulas, se prodiga el hipérbaton y hasta se emplea una puntuación arbitraria para obtener efectos musicales. Más que descriptiva, ésta es prosa aforística, subjetiva y rigurosamente medida. Las cláusulas breves y rítmicas se agrupan siguiendo una pauta melódica, sin dejar de ser lógica. Las sentencias y las cláusulas son, con excesiva frecuencia, versos perfectamente medidos, y los párrafos, estrofas. El orden sintáctico y la puntuación obedecen también al propósito de obtener armonía auditiva. A ratos nos da la impresión de que leemos un poema épicodescriptivo escrito en el molde de la prosa. No hay en este ensayo párrafo que no contenga numerosos versos y que no pueda descomponerse o estructurarse en líneas métricas de varias medidas. A continuación se ofrecen como ejemplo los dos últimos. El esquema métrico no es el único en que podrían organizarse, pero sirve para demostrar el empeño que Martí puso en este ensayo por flexibilizar la prosa y dotarla de rítmica sonoridad:

Era dado al fausto,
y en la mesa espléndido;
y no había
en las casas valencianas,
ni más muelle sofá
de negra cerda,
ni sillas más costosas,
ni más robusta mesa,
de su fanal colgante coronada;
ni cuadros más valiosos
que aquellos de la
independencia norteamericana,
que en sus trabajados marcos de oro
eran adorno de su hermosa sala.

De sus adversarios muy temido;
de los valencianos muy amado;
de los amigos de las cosas viejas,
visto como un atleta de las nuevas;
dotado de áspera entereza en el carácter
y de blandura sorprendente en el talento;
nacido a dirigir, por ingénita valía,

y a gobernar, porque sabía
plegarse; grande primero,
pequeño algunas veces, hábil
apasionado y elocuente siempre,
murió al cabo, en el crepúsculo
de aquella guerra fúlgida,
que habrá de ser perpetua
admiración de los humanos,
aquel letrado brioso que se había
rebelado contra un trono,
dado vida y muerte a una república
y cercenado en sus ruinas otra [18].

En la amodorrada Caracas de la época la llegada de Martí fue como la irrupción de una brisa oxigenada y fragante en un ambiente de somnolencia y bochorno. A algunos escritores académicos y rutinarios de entonces, más apegados a la gramática y al diccionario que atentos a la estilística, pareció demasiado repujado y pulcro el estilo de "Miguel Peña" y así lo reputaron. La impugnación llegó a oídos de Martí y ello le dio pie para salirle al paso al reproche en un editorial titulado "El carácter de la *Revista Venezolana*" que abría la segunda y última entrega. Este editorial es una especie de pragmática o manifiesto literario que anuncia ya la era modernista. El párrafo que de él desgloso a continuación lo califiqué hace años como la Carta Magna del modernismo. Es un postulado teórico que debió sorprender y admirar a los escritores jóvenes de América, tanto por la novedad de la forma como por la audacia de los conceptos estilísticos. Aquí aparece ya en forma teórica la concepción plástica parnasiana del estilo: "el escritor ha de pintar como el pintor", afirma. "No hay razón para que el uno use de diversos colores, y no el otro." El verbo "pintar" tiene particularísima significación en este pasaje. De ahora en adelante aparecerán maridados en el arte de su prosa y en su poética, la musicalidad simbolista, el matiz de los impresionistas y la plasticidad de los parnasianos. "Música y color" es una especie de "ritornello" iteradísimo en su teoría literaria:

---

18 Lex, vol. II, p. 16.

> ...Este es el color, y el ambiente, y la gracia, y la riqueza del estilo. No se ha de pintar cielo de Egipto con brumas de Londres; ni el verdor juvenil de nuestros valles con aquel verde pálido de Arcadia, o verde lúgubre de Erín. La frase tiene sus lujos, como el vestido, y cuál viste de lana, y cuál de seda, y cuál se enoja porque siendo de lana su vestido no gusta de que sea de seda el de otro. Pues ¿cuándo empezó a ser condición mala el esmero? Sólo que aumentan las verdades con los días, y es fuerza que se abra paso esta verdad acerca del estilo: el escritor ha de pintar como el pintor. No hay razón para que el uno use de diversos colores, y no el otro. Con las zonas se cambia de atmósfera, y con los asuntos de lenguaje. Que la sencillez sea condición recomendable, no quiere decir que se excluya del traje un elegante adorno. De arcaico se tachará unas veces, de las raras en que escriba, al director de la *Revista Venezolana;* y se le tachará en otras de neólogo: usará de lo antiguo cuando sea bueno, y creará lo nuevo cuando sea necesario: no hay por qué invalidar vocablos útiles, ni por qué cejar en la faena de dar palabras nuevas a ideas nuevas [19].

Otro ensayo de magno alcance publicó Martí en esta última salida de la *Revista Venezolana.* Acababa de morir Cecilio Acosta y Martí le dedicó un obituario que hizo de él una figura prócer y lo consagró en toda América. Este es el tercer texto de marcado relieve literario publicado en este año de 1881. Martí ha encontrado ya la forma expresiva que venía buscando desde hacía tiempo. La de "Cecilio Acosta" es ya prosa adulta, de signo renovador, en la que el ritmo y la plasticidad se combinan sin detrimento de la idea. Como los dos precitados, circuló por América y tuvo eco múltiple. Años más tarde, en 1893, "Cecilio Acosta" tendrá eco feliz en el perfil que Rubén Darío le dedicó a Leconte de Lisle en la serie de *Los raros.*

En este mismo año de 1881 comenzó a colaborar en *La Opinión Nacional* de Caracas. Su labor en este diario concluyó a mediados de 1882. Unos meses después inició su colaboración regular en *La Nación* de Buenos Aires que durará justamente diez años, hasta 1892, cuando renunció a sus tareas literarias para consagrarse a la ímproba empresa de organizar a sus compatriotas para libertar a su patria.

Su colaboración en *La Opinión Nacional* revistió un doble aspecto: uno era anónimo y se publicaba como cosa de la redacción bajo

---

[19] Edición Trópico, vol. 20, p. 33.

el título de "Sección constante". Era éste una especie de noticiario de índole enciclopédica, escrito en párrafos breves en los que Martí procuraba imitar el estilo periodístico mostrenco, es decir, trataba de auto-eliminar, de esconder o preterir su personal manera. El propósito que le hizo concebir esta "Sección constante" era informativo y didáctico. Proponíase recoger en ella todo género de noticias que pudieran ser de provecho o de entretenimiento para ganaderos, agricultores, comerciantes y, en general, para el lector común. Para añadir amenidad a la "Sección" entreveraba las noticias informativas con anécdotas sobre la vida norteamericana y europea. Mas a despecho del propósito docente, utilitario y práctico que inspiró la "Sección constante", el artista consumado que en Martí se dio no se resignaba a ser preterido ni siquiera en esta tarea anónima. A las semanas de iniciada la "Sección" comenzaron a aparecer en ella párrafos sobre temas de arte, poesía, acontecimientos culturales, poetas y escritores ilustres, europeos casi todos. En esta humilde y desheredada "Sección" aparecen comentados por primera vez en sus escritos muchos nombres famosos, ignorados algunos de ellos y otros escasamente conocidos en Hispanoamérica por aquellas calendas, tales como John Keats, Oscar Wilde, Dante Gabriel Rossetti, John Ruskin, Guerra Junqueiro, etc., y breves juicios sobre artes plásticas y movimientos literarios como el de los esteticistas ingleses. Huelga decir que al tratar estos temas la prosa le sale, sin darse cuenta, mucho más ornada y enriquecida de valores poéticos. Ni siquiera están ausentes de este repertorio de noticias anónimas los conceptos teóricos de alta calidad sobre el verso y la prosa. Uno de ellos es el que se transcribió anteriormente [20]. He aquí otro: "Los versos han de ser como la porcelana: sonora y transparente". En la "Sección constante" apareció también en 1881 este atrevidísimo principio o tesis sinestésica que debió parecer un dislate mayúsculo a los lectores caraqueños. Aquí se revela familiarizado con el soneto de Baudelaire titulado "Correspondences" y con el poema "Voyelles" de Arturo Rimbaud. Han de pasar muchos años todavía antes de que los más audaces modernistas —Darío, Herrera y Reissig, Valencia, Lugones— hagan uso tan atrevido de la sinestesia. Martí venía aplicándola desde hacía años. El único en español que además

---

20 *Vid., supra,* nota 7.

de él la empleaba, con cierta timidez todavía, era Gutiérrez Nájera. A todos se adelanta Martí al proclamar en 1881:

> Entre los colores y los sonidos hay una gran relación. El cornetín de pistón produce sonidos amarillos; la flauta suele tener sonidos azules y anaranjados; el fagot y el violín dan sonidos de color de castaña y azul de Prusia, y el silencio, que es la ausencia de los sonidos, el color negro. El blanco lo produce el oboe [21].

Años más tarde, refiriéndose al primor con que el poeta cubano Francisco Sellén cincelaba sus traducciones del alemán, llevará Martí aún más lejos la aplicación de la sinestesia en las dos líneas finales de este párrafo:

> Así, en la busca de lo ideal y sincero, se dio tanto Sellén a lo alemán, donde está vertida la obra toda del hombre, que vivió años enteros, en las cosas de su arte, como olvidado de sí, y como si no fuese poeta él, sin más afán que el de poner ante los demás lo que le parecía hermoso, y tallar y esmerilar el verso, y probarlo a la luz del sol, hasta que le quedaba en los colores naturales; —lo que era faena recia, porque el alemán es rosado y azul, y el castellano amarillo y punzó... [22].

Un poco más abajo, en el mismo ensayo, encontramos una serie de rarísimas sinestesias que revelan su genio poético:

> Cada cuadro lleva las voces del color que le está bien; porque hay voces tenues, que son como el rosado y el gris, y voces esplendorosas, y voces húmedas. Lo azul quiere unos acentos rápidos y vibrantes, y lo negro otros dilatados y obscuros. Con unas vocales se obtiene un tono, que quedaría con otras falsa y sin vigor la idea; porque este arte de los tonos en poesía no es nada menos que el de decir lo que se quiere, de modo que alcance y perdure, o no decirlo [23].

Pero si bien Martí adelanta en este noticiero muchos de los temas que desarrollará más ampliamente en las crónicas que sincrónicamente enviaba al mismo diario, éstas alcanzan mucha mayor jerarquía esti-

---

21 *Sección constante,* p. 126.
22 Trópico, vol. 12, p. 172.
23 *Ibid.,* p. 187.

lística que las notas anónimas. Casi anónimas eran también las crónicas extensas ya que aparecían con el seudónimo M. de Z. Con el título de *Crónicas europeas* fueron recogidos en cuatro volúmenes de la *Edición Trópico* que vengo citando. La mayor parte de estos artículos hacen referencia a la vida política europea y a las relaciones internacionales, en especial de Francia, Italia y España. Constituyen un brillante panorama del acontecer europeo en estos dos campos por aquellos días. Pero entre las crónicas que a Francia consagró hay algunas dedicadas al ambiente literario y artístico de París y a los escritores y poetas que aspiraban a ingresar en la Academia. En algunos casos analiza con lucidez los méritos de los candidatos o el de los que ya pertenecían al cónclave dispensador de gloria. Aquí se revela Martí familiarizado con y buen conocedor del ambiente cultural parisiense. Algunas de estas crónicas como las sendas dedicadas a Sully Prudhomme, a Augusto Barbier, a Víctor Hugo, son excelentes ensayos críticos y hasta tienen importancia teórica para aquilatar su poética. Nada similar escribe sobre los pintores, literatos y poetas españoles. El año anterior (1880), había publicado en inglés una serie de artículos en *The Hour* sobre la pintura española coetánea. Simultáneamente había iniciado su colaboración en el *New York Sun*. El tercero de los artículos que en el *Sun* publicó este año versa sobre "Poetas españoles contemporáneos"; pero en las crónicas a *La Opinión* omite ambos temas. Estos artículos revelan a Hispanoamérica el ambiente parisiense en su doble fase, política y cultural, diez años antes de que Rubén Darío comenzara a publicar la serie de *Los raros*. Y todo escrito en una prosa imaginativa, rítmica y colorida, de frecuente sesgo impresionista, prosa profusamente tropológica en la que imágenes, símbolos y metáforas de subido valor poético se prodigan con pasmosa exuberancia. He aquí un párrafo por vía de ejemplo en el que describe un debate parlamentario en el que tercian cuatro oradores españoles: Cristino Martos, Emilio Castelar, Antonio Cánovas del Castillo y Práxedes Mateo de Sagasta. Es un verdadero y afortunado derroche metafórico de filiación impresionista:

> Oíanse hoy como los golpes sonoros y recios de una masa de plata en casco abollado, — y era Martos que hablaba; y se vieron luego como llamas volantes y columnas de humo de colores, y aves fantásticas de asiático plumaje, y pálidos geniecillos de crepúsculo revolotear

por el augusto anfiteatro — y era el discurso triste, ondulante y cadencioso de Castelar desalentado; y luego pareció que un oso despedazaba entre sus brazos colosales a un jilguero, — y era Cánovas que con implacable seguridad analizaba la política de Sagasta; — y semejó después que una astutísima zorra se deslizaba por entre las garras del oso robusto, áspero y corpulento como un monte, y puesta fuera de su alcance, movía como en tono de reto los maliciosos ojos, en tanto que disponía los ágiles pies a nueva fuga, — y era el discurso de réplica de Sagasta, flexible, impalpable, luciente, ágil como hoja de acero florentino [24].

Una de las crónicas de mayor vuelo imaginativo y de mayor complejidad sintáctica y lingüística entre las muchas que dio a luz en *La Opinión Nacional* es la titulada "El centenario de Calderón", aparecida el 23 de junio del 81. En ella imita intencionalmente las formas barrocas de la prosa española hacia 1681 cuando murió el poeta. Esta pieza da la medida de la capacidad de Martí para imitar formas de muy diversa índole artística. Aquí emplea un "estilo de época" remedando de modo perfecto la sintaxis, los giros, los modismos y el léxico de los escritores barrocos de fines del siglo XVII. Los párrafos son largos y las sentencias caudalosas, pero se mantiene atento a la melodía y al color. Esta es "prosa sinfónica", como la definió Rubén Darío. Es un prodigio descriptivo que a ratos alcanza proporciones épicas. Martí se imagina y representa los festejos con que Madrid conmemoró el centenario y los pinta con lujo de detalles cual si hubiese presenciado el desfile. Detalle interesante en esta crónica es el arte de la composición —en el sentido pictórico—, la habilidad con que agrupa los materiales y distribuye los diversos cuadros. En 1899 imitó Rubén Darío esta rapsodia descriptiva en "El entierro de Castelar", pero ni con mucho alcanzó la brillantez del modelo.

A trueque de adelantar un tema que luego se ilustrará con citas, deseo indicar aquí la analogía que se advierte —procedimiento, tropología y léxico— entre esta crónica y uno de los más bellos y plásticos poemas de Darío, escrito muchos años más tarde: "Marcha triunfal". Los respectivos temas guardan cierta remota semejanza: Martí describe el cortejo y ceremonias con que Madrid celebró el centenario;

---

[24] *Ibid.*, vol. 45, p. 98.

Darío, un desfile militar que presenció; pero en realidad difieren mucho en los detalles y por lo tanto demandaban arreos estilísticos muy distintos, máxime cuando las alegorías de la caravana madrileña simulaban los usos y costumbres de la época calderoniana y Martí trata de emular la lengua barroca de entonces. No obstante, las semejanzas que ambas piezas guardan entre sí dan lugar a la sospecha de que Rubén tuvo muy en cuenta la crónica martiana cuando escribió su "Marcha triunfal". Desde 1888 soñaba el poeta con "poner en verso las grandezas luminosas de Martí", como luego se verá. Aquí sólo puedo indicar, *grosso modo,* ciertas correspondencias de composición y léxico que entre ambas producciones se descubren; pero el tema requiere un estudio lexicográfico y estilístico más detallado. La forma en que ambas composiciones se inician es de un sorprendente parecido, a pesar de que una está escrita en prosa y la otra en verso. Nótese la reiteración del adverbio "ya" tres veces seguidas en ambas, y luego otras dos adicionales en el caso del poema. El término "cortejo" que Darío itera en las dos primeras líneas se repite varias veces en la crónica martiana, pero al comenzar usa el casi homólogo "cabalgata". Veamos. Martí: "Ya viene la cabalgata numerosa; ya se alivia Madrid de su gran peso... Ya aparecen caballeros en negros caballos...". Y Darío:

> ¡Ya viene el cortejo!
> ¡Ya viene el cortejo! Ya se oyen los claros clarines.
> La espada se anuncia con vivo reflejo;
> ya viene, oro y hierro, el cortejo de los paladines.
> Ya pasa, etc.

Pero no es la similitud del inicio lo único que emparenta las dos descripciones. Gran parte de los vocablos y tropos empleados por Rubén aparecen en la crónica martiana. Martí usa "recios corceles", "negros caballos", "fuertes estribos" (además de "frisones" y "bridones"), y Darío: "fuertes caballos"; Martí: "remos robustos"; Darío: "manos robustas"; Martí: "blancos penachos"; Darío: "rudos penachos"; Martí: "espada tajante"; Darío: "nobles espadas", "antiguas espadas", "viejas espadas", "ilustres aceros"; Martí: "sueños de gloria"; Darío: "tiempos gloriosos"; Martí: "bulliciosa victoria"; Darío: "Llegó la Victoria". Entre otros ornatos estilísticos usados en el poema, presentes también en la crónica, descubrimos: estandartes, banderas, laurel, gloria, Marte, coronas, flores, oro, etc.

Con este muy incompleto cotejo no pretendo disminuir la belleza ni la originalidad del canto rubeniano. Ambos quedan a salvo. Sólo he querido indicar lo que estimo un probable influjo que demanda más exhaustiva corroboración.

Con todo, el año decisivo en la carrera literaria de Martí, y por ende en el modernismo, es el de 1882. Y esto no sólo en la fase que Martí encarnaba sino también en la que Nájera venía cultivando. Por estos días ya la prosa del elegíaco poeta había alcanzado madurez dentro del marco afrancesado que había elegido. La que por entonces escribía era alada y poética, llena de ligereza y gracia, pero demasiado tributaria y deslumbrada ante los adornos de la francesa, muchos de cuyos giros y palabras trasegaba literalmente en la forma original a la propia. Frente a esta proclividad que años después alcanzará proporciones epidémicas en el grupo de los rubenianos, Martí proclamaba —y predicaba con el ejemplo— la doctrina opuesta: "El uso de una palabra extranjera entre las castellanas, me hace el mismo efecto que me haría un sombrero de copa sobre el Apolo de Belvedere", escribió en uno de sus cuadernos. En 1888, cuando ya Nájera estaba de vuelta de París y se había curado del sarampión galicista, retorna Rubén Darío esta modalidad expresiva, la perfecciona y supera en los cuentos de *Azul...*, pero no la inventa ni la introduce en América, como presumió en "Los colores del estandarte", en 1896. Allí se lee este fraude indigno de su general probidad literaria:

> Y he aquí cómo, pensando en francés y escribiendo en castellano que alabarán por lo castizo académico de la Española, publiqué el pequeño libro [*Azul...*] que iniciaría el actual movimiento literario americano... [25].

En vida de Martí y Nájera no se atrevió Rubén a reclamar tal primacía, de la cual, por lo demás, no había menester su genio poético y menos aún su gloria. Justamente dieciocho meses antes, el 27 de mayo de 1895, había escrito el modernista Darío Herrera un artículo titulado "Martí, iniciador del modernismo americano", en el que aclara

[25] Mapes, *loc. cit.*

y define el ya entonces controvertido asunto, y fija con exactitud y pericia de juez imparcial el papel que en aquel movimiento renovador les cupo jugar a Martí, Nájera y Darío. Clemente Palma había publicado un folleto en el que proclamaba como iniciadores del movimiento a Rubén y a Julián del Casal. Darío Herrera le sale al paso al doble error con este artículo en el cual dirime el pleito con un laudo inapelable a la luz de la realidad histórica. He aquí su veredicto irrefutable hoy para cuantos hayan estudiado el tema con seriedad:

> Del folleto de Clemente Palma se desprende que él tiene por iniciadores del modernismo americano a Rubén Darío y Julián del Casal. En esto estoy en desacuerdo con el amigo de Lima. Para mí Darío y Casal han sido los propagadores del modernismo, pero no los iniciadores. Este título corresponde más propiamente a José Martí —olvidado por Palma en las citas que hace de los modernistas americanos— y a Manuel Gutiérrez Nájera. Ambos vinieron a la vida literaria mucho antes que Darío y Casal, y eran modernistas cuando todavía no había escrito Darío su *Azul*... ni Casal su *Nieve*[26].

La verdad histórica, monda y lironda, limpia de lisonja y despojada de todo espíritu de bandería y de parroquia, es que Rubén Darío fue tributario de Martí —prosa y verso— y de Nájera. De ambos es deudor aunque jamás lo confesara en público. Ambas influencias son ostensibles y han sido señaladas por acuciosos investigadores, pero la de Martí es evidente en mucho mayor grado que la del mexicano[27]. Testigo de excepción en este caso es Juan Ramón Jiménez, gran amigo —y émulo en su adolescencia poética— de Rubén. En el medallón que a Martí le dedicó en *Españoles de tres mundos,* dice Juan Ramón: "Darío le debía mucho, Unamuno bastante... Además de su vivir en sí propio, en sí solo y mirando a su Cuba, Martí vive (prosa y verso) en Darío, que reconoció con nobleza, desde el primer instante, el le-

---

26 Revistas *Letras y Ciencias,* Santo Domingo, julio 1895, reproducido en *Revista Dominicana de Cultura,* n.º 2, diciembre 1955.

27 *Vid.,* "I —Iniciación de Rubén Darío en el culto a Martí. II —Resonancias de la prosa martiana en la de Darío (1886-1900)", *Indagaciones martianas,* pp. 197-273, y los dos estudios también citados ya del profesor Iván A. Schulman.

gado. Lo que le dio, me asombra hoy que he leído a los dos enteramente. ¡Y qué bien dado y recibido!".

La muy perita autoridad de Max Henríquez Ureña refrenda estos dos juicios concurrentes:

> Más profunda aún es la transformación que Martí representa en la prosa. Martí es quien crea la nueva prosa, que es "prosa artística". Cierto es que la prosa modernista a veces cayó en el amaneramiento, y que así, en muchos casos, quedó adulterada y casi opacada la influencia rectora de Martí: pero todos los grandes prosistas que vinieron después dentro del movimiento modernista le son tributarios.
>
> ...la huella de Martí se encuentra a cada paso, persistente y multiforme, en la prosa de Darío. Uno de los libros donde se manifiesta esa influencia en su forma más pura y fecunda es *Tierras solares,* que encierra, acaso, la más armoniosa revelación del estilo de Rubén Darío en prosa [28].

Podrían añadirse aquí otros testimonios tan fehacientes como los de Darío Herrera, Juan Ramón y Henríquez Ureña, pero lo creo innecesario. Me interesa más aclarar que si bien Rubén tuvo la debilidad de autoapropiarse la primogenitura y la génesis modernistas, creando así el apócrifo mito "ochentayochista", es de justicia confesar que nadie admiró más a Martí entre 1886, cuando entró en contacto íntimo y permanente con su prosa, y 1916. Nadie tampoco lo exaltó tanto ni lo interpretó con tan genial percepción crítica como él durante aquellos treinta años. A Rubén debemos los primeros estudios sagaces y dilucidantes que sobre Martí se escribieron. Darío fue el primero en descubrir y revelar muchas facetas del Apóstol. Hoy nos asombra la penetración crítica con que el gran nicaragüense leyó y analizó su obra. A él le debemos, incluso, el primer intento (en 1913) de recopilación de la teoría literaria martiana cuando nadie había parado mientes en ella y su obra permanecía —en la mayor parte— ignorada y desconocida. Sobre ningún otro prosista o poeta escribió tanto Rubén como sobre Martí ni lo menciona con tanta frecuencia —siempre en tono fervoroso y reverente. La doble imagen —la del hombre y la del artista— fue creciendo en el ánimo y en la imaginación de Darío

---

28 *Op. cit.,* pp. 56 y 100, respectivamente.

hasta su muerte y acabaron siendo paradigmáticos ambos. Durante los últimos treinta años de vida de Rubén nadie contribuyó más a la revelación y a la gloria de Martí que él. Reconocida esta justicia y esta deuda que con Darío tenemos contraída los que lo admiramos —a él y a Martí—, veamos qué títulos le asisten al último y al año de 1882 para reclamar la paternidad y la iniciativa de aquella renovación.

Este año de 1882 representa una fecha epónima en la evolución literaria y poética del genial cubano, y como secuela, en las letras hispanas. Es el más fecundo de su breve carrera. En él dio a luz ensayos de tan destacado rango estilístico y de tanta significación teórica y renovadora como "Emerson", "El poema del Niágara", "Oscar Wilde", "Longfellow", "El Presidente Garfield" y varios otros de pareja jerarquía artística. En 1882 publicó el *Ismaelillo,* con el cual inició la renovación modernista en verso. No contiene este haz de poemas alados innovaciones métricas. La mecánica del verso no interesó nunca a Martí. Por lo general usó de los metros consagrados desde la época clásica. La reforma métrica la realizaron otros —Nájera, Casal, Silva y, sobre todo, Rubén Darío en la década del 90. Luego se completará con los aportes de Valencia, Lugones, Nervo, Herrera y Reissig, etc. Todos "experimentaron" y ensayaron metros inéditos y combinaciones nuevas de ritmo y rima que enriquecieron y flexibilizaron la metrificación castellana. Lo que Martí perseguía era renovar el atuendo verbal del verso, inyectarle espíritu, formas y aderezos originales e ignotos, dotarlo de savia nueva, rejuvenecerlo y rescatarlo de la inopia y la anemia artística en que había caído. Redimir la poesía castellana de la ampulosidad trivial y del estilo rutinario y anquilosado que tanto en España como en América se estilaba era su más vehemente anhelo. Sobre esto legisló, por así decir, en una larga serie de normas teóricas que luego indicaremos. Pero Martí no se limitó a señalar la ruta con advertencias y definiciones de lo que debía ser el verso, sino que con *Ismaelillo* dio un refinado y novedoso ejemplo, y señaló el norte de lo que años más tarde había de ser la poesía modernista. Tema esencial de su poética era el ajuste perfecto entre la idea noble o la emoción inefable y la expresión original, colorida y melódica, la unidad y perfección de la forma. De ahí la novedad, la originalidad, la frescura, la inusitada riqueza tropológica, el encanto y la aparente sencillez de estos poemas en que se desborda la ternura paternal. Al evocar al hijito ausente Martí lo hace en formas tan insólitas, con tal derroche de metáforas y símbolos innovadores y bellamente poéticos que sus lectores quedaron sorprendidos y admirados. Los quince poemas de *Ismaelillo* echaron los cimientos del modernismo en verso. Con este cuadernillo recamado de artística imaginería se abre la poemática modernista. El título mismo constituye una novedad y un hallazgo poético. El nombre del hijo era José, pero Martí prefiere el más raro y melódico de Ismael. Al convertirlo en diminutivo, lo enriquece añadiéndole ternura y musicalidad. Las breves líneas prologales constituyen toda una declaración de fe y un programa vital y, a la vez, una poética en apretada síntesis. Este conciso preámbulo en forma de vocativo o invocación debió causar extrañeza y estupor en quienes lo leyeron. Martí no puso a la venta esta joyita cincelada porque le parecía que con ello profanaba a la imagen querida que lo inspiró. Hasta en esto fue alto poeta; pero lo remitió a muchísimos bardos y escritores, y fue muy leído. Los poemas de *Ismaelillo* son como copas labradas con primor cellinesco. En ellos se descubre una peregrina fusión de elementos clásicos con arreos estilísticos de filiación impresionista y simbolista. Un refinado hálito, neoplatónico y a la vez modernísimo, los penetra. Por primera vez se conjugan en la poesía hispana esencias clásicas y procedimientos tomados de los poetas franceses coetáneos. En alguno de ellos predomina el influjo de los místicos españoles. ¿Quién no piensa en San Juan de la Cruz al leer "Valle Lozano", por ejemplo?

VALLE LOZANO

Dígame mi labriego
Cómo es que ha andado
En esta noche lóbrega
Este hondo campo?
Dígame de qué flores
Untó el arado
Que la tierra olorosa
Trasciende a nardos?
Dígame de qué ríos
Regó este prado,
Que era un valle muy negro
Y ahora es lozano?

Otros, con dagas grandes
Mi pecho araron:
Pues ¿qué hierro es el tuyo
Que no hace daño?
Y esto dije — y el niño
Riendo me trajo
En sus dos manos blancas
Un beso casto [29].

Todavía carecemos de un estudio técnico que dilucide esta catarata tropológica de que Martí hace gala en *Ismaelillo*. El metaforismo que aquí derrocha es de índole visual, plástica, y por lo general de sesgo impresionista. La fantasía poética en alguno de estos poemas y en otros escritos este año que dejó inéditos linda con lo onírico y lo fantástico, por la rareza, la abundancia, la novedad y el atrevimiento.

Aunque por haber permanecido inéditos hasta 1913 no pudieron influir en el desarrollo modernista, no deben silenciarse en este recuento o balance de su quehacer poético de aquel año los *Versos libres*, escritos en gran parte en 1882. Constituyen un aporte igualmente original y novedoso, pero radicalmente distinto a *Ismaelillo*. En tanto en éste predomina un estado emotivo vibrante, pero contemplativo y sereno, en los *Versos libres* la actitud es dramática y atormentada. Aquél, una inefable epifanía; éstos, la expresión de la angustia y la desolación íntimas en formas "querellosas" y en arrebatos que bordean el pesimismo y la desesperación.

Pero mucho más honda y extensa que la influencia de *Ismaelillo* fue la que su prosa ejerció aquel año y los siguientes. Para comprender la amplitud y la importancia de este fenómeno renovador que la prosa martiana significó en América durante estos años del 81 al 90, hay que tener en cuenta, no sólo su calidad sino el hecho de que irradiaba a toda América desde varios centros: Nueva York, Buenos Aires, México, Caracas —y ocasionalmente desde otras ciudades—, mediante vehículos tan acreditados como *La Nación*, *La Opinión Na-*

---

[29] José Martí, *Versos sencillos y otros poemas*, Madrid, Afrodisio Aguado, S. A., 2.ª ed., 1953, pp. 58-59.

*cional, El Partido Liberal* de México, etc. De éste y de *La Nación* reproducían sus crónicas unos veinte periódicos más. Hacia 1885 Martí era el escritor más leído, reproducido y admirado de toda América. Cuando en 1892 dejó de escribir para la prensa y se consagró a la tarea de libertar a su patria, la revolución modernista estaba ya en marcha, y eran ya legión los admiradores y émulos. El más genial de todos fue Rubén Darío que desde 1886 lo leyó asidua y votivamente. De 1888 data el primer comentario de los muchos que le dedicó durante el resto de su vida. Esta esquemática silueta revela varias cosas: lo bien enterado que estaba Rubén de la vida de Martí, la reverencia que por él sentía y la atención con que venía leyéndolo desde hacía dos años. Este esbozo está pintado con colores tomados a la paleta martiana, y demuestra lo bien que Darío se había asimilado los procedimientos y el metaforismo del modelo. Por lo escasamente conocido se reproduce aquí:

> Otro llegó hace algún tiempo a Guatemala. Era un cubano. Su palabra fácil y vibrante, su hablar precipitado, su decir mucho, no gustaron. Y eso que desempeñaba en un colegio una clasecita de tres al cuarto, en cuanto a remuneración.
>
> Hoy ese hombre es famoso, triunfa, esplende, porque escribe, a nuestro modo de juzgar, más brillantemente que ninguno de España o de América; porque su pluma es rica y soberbia; porque cada frase suya si no es de hierro, es de oro, o huele a rosas, o es llamarada; porque se fue a ese gran país de los yankees y ahí escribió en correcto inglés *The Sun* donde Dana le estima; porque fotografía y esculpe en la lengua, pinta o cuaja la idea, cristaliza el verbo en la letra, y su pensamiento es un relámpago y su palabra un tímpano o una lámina de plata o un estampido. A veces, un titán coge una hacha gigantesca y destronca una selva. Los árboles que caen espantan el silencio solemne. Mas cuando el poeta en prosa os habla del amor, ¡oh lectores! o del arte, o de todo lo del alma que es cándido y sensible, oiréis un arpa eolia o el arrullo de un coro de palomas.
>
> Ese escritor se llama José Martí. Martí alcanzó a escribir en *El Porvenir* de Guatemala algunos artículos, y después partió.
>
> Recordamos que el salvadoreño, Francisco Castañeda —por otra parte persona inteligente y buen escritor— nos decía que Martí en Guatemala "no había gustado, y con razón".

> ¡José Martí! El que hoy con Castelar, con De Amicis, con Ortega Munilla y otras plumas de primer orden, forma en *La Nación* de Buenos Aires el grupo más brillante de corresponsales que jamás haya tenido diario alguno del mundo! [30].

Al mismo año de 1888 pertenecen otras dos alusiones de Rubén a Martí igualmente reveladoras. Ambas prueban que en el año de *Azul...*, a pesar del deslumbramiento galicista, la prosa de Martí tenía ya categoría paradigmática para el eximio poeta. En una carta fechada el 12 de noviembre de 1888 a Pedro Nolasco Préndez, dice Rubén:

> Todos estamos de acuerdo en que los versos que se hacen prosa pierden; como toda prosa que se pone en verso, tomando gallardías y alientos nuevos y propios, gana. ¡Si yo pudiera poner en verso las grandezas luminosas de José Martí! O ¡si José Martí pudiera escribir su prosa en verso! [31].

(Este anhelo se convertirá en realidad artística dos años después cuando Darío sintetizó en uno de sus más bellos sonetos el magnífico ensayo de Martí sobre Walt Whitman tan exaltado por Rubén en varias ocasiones [32].)

Diecisiete días después de escrita la precitada carta a Nolasco Préndez, el 29 de noviembre, publicó Darío un artículo en *La Época* de Santiago sobre este poeta. En él aparece de nuevo mencionada la de Martí como modelo de prosa rítmica:

> La prosa y la poesía, como dice el autor de las doloras, son dos artes diferentes. El verso es música. Y la prosa cuando es rítmica y musical es porque en sus períodos, lleva versos completos que marcan la armonía. Ejemplo, Castelar y José Martí [33].

A partir de este año, la prosa de Martí devendrá arquetípica para Rubén hasta su muerte, y son numerosísimos los pasajes de la propia

---

30 Raúl Silva Castro, *Obras desconocidas de Rubén Darío*, Santiago, Prensas de la Universidad de Chile, 1934, pp. 201-202.

31 Alberto Ghiraldo, *El archivo de Rubén Darío*, Buenos Aires, 1943, páginas 312-314.

32 *Vid. Indagaciones martianas*, pp. 254-256.

33 Raúl Silva Castro, *op. cit.*, p. 263.

en que se proyecta el influjo de la de Martí. El cubano fue el único de tantos maestros como antaño admiró y emuló que permanece y se agranda en su estimación y conserva jerarquía ejemplar hasta el final. Pero volvamos a 1882.

A un año de distancia aproximadamente se publicaron "El centenario de Calderón" y "Emerson". Son dos hitos que se destacan por contraste. La factura estilística es tan diversa entre sí que parecen pertenecer a épocas muy distantes o escritos por diferentes plumas. La prosa martiana es la más proteica que se descubre en la literatura hispanoamericana. Esta aptitud para crear múltiples formas o estilos, todos igualmente cromáticos y melódicos, está en perfecta armonía con la variedad de géneros por él frecuentados: la poesía, el drama —en prosa y verso—, la novela, el cuento, el ensayo, la crítica, la crónica, el diario —cultivado por él no como género sino como prolongación y complemento de la carta íntima o amistosa—, y el periodismo. Todavía habría que añadir otra expresión estilística que él enriqueció y elevó a un rango artístico pocas veces igualado: la epistolar. Su epistolario es muy copioso y de carácter privado, con sólo dos o tres excepciones. Nunca le concedió importancia ninguna, al extremo de que en su "testamento literario" ni siquiera lo menciona. Sin embargo, el epistolario martiano es un venero de poesía y hasta un hontanar ideológico que resiste el parangón con los recopilados en cualquier lengua. Nadie que aspire a comprender al hombre y al escritor podrá prescindir de su lectura porque en sus cartas más que en ninguna otra expresión se nos revela Martí en toda su ínsita y triple superioridad: ética, ideológica y artística.

"El centenario de Calderón" y "Emerson" representan sendos modelos de las dos variantes estilísticas más ostensibles en sus crónicas: la opulenta y barroca que emplea en las crónicas de índole descriptiva de lugares, sucesos y ceremonias, y la otra, concentrada, apotégmica, de cláusulas breves y sentencias cortas que por lo general reserva para los retratos de figuras notables. "Emerson" es un ensayo de factura aforística en el que la prosa alcanza elevada calidad poética. Esta es prosa ceñida, concisa, grávida de pensamientos nobles expresados mediante símbolos y metáforas de suma eficacia poética. El motivo que la inspira era digno del comentador. Emerson fue uno de los pensadores más recios que los Estados Unidos han producido, y como Martí, un prosista y un poeta de excepción. Su vida fue ejemplar y fecunda. Se puso del lado de los humildes, declaró guerra sin cuartel a la injusticia, a la hipocresía y a la ignorancia que en su época imperaban. Martí lo admiraba y lo leyó con veneración. Encontró en él un espíritu fraterno y un ideólogo afín, y le dedicó uno de sus más hermosos salmos. Cuando escribe sobre hombres que admira, temas que le son gratos o que suscitan en él reacciones o sensaciones inefables, ya sean de índole espiritual o estética, la prosa le sale siempre rítmica y colorida. La palabra en tales casos se carga de contenido subjetivo y el estilo se torna lírico y poemático. Es una regla que jamás falla en él, cualquiera que sea el molde en que se vierta —ensayo o carta íntima, discurso o poema. De ahí la superior categoría formal de la semblanza titulada "Emerson". Es glosa y loa a la vez, análisis lúcido y penetrante y hosanna fervoroso. Aquí se funden los elementos objetivos y subjetivos, lo que en Emerson descubre y dilucida y lo que de sí añade. Tan identificado se siente con el pensar y el sentir del poeta de Concord, que es imposible deslindar los valores que elucida de los que de sí aporta. Tema y escoliasta se han fundido en este canto de amor y muerte en el que ésta aparece exaltada a la dignidad de corona y premio de la vida. Léase el párrafo con que se abre este jubiloso responso:

> Tiembla a veces la pluma, como sacerdote capaz de pecado que se cree indigno de cumplir su ministerio. El espíritu agitado vuela a lo alto. Alas quiere que lo encumbren, no pluma que lo taje y moldee como cincel. Escribir es un dolor, es un rebajamiento: es como uncir cóndor a un carro. Y es que cuando un hombre grandioso desaparece de la tierra, deja tras de sí claridad pura y apetito de paz, y odio de ruidos. Templo semeja el Universo. Profanación el comercio de la ciudad, el tumulto de la vida, el bullicio de los hombres. Se siente como perder de pies y nacer de alas. Se vive como a la luz de una estrella, y como sentado en llano de flores blancas. Una lumbre pálida y fresca llena la silenciosa inmensa atmósfera. Todo es cúspide, y nosotros sobre ella. Está la tierra a nuestros pies, como mundo lejano y ya vivido, envuelto en sombras. Y esos carros que ruedan, y esos mercaderes que vocean, y esas altas chimeneas que echan al aire silbos poderosos, y ese cruzar, caracolear, disputar, vivir de hombres, nos parecen en nuestro casto refugio regalado, los ruidos de un ejército bárbaro que invade nuestras cumbres, y pone el pie en sus faldas, y

rasga airado la gran sombra, tras la que surge, como un campo de batalla colosal, donde guerreros de piedra llevan coraza y casco de oro y lanzas rojas, la ciudad tumultuosa, magna y resplandeciente. Emerson ha muerto: y se llenan de dulces lágrimas los ojos. No de dolor sino celos. No llena el pecho de angustia, sino de ternura. La muerte es una victoria, y cuando se ha vivido bien, el féretro es un carro de triunfo. El llanto es de placer, y no de duelo, porque ya cubren hojas de rosas las heridas que en las manos y en los pies hizo la vida al muerto. La muerte de un justo es una fiesta, en que la tierra toda se sienta a ver cómo se abre el cielo. Y brillan de esperanza los rostros de los hombres, y cargan en sus brazos haces de palmas, con que alfombran la tierra, y con las espadas de combate hacen en alto, bóveda para que pase bajo ellas, cubierto de ramas de roble y viejo heno, el cuerpo del guerrero victorioso. Va a reposar, el que lo dio todo de sí, e hizo bien a los otros. Va a trabajar de nuevo, el que hizo mal su trabajo en esta vida. Y los guerreros jóvenes, luego de ver pasar con ojos celosos, al vencedor magno, cuyo cadáver tibio brilla con toda la grandeza del reposo, vuelven a la faena de los vivos, a merecer que para ellos tiendan palmas y hagan bóvedas! [34].

Esta admirable glosa podría considerarse como el auténtico pórtico que abre el ciclo de la mejor prosa modernista si no hubiera escrito aquel año de 1882 varios otros ensayos de parejo rango artístico. Es necesario leer "Emerson" con lúcida atención para discernir toda su belleza, sus valores ideológicos y desentrañar el noble sentido de su copiosa simbología. Aquí forma y pensamiento aparecen tan ajustados, tan musicalmente fundidos, tan perfectamente ensamblada la idea en el atuendo verbal que la concreta y expresa, que el estilo no es más que "la forma del contenido", para decirlo de una vez más con la feliz expresión de Johanes R. Becher.

El 10 de diciembre de 1882 se publicó en *La Nación* el perfil titulado "Oscar Wilde", al que había aludido y comentado brevemente en varias ocasiones en la "Sección constante" el año anterior. Es el poeta europeo que con mayor frecuencia aparece mencionado allí. Es revelador en alto grado el hecho de que el poeta inglés —antípoda de Martí en varios aspectos— le interesara tanto. A Martí le desagrada el amaneramiento y la extravagancia en la indumentaria de Oscar

[34] Lex, vol. I, pp. 1051-1052.

Wilde lo mismo que la excentricidad de su conducta, pero el gran artista que en Martí alienta no puede menos de admirar el genio literario del poeta británico. En este esbozo de 1882 se muestra Martí familiarizado con el ideal poético de los esteticistas. O mucho me equivoco o es el primero que en el mundo hispano entra en contacto con esta escuela y la revela a los lectores de nuestra lengua. A semejanza del consabido editorial de la *Revista Venezolana,* de "Emerson", "El poema del Niágara" y varios otros ensayos de 1882, éste sobre Wilde tiene importancia teórica, como ya se indicó antes. El párrafo con que se inicia es iconoclasta e innovador a la vez. En él denuncia y peyorativamente proscribe la rutina, el plebeyismo y la ausencia de valores ideológicos y estilísticos que en España y América daban la tónica por aquellos años. Todo cuanto Martí escribe en 1882 acusa volición renovadora y anhelo de superación en el arte de la prosa y el verso. Los postulados teóricos sobre el tema escritos por aquellos días son testimonios irrecusables de su empeño reformador tanto como de su genio literario.

> Vivimos, los que hablamos lengua castellana, llenos todos de Horacio y de Virgilio, y parece que las fronteras de nuestro espíritu son las de nuestro lenguaje. ¿Por qué nos han de ser fruta casi vedada las literaturas extranjeras, tan sobradas hoy de ese ambiente natural, fuerza sincera y espíritu actual que falta en la moderna literatura española? Ni la huella que en Núñez de Arce ha dejado Byron, ni la que los poetas alemanes imprimieron en Campoamor y Bécquer, ni una que otra traducción pálida de alguna obra alemana o inglesa bastan a darnos idea de la literatura de los eslavos, germanos y sajones, cuyos poemas tienen a la vez del cisne níveo, de los castillos derruidos, de las robustas mozas que se asoman a su balcón lleno de flores, y de la luz plácida y mística de las auroras boreales. Conocer diversas literaturas es el medio mejor de libertarse de la tiranía de algunas de ellas;... [35].

Por vía de corroboración de cuanto se ha dicho hasta ahora deseo añadir algunos testimonios más.

Los críticos rutinarios que iteran viejos conceptos sin indagar su autenticidad han venido repitiendo la sandez de que Darío es el intro-

[35] *Ibid.,* vol. I, p. 935.

ductor del cisne en la nueva estética literaria. Aparte la antiquísima prosapia de este símbolo ornitológico, fueron Martí y Nájera los que lo resucitaron con contenido simbólico típicamente modernista. Cierto que en Rubén tiene mayor trascendencia estética, y una evolución simbólica paralela a la que sufre el espíritu del poeta, pero la paternidad de su resurrección no le pertenece. Martí venía empleando este tropo desde 1876. En uno de los poemas escritos en 1882 que dejó inéditos aparece esta estrofa que hubiera podido figurar en *Prosas profanas:*

> Allí donde los astros son robustos
> Pinos de luz, allí en fragantes
> Lagos de leche van cisnes azules,
> Donde el alma entra a flor, donde palpitan,
> Susurran, y echan a volar las rosas,
> Allí donde hay amor, allí en las aspas
> Mismas de las estrellas me embistieron [36].

Con pareja indolencia se atribuye a Rubén Darío la primogenitura del azul modernista o simbólico. Otra vez son Martí y Nájera los introductores y propagadores de este símbolo cromático. En Martí es frecuentísimo su empleo desde 1875 y el valor semántico que le atribuye es el mismo con que aparecerá en Rubén a partir de 1888: belleza, idealidad, ensueño, poesía, elevación, anhelo, pureza, etc., además de usarlo ocasionalmente como puro valor plástico. Entre 1875 y 1888 encontramos en Martí expresiones de refinado contenido simbólico, todas, tales como "dama azul", "caballeros azules", "poesía blanca y azul", "religión azul", "países azules", "año azul", "flor azul", "versos azules", "mariposa azul", "sueños azules", "día azul", "hogar azul", "cartas azules", "celajes azules", "nubes azules", el sinónimo o variante "celeste" en "mujer celeste", "espíritu celeste", "alma azul", "tristeza azul", "pensamientos azules", "viejos azules", "aire azul", etcétera. En 1894 escribirá "música azul". Pero Martí emplea estos giros espaciadamente, sin repetirse ni amanerarse ni convertirlos en clisés, como les ocurrió a los parodistas de Rubén, y ocasionalmente al propio abanderado [37].

---

36 Trópico, vol. 41, pp. 182-183.

37 Para una más amplia dilucidación del tema, *vid.* "Génesis del azul modernista" del profesor Schulman.

Ni siquiera falta en Martí la exaltación del poeta y de la belleza, temas tan dilectos de Rubén más tarde. Hay una diferencia, sin embargo. El poeta que Martí alaba y encumbra no es el bardo refugiado en la torre de marfil que Darío cantaba sino el aeda que ama a sus hermanos, sufre con su dolor y en su defensa escribe, sin jamás vulnerar los fueros de la belleza ni envilecer la poesía con jeremíadas ni apócrifos lamentos chirles. Se cuentan por centenares las alusiones y comentarios alusivos a este tema que en su obra se descubren. Daré sólo un ejemplo:

> Pues ¿qué es el poeta, sino alimento vivo de la llama con que alumbra? ¡Echa su cuerpo a la hoguera, y el mundo llega al cielo, y la claridad del incendio maravilloso se esparce como un suave color, por toda la tierra!
>
> ... ... ... ... ... ... ... ... ... ... ... ... ... ... ... ... ... ... ... ...
>
> El poeta es aposento de un ser divino, luminoso, y alado, que rompe el pecho del poeta, cada vez que abre en su cárcel las alas. El poeta es devorado por el fuego que irradia. No hay verso que no sea una mordida de la llama. El resplandor más vivo viene del dolor más bárbaro [38].

Tampoco están ausentes en Martí las oportunas alusiones mitológicas, tan dilectas a los modernistas en general; pero en Martí son discretas y pertinentes, sin dar nunca en la afectación en que cayeron otros más tarde. Una muestra entre centenares:

> El lacayo de casaca verde y calzón a la rodilla en el cancel, anunciando que los coches esperaban, para ir a Lohengrín. Por el pórtico, que es un ascua, pasan Ledas y cisnes, herederas y lores, presidentes y matronas [39].

Por último, a través de Martí entra en nuestra lengua el arsenal de "materiales nobles" —mármoles, piedras preciosas, oro, plata, marfil, etc.—, tan dilectos de los parnasianos. Como dice Enrique Anderson Imbert en su agudo ensayo sobre *Amistad funesta:*

---

[38] Trópico, vol. 47, pp. 29-30.

[39] *Ibid.*, vol. 37, p. 17.

> En el uso de cuadros, esculturas, piedras preciosas, objetos de lujo —cada vez más frecuente en la literatura desde Gautier a Goncourt—, Martí acertó antes que nadie, dentro de la literatura "modernista" de lengua española [40].

Aunque fue escrita y publicada tres años más tarde, en 1885, deseo llamar la atención antes de clausurar estas notas sobre la única novela —en realidad, novela corta— que Martí escribió: *Amistad funesta.* Inadvertida y proscrita en la mayoría de las *soit disant* historias de la novela hispanoamericana ha quedado esta obra con que se inicia la novela modernista. Tengo a la vista las dos últimas "historias" de la narrativa americana, publicadas ambas seis años después de haber dado a luz Enrique Anderson Imbert su formidable ensayo sobre *Amistad funesta.* Ninguno de los dos "historiadores" parecen haber leído la novela ni el comentario de Anderson Imbert, pues no lo nombran ni siquiera a Martí. Así andan de enterados nuestros historiadores y críticos. Mas a despecho del silencio y de la ignorancia que en torno a ella priva, *Amistad funesta* marca el inicio de la llamada novela modernista y aun diría yo que es la más modernista de cuantas así se denominan. En ninguna otra se combinan —y prodigan— los valores impresionistas, parnasianos y simbolistas con tanta maestría y en tal abundancia. Este cuento largo lo escribió Martí de puro compromiso durante una semana, y como en juego, sin concederle importancia ninguna. En tan poco la tenía que ni siquiera la prohijó con su nombre. Estaba destinada, no obstante, a dar origen a una nueva variante narrativa. Siguiendo la pauta o patrón de *Amistad funesta,* las novelas modernistas se caracterizan todas por la atención al estilo, la preocupación por las formas bellas, el refinamiento y la elegancia de los diálogos y del léxico, el empleo del color, los objetos y temas artísticos y los valores poéticos en general. Todo esto se derrocha profusamente en la primogénita y les marca la ruta a todas las que en pos de ella se escribieron en dicho patrón.

Los testimonios martianos que abonan la tesis legítima en favor de la fecha de 1882 como la auténtica inauguración del modernismo y a Martí como su prístino innovador, podrían multiplicarse. Lo mis-

---

[40] "La prosa poética de José Martí. A propósito de *Amistad funesta*", *Antología crítica de José Martí,* p. 112.

mo el número de los comentaristas peritos que así lo han proclamado. Sin embargo, el fraude "ochentayochista" sigue siendo artículo de fe para muchos críticos todavía. Tal es el crédito que esta impostura ha adquirido mediante la inerte repetición a través de los años, que aun críticos tan competentes y enterados como Rafael Alberto Arrieta la acata en su libro *Introducción al modernismo literario* [41]. En él le confiere a Martí varias veces el rango de "precursor" que Darío le adjudicó. Y cuenta que el libro se publicó tres o cuatro años después de aparecidos los estudios arriba mencionados que rectifican el error tradicional.

Para cerrar estas notas deseo transcribir las conclusiones finales de uno de los escasos estudios técnicos de gran monto que se han escrito sobre un poeta hispanoamericano y, por supuesto, el de mayor envergadura que hay sobre Martí. Refiérome al citado libro del profesor Schulman que dio a luz la Editorial Gredos el año pasado: *Símbolo y color en la obra de José Martí*. El profesor Schulman es, acaso, el crítico que con mayor lucidez y seriedad ha estudiado la obra de Martí —sin olvidar a otros modernistas— y nos ha dado en este libro un análisis agotador y difícilmente superable. Al resumir la posición de Martí dentro del marco modernista, dice:

> El papel de Martí como innovador e iniciador en el movimiento modernista queda acentuado aún más por su empleo de símbolos cromáticos altamente individualistas. La influencia del parnaso y del simbolismo en su cromatología —en enunciados teóricos y construcciones estilísticas— es ya patente en 1875. Catacresis, hipálage, sinestesia y bisemia constituyen los recursos principales de que Martí echa mano para crear símbolos de color. Su simbología cromática no sigue el sistema rígido de una generación, tal como el utilizado en el Siglo de Oro español, sino que responde a motivaciones psíquicas y a cuerdas sensibles del artista individual. En Martí, el tradicionalismo es un factor de menos importancia en la creación de símbolos de color, que en la elección de metáforas no cromáticas. El contacto con Baudelaire, Rimbaud y Ghil es evidente en muchas de sus atrevidas sinestesias cromáticas. Al mismo tiempo, Martí es el primer modernista en emplear colores tan típicos de la escuela como son el azul, el oro y el violeta, y con frecuencia en formulaciones impresionistas o expresio-

---

41 Buenos Aires, Editorial Columba, 1956.

nistas. Los símbolos cromáticos, al igual que los no cromáticos, son a la vez de filiación idealista y materialista. Pero, una vez más, existe cierta preferencia por los primeros.

Como Martí utilizó tan tempranamente formas estilísticas remozadas (1875-1882) —lenguaje simbólico, símbolos cromáticos, formulaciones parnasianas, impresionistas, expresionistas y simbolistas, una prosa rítmica y un verso sencillo y natural en lo externo—, es necesario considerarle como iniciador del modernismo, y no, según opinión de la crítica tradicional, como un precursor. La afirmación, un tanto egocéntrica, de Darío, en 1896: ("...publiqué el pequeño libro [*Azul*...] que iniciaría el actual movimiento literario americano..."), y otras posteriores a esta fecha, condicionaron el clima de la crítica, que acabó por calificar no sólo a Martí, sino a Nájera, a Casal y a Silva, de precursores. Recientemente, los críticos han corregido este error histórico, revalorando la obra de estos iniciadores, sin dejar por ello de apreciar la gran personalidad artística de Darío.

Entre los iniciadores citados del modernismo, Martí y Nájera se destacan como renovadores de las formas literarias anticuadas del mundo hispánico en el siglo XIX. Nájera cultivó un arte literario que ha sido denominado la veta francesa o parisina del modernismo, variante que alcanzó su encarnación más perfecta en *Azul*..., de Darío. Por otro lado, Martí desarrolla una expresión literaria enraizada en la tradición hispánica, a la que incorporó las mejores tendencias literarias contemporáneas. El resultado fue el arte cromático, musical, armonioso y extremadamente personal que caracteriza su obra.

Ambas variantes de estilo sirvieron de instrumento en la realización de la revolución literaria del siglo XIX denominada modernismo. Pero fue el venero estilístico representado por Martí el que triunfó al final y llegó a ser el modelo aceptado de las letras hispánicas. Es interesante subrayar que Darío representa ambas tendencias, por una parte, en la faceta gala de *Azul*... y *Prosas profanas,* y por otra, más tarde, en el espíritu hispánico de *España contemporánea* y *Cantos de vida y esperanza.* Darío debe mucho a Martí, pero también se lo deben España e Hispanoamérica en general, según Juan Ramón Jiménez... [42].

*Postscriptum:* Ya escrito este estudio me llega la primera entrega de *Fuentes,* Órgano del Instituto Nacional de Investigaciones y Archivos Literarios (1961), que en Montevideo dirige el poeta y eminen-

---

[42] Páginas 522-523.

te crítico Roberto Ibáñez. Es esta una publicación periódica de más de 400 páginas consagrada de preferencia a reproducir —comentados— documentos inéditos de figuras intelectuales. En este primer número se recoge un nutrido epistolario que refrendan Rodó, Darío, *Clarín,* Unamuno, Lugones, Herrera y Reissig, Juan Ramón, Horacio Quiroga, Delmira Agustini y otros muchos. En una carta de Leopoldo Alas dirigida a Rodó el 11 de agosto de 1897 encuentro algunas alusiones peyorativas y zumbonas a la epidemia afrancesada que por América se había extendido como verdolaga en huerto, tan reiteradamente condenada por Martí desde hacía dos lustros. Refiriéndose a la *Revista Nacional* que por entonces publicaban en Montevideo Rodó y Víctor Petit, le aconseja *Clarín:* "Sigan ustedes así. Menos sinsontes disfrazados de gorriones parisienses...". Y un poco más abajo: "Cuánto quisiera yo tener a quién escribir cartas así en mi querida Cuba. Pero no conozco allí más que *azules*" —dice burlonamente refiriéndose a los rubenianos.

A su vez Rodó, al contestarle, le remite el opúsculo contentivo de *La novela nueva* y *El que vendrá.* Rodó fue el máximo prosista que el modernismo produjo después de Martí, pero militaba en la corriente por éste capitaneada. Comentando la intención de *La vida nueva* —título del opúsculo mentado— explica Rodó:

> Si no desconfiase de mis fuerzas para tal empresa, diría que el plan de esa colección se basa en el anhelo de *encauzar* el modernismo americano dentro de tendencias ajenas a las perversas del decadentismo *Azul...* (pp. 96, 97 y 69, respectivamente).

Nótese que Rodó emplea el título del libro que dio origen al sarampión como adjetivo para calificar el nombre, ya peyorativo en sí mismo, de aquella variante modernista.

Luis Monguió

# DE LA PROBLEMÁTICA DEL MODERNISMO: LA CRÍTICA Y EL "COSMOPOLITISMO"

Desde la primera crítica importante de la obra epónima inicial del modernismo —la de *Azul,* suscrita por don Juan Valera en 1888— hasta las más recientes apreciaciones de Darío —la de Enrique Anderson Imbert en la tercera edición de su *Historia de la literatura hispanoamericana,* 1961, por ejemplo—, el "cosmopolitismo" ha venido siendo señalado como una de las características modernistas. Decía Valera: "Si el libro, impreso en Valparaíso, en este año de 1888, no estuviese en muy buen castellano, lo mismo pudiera ser de un autor francés, que de un italiano, que de un turco o un griego. El libro está impregnado de espíritu cosmopolita. Hasta el nombre y apellido del autor, verdaderos o contrahechos y fingidos, hacen que el cosmopolitismo resalte más. Rubén es judaico, y persa es Darío: de suerte que, por los nombres, no parece sino que usted quiere ser o es de todos los pueblos, castas y tribus" [1]. Y dice Anderson Imbert: "En Rubén Darío el sentimiento aristocrático, desdeñoso para la realidad de su tiempo, se objetiva en una poesía exótica, cosmopolita, reminiscente de arte

---

[1] Juan Valera, *Cartas americanas, Primera serie* (Madrid, 1889), pp. 215-216. (Las subsiguientes citas de esta obra en el texto llevan allí, entre paréntesis, indicación de la p. o pp. de que proceden.) Como es sabido, las dos cartas sobre *Azul* que Valera dirigió a Darío, reproducidas en el indicado libro, aparecieron primero en "Los Lunes" del diario madrileño *El Imparcial,* el 22 y el 29 de octubre de 1888, respectivamente.

y nostálgica de épocas históricas" [2]. En los años que median entre 1888 y 1961 muchos otros críticos han calificado de cosmopolita la obra de Darío y la de los modernistas en general [3]. La frecuentación de esas obras de crítica nos revela, sin embargo, que tal calificación adquiere un contenido y un valor muy diferentes en los distintos críticos. Vientos de encontradas doctrinas se arremolinan sobre ese punto. Por ello mismo, un breve recorrido por algunas de las opiniones representativas en tal materia pudiera ilustrarnos acerca de las fluctuaciones en la valoración del modernismo y acerca de los distintos puntos de enfoque críticos; pudiera ser una pequeña nota para la historia de la crítica.

Por si se arguyera que ésta ha inventado la abstracción del cosmopolitismo dariano y modernista, recuérdese que el propio Darío utilizó ese término al referirse a "la revolución moderna o modernista" en las letras hispánicas. Dijo, por ejemplo, en una ocasión: "tuvimos que ser políglotas y cosmopolitas y nos comenzó a venir un rayo de luz de todos los pueblos del mundo"; y en otras habló de sus "vistas cosmopolitas" o del "soplo cosmopolita" que animó al modernismo [4].

---

[2] Enrique Anderson Imbert, *Historia de la literatura hispanoamericana*, 3.ª ed. (México, 1961), I, 368.

[3] La certificación por la crítica del espíritu cosmopolita que anima la obra de Darío y de los modernistas en general puede documentarse con innúmeras citas: "Un hálito de la Cosmópolis moderna le trae efluvios de la vida mundial", o, suya es una plenitud de "erudición cosmopolita y de experiencia humana" (Pedro Henríquez Ureña, "Rubén Darío", en *Ensayos críticos* [La Habana, 1905], cit. por su *Obra crítica* [México, 1960], pp. 105 y 96). "El espíritu cosmopolita que caracteriza nuestra renovación literaria" (Arturo Marasso Rocca, *Estudios literarios* [Buenos Aires, 1920], p. 96). "En América había prevalecido, dentro del movimiento modernista, la influencia francesa, y, en general, se había manifestado un interés literario de carácter cosmopolita" (Max Henríquez Ureña, *El retorno de los galeones* [Madrid, 1930], página 76). El modernismo resulta de "a new cosmopolitan concept of culture and life in the community of Spanish American nations" y está lleno de "aristocratic cosmopolitan leanings" (John A. Crow y John E. Englekirk, respectivamente, en E. Herman Hespelt *et al.*, *An Outline History of Spanish American Literature* [New York, 1941], pp. 79 y 119). "In its sources the movement was cosmopolitan and *afrancesado*" (Arturo Torres-Rioseco, *The Epic of Latin American Literature* [New York, 1942], p. 90). Etcétera.

[4] Cit. por Allen W. Phillips, "Rubén Darío y sus juicios sobre el modernismo", *Revista Iberoamericana*, XXIV (1959), 53, 58.

A confesión de parte, relevación de prueba; pero volvamos a los críticos.

Aunque lectores apresurados así lo hayan afirmado, el cosmopolitismo de Darío no fue considerado vitando por don Juan Valera. Éste era un hombre demasiado enterado para no reconocer, como él mismo puntualizó el propio año 1888, que en el siglo XIX "ha habido y hay renacimiento universal cosmopolita" (p. 3). Y aunque lo hispánico le importaba mucho, como un buen individualista y como un escritor entusiasmado con el arte de Darío, no pudo menos de decirle en tono de elogio, "si no tiene usted carácter nacional, posee carácter individual" (p. 218); pero como pensaba también que el espíritu cosmopolita había penetrado en el nicaragüense, "no diré exclusivamente —escribe—, pero sí principalmente a través de libros franceses" (página 251), acabó recomendándole una ampliación de su ámbito cultural: "yo aplaudiría muchísimo más, si con esa ilustración francesa que en usted hay se combinase la inglesa, la alemana, la italiana, y ¿por qué no la española también?" (p. 236). Si esto no es incitar al Darío veinteañero de 1888 hacia el cosmopolitismo cultural, hacia ese decimonónico renacimiento cosmopolita antes mencionado, no sé lo que será [5].

---

[5] En una carta a Marcelino Menéndez y Pelayo, fechada en Madrid el 18 de septiembre de 1892, reiteraba Valera que "el extracto, la refinada tintura... de todo lo novísimo de extranjis" que había en Darío producía "mucho de insólito, de nuevo, de inaudito, de raro, que agrada y no choca porque está hecho con acierto y buen gusto" y que lo "asimilado e incorporado de todo lo reciente de Francia y de otras naciones, está mejor entendido que aquí [en España] se entiende, más hondamente sentido, más diestramente reflejado y mejor y más radicalmente fundido con el ser propio y castizo de este singular semi-español, semi-indio" (*Epistolario de Valera y Menéndez Pelayo, 1877-1905*, eds. Miguel Artigas Ferrando y Pedro Sáinz Rodríguez [Madrid, 1946], pp. 446-447). No se me oculta, sin embargo, que posteriormente Valera, en su reseña de *Prosas profanas*, pedía a Darío que prescindiera un poco de las modas de París y que poetizara asuntos "más propios de su tierra y de su casta" y "objetos más ideales"; pero también es cierto que el motivo de esta crítica se encuentra en lo que Valera consideraba la "monotonía" de la temática del "amor sexual y puramente material" que le parecía prevalecer en el libro, aunque sin por ello desconocer "la novedad y belleza" de sus versos ni a Darío como el poeta "más original y característico que ha habido

En análoga línea de pensamiento cosmopolizante de fines del siglo pasado hallamos a Baldomero Sanín Cano, quien en un ensayo ya antiguo, titulado "De lo exótico", luego recogido en varios de sus libros colectáneos, decía: "Las gentes nuevas del Nuevo Mundo tienen derecho a toda la vida del pensamiento. No hay falta de patriotismo ni apostasía de raza en tratar de comprender lo ruso, verbigracia, y de asimilarse uno lo escandinavo. Lo que resulta, no precisamente reprensible, sino lastimoso con plenitud, es llegar a Francia y no pasar de ahí. El colmo de estas desdichas es que talentos como el de Rubén Darío, y capacidades artísticas como la suya, se contenten, de lo francés, con el verbalismo inaudito de Víctor Hugo o con el formalismo precioso, con las verduras inocentes de Catulle Mendès. Francia sola da para más", y "Ensanchémoslos [nuestros gustos] en el tiempo y en el espacio; no nos limitemos a una raza, aunque sea la nuestra, ni a una época histórica, ni a una tradición literaria" [6].

Tanto Valera (1824-1905) como Sanín Cano (1861-1957) representan en este punto una actitud crítica para la cual, en uno y otro lado del Atlántico, la cultura era la cultura europea. Su ecuación mental es: Cosmopolitismo = Cultura occidental. Al decir del colombiano, esta cultura en "su difusión en todo el orbe conocido establece diferencias de grado pero no esenciales" [7]. Valera quisiera ver el cosmopolitismo de Darío más ampliamente europeo, menos principalmente atado a la interpretación francesa. Sanín Cano, cuyo sentir en este punto, según se ha visto, coincide bastante con el de Valera, es, sin embargo, más auténticamente cosmopolita aún que él, está menos atado a raíces de raza y de tradición. Sanín estaba más próximo que Valera al cosmopolitismo que, por definición, carece de prejuicios y lazos locales o nacionales. Hijos ambos y sus ideas de una era en que la unidad de la cultura occidental parecía rehacerse por vez primera —aunque sobre otras bases— desde su rompimiento en los siglos de la Reforma y la Contra-Reforma, constatan el uno y el otro el saber

---

en América hasta el día presente" (Juan Valera, *Ecos argentinos* [Madrid, 1901], p. 186. Esta reseña apareció primero en *El Correo Español* de Buenos Aires, de 20 de junio de 1897).

[6] Baldomero Sanín Cano, *Tipos, Obras, Ideas* (Buenos Aires, 1949), páginas 168 y 169.

[7] *Ibid.*, p. 170.

cosmopolita de Darío y quisieran hallar en su obra más bien más que menos cosmopolitismo. Su actitud hacia éste es intrínsecamente positiva, con algunas diferencias de grado —digámoslo parafraseando al propio Sanín—, que no de esencia.

En una actitud respecto al cosmopolitismo de Darío que roza con la que acabamos de reseñar puede verse a José Enrique Rodó (1872-1917). Muchas veces se ha repetido lo que él, en un ensayo famoso sobre *Prosas profanas,* afirmó: "Indudablemente, Rubén Darío no es el poeta de América" [8]; pero se olvida que en el propio ensayo Rodó indicaba igualmente su creencia de que fuera de las fuentes de inspiración constituidas por la Naturaleza y por la vida de los campos, "los poetas que quieran expresar, en forma universalmente inteligible para las almas superiores, modos de pensar y de sentir cultos y *humanos,* deben renunciar a un verdadero sello de americanismo original" (página 258), es decir, que deben ser cultural y expresivamente cosmopolitas. Rodó, hastiado indudablemente del americanismo literario de los románticos, los costumbristas, los gauchescos, de un americanismo limitado a aspectos geográficos y "pintorescos", prefiere ver subsumirse lo americano en lo *culto* y lo *humano* —son sus palabras. Por ello no le asombra la ausencia en Darío de "todo sentimiento de solidaridad social y todo interés por lo que pasa en torno suyo" (página 261), observando que si en lo extensivo esto limita al poeta, le impide ser popular, le hace en cambio poeta de selección (p. 266), lo que en sus términos de referencia es señal de superioridad. Así observa su "cosmopolitismo ideal" (p. 274). Rodó deplorará la obra "frívola y vana" de los imitadores de Darío, pero no dejará de señalar que la de éste es, en cambio, intensa y seria, "es en el arte una de las formas personales de nuestro anárquico idealismo contemporáneo" (página 309). El anárquico idealismo, el cosmopolitismo ideal de Darío, de sus contemporáneos de fin de siglo, el suyo propio —"Yo soy un modernista también" (p. 308)— le parecían por entonces a Rodó maneras de superar el americanismo rústico y costumbrista de románticos y gauchescos, la vulgaridad del realismo y del naturalismo lite-

---

[8] José Enrique Rodó, *Cinco ensayos* (Madrid, s. f.), p. 257. Las subsiguientes citas de esta obra en el texto llevan allí, entre paréntesis, indicación de la p. o pp. de que proceden.

rarios y la sequedad del positivismo filosófico. Rodó veía en el Darío de *Prosas profanas* un artista plenamente civilizado, sin ninguna parte primitiva (p. 301), es decir, un hermano en la labor de hacer de América otra Europa, de la cultura americana una cultura parigual de la europea, en los términos en que otro modernista, Amado Nervo, sucintamente lo expuso: "Nosotros no queremos estar pintorescos: queremos ser los continuadores de la cultura europea (y si es posible los intensificadores)" [9].

Si contrastamos las anteriores opiniones española e hispanoamericanas con la del norteamericano Alfred L. Coester (1874-1958) encontraremos que también para él, en 1916, el cosmopolitismo de los modernistas hallaba su explicación en que: "In rebellion against the narrowing influence of regionalism, they hoped to find a common basis for their literary art in the theory that their civilization was European" [10]. Vale decir que, como Valera o Rodó, Coester interpretaba el cosmopolitismo modernista como europeísmo, y todo como una rebelión contra el regionalismo tan evidente en las doctrinas de nacionalismo literario del pasado entonces reciente. Si se arguyera contra tal europeísmo que Darío y los demás modernistas eran muy aficionados no sólo a lo europeo sino a mucho de lo que habitualmente entendemos por "exotismo", o sea, lo no perteneciente a nuestra más inmediata civilización, la occidental (aunque ello sea contrario al sentido etimológico de todo lo de afuera, externo, extranjero, que derechamente es el de la palabra "exótico"), pudiera contestarse con Pedro Henríquez Ureña (1884-1946) que eso era también en los modernistas de origen europeo, hijo (por si se hubiera olvidado el exotismo romántico) del exotismo parnasiano que apuntaba "a todos los países y a todos los tiempos como campos en que cosechar" [11].

Pronto, sin embargo, comienza a notarse en algunos críticos hispanoamericanos cierta desazón frente al cosmopolitismo modernista. Rufino Blanco-Fombona (1874-1944), por ejemplo, exclamaba: "Carecemos de raza espiritual. No somos hombres de tal o cual país; somos

---

[9] Amado Nervo, *Obras completas*, II (Madrid, 1952), 399.

[10] Alfred Coester, *The Literary History of Spanish America* (New York, 1916), p. 451.

[11] Pedro Henríquez Ureña, *Las corrientes literarias en la América hispánica* (México, 1949), p. 175.

hombres de libros; espíritus sin geografía, poetas sin patria, autores sin estirpe, inteligencias sin órbita, mentes descastadas. A nuestro cerebro no llega, regándolo, la sangre de nuestro corazón, o nuestro corazón no tiene sangre, sino tinta, la tinta de los libros que conocemos" [12]. Nótese el cambio de tono que se percibe en el texto de Blanco-Fombona al compararlo con el de sus antecesores en la crítica del modernismo. En Valera, en Sanín Cano, en Rodó hay un reconocimiento del cosmopolitismo como deseable elemento de cultura superior. El tono de Blanco-Fombona, en cambio, indica su irritación con él y presagia su abanderamiento en el "criollismo" literario. Su explicación del cosmopolitismo modernista se basa en presuposiciones de carácter socio-cultural: Ese cosmopolitismo es un reflejo del "momento de incertidumbre mental y racial de América" y los escritores modernistas son unos desarraigados —recuérdese el tan aducido "Yo detesto la vida y el tiempo en que me tocó nacer", del Darío de *Prosas profanas* —por ser precisamente "de su época y de su tierra" [13]. Esos escritores buscaban su mundo en los libros, no en la realidad en torno, porque ésta era una realidad en parte primitiva y en parte positivista, materialista, negociante, que repugnaba a su idealismo. El mundo europeo y cosmopolita a que se evadían y que adoraban (y que no era ciertamente el mundo de los comerciantes de Bergen o de los industriales de Lyon o de Milán) era el mundo de los libros europeos que leían; los libros de sus hermanos en idealismo, desde Ibsen a Verlaine y D'Annunzio. Cosmopolitismo era, pues, para Blanco-Fombona, desarraigamiento, descastamiento, cultura libresca, una estación de tránsito en un momento de incertidumbre americana; y por eso pidió, en un texto fechado en 1911, una reacción contra él, una afirmación de criollismo, al objeto de que siendo menos de Europa fueran los americanos más universales [14].

Simplificando bastante, en obsequio de la brevedad, puede decirse que las dos líneas socio-culturales de interpretación del cosmopolitismo modernista que en Blanco-Fombona se perciben, han sido ampliamente desarrolladas por la crítica. Juan Marinello (n. 1899), por ejem-

---

12 Rufino Blanco-Fombona, *El modernismo y los poetas modernistas* (Madrid, 1929), p. 29.

13 *Ibid.*, p. 25.

14 *Ibid.*, pp. 40-41.

plo, en 1937, veía en el modernismo el resultado del instante en que América quería igualarse a Europa y superarla (recuérdese la frase de Amado Nervo antes citada). ¿Cómo hacerlo? Por la imitación y la posesión de las excelencias culturales de las metrópolis europeas. Consecuencia de ello fue que el modernista, "por americano y por hombre de su tiempo" (obsérvese la coincidencia con Blanco-Fombona) fuera un desarraigado, un intelectual cosmopolita [15]. En 1959 Marinello ha vuelto a puntualizar su pensamiento sobre el cosmopolitismo modernista con ocasión de la excelente *Breve historia del modernismo* de don Max Henríquez Ureña. Distingue éste (n. 1885) en su libro dos etapas modernistas, una de "temas desentrañados de civilizaciones exóticas o de épocas pretéritas", es decir, una etapa esencialmente cosmopolita, y otra, posterior, en que los modernistas tendieron, sin abdicar a trabajar el lenguaje con arte, a "captar la vida y el ambiente de los pueblos de América, traducir sus inquietudes, sus ideales y sus esperanzas" [16], es decir, la etapa de *Cantos de vida y esperanza,* de *Alma América,* del *Canto a la Argentina,* de *Odas seculares,* etc. Pues bien, Marinello difiere de esta opinión, asentando la de que la "condición extranjeriza y absentista está en la entraña del modernismo, y tiene que ver con su razón de existencia", que es la de no dejar oir, con sus músicas enervantes, la angustia del hombre americano [17]. Para él la llamada segunda etapa del modernismo no es sino la reacción contra el modernismo, que si se manifiesta en los mismos modernistas es porque ya han dejado de serlo. Insiste mucho Marinello en su reciente libro en poner frente a frente el activismo político de Martí y las reverencias ante monarcas, dictadores y potentados, de Darío. La "condición extranjeriza" que él considera esencial del modernismo poco debió tener que ver con ello porque podría argüírsele con palabras de Enrique Anderson Imbert (n. 1910) que Martí "parece ya próximo a Darío por su mención a una cultura aristocrática,

---

15 Juan Marinello, "El modernismo, estado de cultura", en *Literatura hispanoamericana, Hombres, Meditaciones* (México, 1937), pp. 119-123; ver especialmente la p. 120.

16 Max Henríquez Ureña, *Breve historia del modernismo* (México, 1954), páginas 31 y 32.

17 Juan Marinello, *Sobre el modernismo; Polémica y definición* (México, 1959), p. 21.

cosmopolita, esteticista"[18], y, con palabras de Bernardo Gicovate (n. 1922), que lo que Martí y Darío tienen de común, precisamente, es ser "sobre todo estudiosos abiertos a las diversidades de las culturas extranjeras sin estigmatizarlas como extranjeras", es decir, que lo que tienen de común es su cosmopolitismo intelectual, aunque en ese cosmopolitismo sea "Martí más dado al estudio del pensamiento trascendentalista norteamericano, Darío más inclinado al estudio de las innovaciones rítmicas y sensuales europeas"[19]. Vemos, pues, que si en Blanco-Fombona el cosmopolitismo modernista era mirado con inquietud como un descastamiento, un inevitable desarraigamiento, causado por la "incertidumbre mental y racial" de América en aquella época, ese cosmopolitismo es visto por Marinello no sólo como un desarraigamiento, propio de su tiempo, sino como un fenómeno, americano sí, pero no al servicio de los pueblos de América[20]. Este crítico se basa, claro está, en conceptos filosóficos de los que se deriva un concepto de la literatura y una manera de juzgarla con criterio principalmente social y político.

El ser "hombres de libros" referido a los modernistas es algo que viene siendo generalmente aceptado, aunque con distinto significado en la pluma de los varios críticos. Don Arturo Marasso Rocca (n. 1890) decía hace ya cuarenta años que los poetas de América han explorado la superficie de ajenas literaturas, han querido estar al corriente en la moda literaria y, si bien con ello han dado pruebas de espíritu amplio y noblemente curioso, a veces lo han hecho por mero diletantismo, como remedo insípido[21]. Y en 1955 repetía, pero con otro sentido, Bernardo Gicovate: "La sirena de la lectura rápida e indigesta nos ha cautivado desde hace mucho tiempo. Empero, la tal enfermedad... es el signo también de una fuerza y una personalidad definida... es que, en cierto sentido, toda la poesía nuestra, quizá toda la poesía moderna, es poesía de cultura", y de una cultura cosmopolita

---

18 Anderson Imbert, *Historia,* I, 325.

19 Bernardo Gicovate, "El signo de la cultura en la poesía hispanoamericana", en *La cultura y la literatura iberoamericanas* (Memoria del Séptimo Congreso del Instituto Internacional de Literatura Iberoamericana, Berkeley, California, 1955). (Berkeley, Los Angeles y México, 1957), p. 121.

20 Marinello, *Sobre el modernismo,* p. 26.

21 Marasso Rocca, *Estudios Literarios,* p. 60.

de la que veía ejemplos precisamente, según antes se indicó, en Martí y en Darío, y en todos los modernistas, porque el modernismo —tras el desorden romántico— significa eso para Gicovate: la vuelta a la tradición de cultura por medio del estudio de la tradición propia y, sobre todo, de las culturas extranjeras, abarcando lo extranjero como parte de lo americano [22]. Así, el ser "hombres de libros", que era exceso de tinta y falta de tradición para Blanco-Fombona, es visto ahora por Gicovate, uno de los críticos de la generación hispanoamericana que llega a la madurez, precisamente como algo propio y peculiar de su tradición.

Los extremos de aprobación y desaprobación del cosmopolitismo modernista que acabo de reseñar —y los ejemplos podrían multiplicarse— proceden mayormente de críticos hispanoamericanos. Veamos por un momento, como posible elemento de control, lo que dicen sobre el tema otros dos críticos, norteamericano el uno, español el otro.

Para Isaac Goldberg (1887-1938), en 1920, el cosmopolitismo de los modernistas hispanoamericanos era parte del cosmopolitismo general en todo el mundo de aquellos días; era el resultado de lo que él llamaba el "age-spirit", el espíritu de la época: "The age was growing cosmopolitan, this yearning for broader horizons that is myopically dismissed by some critics as mere novelty-seeking exoticism. Exoticism (in its prurient sense), there was; novelty-mongering there was, underneath, however, lay an age-spirit that vented itself in music, in art, in science, in economics" [23]. El cosmopolitismo modernista (del modernismo hispanoamericano y del de fuera de este continente) revela, para Goldberg, "the interpenetrating spirit of the age" [24], lo que levanta al cosmopolitismo a caracteres de universalidad. Hablando de Darío, por ejemplo, dice Goldberg que la sensibilidad del poeta lo hace universal, no un mero asimilador de modelos extranjeros, y que lo universal de su humanidad (el ser mallorquín a la vez que oriental, griego a la vez que español —¡y cómo recuerda todo esto las palabras de Valera!— [ver mi primera cita de él en el texto y la de su carta a Menéndez y Pelayo en la nota 55]), y que lo universal de su

---

22 Gicovate, "El signo de la cultura...", pp. 117, 120, 121.

23 Isaac Goldberg, *Studies in Spanish-American Literature* (New York, 1920), p. 15.

24 *Ibid.*, p. 74.

humanidad, repito, le hace identificarse con todos los tiempos, todos los sentimientos, toda la naturaleza animada, todos los pueblos; en una palabra, que para Goldberg Darío es, no solamente cosmopolita, sino cosmogónico [25].

Por su parte, don Federico de Onís (n. 1885), en un sustancioso trabajo leído precisamente en la reunión de nuestra Asociación del año 1949, nos recordaba que la originalidad de los pueblos y de los individuos no se da en el aislamiento, sino en la comunicación con los demás, y que la época modernista es, con el Renacimiento, una de las dos épocas de máxima comunicación hispánica con el resto del mundo. Según ya lo había indicado en su *Antología* de 1934, ve Onís en el modernismo la forma hispánica de la crisis universal de las letras y del espíritu que inició la disolución del siglo XIX: "En la década de 1880-1890 surgen en Europa, como en América, individualidades aisladas que tienen como rasgo común la insatisfacción con el siglo XIX, cuando éste ha llegado a su triunfo, y ciertas tendencias entre las que descuellan el individualismo y el cosmopolitismo. Estas tendencias coincidían con rasgos propios de los hispanoamericanos", y por eso la extranjerización del modernismo fue, sobre todo, "expresión de su cosmopolitismo nativo, de su flexibilidad para absorber todo lo extraño sin dejar de ser el mismo"; de lo que resultó, en definitiva, "la busca y afirmación de lo propio a través de lo universal". Busca y afirmación que se activaron cuando en 1898 sale España definitivamente de América como poder político y aparece un decidido expansionismo de los Estados Unidos. Entonces resurge en la América española el "hispanismo" y aparece el temor a la norteamericanización, lo que encuentra sus voceros en modernistas tan significados como Darío y Rodó [26], iniciadores de una reorientación del propio modernismo.

Resumiendo: El cosmopolitismo de los modernistas, aceptado por críticos contemporáneos suyos, un Valera, un Rodó, un Sanín Cano o un Coester, causó luego desazón a un Blanco-Fombona, a los criollistas, a los autoctonistas, y explicado por un Goldberg, un Onís o un Max Henríquez Ureña, es condenado hoy por un Marinello y

---

25 *Ibid.*, pp. 153 y 171.

26 Federico de Onís, "Sobre la caracterización del modernismo" [1949], en *España en América* (Río Piedras, P. R., 1955), pp. 175-181, especialmente las 175, 176, 177 y 180.

reivindicado por un Gicovate, por citar los dos extremos. En cada caso se ha visto la doctrina que sustenta la respectiva crítica. La serie es clara en la Bolsa de la apreciación del modernismo: valoración e inquietud, desvalorización y revalorización. Y el debate, como una espiral sin fin, continúa abierto.

Si tras la orgía de citas que precede —creo que inevitable dado el carácter de este trabajo— se me pidiera mi propia opinión sobre el tema del cosmopolitismo modernista, me limitaría a hacer una cita más, esta vez una auto-cita, y resumir así lo que hace pocos meses hube de escribir en otra oportunidad[27]: Por los años de 1870 y 1880 Hispanoamérica iba enlazándose más y más con la vida de los grandes países industriales que extraían o compraban sus materias primas y que, a su vez, la proveían de productos manufacturados; la inmigración europea en este continente adquiría grandes proporciones; los miembros de las clases dirigentes hispanoamericanas se sentían cada vez más hombres de negocios y sus puntos de vista tendían a ser los mismos que los de los financieros extranjeros con quienes trataban; hasta los clásicos caudillos acabaron por interesarse más en aprovechar su gobierno para apilar capitales que para recoger laureles o gozar del poder por el poder mismo. Es decir, Hispanoamérica pasaba de la era del nacionalismo romántico, conservador o liberal que fuera, a la del positivismo materialista. Porfirio Díaz y sus "científicos", la oligarquía de hacendados argentinos, o los salitreros chilenos pueden ejemplificar esta era. Muchos de los escritores hispanoamericanos de aquellos días, con Darío a la cabeza, no sentían simpatía por el materialismo prevalente en su tierra, de la misma manera y por las mismas razones que escritores europeos, de Baudelaire a Mallarmé, a Eugenio de Castro, a Gabrielle d'Annunzio, a Oscar Wilde, no habían simpatizado o no simpatizaban con el que consideraban craso mundo de negocios europeo. En América, como en Europa, tales escritores sintieron la obligación de preservar la belleza y el idealismo frente a la fealdad de la vida diaria y el materialismo ambiente. Como para

---

27 Luis Monguió, "Nationalism and Social Discontent as Reflected in Spanish-American Literature", *The Annals of the American Academy of Political and Social Science*, vol. 334 [*Latin America's Nationalistic Revolutions*] (March, 1961), pp. 63-73, especialmente las 67-68.

ellos la belleza era algo inmanente, sin necesaria relación con un país o un tiempo específicos, era de prever que abandonaran, como lo hicieron, el nacionalismo literario de sus inmediatos predecesores en la literatura. En otras palabras, puesto que no les gustaba el mundo real en torno fueron tan cosmopolitas en su mundo ideal como sus compatriotas materialistas lo eran en el del dinero. En Hispanoamérica esa situación duró desde los años de 1880 hasta los primeros días del siglo XX porque entonces, bajo el impacto de la guerra hispano-americana de 1898 y sus consecuencias territoriales y luego bajo el impacto del asunto de Panamá de 1903, hasta estos escritores tan poco nacionalistas, tan cosmopolitas, redescubrieron un especial sentimiento de hermandad hispánica y de solidaridad. Se sintieron temerosos del poder y del expansionismo de los Estados Unidos nórdicos, protestantes, angloparlantes, y del peligro que constituían para la identidad de la Hispanoamérica indo-latina, católica, hispanohablante. Y sintieron entonces la obligación de reafirmar los valores espirituales constituidos por su lengua, su nacionalidad, su religión, su tradición. Para ellos, estos valores daban a Hispanoamérica su significado, ciertamente un significado más alto a sus ojos que los valores materiales de sus propios compatriotas que miraban a lo positivo y que, por ello, frente al superior poder de los Estados Unidos, cuyo utilitarismo compartían, no podían constituir un baluarte de hispanoamericanismo. Rodó con su *Ariel* (1900), Darío con sus *Cantos de vida y esperanza* (1905), Lugones con sus *Odas seculares* (1910), por ejemplo, trataron de alzarlo. Estos modernistas, tan cosmopolitas por amor al ideal, supieron volver los ojos a su América, por razón del mismo amor, para exaltar los bellos valores que creían esenciales a la integridad de su tradición y de su tierra. En lenguas múltiples, aprendidas en su mundo cultural cosmopolita, por su raza habló su espíritu.

Ricardo Gullón

# INDIGENISMO Y MODERNISMO

## CAMINOS DE LA EVASIÓN

En el modernismo se dan de alta impulsos diversos, contradictorias ideologías y formas de vida tan distintas que al analizar por separado alguna de las corrientes fecundantes del subsuelo se corre el peligro de incitar al lector (o al oyente) a tomar la parte por el todo, o cuando menos a supervalorar uno de los aspectos en detrimento de los demás. Es un riesgo inevitable, pues sólo el análisis previo de los elementos aislados permitirá llegar a la síntesis final, en donde podrán captarse las esencias y la significación de ese notable y duradero período llamado modernismo, con nombre tan amplio como expresivo y en apariencia insignificante.

Durante mucho tiempo la crítica pareció informada por el curioso deseo de poner puertas al campo (resabios del *dominus* inventariando sus bienes): fechas, títulos y nombres sirvieron para construir la risible barrera con que se pretendió cercar una época. Hasta ayer mismo el dócil coro repetía los manidos tópicos: "el modernismo empieza en 1888, con la publicación de *Azul*", y llega a España "doce años" después. Precisiones y no imaginaciones, según aconsejan los prudentes.

Mas la precisión implicaba una falacia y una puerilidad: la de creer que una época (o un movimiento artístico) nace, como el huevo de la gallina, en un instante. El vigía grita: "¡Tierra a la vista!", y allí está el modernismo, esperando, isla dulce y paradisíaca, a sus pobladores (¡ay!, a sus cronistas). Historiadores conozco capaces de cortar un pelo en cuatro y de fragmentar el tiempo en períodos, subperíodos y vice-sub-períodos tan esforzadamente compuestos, tan rigurosos y claros, que da pena ver cómo la realidad, terca y desdeñosa para con este evidente talento clasificador y detallista, se insubordina y desborda por todas partes las murallitas de arena que se soñaron Himalayas.

Así el modernismo. Y los exegetas, para taponar las brechas abiertas en su dogmática por la incontenible avalancha de los hechos, arbitraron signos de referencia para los fenómenos modernistas situados más allá o más acá de las fechas asignadas al "movimiento". Llamaron precursores a quienes escribieron antes de Rubén, anticipando su línea, y postmodernistas a quienes escribieron después, continuándola. Y como el nombre crea la cosa, "precursores" y "postmodernistas" quedaron reconocidos como realidades sustantivas, independientes.

Algunos aciertos parciales, mucho trabajo paciente debemos a la crítica del modernismo. Influencias, relaciones, orígenes, fueron a veces puestos en claro, a veces enturbiados. Pero el árbol se escondía en el bosque de pormenores, y las ideas recibidas ejercían, como suelen, su imperiosa autoridad. ¿Será excesivo plantear de nuevo el problema desde una situación que por la sola circunstancia de ver el modernismo con más amplitud y mejor perspectiva (por pura cronología) que la de quienes nos precedieron, permitirá realizar el estudio más cabalmente? A esta distancia las líneas de fuerza muestran su fluida continuidad, y advertimos cómo, al comienzo del siglo modernista, se entretejen y mezclan los materiales de varia procedencia que han de integrarlo, como los grandes ríos se forman por incorporación de afluentes llegados desde distintas cumbres al curso que dará nombre a la corriente.

El modernismo no es Rubén Darío, y menos la parte decorativa y extranjerizante de este gran poeta. El modernismo se caracteriza por los cambios operados en el modo de pensar (no tanto en el de sentir, pues en lo esencial sigue fiel a los arquetipos emocionales románticos), a consecuencia de las transformaciones ocurridas en la sociedad occidental del siglo XIX, desde el Volga al cabo de Hornos. La industrialización, el positivismo filosófico, la politización creciente de la vida, el anarquismo ideológico y práctico, el marxismo incipiente, el militarismo, la lucha de clases, la ciencia experimental, el auge del capitalismo y la burguesía, neoidealismos y utopías, todo mezclado; más, fundido, provoca en las gentes, y desde luego en los artistas, una reacción compleja y a veces devastadora.

El artista, partiendo de la herencia romántica, se siente al margen de la sociedad y rebelde contra ella; se afirma alternativamente maldito o vocero de Dios, pero distinto del "vulgo municipal y espeso", del antagonista natural que en los tiempos nuevos dicta su ley: la chabacanería. Emergía el hombre masa, vagamente apuntado ya por don Quijote en uno de sus diálogos con el Caballero del Verde Gabán. Ya en curso la rebelión luego analizada por Ortega. Los enlevitados caballeros que pretenden destruir la *Olimpia* de Manet; los barbudos académicos que califican de "suspirillos germánicos" los poemas de Bécquer, son ejemplos (no caducados) de la actitud antimodernista, vigente en tantos casos actuales como el del petulante filosofillo a quien oí declarar confidencialmente que sus niños pintan mejor que el fabuloso Juan Miró.

En la época modernista, la protesta contra el orden burgués aparece con frecuencia en formas escapistas. El artista rechaza la indeseable realidad (la realidad social: no la natural), en la que ni puede ni quiere integrarse, y busca caminos para la evasión. Uno de ellos, acaso el más obvio, lo abre la nostalgia, y conduce al pasado; otro, trazado por el ensueño, lleva a la transfiguración de lo distante (en tiempo o espacio, o en ambos); lejos de la vulgaridad cotidiana. Suele llamárseles indigenismo y exotismo, y su raíz escapista y rebelde es la misma. No se contradicen, sino se complementan, expresando afanes intemporales del alma, que en ciertas épocas, según aconteció en el fin de siglo y ahora vuelve a suceder, se convierten en irrefrenables impulsos de extrañamiento. Y no se contradicen, digo, pues son las dos faces jánicas del mismo deseo de adscribirse, de integrarse en algo distinto de lo presente.

### INDIGENISMO NO ES POPULARISMO

Idealización del pasado, supervivencia del romanticismo. Rousseau no inventó al buen salvaje; se limitó a revivir un mito latente en el corazón humano. En una hora distante el hombre fue bueno; vivió en comunicación con la naturaleza, ignorante del bien y del mal. La civilización, hidra de mil cabezas, destruyó su inocencia, y con ella la Arcadia posible. Las Casas y Ercilla anticiparon el indigenismo, y cuando después Chateaubriand descubrió América, el mito encarnó en figuras de ficción y Europa entera lloró (*Atala*, 1801) las lamentaciones de "el triste Chactas" y su frustrado amor. El indigenismo había alcanzado mayoría de edad. James Fenimore Cooper, al describir a Chingachgook, en *The Last of the Mohicans* (1825), pone en su haber, y en el de sus indios, tolerancia y gentileza, sentimientos nobles y modales amables.

Para evitar confusiones conviene precisar que indigenismo y popularismo son entidades diferentes; tal vez divergentes. El indigenismo no es popular, sino culto. El indígena se contenta con serlo, y lo es, como monsieur Jourdain hablante en prosa, sin saberlo. El indigenismo es nostalgia de un estado pretérito, de un ayer abolido, y por eso mismo resplandeciente con el prestigio de los paraísos perdidos. En mi país lo siento: el español, cuando se autodefine como celtíbero, está buscando en la distancia y la sombra esencias que lo definan como algo distinto de la más próxima e irreductible latinidad que, con otros ingredientes, le constituye.

Popularismo es más que eso: sentirse pueblo y gozar como el pueblo goza: canciones, danzas, juegos, ceremonias, cuentos, memorias compartidas desde el sentimiento de adscripción a una comunidad; identificación vital con formas de existencia y con actitudes espontáneas y genuinas en que se recoge lo mejor del hombre. La raíz de nuestra poesía es popular. Cancionero y romancero arraigan en la entraña del pueblo y fueron escritos al nivel de sencillez y autenticidad que suelen considerarse características de éste.

Lo popular apenas cambia: no pretende ser expresión de la apariencia mudable, sino de la profundidad invariable. El amor y la muerte, el tiempo y Dios, la alegría de vivir y el oscuro temor al más allá, son los temas sin cesar devanados por la poesía popular —y por la poesía a secas—. Bajo la deslumbrante llamarada de los sucesos históricos puede advertirse su presencia. Cambiarán el modo de expresarlo, los signos, la fraseología..., pero lo sustancial permanece, irreductible, no ya a las modas, sino a las mayores mutaciones políticas y sociales.

El popularismo, pues, se inclina a lo llamado eterno, a lo humano esencial, según se declara en cualquier tiempo y lugar.

Indigenismo es retorno al pasado, legendario o histórico (o mezcla de lo uno y lo otro), mientras popularismo es inmersión intemporal y extraespacial en el regazo de lo eterno. El indigenismo mira a un momento localizado en el espacio; el popularismo, más ambiciosamente, aspira a encontrar el enorme ámbito de sueños y realidades en donde lo humano esencial se registra. Y los indigenistas encuentran en sus héroes lo que buscaban: un sencillo mecanismo de transposición sentimental les permite reconocer en los ascendientes del remoto ayer la imagen idealizada que previamente forjaron y pusieron en ellos, sustituyendo a la equívoca realidad, tan difícil de captar. Como arqueólogos que previamente esculpieran las imágenes a desenterrar.

### LA PARADOJA DEL HÉROE

En cuanto examinemos los testimonios destaca su carácter de creación iluminada: el indigenismo-sentimiento, transfiguración por la nostalgia, cristaliza en poemas, en narraciones, cuya más obvia característica es el idealismo de las invenciones. Aquí está Caupolicán, héroe de estoica grandeza, ennoblecido por la muerte, propuesto como equívoco ejemplo de lo que ven en él ojos de hoy, alterando sutilmente la realidad que fue.

Pues el modernismo, al rechazar la vulgaridad burguesa y la masa emergente, sentía la necesidad de identificarse con el pueblo genuino, con "los de abajo", dejados aparte del ininterrumpido festival con que la burguesía se recompensaba. Mas, por comprensible paradoja, al negar al vencedor de ayer, buscaba el héroe donde la aureola lo presagiaba, y no entre las sombras en que habían ido sumergiéndose día tras días los anónimos del esfuerzo cotidiano: los del trabajo, y no el de los trabajos, según distinguiría Unamuno, que dio nombre al espacio, "intrahistórico", de sus vidas.

¿Error de apreciación? Tal vez; pero más probablemente convicción de que el héroe es símbolo y encarnación de su pueblo. Caupolicán o el Arauco indomable. Cálculo justo, pero arriesgado: ¿no se exhumará para cantar al nuevo héroe la retórica convencional del heroísmo y no se diluirán en ella las posibilidades de situar al indigenismo en su dimensión más entrañable que, según creo, no sería la de la historia (sean los héroes tirios, sean troyanos), sino la callada y oscura de la intrahistoria?

Moctezuma o Cortés, Caupolicán o Valdivia, el Inca "sensual y fino", o Pizarro, son lo mismo: héroes. Quienes los cantan, en la hora modernista o en la presente, descienden de unos y otros, aunque a veces se propongan el empeño de negarlo. Faltó el paso decisivo: el que conduce a los héroes anónimos, y, un poco más lejos aún, a los anónimos sin heroísmo, a quienes se limitan a vivir oscuramente, sin realizar hazañas memorables. Al dar este paso, estilo y lenguaje cambian, y quien lo dio, cambió [1].

## EL DESCENSO A LOS INFIERNOS

El indigenismo es, sustancialmente, llamada a las fuerzas oscuras, irracionales, y por ahí enlaza con la corriente actual de retorno a la sombra. Es una constante del espíritu humano indestructible, latente en la dimensión más honda de él. Corriente antirracionalista que reaparece en pleno auge del positivismo, para compensar y equilibrar las consecuencias de ese auge. Desde otro punto de vista y en distinto contexto, el modernista Unamuno atacará con imprecación y denuesto al positivismo por destruir la fe y la esperanza en la inmortalidad sin ofrecer sustitutivo alguno. La erosión positivista de lo maravilloso no tardó en provocar el contraataque.

La reacción reflejada en el indigenismo había adoptado en el pasado formas diversas y hasta contradictorias. Las religiones manifiestan de un modo u otro la necesidad de ir más allá de donde la razón alcanza, y coincidiendo con el auge del modernismo, Freud justificará científicamente el irracionalismo explicando el mecanismo de la mente y los contenidos de la subconsciencia.

El indigenismo modernista, en su nivel más hondo, será, pues, el equivalente del tradicional descenso a los infiernos, y es síntoma de

---

[1] En el Valle Inclán de *La guerra carlista.* Véase Emma Susana Speratti: "Cómo nació y creció *El ruedo ibérico*", en *Revista mexicana de literatura,* enero-marzo 1959, pp. 42-45.

pérdida de fe en la razón. No olvido las concausas históricas, políticas y sociales del fenómeno, pero me parecen superficiales comparadas con esta reaparición fatal (es decir, inevitable) de la veta irracionalista. Dostoyevsky en el subterráneo representa con patético vigor la bajada a los abismos, última posibilidad consentida al hombre para encontrar la clave de enigmas que la razón nunca resolverá.

Para el primitivo perduran vías de comunicación con el mundo de lo sobrenatural que el civilizado ya no sabe encontrar. La boga del arte negro coincidirá, y no por casualidad, con los comienzos de la época modernista. La antropología y el estudio de las sociedades antiguas mostrarán las insuficiencias y deformidades de la nuestra e incitarán a tomar contacto con las fuerzas oscuras, reavivando el interés por la magia y otras técnicas de aproximación a la sombra.

Los modernistas hispanoamericanos, sintiendo esa necesidad, encontraron cerca de sí, en un pasado que de alguna manera fue suyo (o quieren creerlo suyo, y para el caso es lo mismo), precedentes de esa actitud. Frente a los portadores de la civilización y la cultura occidental, los precolombinos de este hemisferio encarnaban la creencia "primitiva" en un mundo mágico y puro, al cual podía penetrarse atravesando un áspero pasadizo de iniciación y dominio de las debilidades corporales, que incluía desde la inmersión en baños de agua helada hasta mutilaciones y flagelaciones (paralelas a las de esos monjes y virtuosos que castigan la carne "pecadora" para mejor liberar el espíritu). Las insuficiencias de la cultura y la razón resaltan cuando frente a las imágenes del pasado, idealizadas y convertidas en mitos (por lo tanto, inasequibles a la erosión racional), la "civilización" está representada por el mundo de generalitos y licenciados, poetastros y compadres, vacua retórica y garrulería democrática (liberal o conservadora), sin grandeza, sin ensueño y sin delirio.

### INTEGRARSE EN LO SOBRENATURAL

Si tales son los estímulos determinantes del indigenismo, no será difícil entender cómo se inserta naturalmente en la tendencia general antiburguesa y supone una tentativa de liberación, un esfuerzo indirecto y a tientas para recobrar la libertad perdida con la industrialización y el maquinismo. Y no me refiero tanto a la libertad política (tan importante) como a la libertad sustancial de vivir integrado en lo sobrenatural sin perder contacto con la tierra, y de ser hombre sin ceder a los rigores del mecanismo ordenancista que se anunciaba. A la ciencia desintegradora que estaba fraccionando sin esperanzas de nueva integración al ámbito de lo humano, y a la política que luchaba por mantener un "orden establecido" sin relevancia ni significación para la pobre gente en quien, con razón o sin ella, se veía la prolongación del mítico ayer perdido, oponían los modernistas la idea "poética", integradora, del retorno al paraíso primitivo, a los mitos del pretérito. Siguiendo esta línea de pensamiento no sería exagerado incluir a Benito Juárez entre los precursores del modernismo.

Pues junto a la urgencia de comunicar con lo sobrenatural y calar en los estratos más secretos del alma para desde ellos ver al hombre completo, integrado en su múltiple y ondulante diversidad, se trasluce en el indigenismo la ilusión de hallar en el remoto ayer formas de vida más nobles, no regidas exclusivamente por las ideas del beneficio y el progreso económicos. Es una ilusión, pero eficaz y operante. Nada importa en punto a eficacia que se base sobre alteraciones y deformaciones de hechos, ni que la realidad histórica fuera diferente de la imaginada. Basta con que la idealización exista como punto de partida para la cristalización ulterior. La experiencia enseña cómo un acontecimiento puede ser alterado por la leyenda y aceptado según esta transformación legendaria, con lo cual su proyección sobre el futuro y sobre las conciencias se realizará en forma distinta a la que la verdad histórica habría impuesto.

Coinciden, pues, estímulos de diversa procedencia en la inclinación modernista al indigenismo; pero el más hondo e intemporal es el metafísico, que incitará a conocer al hombre siguiendo vías que el racionalismo desdeña. Si se recuerda la influencia de Nietzsche en los años finiseculares, podrá pensarse que sentimientos aún indecisos se verían alentados y justificados por las páginas de *El origen de la tragedia*, en donde el filósofo alemán recuerda que la exaltación dionisíaca es condición precisa para el ulterior equilibrio, nunca producido por acción unilateral de la razón, sino por ejercitarla para encauzar impulsos que, dejados en libertad, se convertirían en puro delirio.

El indigenismo no debe ser confundido con subproductos (incluso excelentes) como el descubrimiento de la naturaleza americana, pues éste es independiente de los supuestos aquí estudiados, y en algunos poetas románticos aparece con características semejantes. Las diferencias se deben a una circunstancia olvidada: las descripciones de la naturaleza americana intentadas por los modernistas son de tipo visionario, y no aspiran a transmitir una impresión realista, sino a reflejar con acuidad las imágenes de su visión. Los elementos del mundo natural están al servicio del éxtasis y destellan en la lírica confidencia como gemas en vestiduras recamadas:

> Es la mañana mágica del encendido trópico,
> como una gran serpiente camina el río hidrópico
> en cuyas aguas glaucas las hojas secas van.
> ("Tutecotzimi", *El canto errante.)*

Rubén dispersa en el poema referencias a la naturaleza viva para incorporarlas al mundo de la invención y las transforma "mágicamente", convirtiéndolas en presencias fabulosas: el río-serpiente, la mariposa-abanico, el bosque-esmeralda, el caimán-hierro..., sirven para abrillantar el fondo de la leyenda, respecto a la cual, como todo lo natural, son accesorios, fastuoso decorado, cuyo insistente preciosismo delata su filiación modernista. Lo esencial es la lección moral explícitamente ofrecida en el poema con la lapidación del cacique cruel y su sustitución por el dulce cantor de la paz y el trabajo.

Y por aquí conecta el indigenismo con el permanente ucronismo del soñador, imaginando infatigable pasados que pudieron dar lugar a futuros más bellos y nobles que aquel en donde, como fugaz presente, estamos instalados. La invención poética, al complacerse en la enumeración y transfiguración imaginística de elementos naturales, añade a lo visionario prestigios de lo real, presentado a la vez en forma precisa y con irradiación simbólica. No sobrará recordar que otro de los más curiosos poemas de *El canto errante* (éste no indigenista) se titula justamente: "Visión".

La tendencia escapista encuentra plausible justificación en el indigenismo, pues la idealizada visión se contrapone de modo espontáneo al espectáculo de aglomeraciones compuestas por gentes cuya espiritualidad fue triturada por la revolución industrial. El sentido político de la reacción indigenista tiene poca importancia al lado del social: los licenciados y los ingenieros son el verdadero enemigo. Cortés no es menos mítico y legendario que Guatimocín. Lo patético, en última instancia, es la industrialización de la cultura, y ni siquiera esto es importante cuando se piensa en el alcance metafísico de la tendencia.

### IRRACIONALISMOS

Dos infiernos obsesionan a los modernistas: el de la abominable desesperación que como intoxicante bruma envuelve al mundo moderno (fuera del mundo hispánico la problemática aparece en infinita gama de expresiones filosóficas o poéticas, desde Kierkegaard a *The Waste Land,* de T. S. Eliot) y el de la pregunta sobre el destino que la razón deja sin responder. Unamuno dedicará vida y obra a buscar por otras sendas la respuesta que la razón no daba. Los modernistas descenderán al abismo para buscarla y encontrar la cifra de un mundo deshumanizado.

La justificación filosófica de la actitud irracionalista la proporcionaría un poco más tarde el propio Unamuno, y de modo más académico y profesoral el francés Bergson. En aquél, lo esencial de su mensaje aparecerá en forma poética: lírica o novelesca. El indigenismo no podía ser para él una solución según lo fue para los hispanoamericanos, y de aquí que, para bajar a los abismos, al no disponer de este potente y eficiente recurso, hubiera de recurrir a otros, aunque coincidiendo con ellos en la repulsa de la desintegración del hombre, declarando en su obra la imposibilidad de aceptar una cultura basada exclusivamente sobre lo racional y factual.

Alienado de la realidad, y no sólo de la sociedad, el hombre moderno —modernista— ha de enfrentarse con el hecho dramático de su soledad. Al descender a los abismos busca estimular su sensibilidad con lo irracional y encontrar una esfera extrasocial y primitiva (la idea del hombre primero bueno y luego corrompido por la sociedad presiona en el subconsciente con indestructible vigor) donde comunicar con los demás hombres por la verdad y autenticidad de lo natural.

Lo irracional es droga peligrosa (tanto como inevitable), y administrada o recibida sin la compensación propuesta por Nietzsche, puede llevar a situaciones aberrantes y crueles. La historia reciente es ilustrativa sobre este punto, y no sobrará recordar que el espantoso delirio nazi fue una abominable exaltación del irracionalismo, contagiada de indigenismo germánico. Guillermo de Torre ha expuesto con pulso sereno los riesgos de una exaltación deformante de esta pasión, que, por fortuna, los modernistas supieron alternar con otras incitaciones. No insistiré, pero queda señalado el eventual peligro del indigenismo cuando es deformado y utilizado como arma en luchas políticas nacionales o internacionales.

Y antes de terminar esta breve exposición del problema conviene preguntar si el indigenismo no representa también (desde otro punto de vista) una negación del tiempo objetivo en que se vive y la creación de un tiempo subjetivo, desligado de aquél, con ritmo personal, autónomo, que puede retardarse o precipitarse, modificando los espacios cronológicos que pasan a tener duración y variabilidad, independientes de las marcadas por el tiempo objetivo.

La creación de un tiempo personal permite reducir a casi nada períodos objetivamente extensos y enlazar —saltando sobre ellos: negándolos virtualmente— con el remoto pasado, estableciendo así una contigüidad psicológica contraria a la cronología. Es otro indicio, y decisivo, de hostilidad a lo contemporáneo. Negación de la asediante vulgaridad y negación de la historia. Esto querían los modernistas. Saltar por encima del espacio y del tiempo (saltar sobre su sombra), sin insertarse por eso en un universo de espectros, sino de realidades del alma, menos fantasmales que los licenciados y damiselas que les rodeaban.

Y en este anhelo, el indigenismo coincide con la tendencia epocal complementaria: el exotismo. Desde Gautier, la moda de las chinoserías fue extendiéndose y prolongándose a múltiples territorios y países remotos. Era otra manera de revolverse contra los aspectos negativos del industrialismo, especialmente contra la "progresiva dominación de la materia" estigmatizada por Baudelaire.

Indigenismo y exotismo, facetas complementarias de una misma actitud de rebeldía, más metafísica que social y más social que política, cuyo carácter pudo pasar inadvertido para críticos e historiadores de la literatura, por dos razones: en primer término, no se manifestó por las vías del revolucionarismo tradicional; en segundo lugar, los elementos ornamentales en que el esteticismo modernista se complacía, impidieron ver con claridad lo disimulado tras ellos.

Formas de la protesta, declaraciones de independencia emocionales, contra el medio. Los poetas hispanoamericanos no vieron la problemática indigenista con aquella mirada lúcida y devastadora que Antonio Machado lanzó sobre el pueblo castellano en los poemas, a la vez tiernos y despiadados, de *Campos de Castilla.* Pues el indigenismo modernista resultó irreductible a la razón. Y en cuanto a la poesía, tal vez fue mejor así: gracias a su parcialidad, a la temperatura de fusión espiritual en que cuajó, pudo nutrirse de esencias míticas y refluir sobre ellas para consolidarlas y consolidar los mitos. Si el hombre vive del mito y en el mito, cada momento histórico creará el suyo, los suyos, y si lo inventan, si lo forjan los poetas, no es por azar, juego o capricho, sino interpretando y expresando deseos oscuros, ansias vagas, indecisas, sentidas por el pueblo, por el hombre. El mito —y éste como los demás— no va de arriba a abajo; asciende de las simas del inconsciente colectivo a la emoción oscura del poeta, y desde ahí, reverberante ya en la palabra, cristaliza en el poema.

Ricardo Gullón

# EXOTISMO Y MODERNISMO

## LA OTRA VERTIENTE DE LA PROTESTA

En el exotismo modernista es obvia la influencia de la época y, como ocurre con el indigenismo, no puede ser entendido fuera de contexto: es otra vertiente de la protesta. Sin descartar los motivos individuales que en cada caso puedan avivar la inclinación de los modernistas a trasterrarse espiritual o sentimentalmente, contemplado el fenómeno con perspectiva bastante, salta a la vista su carácter colectivo.

Como creo haber demostrado en otra ocasión, exotismo o indigenismo responden al mismo impulso; son dos caras de un fenómeno de rebeldía originado al contacto con la realidad mezquina. Los modernistas son rebeldes, y su insumisión es más patente en España, donde algunos (Unamuno, Machado, Valle Inclán) viven en permanente discordia con el medio y subrayándola por su heterodoxia o su agnosticismo. Y la rebeldía modernista es tan profunda que no aciertan a descubrirla quienes, por invencible vocación de superficialidad, no ven más allá de las apariencias; es una rebeldía contra el destino del hombre, no solamente condenado a morir, sino a vivir en sociedades regidas por el materialismo más crudo. La vida cotidiana pareció a los modernistas sórdida e intrascendente. ¿No era así porque la administraban los corruptos? Ese paréntesis o sala de espera entre la nada y la nada, ese tránsito fugaz, podía tener algún sentido, algún resplandor, y para proyectarlo se sienten inclinados a crear jardines de ensueño, cisnes sin mancha, héroes de leyenda.

Invenciones fabulosas y fabuladoras, mitos negadores de la realidad cotidiana. Sí; mas conviene fijarse en su poder erosivo, destructor de las falacias a que indirectamente se enfrentan. La sola presentación de la belleza puede ser un acto subversivo y, como apunté en otros estudios, los airados burgueses de París, que poco antes del estallido modernista quisieron destrozar la *Olimpia* de Manet, sabían dónde les apretaba el zapato y cuál era la raíz del peligro que les amenazaba. Su instinto les servía bien. La belleza era el enemigo; crear la imagen de un universo armónico es levantar acta de acusación contra los responsables de la desarmonía vigente. Y si esto es exacto, el exotismo no será tan escapista como suele pensarse, sino, entre otras cosas, un ataque de soslayo contra la sociedad positivista y ya científica, aunque, por supuesto, permitiera también crear ámbitos cerrados, lejanos y personales, en donde el poeta podía refugiarse huyendo de esa realidad que deseaba aniquilar —y hasta tanto consiguiera destruirla.

Escapismo y requisitoria son, pues, aspectos complementarios de una actitud ambivalente. La protesta se manifestará en otras formas; pero cuando la rebeldía se declare sin veladuras, tomará, como en Martí o en Unamuno, formas políticas que harán al rebelde más vulnerable, es decir, más sujeto a los asedios y contraataques de las fuerzas represivas. Al hablar del modernismo suelen dejarse a un lado los poemas políticos, tan importantes en el mejor Rubén, alzado —como Rodó— contra el materialismo avasallador, y olvidarse que Juan Ramón, a quien la desidia crítica señala como arquetipo de poeta puro, antes de escribir las rimas, las arias tristes, las eróticas canciones a Francia, había publicado versiones de Ibsen que hoy serían aceptadas como ejemplos de "poesía social".

Ibsen, el enemigo de la sociedad según estaba constituida. Unamuno lo leyó bien, lo citó con frecuencia y fue conducido por él al encuentro con Kierkegaard. Si dejamos a un lado la cursi retórica de los glosadores y nos enfrentamos con los hechos, constataremos que dos de los precursores ideológicos del modernismo, Ibsen y Nietzsche, son los dinamiteros de la roca burguesa. Su lección no podía perderse en los círculos intelectuales de España e Hispanoamérica, donde se tenía conciencia del proceso de incesante degradación impuesto a los hombres y a los pueblos por las fuerzas desintegradoras y egoístas que los dominaban. Detentado el poder por grupos de intereses particulares, oligarquías o tiranías individuales, ¿quién podía sentirse vinculado creativamente a los rectores del país? Salvo algún venal, ¿quién cantaría las glorias del presidente o del generalito de turno? Si claudicaciones hubo, téngase por tales y cárguense en la cuenta de las flaquezas humanas, sin pensar que el intelecto participara en la obsecuencia. Era posible escribir odas a Moctezuma o elogios al rey Sol, pues interponiendo distancia suficiente, se les sometía al mismo tratamiento mitificador que a la ninfa y al fauno.

Sería absurdo, lógica y emocionalmente, ligarse a sociedades cuyo progreso resulta contrario a las finalidades que podrían justificarla; pero el hombre —sobre todo si es poeta— necesita desesperadamente sentir, con-sentir, con los demás. El adverbio —desesperadamente— no es un recurso para redondear la frase; intenta describir el estado de ánimo de quien, perdida la fe en la inmortalidad personal, no puede aferrarse a más posibilidad de perduración que la ofrecida por su obra. ¿A qué nivel y sobre qué terreno podía hacer sentir a los demás si estos "otros" se dejaban ganar por una insensibilizante corrupción? El culto del héroe —heredado también del romanticismo— excluye del canto a los gobernantes de levita y guante blanco. Lope de Aguirre, en su reencarnación modernista bajo el nombre de Santos Banderas, lleva el atuendo de la burguesía, pero sigue siendo el mismo bárbaro de antaño. La ralea del poder es, sobre miserable, gris.

## FORMAS DE LA INSUMISIÓN

Y, por supuesto, las formas de la insumisión son múltiples. El anticonformismo de Unamuno, las extravagancias de Casal, el alcoholismo de Darío y el incesto de José Asunción Silva, son algunas de esas formas. Como en los jóvenes iracundos de nuestros días, la droga y el sexo pueden tomarse como manifestaciones de rebeldía contra la sociedad, negándose a seguir sus normas. La amante mulata de Baudelaire es una afrenta que hace el poeta a su padrastro, el general Aupick, gobernador militar de París en el "imperio" de Luis Napoleón, y a las gentes "respetables", para quienes tales gustos habían de mantenerse secretos. Y es, al mismo tiempo, una curiosa prueba de "exotismo" práctico.

La vida de Rubén Darío es ininterrumpido conflicto entre el deseo del monstruo genial, anhelante de libertad, y la sociedad empeñada en ponerle corsé. Lo casan a la fuerza, pero logra huir, y hace de Francisca Sánchez su mujer y la madre de sus hijos. Otras veces cederá y sus ataques al proletariado pueden entenderse situándolos en el marco de su conflicto con la sociedad, en el marco de la lucha contra cuanto en ella representa una posibilidad de opresión, una fuerza organizada, incluso cuando esa fuerza sea la de los oprimidos. Además, y ésta es una de las flaquezas mencionadas más arriba, la prosa periodística de Rubén fue, alguna vez, expresión mercenaria de ideologías ajenas, pacotilla si se la compara con su poesía. Y se cobró de las debilidades en prosa con las imprecaciones en verso.

Si Martí —el hombre más grande que ha producido América— parece un insumiso de otra estirpe, es porque tiene un fin "tradicional" para su rebeldía, una causa colectiva a través de la cual era capaz de identificarse con su propio pueblo, de sentirse guía. Julián del Casal, escupiéndose por las mañanas y drogándose por las tardes, es ejemplo típico de rebelde sin solución. Los bohemios, incluso en sus aspectos pintorescos, encarnan la misma protesta antisocial. El pobre Alejandro Sawa dejó de lavarse so pretexto de que Víctor Hugo le había besado en la frente y no quería borrar la huella de ese beso. Esa hostilidad al agua, para uso externo y para uso interno, no le convierte en personaje cómico, sino trágico: las greñas, la roña, el desaseo, el mal olor, la embriaguez ostentosa..., son formas de herir en diferente grado los convencionalismos que les rodean.

Pequeñas heridas, claro, pero es preciso recordar que se trata de una rebeldía de soñadores, aunque algunos como Díaz-Mirón y Chocano propendieran a la violencia. Si pasajeramente logran integrarse en la sociedad, como le ocurrió a Machado al casar en Soria con Leonor, la novia casi adolescente, todo parece cambiar, hasta el "torpe aliño indumentario". La fórmula del dandy, puesta en práctica por Baudelaire a mediados del siglo XIX, fue utilizada pronto por el andaluz Juan Ramón Jiménez: su refinamiento en el vestir y sus modales disonaban de la bohemia vigente, pero también de la mesocracia andaluza. Protestaba por carta de más en lugar de hacerlo por carta de menos. En la playa choca más el superelegante de cuello duro que el desnudo. El dandysmo, como mostró Ortega, es otro modo de insolencia y de navegar contra la corriente.

### ALEJAMIENTO Y EXILIO INTERIOR

Averiguar en qué medida la tendencia exotista incita a vivir fuera del propio país es problema difícil. Los modernistas tuvieron vocación de exilados, y quienes no pudieron serlo —o apenas— sintieron la nostalgia de la vida en otras tierras y, como Casal, se pensaron desterrados en la patria. Alejados espiritualmente de la sociedad en que vivían, buscaban en el ancho mundo los espíritus "gemelos"; se llamaban "hermanos", y esa fraternidad no era sólo palabrería. Silva vivió en Venezuela; Martí, en Estados Unidos; Rubén, un poco en todas partes. Sin contar los exilios políticos que en última instancia fueron consecuencia de la rebeldía "modernista". Se trata de un impulso universal: Rainer María Rilke buscó en París el centro espiritual que no encontraba en Alemania; T. S. Eliot, predicador vespertino del anglicanismo, se mudará a Inglaterra; Auden cambiará en dirección contraria; Ezra Pound marchará a Italia en busca de una cultura, y Santayana, siempre extranjero en Harvard, no la abandona por su tierra española, sino para refugiarse en Roma (y en un convento de monjas católicas, él, agnóstico), tal vez por pensar que así viviría fuera del tiempo y del espacio.

Para españoles e hispanoamericanos trasterrarse constituye un rito: París y América, para aquéllos; París y España, para éstos. Unamuno se pasó la vida soñando con los países hispanoamericanos en que tenía lectores y amigos —y aun pensó radicarse en Argentina—; Valle Inclán fue apasionado de Méjico (adonde estuvo dos veces); Machado, sólo por casualidad —o por destino— no se desplazó a Guatemala —su hermano Joaquín lo hizo por él—; Juan Ramón —y más tarde García Lorca— encontró en Nueva York y en Nueva Inglaterra el paisaje exótico que convenía a su alma, y acabó quedándose en Puerto Rico; Villaespesa pasó varios años en América, de país en país, conforme antes lo hiciera Salvador Rueda. Baroja mismo, tan casero, se sentía en Inglaterra como el pez en el agua, y pensó lo ruso como fondo ideal para su imaginación vagabunda. En cuanto a los hispanoamericanos, ¿quién de ellos no se soñó dandy o bohemio por las calles de París?

Como dije al hablar del indigenismo, la tendencia a lo exótico se completa con la inclinación a distanciarse hacia dentro, en el interior del propio país, buscando en las raíces un vigor y una nobleza —siquiera "bárbara"— que la actualidad no ofrece: el azteca o el árabe irradian, mitificados, un prestigio evidente. La tradición del buen salvaje, acreditada por la imaginación romántica no ya desde Rousseau, sino desde Fray Bartolomé de las Casas, reaparece con oropel no escaso en los modernistas; en *El alcázar de las perlas,* de Villaespesa, el mundo de la supercivilizada Granada mora satisface a la vez la querencia exotista y la indigenista. (Y por análogas razones, el genial Gaudí construye, en estilo árabe, la casa Vicens —1878-80— y el pabellón de la Trasatlántica para la Exposición Universal de 1888; en estilo gótico el Palacio Episcopal de Astorga.) Bastó para ello con buscar en la lejanía de la leyenda española un capítulo cerrado, una página sin comunicación con el presente, tomándola como pretexto para una reconstrucción fabulosa, anti-histórica, estimulada por la imaginación poética. La Granada de los Abencerrajes era para el dramaturgo tan exótica como Versalles, pero se ilusionaba sintiéndose, en relación con ella, remoto heredero de sus prestigios.

Aún diré más: este tipo de indigenismo es, sobre todo, exotismo, y no sería inadecuado llamarle exotismo indigenista. Sirve una doble ilusión: la de ponernos en contacto a la vez con las propias raíces y con el mundo misterioso de lo remoto y distinto. Ilusión, digo, y es suficiente; basta con creer que esas son las raíces; basta con creerlo para que cumplan su función mítica. Pues, por supuesto, los españoles no son celtíberos, ni árabes, ni godos, como los mejicanos no son aztecas, ni mayas.

Si examinamos un ejemplo reciente de exotismo indigenista, un ejemplo conocido por todos, veremos mejor el alcance del fenómeno. Federico García Lorca, en su andalucismo, es a la vez indigenista y exotista —como Leopoldo Lugones en su gauchismo, y más acentuadamente—: los gitanos del *Romancero,* nacidos y vivientes en Granada o en la comarca granadina, están espiritualmente extramuros, en otro mundo, remoto, siquiera visible y visitable. Podemos entrar en las cuevas del Sacromonte, asistir a sus zambras, escucharles cantar, tender la mano a la hechicera, y con eso no lograremos participar en su vida. Presenciamos un espectáculo; nada sabemos, espectadores, de cómo sienten los actores. La imposibilidad de saber, la distancia insalvable, excitan la curiosidad y la imaginación. Los gitanos viven en Granada hace siglos, pero ni se han incorporado a las formas de vida allí vigentes, ni nadie podría imponérselas sin destruirlos. Mundo marginal, exótico en su atavío, en sus costumbres, se relaciona sin cesar con el nuestro, pero sin claudicar, irreductible a la "civilización".

La existencia de este ámbito exótico es, por su irreductibilidad misma, una acusación que no cesa. La sociedad no consigue asimilarlo y se venga convirtiéndolo en ghetto permanente, en gitanería pintoresca. La protesta latente será transformada en pintoresquismo para neutralizarla y esterilizarla; cuando el poeta la traduzca articulada, artísticamente, parecerá tan insoportable que los guardadores del "orden" suprimirán a quien la exprese. Por reflejarla pagó García Lorca con su vida: una madrugada la guardia civil eliminó al portavoz del sentimiento.

### "SUSPIRILLOS GERMÁNICOS"

Se me permitirá en este momento una digresión necesaria para puntualizar cómo la llamada rareza de la poesía modernista y moderna es, en parte, consecuencia de su carácter protestatario. Desde Baudelaire, en Francia, y Bécquer, en España, la oposición entre los poetas oficiales y los poetas a secas es evidente. La Academia representaba el conformismo, las condecoraciones, el acceso a los cargos, el metro y la rima, el poder...; el academicismo llevaba a casi todas partes: a las universidades, a las embajadas, a los ministerios, a la presidencia de la república —de cualquier república—, a la buena compañía. La poesía no lleva a ninguna parte, sino a ella misma. El poeta está solo, y con frecuencia acorralado; mientras el académico vive confortablemente entre gente digna y que se respeta. El poeta beberá el mal vino de las tabernas, frecuentará prostitutas y no duquesas, y un día aparecerá ahorcado, como Nerval, en una callejuela oscura, entre casuchas de mala nota.

Volveré más despacio a un ejemplo aleccionador, antes mencionado al pasar: Núñez de Arce, barbado y elocuente, diputado, gobernador del Banco de España, ministro, frecuenta los mejores salones y abre los suyos cuando la ocasión llega; pronuncia discursos sobre esto y aquello; tiene influencia y hace uso de ella. Es un buen ciudadano, un hombre honrado —no tiene deudas, come caliente y a sus horas—, un liberal —así como suena—. Cuando escribe —vértigos, idilios, elegías, leyendas— pone en su trabajo los cinco sentidos. Su voz suena por la anchurosa España y el eco de sus versos retumba en el corazón de la patria como los cascos del caballo en la galopada del héroe. Por los mismos días, un pobre hombre, débil e impecune, engañado sin recato por su mujer, publica unos versillos quebradizos, escritos a media voz. Es preciso gran silencio para oírlos; si apenas son agua delgada brotando en manantial de montaña, ¿cómo podrían compararse con el torrente de la elocuencia gasparina? Y ahí no acaba la pobreza; esos versillos van cargados de una influencia que el sagaz don Gaspar no tarda en detectar: la de Heine, el apátrida, el corrosivo —el patético autor del *Intermezzo*—. El grande hombre no tarda en encontrar la expresión adecuada para eliminar desdeñosamente de su atención y de la atención de sus pares cuanto escriba el pobre periodista: las poesías de Bécquer no son sino "suspirillos germánicos".

Si tan digno caballero se pronunció en forma tajante contra el poeta sevillano es porque le incitó al ataque algo de que no tuvo conciencia: la sencillez y desnudez de la lírica becqueriana, la gracia ingrávida y misteriosa, eran arca sellada para el altisonante Núñez de Arce. Esa lírica reflejaba la imagen de un solitario viviente en el sueño, en los meandros de una pasión oscura y silenciosa, donde alternaban las exaltaciones del sentimiento con las depresiones de quien se sabía vocado a la frustración. Al académico le pareció insignificante porque era incapaz de entender el dolorido sentir palpitante en la palabra susurrada y la eficacia del susurro para la expresión poética. Un modernista, Enrique Paradas, lo entendió y lo expresó hermosamente en una copla "popular":

Dijo a la lengua el suspiro:
¡échate a buscar palabras
que digan lo que yo digo!

En Bécquer la protesta es anti-retórica. Pone el alma en la poesía, y como la pone desnuda, los grandes hombres, los puntales de la sociedad no pueden comprenderla. Es revolucionaria por sencilla; ininteligible por tan clara. Sin el oropel y el tururú, sin engolamiento ni verborrea, hablando en plata, aspiraba a ser voz de sí misma, a expresar una intimidad golpeada. Comunicaba Bécquer por caminos secretos con el misterio, y éste aparecía en sus versos, y todavía más en sus prosas, no tanto temible y gesticulante como atrayente y esquivo. Por eso —y no por otra razón— se le malentendió, y hasta quienes le aceptaron escogieron lo menos personal de su ser: al sentimental y no al huésped de las nieblas.

Un hermoso poema de Rafael Alberti —"Tres recuerdos del cielo"— no solamente está dedicado a Bécquer, sino situado en el mismo clima creativo, con auras de secreto refrescándolo y redimiéndole de la pretensión, tan antipoética, de explicarlo todo. El poeta actual, sintiéndose heredero, lleva a culminación el proceso iniciado sesenta años antes, separándose de las formas tradicionales y aceptando por necesidad estética de la expresión que le importa ese velo de sombra que los académicos resintieron como una afrenta.

## POSICIONES EN LA BATALLA

Los poetas, al expresar la sensación de aislamiento, la pesadumbre y la grandeza de la soledad incomunicada, anticipaban situaciones características del mundo actual. Darío, Machado, Silva, Juan Ramón, captaron la dificultad de la comunicación antes que los expertos en ciencias sociales. Ese confinamiento en el yo que cada día parece más difícil de quebrantar tuvo sus precursores en el modernismo y Herrera y Reissig en su torre simboliza el sentir de las almas más vulnerables. Nunca más profética la actitud de los vates, pues el hombre moderno, gobernante a la defensiva, estólido burócrata o científico corruptor, el hombre que manda en el mundo sufre ahora la incomunicación fatal del poeta y ni siquiera puede tratar de vencerla con los hilos sutiles de la poesía.

En última instancia, el hombre común, incluso el de la mala conciencia, escuchará —acaso involuntariamente— la palabra de quien es mensajero de la sombra. En esa palabra vibran poderes secretos que a él le faltan, especialmente el de imaginar y restablecer, gracias a la imaginación, los puentes destruidos. Un poeta como Antonio Machado, a quien suele considerarse sencillo y transparente, puede ser más difícil de entender que las complicaciones del Góngora más barroco. Poemas suyos escritos con palabra limpia como la espuma, y que como la espuma se resistan a dejarse capturar, resbalando entre los dedos y dejando en ellos la fresca huella de su huida.

Las extravagancias del modernismo se disculparon mejor que sus difíciles transparencias. Verlaine y Rimbaud desafían a la sociedad exhibiendo una relación homosexual. Esto —alarde exceptuado— podían entenderlo los Charlus de la aristocracia coetánea, pues cojeaban del mismo pie y se veían forzados a idéntico sentimiento de culpa. Pero no les fue perdonada la arrogancia de creerse "malditos", ni la afrenta de los poemas cargados de secreto; menos aún el pecado de sentir y hacer misteriosa la vida, trazando las galerías del sueño por lugares donde el hombre de buen sentido no pensaría emplazar sino conducciones de gas y alcantarillas (Zola *fecit*), transfigurando amaneceres y crepúsculos hasta el punto de hacerlos irreconocibles.

La actitud de quienes toman a broma al viejo Hugo, descifrando el mensaje transmitido por la pata del velador, o al visionario Yeats utilizando a su mujer como medium para comunicar con el más allá, no expresa otra cosa que el estúpido resabio positivista. Las raíces del poeta llegan hondo y extraen el zumo a estratos de que el buen ciudadano ni tiene noticia; por eso se siente isla, vive "enfermo" en el Sanatorio del Retraído, como Juan Ramón, o encastillado entre amigos, como Herrera y Reissig. Incluso alardea de su pecado: ser diferente.

Y la sociedad es cruel; si contamos las víctimas, sorprenderá su número y su calidad. ¿Dónde empieza y cuándo acabará la lista? Pongamos en cabeza, como se merece, al adelantado Larra, con el halo del suicida, contemporáneo de las rebeldías —tal vez heroicas— restallantes en la retórica romántica, pero remoto de ellas, distanciado por la ironía, anti-conformista, lúcido y desesperado. Nada le hace contemporáneo de Nerval, suicida como él, si no es la cronología, y su actitud anticipa, en cambio, la de José Asunción Silva. El pistoletazo de Larra, como el de Silva, fueron disparos contra la casta histórica que forjó el mundo en que agonizan. Si la bala encontró al paso el corazón del escritor, se debe a una previsible coincidencia, pues ese corazón, esos corazones doloridos y críticos contra la casta, eran al mismo tiempo parte de ella. Larra, emigrado interior, es a la vez comanditario del mesón y viajero de ultrapuertos; puede ver España con mirada de extranjero, pero sabe bien que no lo es: en lo suyo le duele. Por eso el sarcasmo se le encona y le incita a desterrarse para siempre en el silencio de la muerte.

Larra es uno de los precursores del modernismo; el espíritu de protesta que encarnó en él reaparece bajo distintas formas en Bécquer y Rosalía, y más adelante en el imprecatorio Unamuno, el casi total anti-conformista y anti-anti-conformista, que sólo se conformó decisivamente al estatuto del hogar, los hijos y la camilla. Incluso el conservador Azorín, el archi-conservador Azorín (y no el del paraguas rojo y la crítica discordante), se sintió continuador de Larra, y cuando protestó, su protesta no por mansa fue menos eficaz. ¿No es *Los pueblos* un pormenorizado pliego de cargos contra la España oficial de su tiempo?

### A LA VERDAD POR LA BELLEZA

El desdén por las formas de vida burguesa, herencia del romanticismo, en los modernistas se convierte en animadversión. Romper las normas era la consigna, y hostilizar así —metros inusitados, rimas funambulescas, versolibrismo, léxico insólito— al señor-que-no-entiende-nada, tarea meritoria. Desorientarle, aturdirle, pareció broma de buena ley; Mallarmé se desquita de su Liceo escribiendo el impenetrable "Un coup de dés"; Rubén, aquellos versos —"que púberes canéforas te ofrenden el acanto"— de los cuales decía un toledano: "sólo he podido entender el 'que' ".

Esta manifestación de la rebeldía modernista —ruego se disculpe mi insistencia; vale la pena—, por ser menos comprensible, resultaba más insoportable. El *Yo acuso,* quienquiera que fuese el acusador, podía entenderse —y tal vez podía convencerse al fiscal para que cambiara el paraguas rojo por un escaño en el Congreso—, pero cuando la rebeldía se asentaba en el terreno de la estética, el problema se complicaba. Si más de cuatro quisieron disminuirlo llamándola estetizante, la miopía de los tales me choca. ¿No pudieron ver que para los modernistas el ideal de la belleza y el de la verdad eran uno mismo? Keats había declarado: *beauty is truth,* y también: *A thing of beauty is a joy forever.* Las enseñanzas de don Francisco Giner de los Ríos —renovador máximo— no se alejaban de este principio, y Juan Ramón Jiménez fundió ética y estética. Los poetas encontraron la belleza en la dignidad, en la dignidad la belleza y en la estética un camino de perfección que no está precisamente alfombrado de rosas. Rubén, recordando a Colón, mira alrededor:

> Cristo va por las calles flaco y enclenque,
> Barrabás tiene esclavos y charreteras...
> ..........................................................
> Duelos, espantos, guerras, fiebre constante
> en nuestra senda ha puesto la suerte triste...

Sin más que verlos, aquel alma limpia supo identificar a Cristo en los hombres que lo rodeaban, en los pobres hombres, en quienes no son nada, ni siquiera visibles. Medio siglo después el norteamericano Thomas Merton escribía desde el mismo espíritu y con idéntica conciencia: "De modo que el turista bebe tequila, y no le agrada, y espera la fiesta que le han dicho que espere. ¿Cómo va a comprender que el indio que baja caminando por la calle con media casa a cuestas y los pantalones agujereados es Cristo? Lo único que piensa el turista es que es raro que tantos indios se llamen Jesús" [1]. Y el turista está puesto aquí como representante no ya de una clase, sino de una civilización negada a los valores del espíritu. A estas alturas del siglo podemos ver como posible la sociedad sin clases, pero también comprobar que la eliminación de las dificultades económicas no ha devuelto al hombre los valores perdidos: el *Welfare State* no es más humanizado —el burocratismo ascendente incluso lo hace parecer más inhumano— que el estado capitalista del que es heredero.

1 "Carta a Pablo Antonio Cuadra con respecto a los gigantes", en *Sur,* número 275, marzo-abril 1962, p. 11.

SOÑAR PARA REFORMAR

¿No cabrá, pues, otra actitud posible sino volverse de espaldas, distanciarse, soñar exóticos o indigenistas paraísos? La mayoría de los modernistas pensaron así, pero hay excepciones. José Martí se negó al exotismo; apremiado por una realidad sin tregua, y no creyendo útil envolver su alta verdad en palabras ni presentarla en palabras, advirtió en sus *Versos sencillos* (1891):

> Yo sé de Egipto y Nigricia,
> y de Persia y Xenophonte;
> y prefiero la caricia
> del aire fresco del monte.

Pero, como digo, es la excepción. En otro lugar dijo: "No se ha de decir lo raro, sino el instante raro de la emoción noble y graciosa" [2]. Y Rubén Darío dedicará un libro a *Los raros* y llenará *Prosas profanas* (1896) de figuras exóticas. Lugones, en "El himno de las torres" (*Las montañas de oro*, 1897), evocará las viejas ciudades del viejo mundo: "Nuremberg, Harlem, Reikjawik, Belgrado, Armagh, Thorn, Oxford, Toledo, Coimbra, Nicea, Bizancio, Esmirna, ¡París! —[así, entre puntos de exclamación]—, con las frondosas testas de sus Clodoveos eternizadas en medallas; Roma, la capital de las torres...". (Curioso que Roma aparezca sin exclamaciones.)

La cita de Lugones muestra que al modernista le basta invocar para soñar; en esta letanía la palabra quiere tener mágicas resonancias. La arroja el poeta como piedra en el charco de la vida vulgar. Al pronunciarla, y por el solo hecho de decirla, revela —o cree revelar— la grisura anodina de esa vida "tan cotidiana". Lo grave es que a veces se conforma con el gesto y la palabra, pues tras hacerlo y pronunciarla se siente transportado a un universo creado a imagen y semejanza de su ilusión. Dice "Toledo" y sólo con eso inventa una ciudad irreal, un recinto imaginario por cuyas calles deambula sintiéndose caballeresco y más. Ese "¡París!" y esa "Roma" sólo vagamen-

[2] En el artículo "Patria", 31 octubre 1893, citado por Florit: *Los versos de Martí*, p. 48.

te corresponden a los lugares habitables que ayer vivimos; son referencias míticas a un mundo levantado en el aire para contraponerlo a la realidad y así mostrar cuanto hay en ella de injusto, estúpido y trivial.

La magia, como es natural, opera lo mismo sobre el hombre de la otra orilla y en igual —aunque contraria— dirección. En el europeo como en el americano, idéntica necesidad de encontrar, si no la ciudad de Dios, sí la ciudad de la belleza. El ciudadano de Nuremberg o el de Coimbra revivirán el mito chateaubrianesco de las Américas como Arcadias posibles. Si Julián del Casal soñó en París, Rimbaud lo hizo con "increíbles Floridas"; si Larreta con Ávila, Valle Inclán con Veracruz.

Espejismos, evasión..., palabras insuficientes. No podemos ya conformarnos con ellas. Para entender el fenómeno exotista es preciso analizar las causas de esa inclinación al escapismo que tanto se reprochó a los modernistas. En las catorce páginas dedicadas por un crítico al estudio del exotismo, utiliza veintidós veces las palabras "escapismo" o "escapistas", y nunca se le ocurre preguntarse a qué se debe esta actitud. Ahora, creo yo, podemos explicarnos mejor esa tendencia y entender su justificación. El poeta vive en la realidad y se nutre de cuanto en ella crece; si la niega es por no encontrarla según la desea, por hallarla desustanciada, exhausta, sin vitalidad (hablo, claro está, de realidad social). Antes que aceptar el simulacro, lo ficticio, señalará las limitaciones completando la creación en su obra personal, a la que incorporará lo que su medio no puede proporcionarle; buscará la armonía y la gracia en algún lugar remoto —y cuanto más lejano, mejor—, pues la distancia hará más improbable la decepción. Las imágenes de lo remoto —en el espacio como en el tiempo— pueden soportar una carga mítica muy rica.

### MITOS

Los modernistas utilizaron otra vez el mito como elemento fecundante de la poesía. En él encontraban articuladas verdades entrañables de validez universal. Los dioses y los héroes, negados por el positivismo y maltratados por el neoclasicismo, que supo herirlos del modo más cruel —disfrazándolos al uso de la época y así destituyéndoles de su carácter sagrado—, volvieron a ser expresión de visiones colectivas, de oscuros sentimientos y presentimientos. Los mitos eternos: Venus, naciendo de la espuma; Deméter, templando por el fuego a Demofón; Orfeo, descendiendo a los infiernos. ¿Acaso no son actuales siendo eternos? ¿No será la tentación del viaje, el deslizamiento a lo exótico, una peculiar manera de revivir la aventura de los Argonautas, marchando como Jasón y los suyos en busca del vellocino de oro? Sí; las Indias legendarias o el "decadente" Versalles son, entre otras cosas, el sucedáneo adecuado para distraer y consolar a los inquietos, a los aventureros. Aventura en una butaca, pues en estos intelectuales la tempestad estalla, como en el Jean Valjean de Víctor Hugo, bajo el cráneo.

Y Venus surge diariamente, y cada día viene del útero gigantesco en que nos imaginamos nacidos. ¿Es preciso insistir sobre esto? Algún día dirá la ciencia si no fue en el mar donde se originó la vida. En cuanto a Deméter o Ceres, la encontraremos en un poema de Antonio Machado —"Olivo del camino"—, cuya interpretación no deja lugar a dudas; si alguna hubo, la disipó el autor en el prólogo a la segunda edición de *Soledades, galerías y otros poemas*. Fechado en Toledo el 12 de abril de 1919, dice: "Sólo lo eterno, lo que nunca dejó de ser, será otra vez revelado, y la fuente homérica volverá a fluir. Deméter, de la hoz de oro, tomará en sus brazos —como el día antiguo al hijo de Keleos— al vástago tardío de la agotada burguesía y, tras criarle a sus pechos, le envolverá otra vez en la llama divina" [3]. En este ejemplo el mito se utiliza para sustanciar una necesidad política, o, más exactamente, político-social.

Machado, al modo modernista, echa mano del mito porque en él cristalizan imágenes apropiadas para describir en términos simbólicos la situación contemporánea. Observando atentamente el fenómeno podemos comprobar que el seudo-escapismo exotista, lejos de alejarnos de la problemática actual, enfrenta con la realidad: el hijo del feudal será templado al fuego por la diosa de la tierra para purificarle, fortalecerle y hacerle digno de sus destinos; la dura nodriza endurecerá y salvará al hombre de mañana.

---

[3] Volvió a comentar el mito de Deméter en un artículo de *El Sol*, Madrid, septiembre 1920, ahora recopilado en *Los complementarios*, p. 35.

A los modernistas se les llamó decadentes, y el decadentismo estuvo de moda en el fin de siglo. La conducta de los rotulados con esa ambigua etiqueta tiene el mismo significado que las extravagancias comentadas más arriba. Decadentismo se refiere a una decadencia, y en las décadas finales del siglo XIX, en los llamados por Roger Shattuck "años del banquete", el poeta-profeta pudo discernir los síntomas de la disolución bajo el decorado grandioso, la podredumbre bajo entorchados y levitas, sedas y esmeraldas. El agudo presentimiento se reveló en ese comportamiento, chocante a veces, paradójico en ocasiones, y dio testimonio de una toma de conciencia —mejor dicho, de una toma de inconsciencia— de la honda verdad.

A una sociedad ostentosamente segura de la virtud de sus defectos, el decadente le recordó, en su estilo, como el cartujo repite en el suyo: "morir habemos". El maquinismo, las sociedades anónimas, la burocracia proliferante como un cáncer, el sentido reverencial del dinero, las inquisiciones de religión, raza o partido, la pulverización del individuo..., eran la realidad tras la fachada pulida y los discursos de auto-elogio. El "decadente" se movilizó contra esta falacia y contra quienes, como hiciera don Quijote con la celada, tras comprobar que el cartón podía quebrarse de un tajo, preferían mejor meter la cabeza bajo el ala y fingir que lo creían hierro. El modernismo, pues, pudo tender a abandonar la realidad, pero una realidad engañosa, y la imaginada para suplantarla tuvo sobre ella la superioridad de reconocerse invención.

Me interesa precisar que el exotismo es independiente de las llamadas influencias extranjeras o extranjerizantes sobre los escritores modernistas; importantes como fueron, ni la estética de Edgar Poe, ni la musicalidad de Verlaine, ni la libertad expresiva de Walt Whitman tienen nada que ver con esto. "Dentro del arte —escribió Rodó en *Ariel*—, que es donde el sentido de lo selecto tiene su más natural adaptación, vibran con honda resonancia las notas que acusan el sentimiento que podríamos llamar de 'extrañeza' del espíritu, en medio de las modernas condiciones de la vida". El desterrado en su tierra se esfuerza por alcanzar algo mejor, siquiera sea en la dimensión imaginaria. Fuerzas vigorosas impulsan al exotismo: "lejos", "en otra parte" habrá un ámbito vital más tolerable. Basta con reconocer la diferencia existente entre "aquello" y esto, pues no importan tanto los detalles del mundo distante, su forma concreta, como el hecho de que contradiga la vulgaridad y chabacanería del propio; da lo mismo refugiarse en las brumas del Norte —como Ricardo Jaimes Freyre—, en el Versalles rubeniano o en las chinoserías de Julián del Casal.

El crítico italiano Mario Praz afirma: "entre el exotista y el místico hay una cierta semejanza", y razona su parecer añadiendo: "éste se proyecta fuera del mundo visible, dentro de una atmósfera trascendental en donde se une con la divinidad, mientras el primero se transporta imaginativamente fuera de las actualidades de tiempo y espacio y piensa que cualquier cosa que allí encuentra, pasada y lejana de él, constituye el ambiente ideal para la satisfacción de sus sentidos". Al agudo crítico no se le escapa la radical diferencia en cuanto a los fines de esa trascendencia, y concluye: "mientras el verdadero misticismo tiende a negar, a la vez, la expresión y el arte, el exotismo, por su propia naturaleza, tiende a una exteriorización sensual y artística" [4]. La diferencia es más importante que la coincidencia, pues el exotista, y sobre todo el exotista-modernista, se siente impulsado a revelar las maravillas imaginadas para que esas imaginaciones influyan por carambola sobre la realidad. La tendencia del modernismo a lo exótico es el arma del soñador, y, según acabo de indicar, su importancia no estriba en los contenidos, sino en la actitud; por eso no importa adónde se realice el desplazamiento ilusionado, sino que se realice y se identifique el poeta con el mundo lejano.

### EXOTISMO Y REALIDAD

No sería exagerado decir que en algunos casos el modernista se encontró a sí mismo en el exotismo, o, dicho de otra manera, el exotismo le sirvió para crear una imagen de sí que el ambiente le negaba y le dio seguridad respecto a su identidad. Por el exotismo supo, si no cómo era, sí cómo quería ser, cuáles eran los lineamientos generales de su carácter o, cuando menos, de la parte del ser que llamamos persona; protegido por esa persona o personalidad (no se olvide la etimología de la palabra: máscara que refuerza la voz y la hace reso-

[4] *The Romantic Agony*, Meridian Books, p. 200.

nar más vigorosamente), que a la vez le revelaba y le disimulaba, se sintió libre para operar sobre la realidad hostil, y para mirar hacia dentro con intención de averiguar si el elusivo yo allí agazapado se parecía a la imagen pública por la cual era reconocido.

Del cotejo entre la persona y el yo profundo se dedujeron conclusiones sorprendentes. Nadie se ha tomado la pena de valorarlas, quizá de tan obvias como parecieron. El exotista, siéndolo con toda el alma, distanciándose de la sociedad, no deja de sentir apasionadamente la vinculación a lo propio. Cuando Rubén declara que su amante es francesa y su esposa española, está proporcionando la clave para entender la dualidad sentimental de los modernistas. La esposa era lo estable permanente, el eslabón que liga a la casta de que somos parte, el reposo del guerrero y del soñador, la costumbre ("mi Concha, mi costumbre", dirá Unamuno a la suya), el hogar en que se vive; la amante es la ilusión y la aventura, la delicia temporal —más intensa por saberla fugaz—, pasto para el vago ensueño de "otra cosa", pasión que no cabe en lo diario. Y el exotista —ya lo sabemos— llevará Versalles en el corazón para soportar mejor la realidad. Si fracasa en su deseo de cambiarla, nada debemos reprocharle. Al hombre le mediremos por el propósito, no por el éxito. Rubén, después de soñar la marquesa Eulalia y los amores exóticos de su "Divagación", se volvió a Francisca Sánchez, la mujer del pueblo, tierra y terrosa, y patéticamente le dijo:

Francisca, tú has venido
en la hora segura;
la mañana es obscura
y está caliente el nido.
Tú tienes el sentido
de la palabra pura,
y tu alma te asegura
el amante marido.
Un marido y amante
que, terrible y constante,
será contigo dos.
Y que fuera contigo,
como amante y amigo,
al infierno o a Dios.

Poema enternecedor. Confesión pavorosa de la escisión, de la dualidad que cada ser humano siente constituyéndole. El movimiento no es pendular, sino circular: no se va de lo uno a lo otro; se vive en torno de lo uno y de lo otro: Versalles y Caupolicán; chinoserías y recuerdos aztecas; presidentes de república y maestros sencillos; próceres deslumbrantes e inditos oscuros, éstos caminando sin que nadie les vea, como si fueran transparentes —inditos reales de Mitla o de Popayán.

No; resueltamente, no: el exotismo modernista no es pretexto para negarse a la realidad, sino —como el indigenismo— medio para rectificarla. Uno y otro, anverso y reverso de la misma actitud, coexisten, y existen porque quienes se dejan llevar por ellos sienten la realidad inmediata. La sienten y la padecen; por padecerla quisieran hacerla otra. Recordemos la confesión de Rubén en el poema *A Francisca;* nunca —ni siquiera cuando aludió al indio chorotega con manos de marqués— explicó mejor la dualidad. Amante y marido, será con Francisca dos hombres a la vez, haciéndose uno en la posibilidad casi inimaginable de eliminar las contradicciones, de vivir integrado. Si traducimos esta conmovedora confidencia al ámbito, no más hondo y entrañable, pero sí más vasto, de la actitud frente al mundo, se comprenderá que la lucha del poeta no podía acabar en abdicación de lo exótico —y de lo indigenista— ante lo real, sino en integración y supervivencia de todo ello.

El caso de Valle Inclán ofrece en su diversidad algunas sorprendentes analogías con el de Rubén Darío, pues don Ramón incorporó también su exotismo —mejicanista— y su indigenismo —galaico— a una visión del mundo, cuya innegable autenticidad se impone a través de la distorsión causada por la voluntad caricaturizante de quien pretendió fundir en el reflejo de la realidad la crítica y el comentario de ella. Esa compleja integración y cuanto significa se ven mejor en Valle, porque acontece en la novela; ésta, a causa de sus dimensiones, permite ver el fenómeno con perspectiva más amplia que la poesía lírica.

La fusión de las tendencias explícitas o latentes en el ser —es decir, en el existir— es compleja y —en la obra literaria— la declara el estilo. El estilo es el espejo del alma y refleja cuanto en ella pasa. Volviendo a Rubén, veremos cómo el exotismo sentimental se trasluce en el tono nostálgico del verso, en el clima irreal suscitado por la palabra: "iban frases vagas y tenues suspiros", "la orquesta perlaba sus mágicas notas; un coro de sones alados se oía; galantes pavanas, fugaces gavotas". Todo sutil, etéreo, frágil. Los adjetivos —"vagas", "tenues", "mágicas", "alados", "fugaces"— expresan la delicada sustancia del mundo cantado, mundo de armonías deliciosas y danzas galantes: con ellos se dice todo según debe decirse, con la letra apropiada a la susurrante melodía de "los dulces violines de Hungría".

Exotismo en estado puro, al que corresponde en Valle Inclán la exaltación erótica de *Sonata de Estío:* la niña Chole cabalga, hermosa, indiferente, cruel, por tierras calientes, en busca del incestuoso amor que la cela. Pero el exotismo integrado —y esto casi significa superado— habla distinto lenguaje: en *Tirano Banderas,* la niña Chole vive perdida en el congal de Cucarachita, soportando las asiduidades del coronelito de la Gándara. En el paisaje inventado se coló la realidad, y en ésta se filtraron residuos de la visión: la simbiosis resultó artísticamente perfecta.

Y es preciso —para acabar— tener en cuenta un factor generalmente olvidado: la materialización de lo exótico. El ensueño se deslíe al realizarse: la cartuja de Valldemosa es una cuando Rubén la contempla en el ayer (Chopin deslizando los dedos sobre el teclado y George Sand inclinándose sobre el piano —y sobre el amante enfermo—); otra, cuando la vive como sanatorio para el alma y el cuerpo y oye cantar a la aldeana recogedora de aceituna. Sonaba, todavía y siempre, la flauta de Pan en los bosques sagrados, pero aquel día se fundió la melodía (para el poeta) como el canto de la muchacha, y con su risa, y los ecos conjuntos sonaron como el eco de esa canción única donde revive el mito y triunfa la vida.

Esperanza Figueroa-Amaral

# EL CISNE MODERNISTA

*No son todos ruiseñores...*

Calandrias y ruiseñores pueblan la obra poética de Góngora, entre cristales de agua y alfojaradas rosas. El ruiseñor gongorino es un ave especial, *paje con plumas, violín con alas,* a la vez tierno y suave, pero el suave casi siempre roto por la diéresis que lo hace süave, vale decir *su ave.* Dejando a un lado el muy gongorino juego de palabras notemos que a veces Góngora nos dice "aplauso al ruiseñor le niego breve", para darnos los *sacros cisnes,* los *cisnes canoros,* y muy especialmente los *cisnes graves.* Algunos cisnes de Góngora han sido anchamente estudiados, como el cisne de Galatea,

> blanca más que las plumas de aquel ave
> que dulce muere y en las aguas mora... [1].

Es este el cisne clásico de las riberas de Ovidio y de los campos virgilianos que se trasvasa a Séneca y Marcial y después a Garcilaso. Es el cisne que hace sonreir al cazurro Bachiller y le obliga a poner en boca de Melibea, en el acto decimonono de la tragicomedia, al llegar inesperadamente Calisto:

---

[1] Antonio Vilanova, *Las fuentes y los temas del Polifemo de Góngora* (Madrid, 1957), II, pp. 461-469.

> ...¿Dónde estabas, luciente sol? ¿Dónde me
> tenías tu claridad escondida? ...¿Hacía rato que
> escuchabas? ¿Por qué me dejabas echar palabras
> sin seso al aire, con mi ronca voz de cisne?...

Melibea, que va a morir la más articulada y más explicada muerte de todas las heroínas españolas, es desmentida por los incontables cisnes del siglo de oro: el de Jorge de Montemayor, "callará el blanco cisne cuando muera" (Eg. II); el de Fernando de Herrera, "i cuando el cisne muera en dulce canto" (Son. XI); el de Lope, "donde el cisne muere cuando llora" (Eg. I). A través de este cisne gongorino el mito viene a enzarzarse en la América española, exótico en la tierra de los cóndores y de los tecolotles multifacéticos de los aztecas, sentando sus alas forasteras en la poesía nueva, donde toca naturalmente en las orillas de la artificiosa Juana de Asbaje:

> Oye en tristes cadenas
> las tiernas consonancias,
> que al moribundo cisne
> sirven de exequias blandas.
>
> (Endechas que prorrumpen en las voces del dolor al despedirse para una ausencia.)

En Cuba se refugia doblemente en una composición de Rafael María de Mendive, "la gota de rocío", primero tópico renacentista y después adornado con sentimentales adjetivos románticos:

> El cisne se queja de amores y canta...
> Cual cisne amoroso, con voz gemidora
> su queja postrera te ofrece al morir...

Con su símbolo de música funeraria se le halla en dos composiciones dedicadas a la muerte del poeta cubano José María Heredia:

> Ya enmudeció tu cisne peregrino...
>
> ("A la muerte del célebre poeta cubano" Gertrudis Gómez de Avellaneda.)

> Cubano cisne en la suprema hora...
>
> ("A la muerte de mi amigo y condiscípulo..." Francisco Muñoz Delmonte.)

Hay muchos cisnes perdidos en la selva poética americana que precisan de muchas agujas de navegar antes de que sean explorados sus confusos mapas. De "La garza" nos dice Juan Diéguez que es "émula silenciosa de los cisnes", y de José Joaquín Pesado es un heptasílabo ominoso en "La plegaria al dios del agua":

> Sobre el pesado fango
> de la muerta laguna,
> ni el cisne se pasea
> ni la barquilla cruza.

Más sonoro y riente es el cisne de Hernando Domínguez Camargo, un jesuita colombiano del siglo XVII, con la sonora tonalidad de la música barroca:

> Cíñele el pecho un pretal
> de cascabeles tan ricos,
> que si no son cisnes de oro,
> son ruiseñores de vidrio.
>
> En *Ramillete de varias flores escogidas* (Alcalá, 1675.)

Por la familiaridad pegajosa de los buenos versos españoles, que transmite oralmente el pueblo y que se aprenden en la cuna, no sorprende a los españoles el encontrar a los cisnes en diversas manifestaciones emblemáticas a través del arte occidental, empezando con el cisne homérico y siguiendo con el delicioso cisne de Garcilaso, como los enumera Max Henríquez Ureña antes de señalar la repetida presencia del ave majestuosa en la poesía francesa del siglo XIX. Lo mismo hace Pedro Salinas, pero Salinas que modestamente escribe "Apuntes para la historia de la poesía modernista", adolece de la usual ceguera condicionada por los resplandores de Darío. Bien versado en la poesía francesa, apunta los diferentes símbolos del cisne siguiendo su robusta presencia a través del cisne poeta de Vigny, el cisne nervioso de Baudelaire y luego el espléndido cisne parnasiano, el cisne de plata. El congelado cisne preso de Mallarmé, y desde aquí, muy naturalmente y en realidad muy siglo XIX, nos lleva al cisne de Rubén Darío:

> ...Condensador e intérprete genial en lengua española de tantos temas de la poesía francesa del XIX, casi llega a una teoría del cisne y de lo císnico. Ya en la prosa de *Azul*... se asoma el cisne, adjetivado de modo preciosista [2].

Muchos cisnes fijos en sus resonantes bajorrelieves hay en la poesía española que hubo de alimentar sus mitos y fórmulas directamente de la latina y de la italiana. Adjudicarle a Darío la dádiva de un tópico que había llegado a él manoseado de muchas manos no es más que una de las teorías fanáticamente apasionadas de los cronistas del modernismo. Pero aunque se borrara de un golpe toda la tradición literaria española con sus cisnes renacentistas —que se prolongan hasta el cisne de Bécquer— hallaríamos un cisne que no llega exclusivamente a través de los poetas franceses sino que se bebe en la savia misma y en la conciencia del siglo de las luces. El cisne no es más que uno de los elementos que caracterizan la memoria artística del gran siglo, una equívoca concesión a la estética refinada que se refugia en las leyendas para poder esquivar el humo de las fábricas y los amargos atisbos de un mundo deshumanizado. El cisne es refugio, el pájaro de Apolo, el dios amado de los poetas, el creador de la música. Es también el pájaro de Venus, que no necesita paráfrasis. Aparece en las canciones de gesta cuando los cruzados van en busca de Beatriz y de Ida. Es y está en la historia de los siete cisnes de Lohengrín y lo encontramos en la fábula nórdica de las siete doncellas del cisne, videntes como Apolo. Y son los cisnes los que guían a Parsifal cuando corre en ayuda de la duquesa de Brabante.

La épica germánica ha sido estudiada con el exhaustivo ahínco nacional y puede seguirse paso a paso desde la historia de Wolfram von Eschenbach hasta que Wagner se apodera de ella. La primera representación del *Lohengrín* se hizo en Weimar en 1850, en el significativo momento central del siglo. Música, mitología y poesía conspiran para afianzar el *leit motiv* de la estética decimonona, pero la contribución aislada de Wagner no hubiera logrado hacer del cisne un

---

2 Pedro Salinas, *Literatura española, Siglo XX* (México, 1949), p. 50. Véase también Max Henríquez Ureña, *Breve historia del modernismo* (México, 1962), p. 25.

arrollador signo universal. La personalidad extraña de su más sonado protector, Luis de Baviera, totalmente identificado con su ídolo, es, por su posición importante y sus aficiones decorativas, uno de los factores decisivos en la difusión y apuntalaje de la estética císnica.

El 17 de octubre de 1886, dos meses antes de que empiece a publicarse en Santiago de Chile el material de *Azul...* (7-XII-1886 hasta el 23-VI-1888) aparece en las brillantes páginas de *La Habana Elegante,* la revista cubana de Enrique Hernández Miyares, un boceto inspirado en Albert Bataille, con el título "Los siete castillos del rey de Baviera". Lo firma un joven de nueva promoción que apenas se daba a conocer. En la primavera de 1890 el mismo novicio estará escribiendo sobre las representaciones de Wagner en La Habana y en noviembre del mismo año publica unos versos inusitados sobre el rey de Baviera, con ritornelos de campana funeraria:

Colas abiertas de pavos reales,
róseos flamencos en la arboleda,
fríos crepúsculos matinales,
áureos dragones en roja seda,
verdes luciérnagas en las lilas,
plumas de cisnes alabastrinos,
sonidos vagos de las esquilas,
sobre hombros blancos encajes finos,
vapor de lago dormido en calma,
mirtos fragantes, nupciales tules,
nada más bello fue que tu alma
hecha de vagas nieblas azules,
y que a la mía sólo enamora
de las del siglo décimo nueve,
rey solitario como la aurora,
rey misterioso como la nieve.

La composición se titula "Flores de éter". El poeta era Julián del Casal, el segundo modernista salido de la isla de Cuba, que al seguir las huellas de José Martí y de Manuel Gutiérrez Nájera, encabezaba con ellos el movimiento secuestrado más tarde por el encanto multicolor del monopolizante Rubén Darío.

Luis de Baviera fue personaje de extensa reverberación que había cautivado —y todavía cautiva— la fantasía popular, y que por razones de cuna y pergaminos logró invertir al cisne en su involuntaria bandera. Las acciones del príncipe habían logrado amplio eco en Europa y pasaron a ser tópico de conversaciones y de ensayos. No es extraño que el poeta de la colonia cubana, mientras prepara sus traducciones de Baudelaire —que publicará unos meses después— dé a conocer el trabajo de Bataille sobre el hermético rey, tema de más atractivo periodístico. Para esto escoge el nunca terminado castillo de Chiemssee donde la imaginación del rey enfermo se iluminó con los millares de cirios de un extravagante salón de espejos, a la vez simétrico y enroscado. Un corredor sin fin, de piso reluciente y techos labrados, tallados, en que las pintadas figuras planas avanzan con brazos casi surrealistas en relieve, retorciéndose sobre inmensas lámparas de bronce y de cristal que se siguen de dos en dos y en fila india. Y todo el azul y el cristal y el oro se refleja en los espejos hasta hacerse pesadilla de encajes metálicos y derroches en oropel. En otro castillo, Linderhof, se conserva un groto artificial que imita una cueva romántica completa con lago y estalagmitas. Esta cueva, inspirada en *Tannhäuser*, es una verdadera fantasía churrigueresca, tal como corresponde a quien recibió sus primeras lecciones bajo las leyendas de Lohengrín, en el arruinado castillo de Hohenschawangau, con decorativos cisnes entre pórticos vetustos. En este caserón se vivía bajo la estrella del cisne, bordados en sillones, tapicerías y cortinajes, labrados en madera, repujados en bandejas de plata, pintados en paredes y techos amén de los imprescindibles cisnes del estanque en el que solía divisarse un falso Lohengrín disfrazado, almirante en un cisne de imitación tirado por aves de realidad concreta.

Lohengrín es el gran mito artístico del siglo XIX y Luis de Baviera su gran sacerdote. En sus estanques y en sus grotos nadaban los cisnes de leyenda, fingidos o verdaderos, pero también se alzaban olas artificiales y luces de arco iris propulsadas por la primera planta de electricidad de Baviera, un extraño contubernio entre el pasado y las conquistas técnicas del siglo. La vida decorativa del rey, coronada por una muerte misteriosa, contribuyó a conquistar la imaginación de los lectores de periódicos y revistas, fascinados por la locura de aquel hombre taciturno, megalómano absolutista, que a los quince años era ya admirador de Wagner. La historia de este rey y la música de Wagner irrumpieron al mismo tiempo y en un solo aliento en la paz sobresaltada de las nuevas repúblicas americanas y sellaron en ellas la huella del cisne, perfilando las que antes habían implantado los gongoristas y la más sutil, pero mucho más tenue, que llegaba a través de la poesía francesa. En Cuba, donde había mucho que evadir porque todavía era colonia en pugna constante con la metrópoli, el ejemplo del rey fue a la vez entretenimiento y huida, paradójica idolatría monárquica y ejemplo punitivo para los desmanes de la aristocracia. Es lógico que un cubano le dedique versos y crónicas, línea que siguió Darío en el "Blasón" y en "Los cisnes". La fanfarria de la vida del rey y su inexplicado suicidio —aparentemente primero asesinó a su médico o fue, con éste, víctima de una conspiración— debe haber producido un hondo choque emotivo entre los "incomprendidos", los poetas, los románticos rezagados y los afrancesados, que más que afrancesados eran realmente europeizantes, cosmopolitas, aunque se insista en llamarles afrancesados a falta de mejor calificativo.

El recuerdo lacerado del rey de Baviera y todo el fárrago acumulado de caracolas y remedos versallescos llega a su apogeo en el *Art Noveau,* corriente en que se funde toda la estética de fines de siglo. A esta corriente histórica que habría de imponer su cisne como patrón general de las artes hay que añadir la pintura, que partiendo de Delacroix y aterrizando en Moreau, tiene mucho que ver en la gestación del mal llamado parnasianismo modernista. En el caso del cubano Casal los cuadros de Gustavo Moreau —y las descripciones que el mismo pintor hace de sus cuadros— son tan importantes como la palabra policromática de los poetas de Francia. Los mitos modernistas nacieron de una mezcla heterogénea de pintura, historia, música y poesía, presididas por la elegancia finisecular del cisne y tratar de adjudicar su alumbramiento a un solo esfuerzo individual es tarea desorientadora e ingenua. Los poetas modernistas, al nacer, encontraron ya el mito del cisne en la propia cuna. No tuvieron que adquirirlo a través de ese incesto espiritual en que se ha querido encerrar y circunscribir la génesis de la poesía española moderna. La trayectoria *Noveau,* que va desde 1881 hasta los primeros años del siglo XX, apenas si comienza a ser estudiada, pero las conexiones y lazos que tiene el modernismo hispanoamericano con este movimiento son bastante claras, sin que sea necesario recurrir a la evidencia lingüística, como en el caso catalán que designó el arte de Gaudí como estilo *moder-*

*nista.* Y hay entre las bizarras volutas de las catedrales de Gaudí y las elegancias rebuscadas del lenguaje modernista cierto paralelismo que va mucho más allá del tiempo, son también hermanos en su dedicación a la forma, más que a la función. Porque nuestro modernismo es, en realidad, el aspecto hispanoamericano de un estilo occidental cuya principal característica es el eclecticismo narcisista, cualidades las dos que se pueden documentar con cualquiera de nuestros poetas importantes y que acaso llegaran en Rubén Darío a su máxima expresión.

El *Art Noveau* reunió también elementos celtas, orientales y medievales a la búsqueda de un vocabulario depurado y minucioso, pero sus mejores y más completos triunfos se logran en las artes decorativas, principalmente en muebles y adornos. En la América nueva, que no era todavía lo suficientemente rica para la difusión de las artes suntuarias y donde precisamente los informados eran los ávidos de cultura y pobres de dinero, se refugió en la literatura aunque es probable que un estudio arquitectónico descubra amplia huella en mansiones y edificios y hasta en las costumbres de nuestra advenediza aristocracia. Casi podría afirmarse que el *Art Noveau* es el primer gran movimiento europeo que da con fuerza inusitada en la América española total, y se filtra no sólo en la literatura sino también en la vida, las costumbres, las ropas y los muebles. La exuberancia ornamental hispanoamericana de fines del XIX no es más que el encanto concoide del *Art Noveau,* que era lo bastante polifacético para ofrecer a cada país un aspecto independiente y prometedor. Su amor por las leyendas, los cuentos de hadas, el esteticismo quisquilloso, las túnicas flotantes y las conchas voluptuosas, el arabesco, encontraron atinado mercado en las nuevas repúblicas.

Fue inevitable que el *Art Noveau* adoptase el cisne y el lirio como símbolos de representación iconográfica. Habían sido glorificados por los poetas y los pintores que los dibujan y reproducen, de ahí los lirios que llevan como cetros las mujeres de Moreau o el cisne de su *Leda,* que descansa sobre la espalda de la diosa. Este cisne, que va a dar tantas imágenes de gracia sensual en el idioma de los españoles, alcanza tal importancia en la Francia del XIX que se ha avanzado la teoría de que Marcel Proust, al basar su Charles Swann en la figura de Charles Haas, le cambió el nombre real —más afín a conejo— por el más simbólico y apropiado de cisne [3]. Nótese el ambiente de exquisitez modernista del estilo proustiano, y que sus gustos son, por ejemplo, similares a los del provinciano Julián del Casal. Moreau, que inspiró poemas del poeta cubano, y Juana Samary, a quien dedicó una composición, aparecen también en *A la búsqueda del tiempo perdido* [4]. En resumen, que el cisne modernista no fue una contribución exclusiva de una persona o de un grupo, sino forma y esencia de un gusto, de una actitud decimonona. Por eso reaparece tan temprano, en México en 1876, en un poema de Martí, henchido de patriotismo romántico. Se trata de los versos dedicados a Rosario Acuña, poetisa cubana, la autora del drama *Rienzi el tribuno,* aclamado en Madrid. Son versos vehementes que increpan por los "pálidos laureles" recibidos del enemigo. Es Rosario la expatriada a quien Martí reclama con furia:

> Oh, vuelve, cisne blanco,
> paloma peregrina,
> real garza voladora;
> vuelve tórtola parda,
> a la tierra do nunca el sol declina
> a la tierra donde todo se enamora;
> vuelve a Cuba, mi tórtola gallarda.

Este cisne-escritora está todavía lejos del cisne de nueva adjetivación que no es exclusivo de Rubén Darío porque el primer cisne modernista es el cisne martiano de 1882, años antes de los cisnes en prosa de *Azul...*

> Allí donde los astros son robustos
> pinos de luz, allí en fragantes
> lagos de leche van cisnes azules... [5].

---

[3] Para las relaciones de Proust con el *Art Noveau* consúltese Robert Schmutzler, *Art Noveau* (London, 1964).

[4] En *Por el camino de Swann* Proust habla de las actrices más distinguidas de la época, clasificándolas por orden de talento, "Bernhardt, Berma, Bartet, Brohan, Samary". En el mismo libro, al describir las relaciones entre Swann y Odette, dice: "la amante, esa mezcla irisada de cualidades demoniacas y desconocidas, bordadas, como en una fantasía de Gustavo Moreau, con flores venenosas entretejidas con piedras preciosas".

[5] Manuel Pedro González, *José Martí, en el octogésimo aniversario de la iniciación modernista* (Caracas, 1962), p. 52.

Por su parte, Nájera, que echaría a nadar sus "cisnes intactos" en 1888, tiene un cisne contemporáneo, en fecha y manera, al de Martí de 1876, en "Siempre a ti".

> Mi alma expira en los brazos del martirio
> y canta, como el cisne, su amargura...

aunque la contribución de Nájera se destaque no en los cisnes sino en reiterados azules de botánica nueva, que ya habían tenido, por cierto, un antecedente literal en José Joaquín Pesado [6],

> el lirio azul dormita en tu ventana
> ("Después del teatro", 1879.)

> No besan lirios azules...
> ("A una ultrarrubia", 1880.)

> Ni el lirio azul ni la camelia roja...
> ("Invitación al amor", 1882.)

Tan propiedad común era el ave de la heráldica universal que en 1881 el cubano Julián del Casal resucita un romántico y visible cuello de cisne muy anterior al "cuello enarcado" de Rubén Darío: "su cuello nacarado de cisne y de paloma" [7]. Naturalmente que no había de ser este el único cisne de un poeta al que se deben algunas de las más importantes innovaciones del modernismo. Hay mucho cisne en Casal. Reaparece año tras año, con la ineluctable regularidad de los emblemas. En enero de 1888, el año de gracia de los tambores fáusticos de *Azul*...:

> por blancos cisnes de sedosas plumas
> ("Quimeras".)

> cual blanco cisne en el azul de un lago
> ("In Memoriam", 1889.)

---

6 En el soneto "La fuente de Ojozarco": "Ora en el lirio azul, ora en la rosa / que ciñen el raudal de tu corriente, / se asientan y se mecen blandamente / la abeja y la galana mariposa".

7 En "Una lágrima", publicada en el segundo número de *El ensayo*, semanario habanero, el 13 de febrero de 1881. Se trata de la composición más antigua que se conserva de este poeta.

y las plumas sedosas de los cisnes
("Vespertino", II, oct., 1890.)

plumas de cisnes alabastrinos
("Flores de éter", nov., 1890.)

y como cisnes en inmundo cieno
("Paisaje de verano", jun., 1891.)

Yo sé que eres más blanca que los cisnes
("A la belleza", 1892.)

Y a lo largo del último año, 1893, el cisne triangular, un cisne tierno, un cisne prisionero, un cisne que duerme:

del blanco cisne que amaba Leda
("Neurosis".)

como retorna un día el cisne preso
("Ruego".)

duermen los cisnes en bandadas
("Tardes de lluvia".)

Puede argüirse que éste no es el cisne sonoramente adjetivado de Darío ni la bravía combinación cisnes-lirios azules de los amigos mutuos de Martí y Nájera. Cierto que el cisne de Casal está muy lejos de ser el cisne de Darío, o mejor sería decir que el cisne de Darío está muy lejos de ser el cisne de Casal. El cisne de Darío es concreto, de cuello en forma de *ese*, dibujado en rasgos definidos:

un cincelado témpano viajero
con su cuello enarcado en forma de S.

En las significantes palabras está clavada la estética del rubendarismo: la forma, *cincelado, enarcado;* el pulso anímico, *témpano;* la belleza externa, *cuello*. En cambio, el cisne de Casal se esconde pacientemente en su secreto de aliteración y sinestesia:

por blancos cisnes de sedosas plumas
S S S S SS S

Estos cisnes no precisan de delineamientos expresos porque son puro diseño, el anticipo del juego literario de Apollinaire, un crucero entre la palabra y el dibujo. El cisne de Darío es en Casal blando y sabroso al tacto, el blanco de la seda y de la pluma en adición a las blancuras de la nieve. La misma argucia se repite dos años más tarde, en los versos dedicados a Raúl Cay, con ocho *eses*, ocho cisnes simétricos:

y las plumas sedosas de los cisnes
S SS SS S S S

Estas aliteraciones no hicieron impresión en un mundo deslumbrado por el brillo externo, más encantado por la insignia del cisne que por el cisne en presencia. Casal bosqueja sus cisnes o los desliza por las *eles* líquidas del agua:

cual blancos cisnes del azul de un lago

Premeditada o inconsciente, la aliteración de Casal es precisa e innovadora, en versos cargados de visibilidad, con la misma suave ondulación de *ese* que tanto usó San Juan de la Cruz: "pasó por estos sotos con presura", "el silbo de los aires amorosos", "estando ya mi casa sosegada". Como bien dice el maestro Dámaso Alonso:

> En los dos primeros ejemplos, presura silbadora de la saeta o de los frescos vientos de la llanura; en el último, siseo evocador del silencio, el sosiego y el reposo. Es que, si lo consideramos bien, la aliteración en un verdadero poeta no es artificio nunca, sino un fenómeno intuitivo, profundamente ligado a la entraña de su creación [8].

La técnica crítica de la escuela damasina sería mejor guía para desentrañar el encanto escondido del modernismo que el bagaje de abalorio extranjero, busca agónica de originalidades, precedencias, manifiestos y discursos de alambicada sutileza con que enfocamos a nuestros escritores modernistas. Al separar a la escuela de su mundo y de

---

[8] En *Poesía española, ensayo de métodos y límites estilísticos* (Madrid, 1950), p. 294.

su edad el resultado inevitable es un movimiento artificial y preciosista, superficialmente enraizado en un puñado de poetas franceses, algunos de los cuales no son más que poetas de poca categoría. En realidad, el movimiento modernista hispanoamericano fue mucho más profundo y tuvo sus entrañas asidas a más amplio horizonte. Se nutre de las leyendas, parábolas y poses que dan origen al *Art Noveau* mismo. Nótese que este movimiento universal se llamó en París *Modern Style*. Los ingleses se jactan de que por primera vez desde los años medievales Inglaterra vuelve con él a intervenir en la vida artística del continente y su huella llegó también a los Estados Unidos, donde produjo grandes dibujantes y donde ahora se le resucita, medio en broma y medio en serio, con el inapropiado nombre de *camp*. Más aún, para establecer puntos de contacto entre el expresionismo abstracto y el arte nuevo se ha avanzado la teoría de que los lotos de Monet son *Art Noveau* y así se entronca con la pintura moderna, aunque muchas otras relaciones pudieran también establecerse con relativa claridad. Por ejemplo, los grabados en madera de Wassily Kandinsky son "nuevistas" y de ellos parte hacia su antiobjetivismo. En realidad, se pueden documentar en la pintura las mismas etapas intermedias que separan a los poetas del siglo XIX de los escritores contemporáneos.

Las *correspondencias* —uno de cuyos ejemplos mejores es el citado cisne de Casal— se habían bebido de Baudelaire y se articulan por Debussy dentro del credo *Art Noveau:*

> el arabesco musical, o mejor dicho, la teoría del ornamento, es la base de todas las manifestaciones artísticas...

Este grito de batalla apareció en la *Revue Blanche*. La integración era también la meta de la *Revue Wagnérienne* del escritor-músico Edouard Dujardin, amigo a la vez de Debussy y de Mallarmé. Esta revista fue el clarín de los poetas del símbolo y con este grupo estaba asociado Emile Bernard, que vino a establecer, con Gauguin, las teorías de correlación entre color y línea, paralelas a las equivalencias entre sonido y ritmo de los simbolistas. De esta época de Gauguin nos queda "Leda", una litografía de 1889 que lleva en primer término un cisne estilizado con líneas de nube, preso en un círculo simbólico, coronado por una serpiente mínima, de redondeadas líneas sensuales.

Es decir, que al empezar la bien llamada "decena malva" —que tan bien corresponde a nuestra gran década modernista— los pintores ya habían recibido el cisne de los poetas y los poetas se habían empapado de tal manera en la ecuación pintura-poesía-música que las correspondencias podían proclamarse establecidas y vibrantes. Con tales inspiraciones directas se dejaron atrás las *Canciones de la inocencia.* Las líneas ilustrativas que flotan alrededor de las páginas de las "virtues of delight" dejan de actuar directamente en la palabra literaria. Notemos de paso que Blake no permanece ajeno por mucho tiempo a la poesía hispanoamericana porque primero Xavier Villaurrutia publica su versión del "Matrimonio del cielo y del infierno" en *Contemporáneos* y le sigue Pablo Neruda con sus traducciones literales de "Visiones de las hijas de Albión", y "El viajero mental" en *Cruz y Raya,* con algunas de las ilustraciones originales, copiadas de la edición británica de 1927.

Pero el *Art Noveau* no se limitaba a interacciones entre grupos. Impelido por su eclecticismo fue a bucear motivos en muy diversas fuentes. Hay que citar también las litografías que hacia 1860 se usaban para empacar las importaciones del Japón. La emergencia de lo japonés se atribuye entre los historiadores de arte no a los viajes de Pierre Loti como hacen los cronistas literarios, sino al pintor norteamericano Whistler, el que puso énfasis en la cualidad musical del color y de quien se ha dicho que fue el "principal intermediario entre el arte japonés y el Art Noveau" [9]. De 1863 es su "Princesa del país de porcelana", título que recuerda a varios personajes de Darío. *Madame Chrysanthéme* es de 1887, y aunque se aduzca que la conocieron muy bien los modernistas porque se publicó en varias entregas de *La Lecture,* a fines de 1891, esto no excluye que hayan sabido directamente de Whistler, tal como sabían de Mallarmé. Y si sabían de éste y de su "significado misterioso de la vida" tienen que haber sabido de la "Sociedad de artistas independientes de París", aunque sea más remoto que hayan oído de "Los veinte" de Bruselas, ambos grupos de 1884, reales invernaderos de las nuevas rutas artísticas. No es, sin embargo, hasta 1892 que encontramos las artes decorativas

---

[9] *Art Noveau,* eds. Peter Selz y Mildred Constantine (Museum of Modern Art, N. Y., 1959), p. 14.

unidas definitivamente a la pintura y la escultura en la exposición del grupo belga. Un año después se añade al movimiento la contribución arquitectónica, un edificio de Víctor Horta, la *Casa Tassel,* en Bruselas, quintaesencia de líneas fluidas en que se usan los metales como estructura y como decoración, al igual que años más tarde Gaudí va a usar la piedra y el hierro en la fachada de la Casa Milá en Barcelona. Entre los aportes del nuevo mundo podemos considerar la exposición de Filadelfia de 1876, en la que se notan las raíces del peculiar estilo de Luis Comfort Tiffany, ahora también redivivo. En Cuba tenemos el incomprendido ejemplo de Julián del Casal trazando en endecasílabos el amaneramiento pictórico de Gustavo Moreau, en su etapa poesía-pintura que va de 1890 hasta 1892. La ceguera que rodea este aspecto modernista está muy bien ilustrada por el pobre poeta cubano que ha sido reiteradamente acusado de artificioso por sus poemas japonesistas, uno de los cuales es un ligero cuadro titulado "Sourimono" [10]. Como en esta viñeta de precisa pintura está Casal simplemente describiendo el abanico de una amiga, podemos tomarla como doble tipo de la sustancia y alcance del *Art Noveau* literario, de una parte el esfuerzo consciente por reproducir en otro medio un utensilio decorativo y de la otra la ignorancia crítica que interpreta el poema como afectada copia pueril de un tema de moda en Francia. En este abanico desconocido e ignorado de Casal se une la alhaja, la pintura, el verso y el escogido vocabulario del modernismo en una cópula intensa y ejemplar [11]. Y esta correspondencia extraordinaria entre ornamento y literatura es precisamente lo que no se logró en Europa.

[10] "Sourimono" es una de las composiciones penetrantes de Casal y una de las que ha despistado a sus críticos con extraordinaria persistencia. Dice Max Henríquez Ureña, o. p., p. 21: "Por su parte Julián del Casal, con *Kakemono* (1892) y *Sourimono* (1893) incorporó a la corriente modernista el japonesismo..." *Kakemono,* como dimos a conocer hace tiempo, estaba dedicada a María Cay, que tenía ciertos nexos con el Japón debido a lazos familiares; es la famosa "cubana japonesa" de los versos de Darío. En cuanto a *Sourimono* tenemos el desconocido dato de que apareció en la *Habana Literaria* el 15 de agosto de 1892 con una sencilla dedicatoria: *Para un abanico de la señora de Valdivia.*

[11] De tal manera el *Art Noveau* se centra en adornos, cacharros, cachivaches y artefactos que uno de los más recientes libros sobre el tema se titula simplemente *L'Objet 1900* (París, 1964), escrito por Maurice Rheims.

Es decir, que los gustos y tendencias de la América española se estaban desarrollando a la par y en similar proyección a los de Bélgica, de Francia, de Inglaterra y de los Estados Unidos. Las "chinerías" de Casal en La Habana y de los Balmaceda en Chile —que describe Darío en "Pedro en la intimidad"— son decorado de filiación *Art Noveau.* Sólo que Darío insiste en lo francés, repite y añade que allí se veían "las pilas azules y rojizas de la *Nouvelle Revue* y la *Revue de Deux Mondes*" y guiados por Darío los críticos han olvidado que las dos revistas eran solemnes y consagradas pero que había otras muchas —algunas ricas en ilustraciones— de menos prestigio pero más circulación que representaban más genuinamente la vida artística fin-de-siècle. Pero es curioso que si en Francia y en Inglaterra jamás se llegó a una genuina fusión entre arte y literatura, la América española sí logró tal maridaje con inesperado éxito y sorprendentes resultados. En América, donde no hubo por falta de medios abundantes expresiones plásticas, se sustituyeron éstas con poemas. Al adaptarlos, en una forma original, a las corrientes europeas, se incorpora a la literatura universal y se hace su contemporánea. Ya no es, como en los años embriagados del romanticismo, un invitado que llega tarde, empecinado en un estilo que ha perdido prestigio a fuerza de constante abuso, aunque la permanencia de las actitudes modernistas hasta muy entrado el siglo XX oscurezca y oculte la correlación cultural entre América y Europa. Parte de la responsabilidad recae en el conservador asombro de Juan Valera que evalúa las manifestaciones universales de la conciencia artística cosmopolita como un extravagante "galicismo mental". Y muy curiosamente los modernistas mismos, en vez de reclamar sus merecidos créditos, trastornados por su propia revolución y en algunos casos por simple ignorancia, se proclamaron imitadores directos de un solo país en vez de insistir en el derecho a cultivar un estilo de amplias genealogías.

Emparejar al modernismo con el *Art Noveau* ha de parecer atrevida majadería a los críticos unilaterales de la poesía, que consideran a un solo hombre como principio y fin de una revolución en que participó toda América. Serviría, en cambio, para situar al modernismo como movimiento expresivo de una época definida y evaluar sus vivencias, dejando a un lado las tan gastadas divisiones político-sentimentales entre premodernistas, modernistas y posmodernistas, resabio de crítica pre-Curtius. Tenemos en el modernismo una escuela cosmopolita dividida en los grupos normales en que generalmente se puede dividir todo movimiento, los maestros y la escuela misma, es decir, Martí, Nájera, Casal, Darío, sus corifeos, y como ápice la fecha de *Prosas profanas,* 1896. El resto es primero una marcha triunfal y luego una degeneración lenta y repeticiones estériles a las que pone punto final el cumplido grito mexicano de González Martínez, "tuércele el cuello al cisne". Pero la crítica en español cometió el pecado imperdonable de seguir considerando al modernismo como escuela absoluta mucho más allá de su época de natural vigencia. Claro que al alargar nuestros grandes años modernistas hasta Apollinaire y los surrealistas, resultamos un poco atrasados y hay que dar crédito a Juan Ramón por haber sido capaz de presentir que la poesía se iba moviendo por otros caminos. Es esta la época en que el corazón poético, asfixiado de cisnes, se tiene que refugiar en España, pero mientras los preceptistas y el gusto popular persisten en un modernismo testarudo, están —por suerte— publicando sus poemas Vicente Huidobro y después Pablo Neruda.

El tremendo impacto de la poesía dariana se pagó con el estancamiento literario que hizo del cisne un símbolo de elegancia atractiva y monótona, engarzado en una calología milagrosamente indestructible. Hubo, es cierto, más de un esfuerzo ocasional por superar el rebuscamiento de los últimos modernistas, como por ejemplo la gracia bullanguera y amargada de la poesía negra. Puede afirmarse que el ave solemne, el cisne majestuoso y ondulante fue el mayor lastre del modernismo. Víctima de su propia gracia, Narciso preso en el reflejo de sus lagos estancados, hizo popular la periferia, la poesía externa, sin ambigüedades ni metáforas, aunque la poesía del cisne es tan rica en imágenes y giros que su perfilada claridad conserva todavía cierto encanto. Coronado por cisnes albos y sombras lila el modernismo es la expresión literaria que incorpora a América a la cultura europea, proceso que después no ha de interrumpirse. Su único defecto fue el haberse extendido —o haberlo extendido sus críticos y corifeos— mucho más allá del límite de tolerancia que tiene cualquier época para un estilo determinado.

RAÚL SILVA CASTRO

# ¿ES POSIBLE DEFINIR EL MODERNISMO?

Tiempo hace que me vengo preguntando si es posible reducir a una síntesis los rasgos constitutivos del Modernismo, y si es posible que esa síntesis resulte tan eficaz que los rasgos modernistas queden aparentes a cuantos la conozcan, a fin de evitar, en lo futuro, las vacilaciones existentes y la confusión que a ellas suele seguir. Si así se consiguiera, sería posible, también, hablar del Modernismo, en lo porvenir, con una certeza similar a la que se emplea, en la historia de las culturas, para juzgar del Renacimiento sin que sea preciso definir de nuevo, a cada paso, la especie de que se trata. Este propósito puede parecer extremado, pero no lo es. El Modernismo, según todo parece indicarlo, es un movimiento literario circunscrito en el tiempo, pues no parece fácil extenderlo más allá de 1888 ni más acá de 1916, y es, principalmente, un movimiento concluso, esto es, que carece de prosecución. Quien creyera posible en estos días publicar versos escritos a la manera modernista se llevaría una gran pifia. La sensibilidad artística propia del Modernismo ya pasó, y ha sido reemplazada por otra, de modo que no cabe ahora escribir como entonces escribieron Rubén Darío y Leopoldo Lugones, por citar sólo dos de los más grandes.

Claro está que la tarea tiene sus escollos, cual siempre ocurre con la definición de los fenómenos literarios. Como no son ciencias exactas, las letras se prestan a las interpretaciones personales, y en ellas alcanzan a pesar, de pronto, los motivos menos esperados. Una doctrina razonable, sensata, queda sumergida por años debido a que fue publicada en un periódico que nadie consulta, o en un libro desprovisto de índice de materias, y el crítico mejor dotado y el disertante de más altos quilates, permanece sin audiencia porque su lenguaje carece de esa irradiación interna que se llama la simpatía, la cual acerca a los hombres y vence la instintiva resistencia que éstos muestran para aceptar las cosas nuevas. No pretendo, pues, ganar ninguna adhesión para la exposición que sigue, y no parecería nada de raro que fuese desestimada, en silencio, por los especialistas en Rubén Darío, si bien la audiencia que se presta a los *Cuadernos Americanos* pudiese sin duda relevar su mérito ante los ojos de los más. En todo caso, los caracteres que se enumeran son de fácil observación en las obras modernistas, y si no son los únicos que éstas muestran, bien podrían ser, tal vez, los que se dan con mayor constancia.

Una palabra de advertencia antes de seguir. He llamado movimiento al modernismo, y creo que es la denominación que le conviene precisamente porque tuvo nacimiento y término, y porque, insisto, está ya terminado o concluso. Agitó el ambiente, provocó entusiasmos y resistencias, fue centro de polémicas, a veces violentas, despertó dudas y hasta rechiflas, pero cuando hubo pasado el ardor de las primeras horas, logró cierta generalizada aquiescencia. Hoy se le contempla como objeto de historia, se le estudia en los colegios, y se le cree, como es legítimo, una expresión auténtica de la sensibilidad hispanoamericana aplicada a las letras.

El movimiento modernista, o modernismo si preferimos llamarlo con una palabra sola, necesita una definición que evite circunloquios. Es a ella a la que apuntan las anotaciones que siguen, insinuadas como tentativa inicial.

Creo, para comenzar, que uno de los rasgos más ostensibles de la producción modernista es el esmero puesto en la *elaboración de la forma.* Entendíase en esos años que el poeta debía ser artífice intencionado y consciente, a quien no le sería concedido olvidar que está haciendo arte, y que, por lo tanto, hubo de esmerarse para lograr que las palabras rindiesen, en sus manos, el máximum de su contenido. Para esto fue necesario, entre otros extremos, el refinamiento verbal, esto es, una selección rigurosa de los términos usados, ya no sólo en atención a su claridad y a su precisión, como recomendaba la retórica de ayer, sino también por su valor melódico, por su exotismo, por su capacidad de sugerir, por su aptitud de resurrección o de reminiscencia. Rubén Darío en *Prosas profanas* concretó este aspecto de la estética modernista diciendo:

> Como cada palabra tiene un alma, hay en cada verso, además de la armonía verbal, una armonía ideal.

El esmero de la forma implicaba, también, la rebelión en contra de ciertos usos venerables pero que a los modernistas les parecieron ya incompatibles con su concepción de la poesía. Fue eliminado casi totalmente el hipérbaton en la composición del verso, y se le mantuvo, por excepción, a condición de que fuese muy sencillo y muy fácil de aprehender, todo ello a pesar de que Darío y los demás modernistas admiraban grandemente dentro de la poesía española a Góngora, que en el uso del hipérbaton alcanzó extremos increíbles. También fue eliminada y proscrita la reducción de donde en *do*, que en años pretéritos había facilitado el uso del verso a toda suerte de versificadores. En ambos casos (y se podrían citar otros), el esmero en la elaboración de la forma redunda en una mayor sencillez del discurso, desde el punto de vista de la sintaxis, pero de paso ha obligado al escritor a esforzarse en la selección de las voces empleadas.

### NUEVOS METROS Y NUEVOS RITMOS

La búsqueda de lo nuevo o, en otros casos, la restauración de lo más antiguo y ya olvidado, lleva en el verso a la necesidad de practicar ritmos poco usuales. El poeta, de una parte, intenta una mayor libertad acentual o rítmica para los versos que se le dan vecinos dentro de una misma composición, y de otra procura obtener versos propiamente nuevos, por la combinación de dos o tres ya conocidos. Rubén Darío no fue, entre los modernistas, el más audaz en estas innovaciones de métrica, pero otros de sus colegas sí lo fueron, como Lugones y Jaimes Freyre.

La mayoría de las adquisiciones hechas por este rumbo fracasaron, puesto que a poco andar terminaba imperando en la poesía de lengua española el verso libre, y en seguida la versificación amorfa, como se ve hoy; pero el intento de lograrlas y aclimatarlas nos convence, por otro lado, de que el autor modernista aspiraba a ser artista consciente y estudioso.

### AMOR A LA ELEGANCIA

En el modernismo se da una riquísima exhibición de primores, pues se habla de piedras preciosas y de gemas, se elogia el oro, se describen esculturas y cuadros afamados. Los personajes que tocan los modernistas viven, por lo común, rodeados de lujo, aspirando delicados perfumes, visten trajes elegantes, comen exquisitos manjares, ocupan habitaciones amplias y suntuosas, emplean muebles de rica ornamentación. Algunos de los rasgos de este amor a la elegancia quedaron señalados por el propio Darío, que en *Prosas profanas* dejó dicho:

> ...Veréis en mis versos princesas, reyes, cosas imperiales, visiones de países lejanos e imposibles; ¡qué queréis!, yo detesto la vida y el tiempo en que me tocó nacer...

Uno de los temas frecuentes del modernismo es el cisne, cuya evocación da motivo a multitud de composiciones de Rubén Darío y de otros modernistas, y símbolo asimismo de la belleza desinteresada que se aspiraba a conseguir entonces con la obra de arte. Otros objetos también evocados entonces en poesía, como la flor de lis, el pavo real y la paloma, representan siempre una belleza abstracta y sublime.

### GUERRA AL PROSAÍSMO DE LÉXICO Y DE INTENCIÓN

En este aspecto, Rubén Darío estuvo muy bien dotado por la naturaleza, y en el total de su obra, de principio a fin, sea en prosa, sea en verso, lo que menos se hallan son notas prosaicas:

> ...mi intelecto libré de pensar bajo:

Los demás modernistas no siempre tuvieron fuerzas para seguirle por esta estrecha senda; pero del movimiento mismo no puede negarse que propendía a mantener el verso por encima de todo prosaísmo, lo que acaso equivalga a crear para la poesía un lenguaje puro, decente, elevado y digno, ideal tanto más difícil de satisfacer cuanto más encumbrado. Una de las más notorias diferencias que pueden ya observarse entre la poesía modernista y la que sigue en el tiempo es el rígido esmero guardado por aquélla para lograr la limpieza tanto del léxico como de la intención.

## EXOTISMO DEL PAISAJE

Rubén Darío había nacido en Metapa, pero en lugar de mentar en sus versos tan modesta población, habló de Grecia, de China, del Japón, de la India, y como país más próximo, de Francia, inclusive antes de conocerla. En el caso de aquellas comarcas muy remotas en el espacio o en el tiempo, quedan las manos libres para ejercitar la fantasía. ¿Quién le va a pedir precisiones sobre la vida china a un escritor de cuentos y a un poeta? En todos los casos, además, la información es principalmente libresca, es decir: el escritor modernista no habla sólo de lo que conoce en forma directa y personal, sino también de lo que le ha sido sugerido por sus lecturas, campo en el cual, por lo demás, su imaginación puede establecer lazos tanto posibles como probables. El exotismo del paisaje en su vertiente helénica fue fijado ya por Darío en 1888, en una prosa periodística titulada *Carta del país azul,* donde se lee:

> Amo la belleza, gusto del desnudo; de las ninfas de los bosques, blancas y gallardas; de Venus en su concha y de Diana, la virgen cazadora de carne divina, que va entre su tropa de galgos, con el arco en comba, a la pista de un ciervo o de un jabalí. Sí, soy pagano. Adorador de los viejos dioses, y ciudadano de los viejos tiempos. Yo me inclino ante Júpiter, porque tiene el rayo y el águila; canto a Citerea porque está desnuda y protege el beso de dos bocas que se buscan; y amo a Pan porque, como yo, es aficionado a la música y a los sonoros ditirambos, junto a los riachuelos armoniosos, donde triscan las náyades, la cadera sobre la linfa, el busto al aire, todas sonrosadas al beso fecundo y ardiente del gran sol.

Este exotismo del paisaje, por lo demás, tuvo un vehículo a que acudieron casi todos los modernistas: la literatura francesa del siglo

XIX, donde Gautier, los Goncourt y otros autores llevaron a sus libros notas exóticas de gran vuelo y muy variadas. Darío se inspiró directamente en algunos; otros modernistas escogieron a los restantes, y en conjunto el modernismo es una transposición de temas literarios franceses a la lengua española, todo ello en una escala y con una profusión como jamás se habían dado antes.

### EL JUEGO DE LA FANTASÍA

Gran adquisición del modernismo fue el echar a volar la fantasía del poeta, a fin de manejar imágenes nada comunes, y hasta para inventar una misteriosa comarca a la cual Darío, en Chile, como acaba de verse, dio el nombre de *País Azul*. Hadas, príncipes, gnomos, espíritus etéreos o bien subterráneos, podrían ser conjurados para poblar escenas de mitología convencional, entre cuyos temas se escogían, con preferencia, los faunos y los centauros. El cuadro es, a veces, simbólico *(El reino interior,* uno de los poemas más significativos de Darío), pero a menudo carece de cualquier intención recóndita, y se le arma sólo para deleite de los sentidos, a los cuales se quiere subyugar por medio de evocaciones simpáticas. Debe colaborar entonces el son de las voces con las cosas que ellas representan, para ostentar ante el lector una escena completa, abigarrada, en que luz, aroma, música, lineamientos del cuadro, marco, etc., contribuyen a la armonía final. En la propia obra de Rubén Darío, la *Sonatina* y el cuento narrado *A Margarita Debayle,* ocupan, desde este punto de vista, sitios que son tal vez los más culminantes.

### ARTE DESINTERESADO

Como el artista se inclina al culto del arte con la intención de lograr bellas obras y no para demostrar una tesis o hacer apología de una doctrina, el modernismo se distingue por el gran número de páginas desinteresadas que dejó. Los autores modernistas no buscan prosélitos ni predican ni amonestan, y en materia de temas prefieren siempre los más elevados, pues ellos les permitirán mantenerse en una atmósfera pura y no utilitaria. No son, tampoco, dogmáticos, y es probable que a cualquier afirmación tajante preferirían la duda escéptica, la discreta sonrisa, el ademán condescendiente y afable. Muchos de ellos declararon su intención de ceñirse a la máxima estética de "el arte por el arte", y otros, sin llegar tan lejos, la practicaron cuanto les fue posible.

### EXHIBICIÓN Y COMPLACENCIA SENSUAL

El escritor modernista, en fin, es a menudo un hombre amoral a quien no detiene jamás el escrúpulo de escandalizar a sus lectores con la obra que ejecuta, capaz de elogiar la carne con términos que en años anteriores de la evolución literaria habrían parecido impropios y, desde luego, ajenos de la literatura. El propio Rubén Darío explicó esta parte de su personalidad literaria, que tanto influjo iba a cobrar en seguida, con las siguientes expresiones, que nos evitan muchos circunloquios:

> Tocad, campanas de oro, campanas de plata, tocad todos los días, llamándome a la fiesta en que brillan los ojos de fuego, y las rosas de las bocas sangran delicias únicas. Mi órgano es un viejo clavicordio Pompadour, al son del cual danzaron sus gavotas alegres abuelos; y el perfume de tu pecho es mi perfume, eterno incensario de carne, Varona inmortal, flor de mi costilla. Hombre soy. (*Prosas profanas.*)

Rasgos que con frecuencia suelen darse en las producciones modernistas, así de Rubén Darío como de otros autores, son, además, el tono frívolo y risueño, la exaltación de los aspectos eróticos de la vida, sea como confesión personal, sea en calidad de símbolos artísticos, la fruición hedonista a todo trance y la expresión coloreada. Debe notarse, igualmente, que en el llamado exotismo del paisaje hay mucha mitología, pero que ella aparece aprovechada sin pedantería y con cierta libertad que puede llegar inclusive al humorismo, cual pudo verse en Julio Herrera y Reissig. Todos los poemas modernistas necesitan mostrar, siquiera en esbozo o en la intención, una rebusca de la forma melodiosa y exquisita, pues no fue la llaneza el ideal más acariciado por los artistas de este período. El modernismo, en fin, abre paso a una expresión literaria que pretende ser cosmopolita y no terrígena.

A guisa de conclusión para estas apuntaciones, debe decirse, aunque parezca mera repetición, que el modernismo procuró, con especial relieve, alcanzar la gracia de la forma, en un período en el cual la poesía no había decidido aún renunciar a ser un arte del bien decir, y que, en consecuencia, se produjo entre los escritores americanos de lengua española una especie de rumorosa emulación para obtener del manejo del idioma los más elevados logros. El modernismo no trajo a la luz del comentario público a un gran número de pensadores, si bien el más egregio de ellos, José Enrique Rodó, aceptó plenamente ser llamado modernista, y en su inmensa mayoría los modernistas se redujeron a ser excelentes rimadores y talladores de imágenes, en el juego de luces y de sombras del idioma. Por eso mismo, en el juicio de algunos censores de más adelante, el modernismo es superficial y no cala en los grandes problemas americanos. La censura, si lo es, no puede subsistir si se la plantea en un grupo de historiadores de las letras, porque éstos saben cuántas veces se han producido, en el devenir histórico, movimientos semejantes, y cómo a ellos corresponde participar nueva vitalidad a las letras, sea trascendental o no la finalidad que se hayan propuesto los escritores comprometidos en tales movimientos.

Los problemas americanos, grandes, pequeños o minúsculos, nada ganan con el concurso o con el entrometimiento de los hombres de arte. Son dificultades de orden técnico, económico, sociológico, reminiscencias de hechos de acomodación histórica que ya no cabe prever, asuntos que competen al pedagogo y al político, resabios de una vieja y no finiquitada polémica entre la máquina y el espíritu, que una vez y otra resurge y que, al parecer, habrá de ocuparnos *ad nauseam*. ¿Qué tienen que decir allí los artistas? Nada, y cuando lo dicen, generalmente se limitan a balbucearlo, porque su reino es el de las intuiciones, y no sería lícito exigirles que además de disponer del poder espiritual que les permite ser artistas, dispusieran del poder temporal, entre cuyos barones el interés por el arte y aun el mero respeto al arte y al artista es lo que menos cuenta.

El modernismo no fue ni superficial ni profundo, ni cala hondo ni cala sólo bajo las cortezas inmediatas. El modernismo es un examen de conciencia que intentaron algunos escritores de lengua española de Hispanoamérica, en un instante singularmente feliz de su vida, al influjo de uno de ellos, Rubén Darío, en quien el presentimiento del cambio adquirió una forma activa. Y fue también una feliz circunstancia la de que Darío no pretendiera subyugar a nadie ni enajenar la independencia espiritual de ninguno de sus amigos y discípulos (si discípulos tuvo), ya que de este modo en la obra dariana, orientada siempre hacia las más altas metas, no se hace presente el predicador con su insistencia ni el pedagogo con su didáctica. Merced a esta afortunada singularidad del carácter de Darío logra el modernismo ser un movimiento literario, es decir, estación de tránsito abierta a todos los puntos cardinales, por donde entra quien desea entrar y salen cuantos prefieren circular por los alrededores. No se paga ningún peaje para ocupar un asiento de aquella galería y el valer individual, el logro de arte de cada artista, la emoción que suscita, la curiosidad que levanta, los ecos que le siguen, lo que allí más vale y más pesa.

IVÁN A. SCHULMAN

# REFLEXIONES EN TORNO A LA DEFINICIÓN DEL MODERNISMO

## I

### PLANTEAMIENTO DE UN PROBLEMA HISTORIOGRÁFICO

En el diario madrileño *La Voz* correspondiente al 18 de marzo de 1935, Juan Ramón Jiménez publicó sus ideas críticas sobre el modernismo, las cuales resultaron heterodoxas y controvertibles en su época. Hoy en día estos conceptos conservan un tono polémico pese a las más recientes investigaciones literarias que le han dado la razón al poeta español.

> El modernismo —afirmó hace treinta años— no fue solamente una tendencia literaria: el modernismo fue una tendencia general. Alcanzó a todo. Creo que el nombre vino de Alemania, donde se producía un movimiento reformador por los curas llamados modernistas. Y aquí, en España, la gente nos puso ese nombre de modernistas por nuestra actitud. Porque lo que se llama modernismo no es cosa de escuela ni de forma, sino de actitud. Era el encuentro de nuevo con la belleza sepultada durante el siglo XIX por un tono general de poesía burguesa.

> Eso es el modernismo: un gran movimiento de entusiasmo y libertad hacia la belleza [1].

Al comentar estos pensamientos Ricardo Gullón lamenta que la crítica posterior no haya tenido en cuenta "la precisión juanramoniana" porque de haber aceptado su visión, "...la disputa en cuanto a lo que fue el modernismo y quiénes los modernistas se habría zanjado pronto" [2]. Tal afirmación, a nuestro entender, no va al fondo de la materia, pues no toma en cuenta la fuerza avasalladora de los pronunciamientos de Rubén Darío, cuyas ideas alusivas al tema dejaron huella profunda en los críticos e historiadores de la época modernista, muchos de los cuales fueron seducidos por la tergiversada, trunca y ególatra perspectiva del genial nicaragüense. De la pluma de Rubén proceden afirmaciones autoenaltecedoras como la siguiente de 1905: "El movimiento de libertad que me tocó iniciar en América..." [3]. La antecedió en nueve años otro comentario evocado en relación a *Azul...*: "Y he aquí cómo pensando en francés y escribiendo en castellano... publiqué el pequeño libro que iniciaría el actual movimiento literario americano..." [4].

El prestigio y el brillo del arte de Darío, tanto en América como en España hicieron que sus opiniones en torno a los orígenes del modernismo resonaran y cobraran categoría de verídicos. Y, en consecuencia de la aceptación amplia lograda por los conceptos historiográ-

---

1 Citado por Ricardo Gullón en su ensayo introductorio "Juan Ramón Jiménez y el modernismo" al libro de Juan Ramón, *El modernismo; notas de un curso* (1953, México: Aguilar, 1962), p. 17. La fecha temprana en que Juan Ramón Jiménez emitió estas ideas vicia la capacidad suasoria del argumento de Guillermo Díaz-Plaja, quien afirma que los conceptos del laureado Nobel tienen el propósito de rebatir las ideas expresadas en *Modernismo frente a noventa y ocho,* editado por primera vez en 1951. V. el artículo de Díaz-Plaja, "El modernismo, cuestión disputada", *Hispania,* XLVIII (1965), páginas 407-412. Debemos señalar que un año antes —en 1934— Federico de Onís en su *Antología de la poesía española e hispanoamericana* había expresado conceptos similares a los de Juan Ramón de *La Voz.*

2 *Op. cit.,* p. 18.

3 En el prólogo a *Cantos de vida y esperanza, Obras completas* (Madrid: Mundo Latino, 1917), VIII, 9.

4 "Los colores del estandarte", en *Escritos inéditos de Rubén Darío* (Nueva York: Instituto de las Españas, 1938), p. 121.

ficos de Darío, los críticos hoy llamados tradicionalistas empezaron a fijar los albores del modernismo en 1888 —año de la publicación de *Azul*... en su edición de Valparaíso. *A posteriori*, y por una dialéctica absurda, Rubén se convirtió en el iniciador y la figura prototípica y cumbre del modernismo [5]. En menosprecio flagrante de la verdad histórica, los artistas coetáneos que integran lo que, con razón histórica, podría denominarse la primera generación modernista —Martí, Nájera, Silva, Casal— se convirtieron, en el concepto de los tradicionalistas, en los "precursores" del modernismo. Es decir, como lo expresa Arturo Torres-Rioseco, los cuatro hicieron sentir las nuevas palpitaciones y abrieron el camino a Darío [6]. Este camino no estaba abierto, por lo visto, hasta 1888; y por el mismo razonamiento, el sendero se bifurcó o se borró completamente, por arte de birlibirloque, con la muerte de Darío (1916). Pues, como lo indica Raúl Silva Castro en su recién publicado ensayo sobre el modernismo [7], éste es "...un movimiento literario circunscrito en el tiempo, pues no parece fácil extenderlo más allá de 1888 ni más acá de 1916" [8]. Pero una visión de la evolución del modernismo concebida de tal modo plantea contradicciones inmediatas respecto a su génesis, alguna de las cuales señalamos en otra ocasión:

---

5 V. por ejemplo Arturo Torres-Rioseco, *Precursores del modernismo* (Madrid: Calpe, 1925), p. 15. En la p. 12 del libro nos enteramos de que "toda nuestra literatura contemporánea se ha podido producir gracias al genio de Rubén Darío", apreciación hiperbólica que el crítico suaviza con estas palabras: "Sin embargo, no debemos olvidar a los otros, a los verdaderos precursores de nuestro Modernismo. Para nuestra historia literaria Martí, Silva, Gutiérrez Nájera y Julián del Casal valen tanto como el autor de *Azul*". También puede verse la introducción de Raúl Silva Castro a su *Antología crítica del modernismo hispanoamericano* (Nueva York: Las Américas, 1963), página 19, donde el crítico chileno alude a Darío como "el principal escritor del Modernismo hispanoamericano".

6 *Op. cit.*, p. 15.

7 Debe notarse que lo que Silva Castro escribe "para la audiencia que se presta a los *Cuadernos Americanos*", en "¿Es posible definir el modernismo?", CXLI, julio-agosto 1965, pp. 172-179, ya había aparecido con muy ligeras diferencias en la introducción a su ya citada *Antología crítica del modernismo hispanoamericano,* secciones IV y VI, pp. 22-29 y 33-37, respectivamente.

8 "¿Es posible definir el modernismo?", p. 172.

> Limitándonos a la poesía, es innegable que Darío no adquirió categoría de creador refinado y exquisito sino cuando comenzaron a circular los poemas que luego recogió en *Prosas profanas* (1896), aunque los primeros atisbos de esta capacidad artística se manifestaron ya, en los poemas añadidos a la segunda edición de *Azul...* (Guatemala, 1890).
>
> No hay en *Prosas profanas* una sola poesía fechada antes de 1891, el año de la "Sinfonía en gris mayor", inspirada sin duda en el ejercicio cromático de Gautier, "Symphonie en blanc majeur". Para entonces Martí había escrito ya los tres volúmenes más importantes de su poesía, *Ismaelillo, Versos libres* y *Versos sencillos,* y la mayor parte de su estupenda prosa, a la que tanto debe la de Darío; Gutiérrez Nájera había dado a conocer lo más destacado de su obra en verso y en prosa; Casal había publicado *Hojas al viento,* y escrito casi todos los poemas de *Nieve;* y Silva llevaba ya varios años explorando la expresión musical en la poesía. En vista de esto, ¿cómo es posible conceder a Darío una absoluta primacía cronológica, con menosprecio de los poetas y prosistas que entre 1888 y 1891 ya habían llegado a expresiones maduras de la tendencia renovadora? [9].

No es nuestro deseo volver sobre lo andado, sino más bien insistir sobre la necesidad de adoptar un punto de vista crítico en consonancia con los resultados de las investigaciones sobre el arte modernista de los últimos tres lustros. El libro clásico de esta renovada perspectiva del Modernismo es el de Max Henríquez Ureña, *Breve historia del modernismo* (México: Fondo de Cultura Económica, 1954; 2.ª edición, 1962); indispensables son dos ensayos de Federico de Onís, "José Martí: Vida y obra, Valoración", en *Revista Hispánica Moderna,* XVIII (1952), 145-150, y "Martí y el modernismo", en *Memoria del Congreso de Escritores Martianos* (La Habana, 1953), 431-446, y, entre los volúmenes más recientes de mayor trascendencia, figuran el de Ricardo Gullón, *Direcciones del modernismo* (Madrid: Gredos, 1963), la ya citada obra de Juan Ramón Jiménez, *El modernismo...*, y los ensayos de Manuel Pedro González, *Notas en torno al modernismo* (México: Universidad Nacional, 1958), *Indagaciones martianas* (Santa Clara: Universidad Central de las Villas, 1961). Sorprende

---

[9] "Los supuestos 'precursores' del modernismo hispanoamericano", *Nueva Revista de Filología Hispánica,* XII (1958), pp. 63-64.

que, a pesar de la revisión de las ideas estéticas y cronológicas en torno al modernismo, representada por los arriba citados libros y ensayos amén de otros, tengan vigencia ideas críticas anquilosadas ya y sin fundamento alguno en la estética y la estilística. Indagar, por lo tanto, como lo hace últimamente Raúl Silva Castro en su artículo "¿Es posible definir el modernismo?" el tema del arte modernista con el fin de entronizar a Rubén como líder máximo de la literatura modernista, y reducir las creaciones multifacéticas de esta vasta época —un siglo en el concepto de Juan Ramón— [10] a Darío y su arte preciosista y barroco de las *Prosas profanas*, es negar unos quince años de pesquisas que han encauzado los estudios críticos por el camino de la verdad histórica.

Para los que han intervenido en esta labor revalorativa, el modernismo no es una escuela —pues no tiene reglas ni cánones fijos— [11] sino una época regeneradora. Y, en esta era de "debasamiento" y "rebasamiento" (para sustantivar dos neologismos verbales de Martí) de la cultura universal, la renovación literaria de Hispanoamérica se manifiesta primero en la prosa de José Martí y Manuel Gutiérrez Nájera, quienes, entre 1875 y 1882, cultivaban distintas pero novadoras maneras expresivas: Nájera, una prosa de patente filiación francesa, reveladora de la presencia del simbolismo, parnasismo, impresionismo y expresionismo, y Martí, una prosa que incorporó estas mismas influencias dentro de estructuras de raíz hispánica. Por consiguiente, es en la prosa, tan injustamente arrinconada, donde primero se perfila la estética modernista, y son el cubano y el mexicano arriba nombrados los que prepararon el terreno en que se nutre y se madura posteriormente tanto la prosa como el verso del vate nicaragüense [12] y los demás artistas del modernismo.

---

10 *Op. cit.*, pp. 249-250.

11 No porque no se manifiesta "en una sucesión temporal indefinida de fenómenos concordantes", como afirma Raúl Silva Castro en la introducción a su *Antología crítica del modernismo hispanoamericano*, p. 23.

12 Para estudiar la huella de Martí en Darío, v. Manuel Pedro González, "I. Iniciación de Rubén Darío en el culto a Martí. II. Resonancias de la prosa martiana en la de Darío (1886-1900)", en *Memoria del Congreso de Escritores Martianos* (La Habana, 1953), pp. 503-569. Para una discusión general de estos problemas de la cronología modernista, v. nuestro estudio "José

Las raíces de la historiografía del modernismo hispanoamericano —mal conocidas todavía hoy— arrojan luz sobre la auténtica definición del arte modernista, y, a la vez, indican hasta qué punto la figura monumental de Darío y sus hiperbólicas consideraciones críticas desorientaron a los que en pos de 1916 escribieron sobre el modernismo. Como ejemplo de la trascendencia de la crítica primigenia deseamos aducir primero el relevante comentario publicado en 1895 por el modernista panameño, Darío Herrera. Disintió éste de la opinión expresada por Clemente Palma, y, con perspicacia y claridad sentenció: "Para mí Darío y Casal han sido los propagadores del modernismo, pero no los iniciadores. Este título corresponde más propiamente a José Martí —olvidado por Palma en las citas que hace de los modernistas americanos— y a Manuel Gutiérrez Nájera. Ambos vinieron a la vida literaria mucho antes que Darío y Casal, y eran modernistas cuando todavía no había escrito Darío su *Azul* ni Casal su *Nieve*" [13]. El testimonio de José Enrique Rodó es igualmente valioso para constatar que muy temprano en la evolución del modernismo —en 1899— se entendió que el modernismo distaba mucho de ser una literatura insubstancial; al contrario, brotaba de hondas corrientes ideológicas y filosóficas, como bien lo hace notar el escritor uruguayo en su ensayo sobre Rubén Darío:

> Yo tengo la seguridad de que, ahondando un poco más bajo nuestros *pensares,* nos reconoceríamos buenos camaradas de ideas. Yo soy un *modernista* también; yo pertenezco con toda mi alma a la gran reacción que da carácter y sentido a la evolución del pensamiento en las postrimerías de este siglo; a la reacción que, partiendo del naturalismo literario y del positivismo filosófico, los conduce, sin desvirtuarlos en lo que tienen de fecundos, a disolverse en concepciones más altas. Y no hay duda de que la obra de Rubén Darío responde, como una de tantas manifestaciones, a ese sentido superior; *es en el arte*

---

Martí y Manuel Gutiérrez Nájera: Iniciadores del modernismo, 1875-1877", *Revista Iberoamericana,* XXX (1964), pp. 9-50.

[13] Publicado originalmente en la revista *Letras y ciencias* (Santo Domingo), n.º 79, julio de 1897. Citamos de la reproducción en la *Revista Dominicana de Cultura,* 2 (1955), p. 255.

> *una de las formas personales de nuestro anárquico idealismo contemporáneo...* [14]. (Las letras cursivas son mías.)

Esta visión del arte modernista rubeniano [15] desmiente la trillada y superficial afirmación de que el modernismo refleja comúnmente el arte francés, siendo en el fondo una trivial manifestación traslaticia hispanoamericana de modas, formas y temas del París literario [16].

Para rastrear el tenor de la crítica modernista anterior a 1916 una de las mejores fuentes es la encuesta sobre el modernismo dirigida por Enrique Gómez Carrillo en su efímera publicación parisiense *El Nuevo Mercurio* (1907), que desapareció después de doce entregas [17]. En las respuestas enviadas al director de la revista por los artistas y críticos coevales topamos con valoraciones y conceptos teóricos cuyos detalles constituyen una confirmación de la renovada perspectiva del modernismo a que hoy se ha llegado.

Hay en los comentarios publicados en el *Nuevo Mercurio* un mosaico noético, pero la contemporaneidad de los puntos de vista expresados revela al lector de hoy hasta qué punto debieron Darío y los que bajo su férula cayeron trabucar el concepto del modernismo, convirtiéndolo en producto preciosista, en arte monolítico dariano de la variante de *Azul...* y *Prosas profanas*.

---

[14] *Obras completas* (Montevideo: Barreiro y Ramos, 1956), II, páginas 101-102.

[15] Después de caracterizar la obra de Rubén, las "voces extrañas" le preguntan a Rodó: "¿No crees tú que tal concepción de la poesía encierra un grave peligro, un peligro mortal, para esa arte divina, puesto que, a fin de *hacerla enfermar* de selección, le limita la luz, el aire, el jugo de la tierra? Seguramente, si todos los poetas fueran así". [*Obras completas*, ed. cit., II, página 63].

[16] V. Silva Castro, "¿Es posible definir el modernismo?": "Darío se inspiró directamente en algunos [autores franceses]; otros modernistas escogieron a los restantes, y en conjunto el modernismo es una transposición de temas literarios franceses a la lengua española, todo ello en una escala y con una profusión como jamás se habían dado antes". [p. 176].

[17] Quisiéramos expresar nuestro agradecimiento al crítico uruguayo Alfonso Llambías de Azevedo, quien llamó nuestra atención sobre la importancia histórica de esta revista, y a Boyd G. Carter, quien nos ayudó a localizar algunos de los números.

A la pregunta planteada por Gómez Carrillo: "¿Qué ideas tiene usted de lo que se llama modernismo?" hubo una variedad sin fin de respuestas. Pero entre ellas no ocupaba lugar central la definición de esta estética en términos de un arte afrancesado y alambicado. Aparecen opiniones de algunos de los muchos detractores del modernismo [18] como Rafael López de Haro, para quien el modernismo era una manifestación literaria efímera: "El modernismo aquí [en España] es una bella mariposa que vivirá dos días. Nació en el afán de distinguirse y morirá por extravagante. De tanto vestirse de colores, viste ya de payaso. Se empeña en buscar la quintaesencia de las cosas simples" [19]. En general, sin embargo, los pareceres son positivos y tienden a expresar una visión amplia en sus perfiles estéticos, sociales, filosóficos, o sea, se patentiza el concepto del modernismo que Federico de Onís, Juan Ramón Jiménez, Manuel Pedro González, Ricardo Gullón, y el que esto escribe, han defendido frente a la restringida concepción de los tradicionalistas [20]. "Para mí —atestiguó, por ejemplo, Carlos Arturo Torres— el modernismo existe como una orientación general de los espíritus, como una modalidad abstracta de la literatura contemporánea, como una tendencia intelectual... es, para valerme de una definición de Emile Fog, la totalidad de obras en que se formulan, viven y combaten las necesidades y aspiraciones de nuestro tiempo" [21]. Roberto Brenes Mesén sostuvo que el modernismo "es una expresión incomprensible como denominación de una escuela literaria. El modernismo en el arte es simplemente una manifestación de un estado de espíritu contemporáneo, de una tendencia universal, cuyos orígenes se hallan profundamente arraigados en la filosofía trascendental que va conmoviendo los fundamentos de la vasta fábrica social que lla-

---

[18] Sobre este tema, v. el reciente estudio de Carlos Lozano, "Parodia y sátira en el modernismo", *Cuadernos Americanos*, CXLI, n.º 4 (1965), páginas 180-200.

[19] Número 6, 672.

[20] O de la crítica orientada hacia una filosofía marxista. V., por ejemplo, Juan Marinello, *José Martí, escritor americano* (México: Grijalbo, 1958). Nótese que de todos los críticos que intervinieron en la encuesta de Gómez Carrillo sólo dos —Francisco Contreras y Miguel A. Ródenas— defendieron la perspectiva que denominamos "tradicionalista", señalando a Darío como iniciador del modernismo (números 6, 636 y 649, respectivamente).

[21] N.º 5, pp. 508-509.

mamos el mundo moderno" [22]. La defensa de la raíz coeval del modernismo, refutación de la irrealidad de su escapismo o de su exotismo, se transparenta en las contestaciones de Guillermo Andreve ("es [el modernismo] la redención del alma moderna y del pensamiento moderno de las estrechas ligaduras escolásticas") [23] y de Eduardo Talero, para quien el modernismo es

> ...la tendencia que aspira a una literatura armónica con el ambiente, ideas, pasiones e ideales modernos; y que usando, según las circunstancias, tal o cual recurso del archivo literario, sin pedir venia a ningún maestro de escuela, pugna por restablecer la comunicación directa entre la sensibilidad y el mundo externo [24].

En esta misma encuesta Manuel Machado sostuvo que el modernismo era la anarquía, el individualismo absoluto [25]. En términos estéticos esta anarquía se traduce, para J. Suárez de Figueroa en "la libertad de expresión del pensamiento: es [el modernismo] hablar, es escribir en forma literaria lo que se siente; por eso el modernismo no tiene reglas, rompe los metros que para nada valen, sino para encerrar al poeta en un estrecho círculo" [26]. Y, en lo social y lo filosófico, como bien lo percibió el ya citado modernista costarricense Brenes Mesén, el modernismo reflejó corrientes epocales: "La renovación de la filosofía y de la ciencia durante las postreras décadas, así como la hirviente agitación social y política del siglo XIX han producido esa resplandeciente anarquía intelectual que abarca los más amplios horizontes" [27]. Estas caracterizaciones son una corroboración de las palabras de Rodó en su ya citado ensayo sobre Darío (1899), es decir, de la relación entre el individualismo y la libertad de los artistas modernistas y el "anárquico idealismo poético".

El modernismo, entonces de acuerdo con los conceptos primigenios y la labor investigadora de los últimos años, es la forma literaria

---

22 N.º 6, p. 663.
23 N.º 12, p. 1424.
24 N.º 5, p. 512.
25 N.º 3, p. 337.
26 N.º 4, p. 403.
27 N.º 6, pp. 663-664.

de un mundo en estado de transformación, metamorfosis universal que percibió Martí con clarividencia en 1882:

> Esta es en todas partes época de reenquiciamiento y de remolde. El siglo pasado aventó, con ira siniestra y pujante, los elementos de la vida vieja. Estorbado en su paso por las ruinas, que a cada instante, con vida galvánica amenazan y se animan, este siglo, que es de detalle y preparación, acumula los elementos durables de la vida nueva [28].

## II

### LA NATURALEZA DEL MODERNISMO

Los comentarios aparecidos en *El Nuevo Mercurio* evidencian una tendencia a establecer nexos entre el modernismo como expresión literaria y aspectos filosóficos, ideológicos y sociales de la época, esfuerzo que, a nuestro entender, es más que una manifestación de un positivismo tardío en que opera un principio determinante a la luz del cual se analiza toda una cultura. Estas son equiparaciones imprescindibles para la definición cabal de un fenómeno polifacético como el modernismo. Es más; su comprensión por parte de los artistas y críticos de antaño, y su confirmación contemporánea inducen a poner en tela de juicio la descripción del arte modernista como exótico, como literatura escapista y creación elaborada por el esteta a espaldas de la realidad y con óptica parisiense. Es precisamente por la relación vital en el modernismo entre arte, existencia y cultura que rechazamos la dicotomía establecida por Raúl Silva Castro: "Los problemas americanos, grandes, pequeños o minúsculos, nada ganan con el concurso o con el entrometimiento de los hombres de arte... ¿Qué tienen que decir allí los artistas? Nada..." [29]. Si a veces la expresión artística en su contexto social o político es un balbuceo, o el producto nebuloso de una intuición genial, no por eso carecen tales observaciones de in-

---

[28] *Obras completas* (La Habana: Trópico, 1936-1953), XXVIII, p. 220.
[29] "¿Es posible definir el modernismo?", p. 178.

terés o significación. En la época modernista, como en otras de la historia literaria, el ambiente se revela en la obra del artista sin que éste se percate siempre de factores externos al proceso creador. "Nadie se libra de su época", sentenció Martí sagazmente.

### EL MODERNISMO: ÉPOCA Y ESQUEMA

Precisar la época modernista es el primer paso en la elucidación de las características, pues, en vista de sus relaciones ideológico-literarias asentadas en el apartado anterior, sus amplias fronteras temporales del modernismo sugieren una estética evolutiva, multifacética y hasta contradictoria. Sus normas expresivas son indefinibles en términos de un solo hombre [30] porque se trata de un estilo epocal que reputamos ser, si no vigente, al menos de una presencia influyente. Debiera hablarse, en rigor, de un medio siglo modernista [31] que abarcaría los años entre 1882 y 1932, y cuya literatura proteica dejó una herencia, patente todavía hoy, sobre todo en la prosa artística, como más adelante veremos.

En consecuencia de sus amplios lindes temporales, es natural que haya cierta confusión en la fijación de las constantes de la estética modernista. Pasa con el modernismo lo mismo que con el Renacimiento, es decir, sus poliédricas creaciones artísticas resisten el estrecho molde esquemático [32]. El que intente tal clasificación fracasará *ab ini-*

---

30 Es decir, en los términos de Silva Castro quien da las fechas darianas, 1888-1916, *ibid.*, p. 172.

31 V. Ricardo Gullón en su "Juan Ramón Jiménez y el modernismo", introducción a la ya citada obra de Juan Ramón. En la p. 17 Gullón fija las siguientes fechas aproximadas del medio siglo: 1890-1940.

32 Disentimos de la opinión de Silva Castro, quien afirma que "si así se consiguiera [reducir a una síntesis los rasgos constitutivos del modernismo], sería posible, también, hablar del Modernismo, en lo porvenir, con una certeza similar a la que se emplea, en la historia de las culturas para juzgar del Renacimiento..." [*op. cit.*, p. 172]. Pero es que, como observa Wylie Sypher, "...there are several different orders of style competing during the period included within "the renaissance", from the opening of the fourteenth to the closing of the seventeenth centuries. One might, indeed, say that styles in renaissance painting, sculpture and architecture run thorugh a full scale of change in which we can identify at least four stages: a provisional formula-

*tio,* pues lo que mejor define el arte modernista es su cualidad individual, su rebeldía frente a las hueras formas expresivas de los académicos de la época. Con razón exclamó el Darío de las *Prosas profanas:* "Porque proclamando como proclamo una estética acrática, la imposición de un modelo o de un código implicaría una contradicción" [33]. El sincretismo, en fin, es la piedra de toque de la estética modernista, la cual nace como producto de la maduración de la cultura hispanoamericana. Después de tres siglos de modelos peninsulares durante los cuales abrevaron los artistas de América refritas y astigmáticas versiones de la literatura francesa, los modernistas se abrieron a las corrientes universales, conservando, a veces, lo tradicional, y rechazándolo otras, conforme a su vigencia. Distinguió magistralmente esta nota amalgámica Eduardo de la Barra, tan olvidado por Darío, en el prólogo de la primera edición de *Azul...*, donde comenta la naturaleza del arte rubeniano: "Su originalidad incontestable está en que todo lo amalgama, lo funde y lo armoniza en un estilo suyo, nervioso, delicado, pintoresco..." [34]. Se trata en el caso de Darío, como en el de los demás modernistas, de una literatura de asombrosas divergencias y de marcada idiosincrasia. Por consiguiente, ¿cómo reducir el arte modernista a esquemas? ¿En qué consiste el común denominador estético de las siguientes expresiones, todas de autores incluidos en la citada antología crítica de Raúl Silva Castro?:

DARÍO

Yo soy en Dios lo que soy
y mi ser es voluntad

---

tion, a distintegration, and a final academic codification—a cycle roughly equivalent to a succession of art styles or forms known as "renaissance"... mannerism, baroque, and late baroque.
[*Four Stages of Renaissance Style* (Nueva York: Doubleday, 1955), p. 6.]

[33] "Palabras liminares", en *Obras completas,* ed. cit., II, p. 8.

[34] Valparaíso: Imprenta y Litografía Excelsior, 1888, p. VIII. El comentario de Pedro Salinas, respecto al mismo tema, es igualmente pertinente: "...Rubén Darío procede en su elaboración de la poesía nueva con una *mente sintética.* Rubén Darío se acerca a todas las formas de la lírica europea del siglo XIX, desde el romanticismo al decadentismo. Y encontrando en cada una un encanto o una gracia las acepta, sin ponerlas en tela de juicio, y las va echando en el acomodaticio crisol del modernismo". [*Literatura española del siglo XX* (México: Robredo, 1949), p. 15. Lo subrayado es mío.]

que, perseverando hoy,
existe en la eternidad.

Cuatro horizontes de abismo
tiene mi razonamiento,
y el abismo que más siento
es el que siento en mí mismo.

.......................................

¡Señor, que la fe se muere!
Señor, mira mi dolor.
*!Miserere¡ !Miserere¡*
Dame la mano, Señor...
["Sum"... *(El Canto errante)*]

Presidía nuestra Aspasia, quien a la sazón se entretenía en chupar como niña golosa, un terrón de azúcar húmedo, blanco entre las yemas sonrosadas. Era la hora del chartreuse. Se veía en los cristales de la mesa como una disolución de piedras preciosas, y la luz de los candelabros se descomponía en las copas medio vacías, donde quedaba algo de la púrpura del borgoña, del oro hirviente del champaña, de las líquidas esmeraldas de la menta [35].

MARTÍ

Así, celebrando el músculo y el arrojo; invitando a los transeúntes a que pongan en él, sin miedo, su mano al pasar; oyendo con las palmas abiertas al aire, el canto de las cosas; sorprendiendo y proclamando con deleite fecundidades gigantescas; recogiendo en versículos édicos las semillas, las batallas y los orbes; señalando a los tiempos pasmados las colmenas radiantes de hombres que por los valles y cumbres americanas se extienden y rozan con sus alas de abeja la fimbria de la vigilante libertad; pastoreando los siglos amigos hacia el remanso de la calma eterna, aguarda Walt Whitman, mientras sus amigos le sirven en manteles campestres la primera pesca de la Primavera rociada con champaña, la hora feliz en que lo material se aparte de él, después de haber revelado al mundo un hombre veraz, sonoro y amoroso, y en que, abandonado a los aires purificadores, germine y arome en sus ondas, "desembarazado, triunfante, muerto!" [36].

---

35 *Azul...*, ed. cit., p. 11.
36 *Obras completas*, ed. cit., XV, pp. 208-209.

Figuraos un vestíbulo amplio y bien dispuesto, con pavimento de exquisitos mármoles, y en cuyo centro derramaba perlas cristalinas, un grifo colocado en una fuentecilla de alabastro...

GUTIÉRREZ NÁJERA

Convenido conmigo en que este *parterre* lindísimo es el summum de la belleza y la elegancia... El floripondio de alabastro y el nenúfar de flexible tallo crecen al lado de la camelia aristocrática y del plebeyo nardo [37].

LUGONES

Corazón que bien se da,
tiene que darse callado,
sin que el mismo objeto amado
llegue a saberlo quizá.

Que ni un suspiro indiscreto
nuestros firmes labios abra.
Que la más dulce palabra
muera en dichoso secreto.

Todo calla alrededor.
Y la noche, sobre el mundo,
se embellece en el profundo
misterio de nuestro amor.

["Lied del secreto dichoso" *(Romancero)*]

GONZÁLEZ MARTÍNEZ

Mañana de viento,
de frío, de lluvia
en el mar.
Ansias y memorias
se enredan, se embrollan, y de la madeja

[37] *Cuentos completos y otras narraciones* (México: Fondo de Cultura Económica, 1958), p. 12.

el alma recoge y anuda los hilos
al azar.

Mañana de viento,
de frío, de lluvia
en el mar.
¡Cabos sueltos de cosas que fueron,
hebras rotas de lo que vendrá!

Yo con un recuerdo até una esperanza,
y ligué mi vida con la eternidad...

["Hilos" *(Poemas truncos)*]

Estos trozos escogidos al azar revelan una disparidad estética que va del afrancesamiento hasta el tradicionalismo hispánico. Pero entre todos estos trozos hay una nota común —la exploración de nuevos senderos expresivos, la búsqueda de renovadas formas estilísticas frente al academismo de ribetes neoclásicos que imperaba antes de la revolución modernista. ¿Cómo entonces hablar de una estructura monolítica al elucidar el arte modernista? Habría que decir con Rubén que cada uno de estos artistas es grande y noble en sí y que todos, en su común afán por innovar y ampliar las dimensiones expresivas del lenguaje literario decimonónico, van por su propio camino. No hay una definición capaz de precisar todos sus atributos estilísticos e ideológicos, precisamente porque el modernismo es el estilo de una época. "*Style is not an absolute,* and here we shall assume that a style seldom has total control over any poem, painting, sculpture, or building whatever. A style emerges only from the restless activity of many temperaments. A critic of the arts must invoke Proteus, not Procrustes" [38].

Además de las divergencias estéticas en la obra de los modernistas, se da el curioso hecho de reacciones y tensiones internas entre los que intervinieron en la formación de la estética del modernismo. No obstante el peligro de regirse por los pronunciamientos y observaciones críticas y teóricas de los que moldearon esta literatura nova-

---

[38] Sypher, *op. cit.*, p. 7.

dora [39], la naturaleza heterogénea de los conceptos que a continuación presentamos prueba, en nuestro sentir, la futilidad de tratar de reducir a un esquema la expresión literaria de toda una época.

Encontramos, por ejemplo, declaraciones en oposición al parnasismo, el cual, junto con el impresionismo, el expresionismo y el simbolismo, forma la base de las influencias extranjeras del modernismo. Entre los escritos dispersos de Martí leemos estas observaciones alusivas al arte marmóreo y frío de los poetas parnasianos:

> Parnasianos llaman en Francia a esos trabajadores del verso a quienes la idea viene como arrastrada por la rima, y que extiende el verso en el papel como medida que ha de ser llenada, y en esta hendija, porque caiga majestuosamente, se encaja un vocablo pesado y luengo; y en aquella otra, porque parezca alado, le acomodan un esdrújulo ligero y arrogante... Ni ha de ponerse el bardo a poner en montón frases melodiosas, huecas de sentido, que son como esas abominables mujeres bellas vacías de ella [*sic*] [40].
>
> Otro amaneramiento hay en el estilo, —que consiste en fingir, contra lo que enseña la naturaleza, una frialdad marmórea que suele dar hermosura de mármol a lo que se escribe, pero le quita lo que el estilo debe tener, el salto del arroyo, el color de las hojas, la majestad de la palma, la lava del volcán [41].

Pese a estas y otras similares advertencias, Martí, quien se inclinó siempre hacia una expresión apasionada, fue seducido por los valores estéticos del arte parnasiano, y en su estilo abundan ejemplos reveladores de la ascendencia de las creaciones plásticas de los parnasistas.

---

[39] Ya hemos visto cómo las afirmaciones de Rubén despistaron a los críticos. Sin embargo, Luis Monguió, en su estudio "Sobre la caracterización del modernismo", recomienda la formulación de una definición del modernismo a base de dos elementos: "1.º, el punto de vista de la crítica, es decir, la caracterización del movimiento o escuela modernista por los críticos que de ella se han ocupado; y 2.º, el punto de vista de los artistas de la escuela misma, es decir, la definición o definiciones dadas por los propios artistas, por los creadores del movimiento modernista, de lo que ellos entendían por su obra de arte". [*Revista Iberoamericana,* VII (1943), p. 69.]

[40] *Obras completas,* ed. cit., XLVII, pp. 33-34.

[41] *Ibid.,* LXXIII, p. 30.

Contra el preciosismo rubeniano hay numerosas quejas; unas, como la siguiente de Blanco-Fombona, van dirigidas directamente al bardo nicaragüense:

> Nacido en algunos poemas de *Prosas profanas,* la obra que dio más crédito a Darío, y que mayor influencia ejerció, primero en América y más tarde en España, el rubendarismo consiste en la más alquitarada gracia verbal, en un burbujeo de espumas líricas, en un frívolo sonreír de labios pintados, en una superficialidad cínica y luminosa, con algo exótico, preciosista, afectado, insincero [42].

Otras están dirigidas a los imitadores de Rubén (con burla de la retórica rubeniana) como el siguiente vapuleo en verso de José Asunción Silva intitulado "Sinfonía color de fresa con leche", con el epígrafe-dedicatoria "(A los colibríes decadentes)":

> ¡Rítmica Reina lírica! Con venusinos
> cantos de sol y rosa, de mirra y laca,
> y polícromos cromos de tonos mil,
> oye los constelados versos mirrinos,
> escúchame esta historia rubendariaca
> de la Princesa Verde y el paje Abril,
> rubio y sutil.

En esta primera estrofa del poema Silva se burla de las modalidades expresivas de los segundones darianos; con el poeta santafereño convendría Rubén, quien, citando a Wagner, declara en las "Palabras liminares" de *Prosas profanas:* "Wagner a Augusta Holmes, su discípula, dijo un día: 'lo primero, no imitar a nadie, y sobre todo, a mí'. Gran decir" [43].

---

[42] *El modernismo y los poetas modernistas* (Madrid: Mundo Latino, 1929), p. 32.

[43] *Obras completas,* ed. cit., II, p. 8. En 1894, dirigiéndose a Clarín en su artículo "Pro domo mea" exclama: "...Yo no soy jefe de escuela ni aconsejo a los jóvenes que me imiten; y el 'ejército de Jerges' puede estar descuidado, que no he de ir a hacer prédicas de decadentismo ni a aplaudir extravagancias y dislocaciones literarias". [*Escritos inéditos* (Nueva York: Instituto de las Españas, 1938), p. 51.]

Imprescindible en cualquier registro de conceptos críticos y negativos del modernismo, en especial de la variante rubendariaca, es la defensa de González Martínez de la vida profunda y de la expresión sencilla, sin retórica:

> Tuércele el cuello al cisne de engañoso plumaje
> que da su nota blanca al azul de la fuente;
> él pasea su gracia no más, pero no siente
> el alma de las cosas ni la voz del paisaje
> ... ... ... ... ... ... ... ... ... ... ... ... ... ... ...
> ["Tuércele el cuello al cisne...
> (*Los senderos ocultos*)]

La disimilitud de perspectiva que se patentiza en los arriba citados trozos, son, a nuestro modo de ver, una comprobación más de que el modernismo no es Rubén, pues los que tal posición defienden equiparan el arte modernista con *Azul...* y *Prosas profanas* [44]. Además, si se reduce el modernismo a la estética de estos dos tomos, rechazamos necesariamente una porción relevante de la obra madura de Darío, gran parte o la totalidad de la de otros escritores, y se desdora el modernismo, al rebajarlo a la categoría de una literatura amanerada, preciosista y extranjerizante de limitadas producciones. Defender tal concepto truncado implica negar la idea imprescindible, respecto al modernismo, de evolución y de diferenciación —de la libertad creadora, en fin— no sólo tocante a la época modernista, sino en relación al estro del artista individual, cuya obra, en algunos casos, evidencia una sucesión de etapas distintas (por ejemplo, la de Darío y Lugones) que reflejan su esfuerzo por exteriorizar disímiles elementos emotivos y noéticos.

## ESTÉTICA, IDEOLOGÍA Y ÉPOCA

Sin querer perseguir una lógica circular, la discusión del apartado anterior nos lleva al planteamiento más detenido de la cuestión epocal, ya esbozada en sus aspectos cronológicos. Nos proponemos ahora enfocar la estética modernista en términos de sus abundantes corrientes

[44] V. Raúl Silva Castro, "¿Es posible definir el modernismo?", quien de Darío se limita a citar de estos dos volúmenes y de "Carta del país azul".

ideológicas [45] y filosóficas contribuyentes todas a la creación de un ambiente en que llegó a su madurez una expresión híbrida, a veces indígena, sin ser siempre auténtica, y otras foráneas sin carecer necesariamente de autenticidad.

Manuel Pedro González ha indicado cómo el crecer de un espíritu libre de investigación fomentado por el positivismo americano es instrumental en la búsqueda de formas literarias renovadas que superan las manoseadas y anticuadas maneras expresivas de la época [46]. De igual trascendencia ideológica, sobre todo en la creación de una insistencia sobre el punto de vista idealista, es el "neoespiritualismo" señalado por Gullón [47]. El espiritualismo se apoderó de los modernistas como reacción al cientificismo del momento, conflicto filosófico que caracteriza y hasta motiva el debate que sostuvo Martí (defensor del espiritualismo, pero influido, de todos modos, por el positivismo) en el Liceo Hidalgo en el México de 1875.

Que exista esta nota contradictoria en la génesis del modernismo no debe sorprendernos, pues se trata de una era de transformaciones radicales, las cuales siembran las semillas de una visión antagónica, de valores heterodoxos en la religión donde se supone que el modernismo primero se manifestó [48], al igual que en todas las ramas de la con-

---

[45] Carlos Real de Azúa caracteriza de la manera siguiente el ambiente espiritual e intelectual de fines del siglo XIX y principios del XX:

En una provisoria aproximación, podría ordenarse escenográficamente el medio intelectual novecentista hispanoamericano. Colocaríamos, como telón, al fondo, lo romántico, lo tradicional y lo burgués. El positivismo, en todas sus modalidades, dispondríase en un plano intermedio, muy visible sobre el anterior pero sin dibujar y recortar sus contornos con una última nitidez. Y más adelante, una primera línea de influencias renovadoras, de corrientes, de nombres, sobresaliendo los de Nietzsche, Le Bon, Kropotkin, France, Tolstoy, Stirner, Schopenhauer, Ferri, Renan, Guyau, Fouillée...

["Ambiente espiritual del novecientos", *Número* 2 (6-7-8), p. 15.]

[46] V., por ejemplo, "Conciencia y voluntad de estilo en Martí (1875-1880)", en el *Libro jubilar de Emeterio S. Santovenia en su cincuentenario de escritor* (La Habana, 1957), pp. 191-192.

[47] *Direcciones del modernismo,* pp. 46-48.

[48] Juan Ramón Jiménez considera el modernismo, en sus orígenes, un movimiento heterodoxo que luego contagió otras esferas de la vida social y artística. V. pp. 222-223 de su ya citado libro *El modernismo; notas de un curso* (1953).

ducta y el saber humanos. El complejo y trascendente proceso evolutivo incluye, como se ha observado, "la industrialización, el positivismo filosófico, la politización creciente de la vida, el anarquismo ideológico y práctico, el marxismo incipiente, el militarismo, la lucha de clases, la ciencia experimental, el auge del capitalismo y la burguesía, neoidealismo y utopías..." [49].

El artista modernista refleja en su obra estas fuerzas polares. De allí, por ejemplo, las estructuras antitéticas que tan relevante función tienen en la literatura modernista. Recuérdese, en lo moral, la aseveración martiana: "Y la pelea del mundo viene a ser la de la dualidad hindú: bien contra mal" [50], o la formulación arquetípica de esta dicotomía "alas-raíz" que tanto intriga al maestro cubano. Su triste y malogrado coterráneo, Julián del Casal, se servirá de semejante polarización en estos versos de "¡O Altitud!": "Joven, desde el azul de tu idealismo, / viste al cieno bajar tus ilusiones". Y Darío, acosado por análogas contradicciones y frustraciones, tanto en lo social como en lo personal, hablará con melancolía de una dualidad que más que étnica era cultural: "¿Hay en mi sangre alguna gota de sangre de África, o de indio chorotega o nagrandano? Pudiera ser, a despecho de mis manos de marqués..." [51]. La tensión y la distensión de estos factores culturales en conflicto produjo una estética "acrática", al decir de Rubén, una literatura multifacética, elucidable sólo en términos estético-noéticos.

Por lo tanto, el empeño de algunos críticos como Raúl Silva Castro de poner en sordina o silenciar toda una escala de notas ideológicas [52] cuya omisión achica y desvirtúa la literatura modernista, difícilmente se justifica; tal esfuerzo limita al antemodernista a una expresión que "...procuró, con especial relieve, alcanzar la gracia de la forma, en un período en el cual la poesía no había decidido aún renunciar a ser un arte del bien decir... en consecuencia, se produjo entre los escritores americanos de lengua española una especie de ru-

---

49 Ricardo Gullón, *Direcciones del modernismo,* p. 69.

50 *Obras completas,* ed. cit., X, p. 143.

51 *Obras completas,* ed. cit., II, p. 9.

52 "¿Es posible definir el modernismo?", p. 178.

morosa emulación para obtener del manejo del idioma los más elevados logros" [53].

Pero entre los mayores logros del modernismo contamos, a más de los originales hallazgos expresivos en prosa y en verso, una profunda preocupación metafísica de carácter agónico que responde a la confusión ideológica y la soledad espiritual de la época. Estos elementos —la confusión y la soledad— tienen una vitalidad y relevancia contemporáneas. En la literatura de duda y de angustia que hoy se estila, se patentiza, en lo noético, una justificación del concepto epocal del modernismo, pues el agonismo de ayer se cuela y se presenta en la literatura hispanoamericana posterior al florecimiento del modernismo. Vemos, otra vez, cómo hay en esta literatura una sucesión de etapas evolutivas cuya dinámica se remonta al desquiciamiento efectuado, en gran parte, por las ideas positivistas, desequilibrio decimonónico que se proyecta sobre nuestra cultura de hoy —aunque por otras razones— y el cual capta y define el pensamiento existencialista. Junto con el desmoronamiento de los valores aceptados como tradicionales, surge en la América positivista el desgarramiento espiritual e intelectual, que, al mismo tiempo que libera la mente de trabas y normas, crea un vacío, un abismo aterrador que las angustiadas expresiones de la literatura modernista reflejan:

> Ser, y no saber nada, y ser sin rumbo cierto,
> y el temor de haber sido y un futuro terror...
> Y el espanto seguro de estar mañana muerto,
> ... ... ... ... ... ... ... ... ... ... ... ... ... ...
> ¡y no saber adónde vamos,
> ni de dónde venimos!...
>
> [Rubén Darío, "Lo fatal"
> *(Los cisnes y otros poemas)*]

> ¿Qué somos? ¿A dó vamos? ¿Por qué hasta aquí vinimos?
> ¿Conocen los secretos del más allá los muertos?
> ¿Por qué la vida inútil y triste recibimos?
> ... ... ... ... ... ... ... ... ... ... ... ... ... ... ... ... ... ...

[53] *Ibid.*, p. 178.

La tierra, como siempre, displicente y callada,
al gran poeta lírico no le contestó nada.

[José Asunción Silva, "La respuesta de la tierra"]

¡Oh Destino! La lluvia humedece
en verano la tierra tostada;
en las rocas abruptas retozan,
su frescor esparciendo las aguas;
pero el hombre de sed agoniza,
y sollozan las huérfanas almas:
¿Quién nos trajo? ¿De dónde venimos?
¿Dónde está nuestro hogar, nuestra casa?

[Manuel Gutiérrez Nájera,
"Las almas huérfanas"]

Aun en Martí, cuya dedicación revolucionaria dio sentido y dirección a su vida, se dan momentos de desesperación, los que si bien nacen del desengaño del Homagno frente a la estrechez del carácter humano, también expresan la vana tentativa del hombre de profundizar el secreto de la naturaleza:

> Las ciencias aumentan la capacidad de juzgar que posee el hombre, y le nutren de datos seguros; pero a la postre el problema nunca estará resuelto; sucederá sólo que estará mejor planteado el problema. El hombre no puede ser Dios, puesto que es hombre. Hay que reconocer lo inescrutable del misterio, y obrar bien, puesto que eso produce positivo gozo, y deja al hombre como purificado y crecido [54].

La misión del redentor se manifiesta en la recomendación moral de la última sentencia. Pero en vista de que, en la mayoría de los modernistas, el vacío creado por la crisis de la época, el desgaste de tradicionales contextos filosóficos y religiosos [55], sin que pudiera reempla-

---

[54] *Sección constante* (Caracas: Imprenta Nacional, 1955), p. 401.

[55] V. Carlos Real de Azúa, *op. cit.*, p. 24:

Corrían en materia de exégesis y filosofía o historia religiosa las obras de Renan, Harnack, Strauss, el libelo de Jorge Brandes, los tratados y manuales de Salomón Reinach y Max Müller. Se reeditaban los libros de intención antirreligiosa, de Volney, de Voltaire, de Holbach, de Diderot, el cazarlos la ideología cientificista de la era, ni el espíritu burgués campante (recuérdense los cuentos de Darío, "El rey burgués; cuento alegre" y "La canción del oro"), todo esto dio origen a un estado de inseguridad y de insuficiencia que Rodó concretizó en las líneas siguientes:

> ...en nuestro corazón y nuestro pensamiento hay muchas ansias a las que nadie ha dado forma, muchos estremecimientos cuya vibración no ha llegado aún a ningún labio, muchos dolores para los que el bálsamo nos es desconocido, muchas inquietudes para las que todavía no se ha inventado un nombre... [56].

Era natural, por consiguiente, que el artista de la época, sensible a las corrientes filosóficas e ideológicas, y perplejo ante sus enigmas, produjera una literatura escéptica, la cual, por cierto, no es la primera ni siempre la más original del género. El modernismo, como afirma Raúl Silva Castro, no engendró "...un gran número de pensadores" [57], de pensadores sistemáticos, pero las expresiones angustiadas de Martí, Nájera, Silva, Casal, Nervo, González Martínez y Rodó, amén de otros, tampoco deben pasarse por alto, pues sus buceos y preguntas definen el modernismo y anticipan el ansia contemporánea. Rodó, por ejemplo, escrutando el ambiente en que le tocó vivir, dio expresión a la duda modernista de tal modo que sus palabras sugieren los patrones ideológicos del momento actual: "la duda es en nosotros un ansioso esperar; una nostalgia mezclada de remordimientos, de anhelos, de temores; una vaga inquietud en la que entra por mucha parte el ansia de creer, que es casi una creencia..." [58]. El deseo frenético de afirmar una fe se convierte en congoja, como dice Darío en *Historia de mis libros:*

---

tecismo del cristianismo democrático y romántico de Lammenais, *Paroles d'un croyant...*

[56] *Obras completas* (Buenos Aires: Zamora, 1956), p. 115. Sin embargo, es un período de tendencias ideológicas antagónicas: optimismo en la eficacia de la ciencia para los que tenían fe en el positivismo, y pesimismo para los que no confiaban en la ciencia y sufrían la angustia de perder las tradiciones antiguas sin encontrar otras que las reemplazaran.

[57] *Op. cit.*, p. 178.

[58] Ed. cit., p. 117.

> Me he llenado de congoja cuando he examinado el fondo de mis creencias, y no he encontrado suficientemente maciza y fundamentada mi fe, cuando el conflicto de las ideas me ha hecho vacilar y me he sentido sin un constante y seguro apoyo... Después de todo, todo es nada, la gloria comprendida. Si es cierto que "el busto sobrevive a la ciudad", no es menos cierto que lo infinito del tiempo y del espacio, el busto, como la ciudad, y, ¡ay!, ¡el planeta mismo, habrán de desaparecer ante la mirada de la única Eternidad! [59].

Fue aquélla, en fin, una era de revaloración, y el artista no se sentía a gusto en el ambiente burgués que le circundaba. De ahí la presencia y la justificación —en términos de una realidad vital— de lo que se ha tildado con cierta inexactitud la "evasión modernista".

### REALIDAD Y EVASIÓN

El mundo poblado de cisnes, pavos reales, sátiros, ninfas; el decorado de diamantes, rubíes, jaspe; los trabajos de orfebrería, de ebanistería y cristalería que decoran las páginas de prosistas y poetas del modernismo; los ambientes regios, exóticos, aristocráticos; las trasposiciones pictóricas, son elementos típicos de sólo un aspecto del arte modernista.

Para los modernistas, el venero exótico representaba una manera de concretizar los anhelos estéticos e ideales, vedados por la realidad cotidiana. En ésta faltaban los objetos bellos y nobles de la vida, los cuales el artista necesitaba crear o nombrar, no porque deseara en el fondo evadirse de la realidad, sino porque la realidad soñada era la única valedera en términos de una concepción empírea de la existencia. Por lo tanto, su ideal, quimérico para el no iniciado, para el modernista asumía visos de una realidad palpable, y, paradójicamente, carente de irrealidad. Su mundo visionario era una especie de velo de la reina Mab, el que hacía llevadera la vida rutinaria y las opiniones despreciativas de los que no comprendían el arte. La "evasión" modernista, entonces, como sagazmente observa Gullón, afirmó los

[59] *Obras completas*, ed. cit., XVII, pp. 214-215.

valores eternos de nuestra cultura con "palabras imperecederas" [60]. Imposible poner en tela de juicio la sinceridad del escapismo de un Darío: "En verdad, vivo de poesía. Mi ilusión tuvo una magnificencia salomónica. Amo la hermosura, el poder, la gracia, el dinero, el lujo, los besos y la música. No soy más que un hombre de arte" [61]. Examinado con detenimiento, lo que tradicionalmente se ha caracterizado como evasionismo, entraña mucho realismo como puede verse por ejemplo en "El rey burgués", "El velo de la reina Mab" o "La canción del oro", un realismo que corta más hondo —pues revela la mezquindad humana, la misma de las "Gotas amargas" de Silva— que el menos poético e idealizado de "El fardo". Conviene, además, reflexionar sobre el sentido del realismo hispanoamericano, en especial, la cuestión de su veracidad, de su capacidad para reflejar objetivamente la realidad externa. Ilustran el problema dos novelas, escritas en el período del auge modernista, del mexicano José López Portillo y Rojas. La primera, de 1898, *La parcela,* encarna el punto de vista del porfiriato, al presentar un cuadro utópico e idealizado de la realidad campesina; la segunda, de 1919, *Fuertes y débiles,* corrige la perspectiva errada de la primera a la luz de la Revolución, liberado el novelista de su compromiso con la dictadura. Por lo tanto, cabe preguntarnos si lo que solemos llamar realismo es siempre tan "real" y verídico, pues grandes irrealidades pueden presentarse con técnica objetiva. De ahí que urja considerar si lo que calificamos de evasionismo en el caso del modernismo son construcciones artísticas de contornos escapistas, o más bien retratos de la *única realidad* del artista, asediado por angustias y rechazado por los "reyes burgueses'. Nos parece la obra del artista modernista tan auténtica y tan realista como la del novelista porfiriano, quien refleja su aceptación tácita de un régimen dictatorial —y, por ende, una visión deformada del cuadro social— en consecuencia de su compromiso político y de clase.

El anverso del medallón —lo que suele señalarse como "mundonovismo"— es, a veces, una preocupación mitológica americana ("Caupolicán", "Momotombo") que revela al modernista —igual que al

---

60 *Direcciones del modernismo,* pp. 42-43.

61 En "Los colores del estandarte", *Poesías y prosas raras* (Santiago: Prensas de la Universidad de Chile, 1938), p. 68.

hombre de nuestra época— buscando raíces fuera del ámbito de la realidad circundante, y, por lo tanto, en postura escapista y exótica, a pesar del indigenismo de su interés.

El fidedigno elemento contrapuntal en esta discusión de realidad y evasión no es el indigenismo, sino más bien la preocupación por los males y defectos políticos y sociales; es, por ejemplo, el americanismo tan patente de Martí, quien, además, se percató con su acostumbrada videncia de la rémora principal para la plasmación de una expresión americana en la época modernista:

> No hay letras, que son expresión, hasta que no hay esencia que expresar en ellas. Ni habrá literatura Hispano Americana, hasta que no haya Hispano América. Estamos en tiempos de ebullición, no de condensación; de mezcla de elementos, no de obra enérgica de elementos unidos. Están luchando las especies por el dominio en la unidad del género [62].

## EL MODERNISMO: ARTE SINCRÉTICO

Si el modernismo ha de definirse cronológicamente en términos de una época extensa, o de medio siglo de sucesivas etapas, entonces la naturaleza estética y noética de las expresiones modernistas debe ser eminentemente sincrética. Téngase en cuenta que los años entre 1875 y 1925 (o 1882-1932) son de enorme fecundidad de "ebullición", como dijo Martí en el arriba citado texto, máxime en comparación con los tres siglos de *tempo lento* de la colonia. El holocausto de la Independencia, y la liberación consiguiente de la tutela española, plantearon cuestiones de identificación y de definición culturales (v. al respecto las ideas de Sarmiento, Alberdi, Lastarria), en particular, frente a Europa y los Estados Unidos. La independencia política obtenida en 1824 no se consigue en lo literario hasta la renovación modernista, o sea, cinco décadas más tarde. Pero, curiosamente, acompaña esta restauración una inclinación, entre algunos de los modernistas, a desplazar lo español y entronizar lo francés:

---

62 *Obras completas*, ed. cit., LXII, p. 98.

> Hoy toda publicación artística, así como toda publicación vulgarizadora de conocimientos, tiene de [*sic*] hacer en Francia su principal acopio de provisiones, porque en Francia, hoy por hoy, el arte vive más intensa vida que en ningún otro pueblo... [63].

> Mi adoración por Francia fue desde mis primeros pasos espirituales honda e inmensa. Mi sueño era escribir en lengua francesa [64].

Pero hubo defensores de la tradición clásica española, y tanto Darío como Nájera, si rechazaron las hueras expresiones poéticas de la España de aquellas calendas (Nájera, por ejemplo, ciñéndose a la idea de Clarín, hablará de dos poetas, pocos medios poetas y muchos centavos de poetas en España) [65], en su obra madura, incorporarán los mejores elementos de la literatura peninsular del Siglo de Oro. Estos, ya desde 1875, los había introducido José Martí en su prosa rítmica, plástica y musical, tan hispánica, pero, a la vez, tan reveladora de las huellas del parnasismo, del simbolismo, del impresionismo y del expresionismo franceses. De Martí fue la insistencia sobre lo americano, al mismo tiempo que recomendaba la incorporación de lo foráneo en moldes personales. Abogó por la asimilación de las literaturas extranjeras en construcciones hispánicas: "El uso de una palabra extranjera entre las palabras castellanas me hace el mismo efecto que me haría un sombrero de copa sobre el Apolo de Belvedere" [66].

Teniendo en cuenta estas ideas, no sería ocioso recalcar, a modo de resumen, que el modernismo, desde el momento de su aparición en la prosa (1875-1880), se bifurcó en dos modalidades expresivas. Una era de oriundez hispánica —sobre todo de los maestros del Siglo de Oro—, plástica, musical y cromática (Martí), y, la otra, igualmente artística y reflejadora del parnasismo, simbolismo, expresionismo e impresionismo, se ajustaba a las formas francesas contemporáneas: temas frívolos parisienses, y el vocabulario, los giros, la puntuación y las construcciones francesas (Nájera).

---

63 Manuel Gutiérrez Nájera, *Obras I* (México: Universidad Nacional Autónoma de México, 1959), p. 101.

64 Rubén Darío, *Escritos inéditos*, p. 121.

65 *Obras I*, p. 102 n.

66 *Obras completas*, ed. cit., LXIV, p. 177.

Otra perspectiva del modernismo —la temática— revela que hay en él tres corrientes: una extranjerizante, otra americana y la tercera hispánica. En la obra de Darío, por ejemplo, al lado de "Bouquet", "Garçonnière", "Dream", "Tant mieux", "Toast", encontramos "Caupolicán" y "Canto a la Argentina". Y, asimismo, una preocupación por y dedicación a lo hispánico: "Un soneto a Cervantes", "Cyrano en España", "A Maestre Gonzalo de Berceo", "Letanía de Nuestro Señor Don Quijote". En la temática, como en lo lingüístico y lo estilístico, lo hispánico se impuso como norma expresiva, sin que por eso desaparecieran los elementos extranjeros que tanto contribuyeron a la renovación modernista en sus etapas primigenias.

Las contradicciones y los antagonismos, el flujo y reflujo de los componentes del arte modernista, se manifiestan en numerosas antítesis que el artista esperaba armonizar. La síntesis se efectúa no sólo dentro de lo literario ("¿La prosa en verso es un defecto? Creo que no si el asunto es por esencia poético") [67], sino a través de la incorporación en la expresión literaria de procedimientos y técnicas que generalmente pertenecen a otras artes: pintura, escultura, música. El escritor ha de pintar como el pintor, sentenció Martí [68]. Y Nájera, como Martí, siguiendo la tradición becqueriana, ambicionó "...presentar un estudio de claroscuro, hacer con palabras un mal lienzo de la escuela de Rembrandt, oponerle luz a la sombra, el negro intenso al blanco deslumbrante" [69]. Casi todos los modernistas, en su afán por ensanchar la expresividad del español literario, asimilaron elementos descomunales que enriquecieron la lengua: el color, la plasticidad, ritmos desusados, esculturas en prosa y verso, transposiciones pictóricas, estructuras impresionistas y expresionistas. Sirviéndose de estos

---

67 Manuel Gutiérrez Nájera, *Obras I*, p. 94.

68 *Obras completas*, ed. cit., XX, p. 32.

69 *Obras I*, p. 317. V. también de Nájera estas palabras reveladoras de una mezcla de procedimientos artísticos, formulada con recursos sinestésicos: "Otros, 'sienten un color' y lo reflejan en las almas... Leconte de Lisle siente una línea y la burila en el cerebro de los que saben leerle". [*Ibid.*, p. 95.] Y sobre los efectos musicales en la literatura: "Entonces la *r* se retuerce, retumba el período, relampaguea la frase descarada, raya la pluma el papel en que escribimos... [*Ibid.*, p. 96.] Y Martí: "Los versos han de ser como la porcelana: sonora y transparente". [*Sección constante*, p. 283.]

novedosos recursos, los modernistas crearon el multifacético arte en prosa y verso que tildamos epocal y sincrético [70].

## III

### EL MODERNISMO: ¿MOVIMIENTO CONCLUSO? [71]

El medio siglo modernista, anteriormente discutido, coincide exactamente con la organización cronológica que Federico de Onís dio a su *Antología de la poesía española e hispanoamericana* [72], o sea, "Transición del Romanticismo al Modernismo (1882-1896)" hasta "Ultramodernismo (1914-1932)". Onís, en su introducción, advirtió al lector que en el caso del último período (1914-1932) se trataba de una expresión poética que "...tiene su origen en el modernismo y el posmodernismo cuyos principios trata de llevar a sus últimas consecuencias, [y] acaba en una serie de audaces y originales intentos de creación de una poesía totalmente nueva" [73]. Según esta exégesis, puede afirmarse que a pesar de sus diferencias individuales, los poetas que escriben en pos del período que el antologista llama "Triunfo del Modernismo (1896-1905)", todos, o casi todos, producen su obra en relación al arte modernista, ya sea a modo de continuación, reacción o "última consecuencia" del modernismo. ¿Es justo, entonces, reducir el modernismo a las fechas darianas, 1888-1916 [74], o conviene, más

---

70 Las relaciones entre el modernismo literario y las otras artes quedan todavía por estudiar. V., por ejemplo, las páginas 43-48 de mi ensayo "José Martí y Manuel Gutiérrez Nájera: Iniciadores del Modernismo, 1875-1877" y el recién publicado estudio de Esperanza Figueroa "El cisne modernista", *Cuadernos Americanos,* CXLII (1965), pp. 253-268. Juan Ramón Jiménez, en su libro sobre el modernismo, alude con frecuencia a la plástica, cuya influencia en y relación con el modernismo literario debiera estudiarse desde "l'école pittoresque" hasta el arte "nouveau" y nabi.

71 La caracterización no es nuestra, sino de Raúl Silva Castro, *op. cit.,* página 172.

72 Usamos la reimpresión de 1961 (Nueva York: Las Américas).

73 *Ibid.,* p. XIX.

74 Raúl Silva Castro, *op. cit.,* p. 172.

bien, ampliar la óptica y estudiar el modernismo en sus distintas etapas, sin dejar fuera de la perspectiva sus supervivencias contemporáneas? En efecto, nos toca analizar, siquiera ligeramente, como conclusión a estas reflexiones, si el modernismo es, en verdad, "época ya pasada", o si en el desarrollo literario hispanoamericano posterior a 1932 se delata su presencia, si no rectora, al menos ascendiente. Si enfocamos esta literatura desde el ángulo juanramoniano, o sea, el de un siglo modernista, las huellas del modernismo deben descubrirse en la etapa actual de lo que Juan Ramón considera la revolución modernista. Nos hemos propuesto una tarea monumental que en verdad rebasa los límites de este estudio. Pero creo que si nos ceñimos al estudio de la prosa narrativa de hoy, observaremos en ella, sobre todo en la hispanoamericana, una insistencia sobre la perfección de la forma, una preocupación poética y estética, la misma que señaló el crítico español, José María Valverde, miembro del jurado que le concedió a Mario Vargas Llosa el Premio Biblioteca Breve de 1962 por su novela *La ciudad y los perros:* "Pues, para resumirlo en una palabra clave: se trata de una novela 'poética', en que culmina la manera actual de entender la prosa poética entre los hispanoamericanos —por fortuna para ellos—". La caracterización de esta prosa artística hecha por Valverde podría servir para dilucidar el arte de la expresión en prosa de los modernistas en su época cumbre; pero el crítico sigue hablando de la novela de Vargas Llosa: "...el lenguaje se musicaliza, se pone en trance hipnótico: hasta las palabrotas se convierten en elemento rítmico, se depuran en su función de sonido, de creación de atmósfera, confusa y sugerente a la vez, en que importa más el estado de ánimo que lo que pasa" [75]. Hay, en fin, en esta y otras obras contemporáneas de América una voluntad de estilo de que carece, en general, la novelística peninsular de hoy. (Nótese a este respecto la terminación de la sentencia de Valverde "por fortuna para ellos".) No creo aventurado, por otra parte, afirmar que la disparidad entre la expresión hispánica de ambos lados del Atlántico se explica en términos del carácter efímero del modernismo peninsular en contraste con su perdurabilidad hispanoamericana. El modernismo americano,

[75] "Un juicio del Dr. José M.ª Valverde" en Mario Vargas Llosa, *La ciudad y los perros* (2.ª ed., Barcelona: Seix Barral, 1963), s. p.

como el barroco anteriormente [76], se prolonga, y su ascendencia y legado se perciben más allá de los límites temporales de su período de mayor florecimiento.

Tomando pie de la fecha señalada por Raúl Silva Castro como la de la conclusión del modernismo, o sea, 1916, podríamos reunir abundantes ejemplos de prosa artística en defensa de la vigencia contemporánea de la estética modernista, o, cuando menos, de su determinante efecto sobre las expresiones literarias posteriores a 1918. En 1919, por ejemplo, Alcides Arguedas, cuya obra no pertenece específicamente al modernismo, publica *Raza de bronce,* donde notamos cualidades modernistas: la plasticidad, el fuerte cromatismo y un ingente lirismo, ya sea en la descripción de la naturaleza boliviana, ya en la narración de las leyendas indígenas [77].

Max Henríquez Ureña, en su *Breve historia del modernismo,* ofrece otro ejemplo de la persistencia del arte modernista; señala que en José Eustasio Rivera el modernismo se supervive "...no tanto en los sonetos admirables de *Tierra de promisión* (1921), como en la prosa deslumbrante y barroca de su famosa novela *La vorágine* (1924)" [78]. A modo de ilustración citamos este trozo corto de la novela prototípica de la selva:

> Lentamente, dentro del perímetro de los ranchos, empezó a flotar una melodía semirreligiosa, leve como el humo de los turíbulos. Tuve la impresión de que una flauta estaba dialogando con las estrellas. Luego me pareció que la noche era más azul y que un coro de monjas cantaba en el seno de las montañas, con acento adelgazado por los folla-

---

[76] V. Alejo Carpentier, *Tientos y diferencias* (México: Universidad Nacional Autónoma de México, 1964), p. 42: "Nuestro arte siempre fue barroco".

[77] V., por ejemplo, el comienzo de la obra:

"El rojo dominaba en el paisaje. Fulgía el lago como un ascua a los reflejos del sol muriente, y, tintas en rosa, se destacaban las nevadas crestas de la cordillera por detrás de los cerros grises que enmarcan al Titicaca poniendo blanco festón a su cima angulosa y resquebrajada, donde se deshacían los restos de nieve que recientes tormentas acumularon en sus oquedades." [Buenos Aires: Losada, 1945, p. 1.]

[78] *Ibid.*, p. 325.

> jes, desde inconcebibles lejanías. Era que la madona Zoraida Ayram tocaba sobre sus muslos un acordeón [79].

En estas líneas de *La vorágine* la prosa poética de entronque modernista se caracteriza por los valores sensoriales, la cualidad etérea de la expresión vaga y musical, y, por fin, el carácter anímico de las imágenes. Pero la perennidad de la modalidad modernista puede manifestarse de otras maneras, siendo sus formas coevales tan variadas como las de su época álgida.

En *Al filo del agua* (1947) el "Acto preparatorio" de prosa rítmica y bíblica revela cuán profunda huella ha dejado sobre los artistas del momento la búsqueda modernista de novadoras expresiones literarias capaces de concretizar la escala humana de emociones y conceptos. En las líneas siguientes se verá cómo Yáñez crea un ambiente de *tempo lento,* de monotonía asfixiante en que el papel regulador y limitador de la Iglesia ocupa el primer plano de la narración:

> Pueblo sin fiestas, que no la danza diaria del sol con su ejército de vibraciones. Pueblo sin otras músicas que cuando clamorean las campanas, propicias a doblar por angustias, y cuando en las iglesias la opresión se desata en melodías plañideras, en coros atiplados y roncos. Tertulias, nunca. Horror sagrado al baile: ni por pensamiento: nunca, nunca [80].

Podríamos multiplicar los ejemplos en prueba de nuestro punto de vista, examinando obras como la de Miguel Ángel Asturias, *Hombres de maíz* (1949); *El día señalado* (1964), de Manuel Mejía Vallejo; *Los pasos perdidos* (1953) y *El acoso* (1958), de Alejo Carpentier. La evocación poética de temas y ambientes en estas y otras narraciones es, a nuestro modo de ver, una extensión y consecuencia del profundo cambio efectuado por la literatura heterogénea, artística y novedosa del modernismo. Pero en apoyo de nuestra visión de la contemporaneidad del modernismo, a más de los factores estilísticos, existen convincentes razones de índole ideológica para examinar la producción literaria de nuestros días a la luz de la del modernismo.

---

[79] Buenos Aires: Losada, 1952, p. 201.

[80] México: Porrúa, 1947, p. 10.

Pues el espíritu de desorientación patente en esta literatura, y el cual se transparenta en la soledad, el acoso metafísico, la angustia existencial, la futilidad y el pesimismo, que permearon y enriquecieron gran parte de la producción modernista impera también en la narrativa actual. La lectura de obras típicas de ella como *La ciudad y los perros, Gestos* de Severo Sarduy y *El día señalado* bastará para convencernos de que, en verdad, estamos presenciando, desde el punto de vista estilístico e ideológico, una proyección del pasado sobre el presente, una etapa más en la evolución de aquel siglo modernista juanramoniano que en América dio su impulso dinámico a la cultura hispánica desde 1882. Las palabras siguientes, redactadas en el siglo pasado, tienen para la literatura del siglo veinte un eco familiar: "Hoy priva el empeño de que no haya ni metafísica ni religión. El abismo de lo incognoscible queda así descubierto y abierto y nos atrae y nos da vértigo, y nos comunica el impulso, a veces irresistible, de arrojarnos en él" [81].

Reconociendo las diferencias, y pensando más bien en las semejanzas, podemos decir de la literatura de la segunda mitad del siglo XIX y de una porción de la producida en lo que va de éste: "será el afán de siempre y el idéntico arcano / y la misma tiniebla dentro del corazón" [82] El modernismo, como estilo de época, y como legado ideológico en la literatura de hoy, sobrevive y se patentiza precisamente porque se trata de artistas que son, como llamó Ricardo Gullón a los modernistas, "Edipos sin esfinge" frente a "la misma tiniebla" [83].

---

[81] Juan Valera, en su carta-prólogo a *Azul...* (Buenos Aires: Espasa-Calpe, 1939), p. 17.

[82] Enrique González Martínez, "Mañana los poetas", en *La muerte del cisne.*

[83] *Direcciones del modernismo,* p. 42.

Ricardo Gullón

# PITAGORISMO Y MODERNISMO

## CAMINOS DE PERFECCIÓN

En las últimas décadas del siglo XIX la ciencia había transformado irrevocablemente la visión del mundo y producido una revolución más honda e irreversible que las instigadas durante siglos por filósofos y políticos. Los dogmas vigentes iban cayendo por su propio peso y se extendía un estado de conciencia inclinado a aceptar la concepción mecanicista del universo. Según los nuevos evangelistas, la sociedad del futuro podría organizarse sobre bases más racionales que la del pasado; la humanidad, liberada de sombras y prejuicios, se instalaría confortablemente en un mañana sin problemas. Un insospechado mesianismo se traslucía en la actitud de los científicos que se consideraban portadores de una verdad demostrable, es decir, de la Verdad, y administradores del porvenir.

Los poetas aceptaron los principios; no las conclusiones. Y en algunos casos, ni siquiera los principios: Émile Zola pudo pensar que el método experimental de Claude Bernard era aplicable a la creación novelesca; Dimitri Merejovski declaró que la ciencia, no solamente destruía la fe, sino la libertad, instrumentalizando al hombre. Las mentalidades científicas y la idea del progreso (reaparecida en nueva forma y en otro ámbito) parecieron a la vez irresistibles y peligrosas. Todavía lo fueron más cuando utilizadas por los políticos, cuando nuevos dogmas y nuevas inquisiciones empezaron a dejarse sentir. La presión suscitó resistencias y divergencias, especialmente entre poetas. Contradicciones en las obras, que no por eso se resintieron artísticamente.

El modernismo, o, si se prefiere, los modernistas buscaron en diferentes doctrinas defensa contra la disociación y compartimentación de la sociedad. La armonía platónica les sirvió como valladar y réplica instintiva contra los que Kenneth Burke llama "incentivos de la división". Contra las crecientes oposiciones de raza, lenguaje, clase, ambiente, cabía imaginar la unidad y la identificación en las imágenes de la fusión total. A los programas discriminatorios de los políticos y a la ciencia, que de heroica había pasado a mecanizadora y hasta a "siniestra" y "conspiratoria" [1], opusieron la fuerza humanizante de la poesía abierta. Ilustres precursores habían señalado el camino y por espontánea y natural coincidencia los artistas del fin de siglo —algunos sin saberlo— se encontraron siguiéndoles.

Shelley, en el texto característicamente titulado *A Defence of Poetry,* escribió con lúcida concisión: "Platón, siguiendo las doctrinas de Timeo y de Pitágoras, enseñó como ellos un sistema de doctrina moral e intelectual que abarca la condición humana pasada, presente y futura. Jesucristo divulgó a la Humanidad las verdades sagradas y eternas contenidas en esas ideas y la Cristiandad, en su pureza abstracta, se convirtió en la expresión exotérica de las doctrinas esotéricas de la poesía y sabiduría de la antigüedad" [2]. Todo esto había sido pensado antes; por entender como complementarias y no como opuestas las enseñanzas de la filosofía griega y de la doctrina cristiana se esforzaron desde muy pronto los intelectuales de la nueva religión, a quienes suele llamarse padres de la iglesia. El trapense norteamericano Thomas Merton recordaba hace poco que "Clemente de Alejandría, Justino y Orígenes creían que Heráclito y Sócrates habían sido precursores de Cristo. Pensaban que así como Dios se había manifestado a los judíos por medio de la Ley y de los profetas, también había hablado a los gentiles a través de sus filósofos" [3].

---

1 Adjetivos de Kenneth Burke: *A Rhetoric of Motives,* ed. Braziler, página 35.

2 *Shelley's Prose,* The University of New Mexico Press, 1954, p. 288.

3 "Carta a Pablo A. Cuadra con respecto a los gigantes", *Sur,* n.º 275, Buenos Aires, marzo-abril 1962.

Vayamos anotando estos nombres, porque una de las características del modernismo es la mezcla de ingredientes ideológicos de procedencias diversas y de patrones adscritos a santorales distintos. No siendo hombres de sistema, sino artistas enfrentados con una crisis espiritual de insólitas proporciones, buscaron en el pasado confortación y orientación, sin negarse a nada: misticismo cristiano, orientalismo, iluminismo, teosofía, magia, hermetismo, ocultismo, cabalismo, alquimia... La nómina de doctrinas puede alargarse fácilmente, pues la inquietud modernista buscó por todas partes caminos de perfección diferentes de los impuestos por las ortodoxias predominantes.

Dada la simultaneidad con que se produjeron en el mundo occidental los fenómenos culturales constitutivos de lo llamado modernismo o época modernista no puede sorprender que en Rusia como en Estados Unidos, en Uruguay como en Irlanda, platonismo y ocultismo, numerología y magia se dieran de alta simultáneamente en las vagas creencias y en las resplandecientes invenciones de los poetas. Con calificar estas actitudes de idealismo burgués no iremos muy lejos, y en todo caso habría de incluirse a Pitágoras y a Platón entre esos idealistas.

### PITÁGORAS

Pitagorismo es palabra de alcance incierto; utilizada con referencia a la historia de las ideas toda cautela será poca. En relación con el modernismo el problema es menos complicado, pues no importa tanto el cuerpo de doctrinas llamado pitagorismo como la idea que de él tuvieran los poetas; interesa menos que esa idea sea inexacta o parcial, que averiguar si, equívoca o no, opera y se refleja en poemas, narraciones, estética... Que Pitágoras sea figura mítica, o casi mítica, de la que en realidad se sabe muy poco; que escribiera o no un libro sobre el número de oro, son datos de interés subalterno para mi propósito.

Suele creerse que nació en el siglo VI antes de Cristo, tal vez en Samos, tal vez en otra parte. Las "biografías" circulantes son puramente novelescas y no ofrecen ninguna garantía [4]. Ni siquiera es se-

[4] He leído algunas en que se describe la vida de Pitágoras como si el autor la hubiera vivido con él. Véanse, por ejemplo, Josefina Maynadé: *La*

guro el viaje a Egipto y la iniciación en los misterios de este pueblo. Por eso conviene entender el nombre de Pitágoras como símbolo de una actitud y de una escuela. La llamada escuela pitagórica tenía tanto de religiosa como de filosófica; la música, las matemáticas y los ejercicios gimnásticos eran la base de su pedagogía. Los pitagóricos creían en la inmortalidad y en la transmigración del alma y consideraban el número como primer principio del universo, espíritu y sustancia de todo y fundamento de la armonía, que es la concordancia de lo discordante en una unidad superior. Hay una armonía cósmica determinada por los números, que no sólo rigen la musical o la arquitectónica sino los movimientos del sol, la luna y las estrellas. El alma misma es armonía y el cuerpo prisión pasajera de la que cabe librarse mediante contemplación, incorporándose a la sustancia del universo; a través de sucesivas reencarnaciones la purificación se acendra hasta alcanzar la suma pureza. Es lógico que tal doctrina incitara a trascender la realidad mediante experiencias místicas y oníricas a las que muchos poetas se sienten temperamentalmente inclinados.

Lo sustancial de la doctrina consistía en una concepción rítmica del universo y de la vida que los modernistas no sólo aceptaron sino convirtieron en idea central determinante de la creación poética. La poesía se les aparecía como articulación rítmica de intuiciones: el ritmo y la armonía que de él se derivan son claves de la belleza. Como escribió Octavio Paz: "las imágenes poéticas son las expresiones, las encarnaciones a un tiempo espirituales y sensibles, de ese ritmo cósmico plural y único" [5]. El pitagorismo fue visto como un sistema concebido para poner orden en el caos; los números son cifras mágicas que revelan (si acaso no ocultan) la significación secreta de las cosas.

El interés por las doctrinas esotéricas y por las formas orientales de religiosidad, especialmente por el budismo, se manifestó de muchas maneras y en muchos lugares. En cuanto al budismo, ese interés se explica si se recuerda que la más obvia característica del modernismo era la negación del Dogma, de los dogmas, y que en el budismo ni los hay ni puede haberlos, por ser más una forma de vida que una

---

*vida serena de Pitágoras,* Santiago de Chile, 1954, o François Millepierres: *Pitágoras, hijo de Apolo,* Madrid, 1955.

[5] "El caracol y la sirena", en *Revista de la Universidad de México,* diciembre 1964, p. 8.

religión. Ser budista es conducirse de suerte que el ciclo muerte-renacimiento-muerte-renacimiento se interrumpa y deje abierta la puerta estrecha por donde se entra al nirvana, que no es un paraíso sino un estado inefable de paz y serenidad, más allá de la vida y de la muerte. Esa interrupción se logra mediante un prolongado esfuerzo de la voluntad para aniquilar pasiones y deseos, haciendo de la vida antesala de la inmensa calma eterna a la que se quiere acceder. No hay lugar para la predestinación y el fatalismo; se vive para el futuro y el camino de perfección es áspero; cada desfallecimiento es una regresión y obliga a recomenzar la ascensión, renaciendo en otra envoltura. Ya vemos cómo estas creencias coinciden con lo sustancial de la doctrina pitagórica: el empeño por lograr la armonía, es decir, la perfección, y la seguridad de poder alcanzarla mediante la ascesis purificadora unió budismo y pitagorismo en la imaginación de los escritores.

En 1845 Gérard de Nerval había dicho en *Vers dorés* (amparado por una cita pitagórica) cómo en todas las cosas palpita el espíritu:

> Respecte dans la bête un esprit agissant;
> Chaque fleur est une âme à la Nature éclose;
> Un mystère d'amour dans le métal repose;

y casi a un siglo de distancia le haría eco Miguel de Unamuno al describir en los ojos del perro ("Al perro Remo") el espíritu extraño y sobrecogedoramente afín que desde ellos le miraba. Víctor Hugo comunicaba con el más allá por medios pueriles y maravillosos y, a finales del siglo XIX, W. B. Yeats, miembro de la Sociedad Teosófica y de la cofradía ocultista The Golden Dawn, se ocupaba en establecer las correspondencias entre el mundo natural y el espiritual.

Presencias singulares cercaban a los poetas. Poe había imaginado la experiencia del muerto-vivo, del Valdemar mantenido en la frontera de la muerte, ya cadáver y todavía pensante, por el poder del magnetismo. Leopoldo Lugones trajo a nuestras literaturas fuerzas misteriosas que Rubén Darío declaraba haber visto en acción. En las narraciones de ambos aparece lo fantástico y, a veces, la explícita condenación de la ciencia, como en el caso de "Fray Pedro", de Darío, donde la muerte del protagonista es consecuencia de un experimento científico descrito como sacrílego. ¿Quién podría decir por qué, en otro cuento de Rubén, la señorita Amelia se mantiene perennemente niña, invulnerable al tiempo que todo lo transforma?

El mundo, lejos de parecerles cada día más explicable, les parecía lleno de enigmas, y los grandes inventos, que Antonio Machado satirizaría con humor oscuro, no reducían el misterio ni en una partícula. La curiosidad por las ciencias ocultas, signo de la época, en Darío llegó a ser extremada, así como en Valle Inclán, en quien el interés por el hermetismo y la numerología le llevó a escribir *La lámpara maravillosa,* pequeño tratado de estética esotérica. Y la doctrina, o más bien el nombre que mejor sintetiza estas actitudes, es la —o el— de Pitágoras.

Que el pitagorismo sea una de las corrientes más profundas y reveladoras del modernismo es cosa fácil de comprobar: basta ver la frecuencia con que el nombre de Pitágoras o alusiones a sus doctrinas aparecen en la prosa y el verso de los escritores de entonces, desde Rubén Darío a Juan Ramón Jiménez, desde Antonio Machado a Leopoldo Lugones, pasando por los más esotéricos, don Ramón del Valle Inclán y Julio Herrera y Reissig.

Valle Inclán escribió numerosos poemas impregnados de ocultismo y reminiscencias mágicas. *El pasajero* es un libro paralelo en poesía a *La lámpara maravillosa* en estética. Según afirma en una de sus composiciones —"Rosaleda"— le fue revelado el secreto de "los números dorados" y, en consecuencia, el del verso pitagórico. En "La rosa del sol", traspasado por el fuego de Apolo, inspirado por la geometría, se anima a cantar "el Pitagórico Yámbico, Dorado Número del Sol" (con derroche de mayúsculas) y en "Rosa métrica" fundía con el impulso erótico las alusiones a la geometría y al número celeste.

Herrera y Reissig es acaso el más específicamente pitagórico de los modernistas, a quienes en *Los peregrinos de piedra* veía como "liras de la orquesta de Pitágoras". En *Los parques abandonados* hay un soneto titulado "El abrazo pitagórico", donde el problema de la dualidad en la unidad se resuelve de forma misteriosa y bella:

> Un rapto azul de amor, o Dios, quien sabe,
> nos sumó a modo de una doble ola,
> y en forma de "uno", en una sombra sola,
> los dos crecimos en la noche grave...

Que esta corriente no la vieran ciertos críticos no es para extrañar a nadie, si se recuerda la limitación que muchos se impusieron al estudiar ese período de la historia del pensamiento y del arte, reduciéndose a los fenómenos de superficie. Las confusiones derivadas de incluir en los estudios literarios el concepto político-social llamado "generación del noventayocho", han sido y siguen siendo grave obstáculo para la comprensión de la literatura contemporánea. Algunos poetas, como Bacarisse en los años veinte y Octavio Paz recientemente, demostraron mejor sensibilidad y visión más penetrante, pero son excepciones y por eso destacan frente a la masa de comentaristas rutinarios [6].

### SÓCRATES, BUDA, CRISTO

La aceptación del pitagorismo —y del budismo— no excluyó en muchos casos la pervivencia de un cristianismo ideal unas veces manifestado como reminiscencia de la persona y la palabra de Jesús y otras como aspiración a la fraternidad universal. En Antonio Machado encontramos esta curiosa identificación entre Buda y Cristo, escalonada significativamente en un poema, tras mencionar a Pitágoras:

> Siembra la malva;
> pero no la comas,
> dijo Pitágoras.
> Responde al hachazo,
> —ha dicho el Buda ¡y el Cristo!—
> con tu aroma, como el sándalo.
> Bueno es recordar

[6] Otra excepción es la del argentino Carlos Alberto Loprete, que señaló cómo "el refinamiento del gusto artístico se aparejaba en los poetas modernistas con una concepción metacientífica del mundo exterior. La literatura decadentista les había aproximado a ignotos mundos ocultos. Los maestros franceses de la llamada decadencia habían hecho menudear en sus páginas caravanas de seres malignos, excéntricos y hasta diabólicos". (*La literatura modernista en Argentina,* Ed. Poseidón, Buenos Aires, p. 18.) Claro es que aquí y en las líneas siguientes de esta obra se plantea otro problema: la presencia en la literatura modernista de elementos reveladores de la tendencia a la desintegración y distorsión de la realidad característica del género llamado grotesco.

las palabras viejas
que han de volver a sonar [7].

Las palabras viejas —y los grandes nombres— seguían sonando, y no es accidental la coincidencia de esos tres. El deseo de la inmortalidad, si no la creencia en ella, y el imaginar como posible la reencarnación, inclinó a asociar almas del pasado entre las cuales parecían darse coincidencias, seres excepcionales a quienes se imaginaba viviendo el último instante del itinerario vital, aptos para participar en la beatitud suprema. Si por acaso no se trataba de figuras tan inclinadas a la meditación como en teoría pudiera exigirse, fue por dos razones: la una, considerar ciertos tipos de acción redentora y de sufrimiento aceptado por amor al prójimo como modos de ascender en la escala de perfección no menos legítimos que la contemplación; la otra, ya la he indicado: el desinterés de los poetas por la coherencia lógica; estaban interesados —y eso les bastaba— en la coherencia del sentimiento.

Separándose de toda posición esotérica, Juan de Mairena, tan pitagórico en su raíz que no es ni más ni menos "el doble" de Antonio Machado, el crítico y maestro un tanto pedante a quien se reserva el papel de exponer en prosa lo que el poeta no querría o no podría cantar, da testimonio de la inclinación epocal a agrupar ciertas figuras, aunque con su mezcla de buen sentido y rezagado positivismo, la justifique con otras razones. Pero no son ellas tan importantes como el hecho de que la asociación se imponga y la mente reconozca las semejanzas: "reparemos —decía Mairena— en que la humanidad produce muy de tarde en tarde hombres profundos, quiero decir hombres que ven un poco más allá de sus narices (Buda, Sócrates, Cristo); los cuales no abusan nunca de la retórica, no predican nunca al convencido, y son, por ello mismo, los únicos hombres que han tenido alguna virtud suasoria. *Y esto es tan cierto que hasta pudiera probarse con números.* Son hombres de buen gusto, dotados siempre de ironía, nunca pedantes —ni siquiera escriben—, rara vez a la moda y a los cuales, porque nunca pasaron, hay siempre que volver" [8]. O sea: ana-

---

7 "Proverbios y cantares, LXV", *Nuevas canciones,* en *Obras, Poesía y prosa,* edición Albornoz de Torre, p. 263.

8 *Juan de Mairena,* en *ibidem,* p. 581.

logías en el espíritu y en la actitud les hacen parecerse: pertenecen a una estirpe de hombres que en ellos llegó a lo más excelso. El profesor no se alejó del poeta tanto como en principio parecía.

Y menos se había alejado al situar a Sócrates y a Cristo como complementarios, coincidentes en reconocer la existencia del prójimo, de quien es diferente y reclama el reconocimiento de esa diferencia. En la crónica del modernismo tal vez no se halle exposición más clara de esa complementariedad que sugiere una unidad superior o, mejor dicho, una progresión hacia lo perfecto que culmina en Cristo; aporta éste algo que en Sócrates todavía faltaba: "no basta la razón —habla Mairena—, el invento socrático, para crear la convivencia humana; ésta precisa también la comunión cordial, una convergencia de corazones en un mismo objeto de amor. Tal fue la hazaña del Cristo, hazaña prometeica y, en cierto sentido, satánica" [9]. Y sin entrar en el problema planteado por esta última afirmación, comprobemos que Sócrates y Cristo afirmaron "a su vecino, al otro yo" y al hacerlo establecieron para siempre la dignidad del hombre.

Miguel de Unamuno había dicho en verso algo sustancialmente idéntico, hasta el punto de parecer muy posible que el comentario de Mairena partiera de unas líneas del Rector de Salamanca:

> La humanidad, hija de Dios, que Sócrates
> con la razón, que es astrolabio y brújula,
> descubriera, Tú, Cristo, conquistaste
> con tu espada de amor, que es brasa pura [10].

Indicándose así la progresión de lo racional a lo cordial, que decide la superioridad de Cristo sobre el filósofo. Y Machado, corroborando la intuición unamunesca y anticipando la explicación o glosa de su *alter ego,* Mairena, llegó a pensar la identificación de lo racional y lo cordial como consecuencia de esfuerzos complementarios de Sócrates y Jesús. (Y ya sabemos lo que son los complementarios en la terminología machadiana: el otro me complementa porque es la parte de mi ser que no soy yo.) Dijo así don Antonio:

---

9 *Ibidem,* cap. XV, p. 399.

10 "Luna", en *El Cristo de Velázquez,* ed. Austral, pp. 19-20.

Han tomado sus medidas
Sócrates y el Cristo ya:
el corazón y la mente
un mismo radio tendrán [11].

Y prolongó el paralelo en el *Juan de Mairena,* donde así como Sócrates aparece vencedor "de la sofística protagórica, alumbrando el camino que conduce a la idea, a una obligada comunión intelectiva entre los hombres, triunfa el Cristo de una sofística erótica que fatiga las almas del mundo pagano, descubriendo otra suerte de universalidad: la del amor" [12]. Gran conversador, apasionado del diálogo, Mairena unía las dos almas maravillosas en altísima apreciación de sus virtudes dialécticas, pensando con toda razón que la vida civilizada sólo empieza de veras cuando el hombre se acostumbra a escuchar a su vecino.

En una lección del curso sobre el modernismo, profesado en la Universidad de Puerto Rico el año 1953, decía Juan Ramón Jiménez: "Cristo es, para Unamuno, un Dios-hombre, un poeta, un contemplador. Vive entre las gentes. Sócrates, Buda, Cristo, puntos de contacto. Discutiendo y hablando en las plazas y en los templos. Vida pública breve. Se supone anduvo por Asia. Contemplación" [13]. Al sintetizar de este modo la imagen de Cristo, enlazándola con las de Sócrates, Buda y Cristo, no hacía sino mantenerse en la atmósfera ideológica descrita. Desde sus tempranos versos a Máximo Jérez (1881), cantando, ¡nada menos!, a un discípulo de Augusto Comte, juntaba Rubén Darío a Sócrates con Jesucristo en la relación de los grandes perseguidos de la Humanidad. En ese primer momento el niño de catorce años no dice todavía lo suyo, sino lo de los demás, e inevitablemente el mismo año 81 cantará "A la razón" y mezclará a Cristo, Visnú, Buda y Brahama entre los nombres convocados al olvido. Algo más tarde, en la epístola "A Juan Montalvo" (1884) atribuye a Platón la sabiduría divina. Y a nadie sorprenderá que siendo Rubén tan fatalmente erótico

[11] "Proverbios y cantares, XLIV", *Nuevas canciones,* p. 117; en *Obras,* página 756.

[12] *Juan de Mairena,* XV, *Obras,* p. 399.

[13] Juan Ramón Jiménez: *El modernismo,* Ediciones Aguilar, México, 1963, pp. 114-115.

fundiera en otro poema ("A una mujer") la "maravilla griega" y la "virgen cristiana".

En distinta dirección y con diferente propósito un crítico contemporáneo, escribiendo sobre el modernismo teológico, ha dicho cosas que hacen pensar en nuestros modernistas. "¿Insistiendo tanto en la dimensión escatológica del Evangelio no se crean dificultades insuperables? La opinión católica no está siempre tan alejada de Harnack como parece. Éste descompone el Evangelio de Jesús en dos elementos: 'un sentimiento moral que nos parece admirable, y un sueño que no osamos encontrar ridículo'. Y si la esperanza mesiánica de Jesús ha sido pura ilusión, cosa inconsistente y falsa, no fue él, al morir por la causa de la fe, quien ha sido el más sabio, sino Sócrates muriendo por la causa de la razón" [14]. Me interesa subrayar la continuidad de la asociación de Sócrates y Cristo, siempre apuntando a la exaltación de lo que en el hombre es más noble. Todavía, al redactar esta página, leo en cierta reseña de un reciente libro de ética, lo siguiente: "Lo que es 'nuevo' en la 'nueva moralidad', vista desde una perspectiva cristiana, es el reconocimiento de que 'la vieja religión' es efímera y reciente si se compara con lo que Jesús decía. Bajo las incrustaciones del dogma y las excrecencias del sentimentalismo piadoso hay un Jesús que, cuando menos, merece ser tomado tan en serio como Sócrates; es decir, un Jesús secularmente pertinente cuya noción del amor convivial es la clave de la equidad en la ley y de muchas más cosas" [15].

Relación socrático-cristiana de comprensión y de amor; relación pitagórica de armonía con el universo. En ambos casos, la tendencia es la misma. Si en cuanto nos rodea hay un alma, un espíritu, comunicar con ellos, situarnos en relación armoniosa con ellos, será ejercicio satisfactorio, de efecto bienhechor: "con una alegría coordinada y profunda me sentí enlazado con la sombra del árbol, con el vuelo del pájaro, con la peña del monte", dijo Valle Inclán [16]. Y más elípticamente Herrera y Reissig:

---

14 Poulat: *Histoire, dogme et critique dans la crise moderniste,* Ed. Casterman, p. 73.

15 William R. Miller, "Christianity's 'New Morality' ", *The New Republic,* September 3, 1966, p. 23.

16 *La lámpara maravillosa,* I, 3, Austral, p. 24.

¡Oh, tú quimera platónica,
unida al ser por un guión,
armonía Cosmogónica
ebria de Revelación!

.........................................

¡Yo oficiaré en lo más hondo
de tu Estética alegórica,
dueña del beso sin fondo
de erudición pitagórica![17].

Y la armonía es fecunda porque implica un acto de amor, un conocimiento de lo que está fuera de nosotros y de lo que no somos nosotros. Si una partícula del universo nos entrega su secreto, el universo entero empezará a hacerse inteligible. Por su receptividad, por su aptitud para integrarse e identificarse con las cosas, es el poeta quien mejor puede poseerlas, dejándose poseer por ellas. El mismo Valle decía: "donde los demás hombres sólo hallan diferenciaciones, los poetas descubren enlaces luminosos de una armonía oculta"[18], y para describir esa operación de comprensión e identificación utiliza una imagen cuya procedencia salta a la vista: "transmigrar en el Alma del Mundo".

### RITMO Y UNIDAD, LEYES DE LA POESÍA

Platón, Pitágoras, Cristo, Buda... desfilan por versos ulteriores del poema de Herrera y Reissig acabado de citar. En el "Atrio", antepuesto al libro *Ninfeas,* de Juan Ramón Jiménez, preguntaba Rubén Darío al joven amigo si se sentía "con la sangre de la celeste raza / que vida con los números pitagóricos crea", es decir, con la sangre de los poetas, y en un soneto fechado en abril de 1908 declaraba el empeño de pitagorizar y cómo en su alma se habían confundido las almas de Pitágoras y Orfeo:

En las constelaciones Pitágoras leía,
yo en las constelaciones pitagóricas leo;

---

17 "La vida", *Poesías completas,* Aguilar, p. 358.

18 *Ibidem,* I, 6, p. 33.

pero se han confundido dentro del alma mía
el alma de Pitágoras con el alma de Orfeo [19].

La canción sometida al imperio del conocimiento, la música aspirando al ritmo perfecto y vivificante, y como previsible coda una nota de indecisa religiosidad. En "Lírica", de *El canto errante,* suena esa música "pitagórica", y antes en un soneto de *Prosas profanas* se dijo con admirable concisión la necesidad de vivir armoniosamente en la unidad total:

Ama tu ritmo y ritma tus canciones
bajo su ley, así como tus versos;
eres un universo de universos,
y tu alma una fuente de canciones.
La celeste unidad que presupones
hará brotar en ti mundos diversos;
y al resonar tus números dispersos
pitagoriza en tus constelaciones [20].

Quiso Darío hacer del ritmo y de la unidad leyes de la poesía y del universo, acaso porque también él sentía la poesía como enajenación y el poeta le parecía destinado a vivir fuera de sí, en "el Alma del Mundo". Las constelaciones a que se refiere son las pitagóricas, como se deduce de los alejandrinos de 1908, y las personales, símbolo de la dispersión de intuiciones que corresponde integrar en el poema, según vemos en el soneto de *Prosas.* Exhortación a la armonía de donde y por la cual brotará la canción. Unidad y pluralidad no se contraponen; se resuelven en la poesía, como hizo César Vallejo, con acento tan personal, en su pitagórico *Trilce.*

Octavio Paz, que ha comentado hermosamente los poemas de Rubén, los relaciona con la corriente ocultista solicitada por éste para encontrar respuesta a los problemas del ser. Los poetas palpan, como nosotros no podemos hacerlo, figuras cuyo contorno sólo a medias pueden describir; intuyen correspondencias y un sistema donde otros no acertamos a ver sino el caos [21]. Pero mejor será reconocer nuestra

---

19 "En las constelaciones", *Obras completas,* Aguilar, p. 1157.

20 "Ama tu ritmo...", *Prosas profanas, O. C.,* p. 693.

21 Una curiosa alusión a esas correspondencias se encuentra en boca de

ceguera que alardear de ella como si fuera un tipo de visión privilegiada. Y que tiene razón Paz al decir que "la nostalgia de la unidad cósmica es un sentimiento permanente del poeta modernista" lo demuestra el ejemplo de Juan Ramón Jiménez, en quien hasta el fin se mantuvo el deseo de escribir un libro "platónico" titulado *Unidad;* desde los poemas del Cuaderno Negro, escritos en Moguer a principios de siglo y todavía inéditos, hasta cuando poco antes de morir redactó en Puerto Rico el epitafio para su tumba ("Zenobia y Juan Ramón unidos en la armonía eterna"), la continuidad de esa nostalgia es evidente. Y Valle había escrito: "la belleza es la intuición de la unidad" [22].

Si, según observamos, parece exagerado afirmar que la escatología del cristianismo "apenas tiene sitio" en la cosmovisión de los modernistas, también vimos cómo acierta Octavio Paz al decir que "la figura misma de Cristo no es sino una de las formas en que se manifiesta el Gran Ciclo" [23]. La concepción del Gran Ciclo es pitagorismo puro, entendida rectamente o mal entendida, pero asimilada en forma suficiente por los poetas de la época. Y no digo sólo los de lengua española; por la misma corriente navegaba Stephan George al publicar en 1907 *Sétimo anillo,* pitagórico desde el título, sétimo libro de los suyos, dividido en siete partes y, como explica el crítico inglés C. M. Bowra, con una estructura que "sugiere conexiones, harto difíciles de captar, con el supuesto carácter mágico o místico del número siete" [24].

En Rusia, donde las afinidades con el modernismo de lengua española fueron sorprendentes, el poema "Números" del prefuturista

---

Don Farruquiño, el sacrílego mozo de las valleinclanescas *Comedias bárbaras.* En un pasaje de *Cara de plata* (jornada segunda, escena primera), le oímos decir: "Cada vino reclama su sacramento. Rueda blanco, propio para acompañar una tortilla de chorizos. Espadeiro de Sainés, bueno para refrescar en el monte o en una romería o en un juego de bolos. Rivero de Avia, para las empanadas de lamprea y las magras de Lugo. Cada vino tiene su correspondencia en la vida, igual que todas las cosas. El mundo es armonía y concierto pitagórico .. ¡Y nadie me rebata, si no está ordenado de teólogo!".

22 *Lámpara,* p. 26.

23 Octavio Paz: "El caracol y la sirena", *Revista de la Universidad de México,* diciembre 1964, pp. 8 y ss.

24 *The Heritage of Symbolism,* Schoken Books, New York, 1961, p. 122. En el sistema pitagórico el número 7 es símbolo de la razón.

Briusov lleva como epígrafe una cita de Pitágoras en que se mencionan los "números soberanos", tan presentes en *La lámpara maravillosa*, de Valle Inclán. El ruso quería dar a la poesía el rigor y la perfección de una ciencia, rechazando la confusión y el *à peu près* de los poco exigentes; no otra cosa pretendía el gran don Ramón, perfeccionista igualmente, que en su libro programático habla, como Briusov, de aprendizajes ingratos, al final de los cuales es posible alcanzar "el éxtasis de las cimas". Y para Juan Ramón los números expresan lo indecible y son símbolos que, como los de la lírica, aparecen en un espacio abstracto.

Los "mundos de constelaciones" presentes en la poesía de Rubén Darío no están lejos de los evocados en el poema "Autoconsciencia" (del libro *La estrella*, 1922), de Andrei Biely; unos y otros sólo se hallan al alcance de los contemplativos..., es decir, de los soñadores. A Biely se le ha llamado "místico abstracto" [25] por creer en realidades espirituales semejantes a las que nuestros modernistas captaban, y por interesarse en la antroposofía y el ocultismo. De misticismo se trata, en una u otra versión. Valle dijo que los caminos de la belleza son "los místicos caminos de Dios", innumerables según es sabido: para alcanzar la ideal perfección cada estrella y cada pájaro señalan su propio rumbo.

En Rubén, alma más cristiana que la de cualquiera de sus coetáneos (salvo, tal vez, la de Amado Nervo), Pitágoras está cerca de Cristo, y en el poema "La Cartuja", impregnado por el sentimiento de la escisión entre los yos antagónicos, el fauno lúbrico y el asceta imposible, describe en densa estrofa la anhelante forma en que se le presenta el sentimiento religioso:

> Sentir la unción de la divina mano,
> ver florecer de eterna luz mi anhelo,
> y oir como un Pitágoras cristiano
> la música teológica del cielo.

Lo que esa música sea no es fácil decirlo: ¿música del maravilloso silencio en que se declara el equilibrio de las constelaciones, o la de

[25] F. D. Reeve, *On some Scientific Concepts in Russian Poetry at the Turn of the Century*, Wesleyan University Press, 1966, p. 21.

Orfeo que, como sabemos, le sonaba siempre en el oído interior? No sé; pero sin duda es la misma en que pensó un poeta hoy olvidado al redactar la convocatoria para el homenaje a Antonio Machado celebrado en la primavera de 1923. Guillermo de Torre ha recordado que Mauricio Bacarisse invitó entonces a otros escritores jóvenes para que un domingo de mayo se trasladaran a Segovia y visitaran a Machado con el fin de expresarle la admiración que por él sentían. Decía Bacarisse que el autor de *Soledades* poseía "el divino secreto, órfico y pitagórico, de la música, al son del cual se aman el cielo y la tierra" [26]. Sorprende la sagacidad de la alusión, por desgracia perdida y olvidada por la insistencia en presentar a Machado como el "poeta del noventayocho".

En un poema publicado inicialmente en 1916 [27] anticipó don Antonio la visión de un mundo envuelto en niebla, en la niebla escogida por Unamuno como metáfora central de su novela más ambiciosa, para mostrar lo borroso de la vida y del ser. En ese poema hallamos una asociación insólita: "Pitágoras alarga a Cartesius la mano" y vemos calificada a la extensión como "sustancia del universo humano". Contra lo afirmado por cronistas virtuosos que necesitan preservar la "originalidad" machadiana, como Bernarda Alba la doncellez de sus hijas, y protestan contra toda tentativa de situar al poeta en el contexto de la literatura de su época, fue Machado uno de los más vigorosamente asociados a la renovación rubendariana y no es raro ver prolongados en él (incluso al final de su vida) motivos, temas y preocupaciones que afloraron en Darío. Hablar de "influencias" al modo de los positivistas es otra forma de no entender; además de ser un error, ese tipo de divagación impide hacerse cargo de algo tan sencillo como es la relación de clima, inclinaciones y continuidad que une a los poetas, tan grandes ambos, con su propia grandeza, que lejos de estorbarse se complementan. Sólo situando la obra en su medio natural —la corriente variable y caudalosa de la poesía— se podrá ver hasta qué punto la del uno es continuación, desviación o variación de la del otro, y la de ambos de la de Herrera, Lugones, Unamuno, Juan Ramón

---

26 Citado en Guillermo de Torre: *El fiel de la balanza,* Taurus, Madrid, 1961, p. 145.

27 En la revista *Cervantes,* año I, n.º 3, octubre 1916.

Jiménez... (y Whitman, Blake, Verlaine, Yeats, Block, Rilke...). Al morir Darío, escribió Machado expresivas líneas de despedida: "Si era toda en tu verso la armonía del mundo, / ¿dónde fuiste, Darío, la armonía a buscar?"; más tarde recogió en *Nuevas canciones* un poema en donde densa y estremecidamente describe el éxtasis que su amigo tanto pugnara por alcanzar:

> En el silencio sigue
> la lira pitagórica vibrando,
> el iris en la luz, la luz que llena
> mi estereoscopio vano.
> Han cegado mis ojos las cenizas
> del fuego heraclitano.
> El mundo es, un momento,
> transparente, vacío, ciego, alado.

El vibrar de esa lira mágica (y mágico, mágica son palabras claves para comprender al Machado hondo) ha propiciado la situación única de concentración y enajenamiento que permite oir la música celestial, aquella "melodía ideal" a la cual se había referido Darío en el prólogo a *Prosas profanas* antes de afirmar, anticipando a Unamuno: "la música es sólo de la idea, muchas veces". Y la idea es —en los dos— idea pura y no la construcción mental de los ideólogos, con quienes ni uno ni otro simpatizaban gran cosa.

En estos versos el andaluz hace lo que aconseja el nicaragüense: "canta para los habitantes de tu reino interior", que no eran ya ninfas, reinas o diosas, sino reflejo de inquietudes o inquietudes proteicas, en las cuales, bajo diversas formas, encarnaban las preguntas sobre el ser y el existir que el poeta incesantemente se formulaba. ¿Cómo calificar la intuición de Machado? ¿Qué sensaciones le hicieron sentir el mundo "transparente, vacío, ciego, alado"? Busquemos la respuesta otra vez en el contexto del modernismo; recordemos que Valle habla de "goce" y de "terror" para referirse al alma desprendida de todo. El silencio vibrante, la transparencia y el hueco son quizá instantes que preceden a los descritos por Valle, dilatándose "como círculos de largas vidas" para que las cosas se abran y rindan su secreto; el silencio "pitagórico" es el solicitado por el alma de Herrera y Reissig para soñarse "frente a las sombrías siluetas de las montañas, o bien echado junto a la sombra lila de los abedules, junto al arroyo, en el valle retumbador", el necesitado para identificarse con la tierra y sentirse "hijo de la augusta madre", de la naturaleza [28]. El enajenamiento, la sensación de lo otro como fuera y distinto de lo uno es el primer paso hacia el conocimiento y reconocimiento de las diferencias que es necesario superar, integrándolas.

DUDAS

Imaginar que la inquietud existencial y el sentimiento de angustia nacen con los modernistas o, si se prefiere pensar en los precursores, con Kierkegaard, sería volverse de espaldas no ya a la literatura sino al hombre. El ser pensante, mucho antes de Descartes, se sentía vivir cuando dudaba, cuando el vaivén del pensamiento le hacía reconocer en la inquietud de la vida, en el desasosiego la prueba de su existencia. Cuando no solamente se reconoció fugaz sino vocado a la aniquilación en la nada, extraños miedos dictados por lo desconocido le desconcertaron y, a veces, le hicieron desear no haber nacido. Segismundo, y muchos con él, pensaron el nacer como una culpa que exige castigo.

Rubén Darío escribió un poema en donde cristalizaron, con sus temores, inquietudes que siendo tan personales eran también muy generales. El poema, harto conocido, se titula "Lo fatal", y es ejemplo de cómo en la intuición del poeta se fundieron preocupaciones que, casi con las mismas palabras, otros expusieron antes. En 1829 Goethe había dicho a Eckermann: "el hombre es una criatura confundida; no sabe de dónde viene, ni a dónde va; sabe poco del mundo y, sobre todo, poco de sí mismo". Más tarde, Rosalía de Castro, en dos poemas expresó ese otro sentimiento que Darío recogió en la composición citada. Para decir lo que Goethe serenamente expusiera, Rosalía afirmó y preguntó:

> ..............................................................
> Abismo arriba y en el fondo abismo:
> ¿qué es al fin lo que acaba y lo que queda?
> *¿Qué somos? ¿Qué es la muerte?*

---

28 "A la ciudad de Minas", en *Prosas*, Editorial Cervantes, Valencia, 1918, p. 165.

Y anticipando el anhelo de descanso sentido por el fatigado viajero —del viajero Darío, por ejemplo— cantó la delicia de pasar súbitamente a la inconsciencia:

> de repente quedar convertido
> en pájaro o fuente
> *en árbol o roca*[29].

José Asunción Silva se había formulado igualmente la pregunta sobre el destino, sobre el sentido de la vida y el de la muerte, en términos que sonarán familiares a los lectores de Unamuno:

> *¿Qué somos? ¿A dó vamos? ¿Por qué hasta aquí vinimos?*
> ... ... ... ... ... ... ... ... ... ... ... ... ... ... ... ... ...
> ¿Conocen los secretos del más allá los muertos?
> ¿Por qué la vida inútil y triste recibimos?
> ... ... ... ... ... ... ... ... ... ... ... ... ... ... ... ... ...
> ¿Por qué nacemos, madre, dime por qué morimos?

Entonces Rubén vino y en la página final de *Cantos de vida y esperanza* se hizo eco de la confusión evocada por Goethe, de las preguntas y los deseos de Rosalía, de las interrogaciones de Silva, de lo que Gauguin gritaba desde Tahití en un cuadro famoso, de las sugerencias y reminiscencias pitagóricas, de las sombras y el miedo pululantes en torno suyo:

> *Dichoso el árbol* que apenas es sensitivo,
> y más *la piedra dura,* porque ésta ya no siente,
> ... ... ... ... ... ... ... ... ... ... ... ... ... ... ... ...
> *Ser, y no saber nada,* y ser sin rumbo cierto,
> *y el temor de haber sido* y un futuro terror...
> ... ... ... ... ... ... ... ... ... ... ... ... ... ... ... ...
> *¡y no saber adónde vamos,*
> *ni de dónde venimos!*

Fusión admirable, involuntaria en el sentido de espontánea, de lo que tiene más de obsesión que de tema. Hijo por elección de "la cla-

---

[29] Rosalía de Castro, *En las orillas del Sar, Obras completas,* Aguilar, 1944, pp. 387 y 385.

ridad latina", la reputó inútil para adentrarse en las secretas galerías del alma por las cuales transitaba entonces —"misterioso y silencioso", Rubén *dixit*... Antonio Machado. En *El canto errante* reiteró su inquietud, tiñéndola igualmente de pitagorismo:

> *¿De dónde viene mi canto?*
> Y yo, *¿adónde voy?*
> ..........................................
> Y esta claridad latina,
> ¿de qué me sirvió
> a la entrada de la mina
> del yo y el no yo...?
> ..........................................
> Unas vagas confidencias
> del ser y el no ser,
> y fragmentos de conciencias
> de ahora y ayer.

Con estas líneas presenta otra cuestión, o, mejor dicho, la cuestión se presenta de otra manera: "fragmentos de conciencias", sí; pero ¿de qué conciencias?, ¿de una o de muchas? El ser, devanándose y recreándose, imagina su inmersión en un inacabable proceso de cambio, como el ir y venir de una brisa sin memoria que por milagro moviera desde dentro y no desde fuera flores y hojas. Estos fragmentos no son recuerdos, aunque la mente trate de configurarlos así, ni tienen perfil preciso ni forma identificable. Lo que Rubén Darío insinúa y en otras partes afirmará es la posibilidad de esa adscripción del alma a una cadena de mutaciones, mediante la reviviscencia que los griegos llamaron metempsicosis. Más arriba vimos cómo según la doctrina budista el ciclo de las reencarnaciones sólo podía romperlo el esforzado y tenaz empeño purificador.

No sé si tendría sentido plantear aquí preguntas que en un estudio a fondo del problema de la reencarnación serían inesquivables, como, por ejemplo, la de si puede hablarse de continuidad del ser cuando en la mutación se pierde la memoria, elemento unificador. Más acertado parece admitir la aceptación de tales creencias como necesidad estética, sin discutir el grado de convicción intelectual de quienes las incorporaban a la poesía. Desechados los mitos de la resurrección de la carne y la vida perdurable; frente a la nada, suprema creación del Gran Cero (nombre que Antonio Machado asignó a Dios para expresar el vacío), con el fin de esquivar la comprobación de la eternidad como inmenso abismo hueco y la de hallarse irremisiblemente convocados a la nada, los modernistas buscaron otras doctrinas y otra espiritualidad. La burocratización de las religiones y la erosión de las creencias les dejó desamparados frente a la muerte.

Apoyándose unas veces en creencias recibidas de niño, buscando consuelo para su desesperación en la figura de Cristo, trató Darío de confortarse; otras se dejó llevar por la corriente del tiempo, que arrastraba revueltas ideas mal aprendidas, nietzscheanismo de segunda mano, orientalismo desfigurado. Pitagorismo y budismo sugerían algunas posibilidades salvadoras, es decir, negadoras de la aniquilación total: la concepción cíclica de la vida y la idea del eterno retorno eran, al menos líricamente, una alternativa a la nada cuya vigencia tendía a imponerse.

### REENCARNACIONES

El contradictorio Unamuno llamó "trágica ocurrencia" y "bufonería" a la doctrina del eterno retorno según la expusiera Nietzsche [30], y atribuyó su invención al miedo a la muerte total, al miedo a la muerte sin inmortalidad que el filósofo alemán sentía [31]. Estos ataques, traducidos a nuestro lenguaje, pueden explicarse como expresión de la ambivalente actitud de Unamuno frente a quien tanto se le parecía; no me parece exagerado afirmar que al combatirlo combatía inclinaciones personales contra las cuales le era forzoso luchar por nocivas y hasta corruptoras. Los supuestos del eterno retorno no podían satisfacer su ansia de inmortalidad; revivir sin recordar no era revivir; vivir es recordar y la angustia de la eternidad únicamente se curaría con la certeza de que el alma renaciente recordara las existencias desvanecidas, al modo como el maduro escritor rememoraba en Salamanca la infancia de aquel "otro" yo que fuera niño en Bilbao.

---

30 "La lanzadera del tiempo", *Obras completas,* Vergara-Aguado, vol. X, página 536.

31 "Rousseau, Voltaire y Nietzsche", *O. C.,* vol. IV, p. 851.

Unamuno, portavoz máximo de las inquietudes de la época, escribía en 1924 palabras tan "modernistas" como éstas: "Y, por mi parte, me ha ocurrido muchas veces, al encontrarme en un escrito con un hombre, no con un filósofo ni con un sabio o pensador, al encontrarme con un alma, no con una doctrina, decirme: '¡Pero este he sido yo!'. Y he revivido con Pascal en su siglo y en su ámbito, y he revivido con Kierkegaard en Copenhague *y así con otros. ¿Y no será ésta acaso la suprema prueba de la inmortalidad del alma?* ¿No se sentirán ellos en mí como yo me siento en ellos? Después que muera lo sabré si revivo así en otros. *Aunque hoy mismo ¿no se sienten algunos en mí, fuera de mí, sin que yo me sienta en ellos?*" [32]. Lo subrayado —por mí— hace superfluo el comentario. Aquí la transmigración opera a la inversa, hacia lo pasado y no hacia lo futuro, y había de ser así, pues la rectificación unamuniana a las teorías de la recurrencia consistía en entenderla al revés, como un desandar lo andado, como un volver a vivir la historia retornando a los orígenes.

Lo tardío de esta página permite comprobar la duración y persistencia de las ideas del retorno en el largo medio siglo modernista. Nietzsche no fue, después de todo, sino el articulador de inquietudes reveladas en formas distintas, orientadas en la dirección del pensamiento pitagórico. En las primeras páginas de una novela que a pocos se les ocurriría ligar con el modernismo según fue entendido hasta hace poco, en *Du côté de chez Swann,* de Marcel Proust, pueden leerse afirmaciones semejantes (expresadas en forma distinta) a las de Unamuno: "*il me semblait que j'étais moi-même* ce dont parlait l'ouvrage: une église, un quatuor, la rivalité de François Ier et de Charles-Quint. Cette croyance survivait pendant quelques secondes à mon réveil; elle ne choquait pas ma raison, mais pesait comme des écailles sur mes yeux et les empêchait de se rendre compte que le bougeoir n'était plus allumé. Puis elle commençait à me devenir inintelligible, *comme après la métempsycose les pensées d'une existence antérieure* ." [33]. La identificación en Proust es cósmica y en Unamuno

---

32 *La agonía del cristianismo,* cap. II, *O. C.*, vol. IV, p. 837.

33 *A la recherche du temps perdu,* edición La Piélade, vol. I, p. 3. El subrayado aquí, y en las citas siguientes de Valle-Inclán y López Velarde, es mío.

estrictamente personal, pero el sentimiento de reconocerse en otros, de ser en lo otro, es análogo, y la metáfora del novelista declara sin lugar a dudas cuál era la equivalencia en que estaba pensando. Ortega y Gasset, paradigma de lucidez intelectual, todavía divagará aunque en tono de juego, con la idea del dharma y otras prolongaciones de la tendencia orientalizante.

Pensando la cuestión desde la vertiente de la poesía Valle Inclán dijo que "el poeta, como el místico, ha de tener percepciones más allá del límite que marcan los sentidos, para entrever en la ficción del momento, y en el aparente rodar de las horas, la responsabilidad eterna. [...] El inspirado ha de sentir las comunicaciones del mundo invisible, para comprender el gesto en que todas las cosas se inmovilizan como en un éxtasis, y en el cual late *el recuerdo de lo que fueron y el embrión de lo que han de ser*. [...] Cuando mires tu imagen en el espejo mágico, evoca tu sombra de niño. *Quien sabe del pasado, sabe del porvenir. Si tiendes el arco, cerrarás el círculo* que en ciencia astrológica se llama el Anillo de Giges" [34]. He aquí revueltas líricamente, como se debe, algunas ideas claves del modernismo: eternidad de lo momentáneo (expuesta por Unamuno de otra manera), metamorfosis, eterno retorno, concepción cíclica y circular de la existencia... Cerrar el círculo es inscribir la vida en esa corriente anticipatoria del futuro y rememorante del pasado. Si el enigma no se resuelve, al menos se plantea en fórmulas asequibles, no a la razón, pero a la intuición. Las formas en que ésta cuaja dependen de quien las siente, mas bajo obvias diferencias se trasluce una identidad sustancial.

El crítico norteamericano Ellmann ha señalado la importancia de estas ideas en la poesía de Yeats: "entre las ideas reaparecientes en su verso, la más seductora para la imaginación era la de la reencarnación. La noción de que el alma pasa de un ciclo de vida a otro, estaba empapada de folklore y de religiones antiguas" [35]. Y no sobrará quizá mencionar al menos un ejemplo: el del poema "Motuni Chatterjee" donde el brahman aconseja al discípulo que rece cada noche, diciéndose en la plegaria:

---

[34] *Lámpara*, I, 7, pp. 34 y 36.

[35] Richard Ellmann, *The Identity of Yeats*, Oxford University Press, 1964, p. 43.

—Yo he sido un rey,
he sido un esclavo,
y no hay nada,
loco, bribón, granuja,
que yo no haya sido.
Sobre mi pecho
miriadas de cabezas se inclinaron.

Octavio Paz ha señalado en "La última odalisca", de López Velarde, cinco versos escritos con el mismo espíritu, síntesis de las creencias a que estoy refiriéndome:

Mi carne pesa y se intimida
porque su peso fabuloso
*es la cadena estremecida*
*de los cuerpos universales*
*que se han unido con mi vida.*

Las vidas incorporadas a la vida; el pasado inmemorial gravitando sobre el hombre, que así revela, como dice Paz: "panteísmo y, no del todo explícitos, reencarnación y Karma" [36]. Mejor que no sean explícitos, sino ambiguos, pues la misión del poeta no es explicar sino expresar. Ambiguo también el poema "Metempsicosis", de Rubén Darío, uno de los que transmiten la respuesta del poeta a preguntas formuladas por él y por otros. El título —se dirá— aclara el tema, y así es, pero cabe preguntarse desde qué envoltura carnal habla quien habla en el verso. Se entenderá mejor esa composición leyendo primero otra, algo anterior, muy clara en intención y en realización. Me refiero al poemita titulado "Reencarnaciones", escrito en Guatemala en 1890:

Yo fui coral primero,
después hermosa piedra,
después fui de los bosques verde y colgante hiedra;
después yo fui manzana,
labio de niña,
una alondra cantando en la mañana;
y ahora soy un alma

36 *Cuadrivio*, p. 111.

que canta como canta una palma
de luz de Dios al viento.

Las reencarnaciones describen una ascensión y por su progresión ordenada y su ininterrumpido crecer y pujar hacia la altura, sin riesgo aparente de retroceso, eliminan todo patetismo. Una descarnada observación de los procesos mutativos de la materia orgánica condujo a Pío Baroja a describirlos en sentido contrario: cuando en *Camino de perfección* reflexiona con cierta complacencia sobre la podredumbre —de un obispo—, pasa del hombre a la larva, de la larva al gusano, del gusano a la tierra y la flor. En "Metempsicosis", escrito en 1893 [37], Rubén baja a los infiernos y expone el proceso de una degradación. Como en "Reencarnaciones", el poema empieza con una afirmación de lo que ayer fue el sujeto, pero en lugar de exponer las mutaciones sin sustanciarlas, se concentra en el momento culminante de una vida en el instante de maravilloso deleite que un hombre pagó con la esclavitud, la abyección y la muerte:

Yo fui un soldado que durmió en el lecho
de Cleopatra la reina. Su blancura
y su mirada astral y omnipotente
.......................................................
Yo fui llevado a Egipto. La cadena
tuve al pescuezo. Fui comido un día
por los perros. Mi nombre, Rufo Galo.
Eso fue todo.

No puedo comentar pormenorizadamente esta página, bella y desatendida por la crítica; debo limitarme a resumir su significación respecto a las reminiscencias orientalizantes en el modernismo. No se dice en el poema (relativamente extenso: veinticuatro líneas, contando las seis en que se repite el estribillo, "eso fue todo") desde qué estado y bajo qué forma habla el hombre, pero no vacilamos en afirmarle caído, degradado, acaso por sugestionarnos esa línea: "Fui comido un día por los perros". Tal declaración es una sugerencia, una manera in-

---

[37] "Reencarnaciones", *O. C.*, p. 1051; "Metempsicosis", en *El canto errante, O. C.*, p. 798.

directa de indicar la situación: ser arrojado a los perros, comido por ellos, es hacerse como ellos; perro será en el futuro quien les fue asimilado, después de pasar en la vida por el estado intermedio de servidumbre, con la cadena "al pescuezo", cuando en forma todavía humana fue ya tratado animalescamente.

Leopoldo Lugones, autor de otro poema titulado igualmente "Metempsicosis", incluido en la primera parte (llamada, con toda intención, "primer ciclo") de *Las montañas del oro,* cuenta cómo el alma del poeta transmigra al perro que ladraba al mar "sobre el filo alto de la roca" [38], pero sus versos no tienen la concisión y la energía de los de Rubén Darío, donde la regresión a la animalidad parece el equivalente del infierno cristiano. No se olvide que para el budismo y el pitagorismo seguir viviendo es una condena; la vida, y más cuanto más baja sea, aleja y hace imposible ese extraño paralelo del paraíso que es el nirvana.

---

38 Leopoldo Lugones, *Obras completas,* Aguilar, 3.ª ed. 1959, p. 73.

HOMERO CASTILLO

# BIBLIOGRAFÍA GENERAL DEL MODERNISMO

AITA, ANTONIO, "El significado del modernismo", en *Nosotros*, 263 (1931), páginas 361-371.

ALEGRÍA, FERNANDO, "La novela modernista", en *Historia de la novela hispanoamericana*, México: De Andrea, 1965, pp. 117-140.

ALONSO, AMADO, *Ensayo sobre la novela histórica. El modernismo en "La gloria de don Ramiro"*, Buenos Aires: Facultad de Filosofía y Letras de la Universidad de Buenos Aires - Instituto de Filología, 1942.

ANDERSON IMBERT, ENRIQUE, "Comienzos del modernismo en la novela", *Nueva Revista de Filología Hispánica*, VII (1954), pp. 515-525.

— *Historia de la literatura hispanoamericana.* Tomo I. México: Fondo de Cultura Económica, 1961.

ARDURA, ERNESTO, "El mundo azul del modernismo", en *Cuadernos*, 63 (París, 1962), pp. 39-43.

ARGÜELLO, SANTIAGO, *Modernismo y modernistas*, Guatemala: Tipografía Nacional, 1935.

ARRIETA, RAFAEL ALBERTO, *Introducción al modernismo literario*, Buenos Aires: Editorial Columba, 1956.

— *Historia de la literatura argentina.* Tomo III. Buenos Aires: Ediciones Peuser, 1959.

— "Contribución al estudio del modernismo en la Argentina", *Boletín de la Academia Argentina de Letras*, XXVI (1961), pp. 7-48.

ARROM, JOSÉ JUAN, *Esquema generacional de las letras hispanoamericanas*, Bogotá: Instituto Caro y Cuervo, 1963.

BAJARLIA, JUAN JACOBO, "Del modernismo al vanguardismo con Juan Ramón Jiménez", *Atenea*, 288 (1949), pp. 444-454.

BALSEIRO, JOSÉ A., *Expresión de Hispanoamérica* (Primera serie), San Juan de Puerto Rico: Instituto de Cultura Puertorriqueña, 1960.

BLANCO FOMBONA, RUFINO, "Ensayo sobre el modernismo literario de América", *Revista de América*, 3 (1913), pp. 19-39.

— "Caracteres del modernismo: lo que debe ser el arte en América", en *Sol* (Madrid, 17 de mayo de 1929).

— *El modernismo y los poetas modernistas*, Madrid: Editorial Mundo Latino, 1929.

BLANCO GARCÍA, R., *Los voceros del modernismo*, Barcelona, 1908.

BLEIBERG, GERMÁN, "Modernismo", en *Diccionario de literatura española*. Tercera edición. Madrid: Revista de Occidente, 1964.

BOLLO, SARA, *El modernismo en el Uruguay*, Montevideo: Impresora Uruguaya, 1951.

BONET, CARMELO M., "Neopreciosismo y estilo modernista", en *Cursos y Conferencias*, 276 (Buenos Aires, 1957), pp. 20-50.

BRUSHWOOD, JOHN S., "Introducción", en Mildred E. Johnson, *Swans, Cygnets, and Owl*, Columbia, Missouri: University of Missouri Press, 1956.

BUENO, SALVADOR, *Contorno del modernismo en Cuba*, La Habana: Imp. Talleres Tipográficos de "Editorial Lex", 1950.

— "Contorno del modernismo en Cuba", en *Revista de las Indias*, 116 (1950), páginas 155-163.

CANSINO ASSENS, R., *Poetas y prosistas del novecientos*, Madrid: Editorial América, 1919.

CARDEN, POE, "Parnassianism, Symbolism, Decadentism - and Modernism", en *Hispania*, XLIII (1960), pp. 545-551.

CARDONA PEÑA, ALFREDO, "Algunos antecedentes del modernismo", en *Letras de México*, 116 (15 de agosto de 1946).

CARILLA, EMILIO, *Literatura argentina, 1800-1950*, Tucumán: Ministerio de Educación de la Nación, Universidad Nacional de Tucumán, Facultad de Filosofía y Letras, 1954.

CARTER, A. E., *The Idea of Decadence in French Literature, 1830-1900*, Toronto: The University of Toronto Press, 1958.

CARTER, BOYD G., *Las revistas literarias de Hispanoamérica*, México: De Andrea, 1959.

— "Gutiérrez Nájera y Martí como iniciadores del modernismo", en *Revista Iberoamericana*, 54 (1962), pp. 296-310.

CASTILLO HOMERO, "Caupolicán en el modernismo de Darío", en *Atenea*, 357 (1955), pp. 267-275.

— *Antología de poetas modernistas hispanoamericanos*, Waltham, Massachusetts: Blaisdell Publishing Company, 1966.

COESTER, ALFRED L., *An Anthology of the Modernista Movement in Spanish America,* Boston-New York: Ginn and Company, 1924.
— "El movimiento modernista en la literatura hispanoamericana", en *Boletín de la Institución Libre de Enseñanza,* L (1926), pp. 313-319.
COLMO, ALFREDO, "El modernismo literario en la Argentina", en *Nosotros,* 141 (1921), pp. 194-199.
COLL, PEDRO EMILIO, "Decadentismo y americanismo", en *El Castillo de Elsinor,* Caracas: Tipografía Herrera Irigoyen y Cía., 1901.
CONTRERAS, FRANCISCO, *Los modernos,* París: Sociedad de Ediciones Literarias y Artísticas Librería Paul Ollendorff, 1909.
— *Les écrivains contemporains de l'Amérique espagnole,* París: La Renaissance du Livre, 1920.
— "De la cultura colonial al modernismo", en *Nosotros,* 257 (1930), pp. 26-45.
— *L'esprit de l'Amérique Espagnole,* París: Editions de la *Nouvelle Revue Critique,* 1931.
CÓRDOVA, RAMIRO DE, *Neurosis en la literatura centroamericana; contribución al estudio del modernismo en Guatemala, El Salvador, Honduras, Nicaragua y Costa Rica,* Managua: Nuevos Horizontes, 1942.
CRAIG, G. DUNDAS, *The Modernist Trend in Spanish-American Poetry,* Berkeley, California: University of California Press, 1934.
CHARRY LARA, FERNANDO, "Del modernismo en Colombia", en *Novedades* (México, 28 de septiembre de 1958).

DARÍO, RUBÉN, "La literatura en Centro-América", en *Revista de Artes y Letras,* 11 (1887), pp. 589-597; 12 (1888), pp. 340-352, 593-604.
DAVISON, NED J., *The Concept of Modernism in Hispanic Criticism,* Boulder, Colorado: Pruett Press, Inc., 1966.
DÍAZ PLAJA, GUILLERMO, *Modernismo frente a Noventa y ocho,* Madrid: Espasa-Calpe, 1951.
— "El modernismo, cuestión disputada", en *Hispania,* XLVIII (1965), páginas 407-412.
DÍAZ SEIJAS, PEDRO, "Rufino Blanco Fombona, polígrafo de la generación modernista", en *Revista Nacional de Cultura,* 106-107 (1954), pp. 162-166.
DÍEZ-CANEDO, ENRIQUE, "Rubén Darío, Juan Ramón Jiménez y los comienzos del modernismo en España", en *El Hijo Pródigo,* 9 (México, 1943), páginas 145-151.
— *Letras de América,* México: El Colegio de México, 1944.
DÍEZ ECHARRI, EMILIANO, "Métrica modernista: innovaciones y renovaciones", en *Revista de Literatura,* XI (1957), pp. 102-120.
DONOSO G., FRANCISCO, *Al margen de la poesía moderna e hispanoamericana,* París: Agencia Mundial de Librería, 1927.

EGUÍA RUIZ, E., "Orígenes y fases del modernismo literario", en *Razón y Fe,* LXXX (1927), pp. 5-25.

ENGLEKIRK, JOHN E., *Poe in Hispanic Literature,* New York: Instituto de las Españas, 1934.

— "Whitman y el anti-modernismo", en *Revista Iberoamericana,* 13 (1947), páginas 39-52.

— "Heine and Spanish American Modernism", en *Comparative Literature,* II (1960), pp. 488-500.

ESPINOSA, FRANCISCO, "El modernismo en América", en *Síntesis,* 11 (El Salvador, 1955), pp. 65-77.

FABBIANI RUIZ, JOSÉ, "Emoción y esencia del modernismo", en *Cuentos y cuentistas,* Caracas: Cruz del Sur, 1951.

FAURIE, MARIE-JOSEPHE, *Le modernisme hispano-américain et ses sources françaises,* París: Centre de Recherches de l'Institut Hispanique, 1966.

FEIN, JOHN M., "Eugenio de Castro and the Reaction to Symbolism in Portugal", en *Modern Language Journal,* XXXVI (1952), pp. 268-271.

— *Modernismo in Chilean Literature,* Durhan, North Carolina: Duke University Press, 1965.

FERRERES, RAFAEL, "Los límites del modernismo y la generación del noventa y ocho", en *Cuadernos Hispanoamericanos,* 73 (1955), pp. 66-84.

— "La mujer y la melancolía en los modernistas", en *Cuadernos Hispanoamericanos,* LIII (1963), pp. 456-467.

— *Los límites del modernismo y del 98,* Madrid: Taurus Ediciones, S. A., 1964.

FERRO, HELLEN, *Historia de la poesía hispanoamericana,* New York: Las Americas Publishing Company, 1964.

FIGUEROA, ESPERANZA, "El cisne modernista", en *Cuadernos Americanos,* 5 (1965), pp. 253-268.

FOGELQUIST, DONALD F., "Helios, voz de un renacimiento hispánico", en *Revista Iberoamericana,* 40 (1955), pp. 291-299.

— "El carácter hispánico del modernismo", en *La cultura y la literatura iberoamericanas,* México: De Andrea, 1957.

FRAKER, CHARLES F., "Gustavo Adolfo Bécquer and the modernistas", en *Hispanic Review,* III (1935), pp. 36-44.

GALVÁN Y GONZÁLEZ, C., "En defensa del modernismo", en *Cosmos,* 28 (1914), páginas 392-395.

GALLEGOS VALDÉS, LUIS, "*Modernismo frente a noventa y ocho,* nueva obra sobre dos temas en debate", en *Ars,* 4 (El Salvador, 1954), pp. 60-67.

GARCÍA CALDERÓN, VENTURA, *Del romanticismo al modernismo. Prosistas y poetas peruanos,* París: Paul Ollendorff, 1910.

GARCÍA-GIRÓN, EDMUNDO, " 'La azul sonrisa'. Discusión sobre la adjetivación modernista", en *Revista Iberoamericana,* 39 (1955), pp. 95-116.

— "El modernismo como evasión cultural", en *La cultura y la literatura iberoamericanas,* México: De Andrea, 1957.

GARCÍA PRADA, *Poetas modernistas hispanoamericanos,* Madrid: Ediciones Cultura Hispánica, 1956.

GICOVATE, BERNARDO, "El signo de la cultura en la poesía hispanoamericana", en *La cultura y la literatura iberoamericanas,* México: De Andrea, 1957.

— *Conceptos fundamentales de literatura comparada - Iniciación de la poesía modernista,* San Juan de Puerto Rico: Ediciones Asomante, 1962.

— "El modernismo y su historia", en *Hispanic Review,* XXXII (1964), páginas 217-226.

GOLDBERG, ISAAC, *Studies in Spanish-American Literature,* New York: Brentano, 1920.

GÓMEZ BAQUERO, E. [ANDRENIO], "El modernismo en América", en *Sol* (Madrid, 10 de marzo de 1929).

GÓMEZ CARRILLO, ENRIQUE, *El modernismo,* Madrid: Librería Española y Extranjera de Francisco Beltrán, 1914.

GÓMEZ LOBO, ARTURO, *La literatura modernista y el idioma de Cervantes,* Ciudad Real: Talleres de "El Diario de la Mancha", 1908.

GONZÁLEZ, JOSÉ I., "Baldomero Sanín Cano y el modernismo literario en Colombia", en *Universidad de Antioquia,* XXXVII (1961), pp. 560-570.

GONZÁLEZ, MANUEL PEDRO, "Marginalia modernista", en *La Gaceta Literaria* (Madrid, 1 de agosto de 1931), pp. 9-10.

— *Notas en torno al modernismo,* México: Facultad de Filosofía y Letras - Universidad Nacional Autónoma de México, 1958.

— "En torno a la iniciación del modernismo", en *José Martí en el octogésimo aniversario de la iniciación modernista,* Caracas: Ediciones del Ministerio de Educación, 1962.

— "Aclaraciones en torno a la génesis del modernismo", en *Cuadernos,* 75 (París, 1963), pp. 41-50.

— "Marginalia modernista", en *Atenea,* 403 (1964), pp. 70-83.

GONZÁLEZ GUERRERO, FRANCISCO, "El modernismo y la renovación de la técnica", en *Metáfora,* 4 (1955), pp. 6-14.

GUERRA, JOSÉ EDUARDO, "Sobre la poesía modernista en Bolivia", en *Kollasuyo,* 6 (La Paz, 1939), pp. 3-20.

GULLÓN, RICARDO, "Direcciones del modernismo", en *Revista Shell,* 20 (Caracas, 1956), pp. 21-27.

— *Direcciones del modernismo,* Madrid: Editorial Gredos, 1964.
— "Indigenismo y modernismo", en *Literatura Iberoamericana. Influjos locales,* México: Universidad Nacional Autónoma de México, 1965, páginas 97-108.
— "Esteticismo y modernismo", en *Cuadernos Hispanoamericanos,* 212-213 (1967), pp. 373-387.
— "Pitagorismo y modernismo", en *Mundo Nuevo,* 7 (1967), pp. 22-32.

HAMILTON, CARLOS D., "Notas sobre la renovación modernista", en *Cuadernos,* 32 (París, 1958), pp. 46-49.
— *Historia de la literatura hispanoamericana.* Tomo II. New York: Las Americas Publishing Company, 1961.
HENRÍQUEZ UREÑA, MAX, *Les influences françaises sur la poésie hispanoaméricaine,* París: Institut des Etudes Américaines [Cahiers de Politique Etrangère..., 40], 1938.
— *Breve historia del modernismo.* Segunda edición. México: Fondo de Cultura Económica, 1962.
— *El retorno de los galeones,* México: Ediciones de Andrea, 1963.
HENRÍQUEZ UREÑA, PEDRO, "El modernismo en la poesía cubana", en *Ensayos críticos,* La Habana, 1905.
— *La versificación irregular en la poesía castellana.* Segunda edición. Madrid: Imprenta de la Librería y Casa Editorial Hernando, 1933.
— *Las corrientes literarias en la América hispánica,* México: Fondo de Cultura Económica, 1954.
— "El modernismo en México", en *Letras Patrias,* 2 (México, 1954), páginas 47-86.
HUERTAS MEDINA, A., "Base filosófica del modernismo literario", en *Revista Calasancia,* 19 (Madrid, 1914), pp. 634-645.

IBÁÑEZ, ROBERTO, "Americanismo y modernismo", en *Cuadernos Americanos,* 1 (1948), pp. 230-252.
IRAIZOS, FRANCISCO, "El modernismo en América", en *La Revista de Bolivia,* 8 (6 de marzo de 1898), p. 202.

JAIMES FREYRE, RICARDO, *Leyes de la versificación castellana,* Buenos Aires: Imprenta de Coni Hermanos, 1912.
JIMÉNEZ, JUAN RAMÓN, *El modernismo,* Madrid: Aguilar, 1962.

LACAU, MARÍA HORTENSIA y MABEL MANACORDA DE ROSETTI, "Antecedentes del modernismo en la Argentina", en *Cursos y Conferencias,* Buenos Aires: Colegio Libre de Estudios Superiores, 1947.

LEVIN, HARRY, "What was Modernism?", *The Massachusetts Review,* I (1960), pp. 609-630.

LOPRETE, CARLOS ALBERTO, *La literatura modernista en la Argentina,* Buenos Aires: Poseidón, 1955.

LOYNAZ, DULCE MARÍA, "Influencia de los poetas cubanos en el modernismo", en *Cuadernos Hispanoamericanos,* XVIII (1954), pp. 51-66.

LOZANO, CARLOS, "Parodia y sátira en el modernismo", en *Cuadernos Americanos,* 4 (1965), pp. 180-200.

LLACH, E., *El modernismo en literatura,* Sevilla, 1914.

MACHADO, MANUEL, *La guerra literaria (1898-1914),* Madrid: Imprenta Hispano-Alemana, 1913.

MARINELLO, JUAN, "El modernismo, estado de cultura", en *Literatura hispanoamericana - Hombres - Meditaciones,* México: Ediciones de la Universidad Nacional de México, 1937.

— *Sobre el modernismo: Polémica y definición,* México: Facultad de Filosofía y Letras - Universidad Nacional Autónoma de México, 1959.

MARTÍNEZ, DAVID, *El modernismo,* Buenos Aires: Editorial Huemul, S. A., 1964.

MARTÍNEZ CACHERO, J. M., "Nota sobre el modernismo", en *Archivum,* I (Oviedo, 1951), pp. 161-165.

MATLOWSKY, BERNICE D., *The Modernist Trend in Spanish American Poetry,* Washington D. C.: Pan American Union, 1952.

MAYA, RAFAEL, *Los orígenes del modernismo en Colombia,* Bogotá: Imprenta Nacional, 1961.

MAZZEI, ÁNGEL, *El modernismo en la Argentina: Enrique Banchs. El día domingo en la poesía argentina,* Buenos Aires: Editorial Ciordia y Rodríguez, 1950.

— *El modernismo en la Argentina. Las baladas,* Buenos Aires: Editorial Ciordia, 1958.

— *El modernismo en la Argentina. La poesía de Buenos Aires,* Buenos Aires: Editorial Ciordia, 1963.

MEDINACELLI, CARLOS, "Los prosistas bolivianos en la época del modernismo", en *Kollasuyo,* 15 (La Paz, 1940), pp. 38-55; 16 (1940), pp. 22-35.

MICHAELSSON, KARL, *Entre el cisne y el buho,* Barcelona: Instituto Internacional de Cultura Románica, 1960.

MONGUIÓ, LUIS, "Sobre la caracterización del modernismo", en *Revista Iberoamericana,* 13 (1943), pp. 69-79.

— "La modalidad peruana del modernismo", en *Revista Iberoamericana,* 34 (1952), pp. 225-242.

— "El agotamiento del modernismo en la poesía peruana", en *Revista Iberoamericana,* 36 (1954), pp. 227-267.
— *La poesía postmodernista peruana,* Berkeley and Los Angeles: University of California Press, 1955.
— "Nationalism and Social Discontent as Reflected in Spanish American Literature", en *The Annals of the American Academy of Political and Social Science,* [*Latin America's Nationalistic Revolutions*], vol. 334 (1961).
— "De la problemática del modernismo", en *Revista Iberoamericana,* 53 (1962), pp. 75-86.

MONNER SANS, JOSÉ MARÍA, "La poesía epigramática en los comienzos del modernismo hispanoamericano", en *Revista de la Universidad de Buenos Aires,* 3 (1957), pp. 371-388.

MORÍNIGO, MARIANO, "Capítulo antimodernista en la literatura paraguaya", en *Revista Nacional de Cultura,* 165 (1964), pp. 31-66.

NAVARRO, TOMÁS, *Métrica española,* Syracuse, New York: Syracuse University Press, 1956.

ONÍS, FEDERICO DE, "Sobre la caracterización del modernismo", en *Revista Iberoamericana,* 13 (1943), pp. 69-80.
— "Sobre el concepto del modernismo", en *La Torre,* 2 (1952), pp. 95-103.
— "Sobre la caracterización del modernismo", en *España en América,* Río Piedras, Puerto Rico: Ediciones de la Universidad de Puerto Rico, 1955.
— *Antología de la poesía española e hispanoamericana,* New York: Las Americas Publishing Company, 1961.

PAZ, OCTAVIO, "Antecedentes y explicación del modernismo", en *La Gaceta - Fondo de Cultura Económica,* 151 (1967), pp. 6-7.

PEREDA VALDÉS, ILDEFONSO, "El modernismo en el Uruguay", en *Letras. Universidade do Paraná,* 11 (Curitiba, Brasil, 1960), pp. 204-214.

PÉREZ PETIT, VÍCTOR, *Los modernistas,* Montevideo: Editorial Nacional, 1903.

PHILIPPS, ALLEN W., "Rubén Darío y sus juicios sobre el modernismo", en *Revista Iberoamericana,* 47 (1959), pp. 41-64.

RAFOLS, J. F., *Modernismo y modernistas,* Barcelona: Ediciones Destino, 1949.

RAMOS MIMOSO, AURELIA, "El modernismo en la lírica puertorriqueña", en *Literatura puertorriqueña: 21 conferencias,* San Juan de Puerto Rico, 1960.

RIVERA, MODESTO, "El modernismo: la prosa", en *Literatura puertorriqueña: 21 conferencias,* San Juan de Puerto Rico, 1960.

RODRÍGUEZ FERNÁNDEZ, MARIO, "La poesía modernista chilena", en *Estudios de Lengua y Literatura como Humanidades,* Santiago de Chile: Seminario de Humanidades, 1960.

— *El modernismo en Chile y en Hispanoamérica,* Santiago de Chile: Instituto de Literatura Chilena, 1967.

ROGGIANO, ALFREDO, "El modernismo y la novela en la América hispana", en *La novela iberoamericana,* Albuquerque, New Mexico: The University of New Mexico Press, 1952.

ROSA-NIEVES, CESÁREO, "Preludio al tema del modernismo en Puerto Rico - Ciclo generacional: 1907-1921", en *Revista Iberoamericana,* 44 (1957), páginas 359-363.

SÁINZ DE ROBLES, FEDERICO CARLOS, "Modernismo", en *Ensayo de un diccionario de la literatura - Tomo I - Términos, Conceptos, "Ismos" literarios,* Madrid: Aguilar, S. A. de Ediciones, 1954.

SALINAS, PEDRO, "El problema del modernismo en España, o un conflicto entre dos espíritus" y "El cisne y el buho", en *Literatura española - Siglo XX,* México: Robredo, 1949.

SÁNCHEZ, LUIS ALBERTO, "Antesala y precursores del modernismo", en *Revista Nacional de Cultura,* 2 (1938), pp. 9-13.

— *Balance y liquidación del novecientos,* Santiago de Chile: Ercilla, 1941.

— "Enrique Gómez Carrillo y el modernismo", en *Atenea,* 299 (1950), páginas 185-205.

— "Setenta años de hazaña modernista", en *El Nacional* (Caracas, 25 de septiembre de 1958).

SANÍN CANO, BALDOMERO, "El modernismo", en *Letras colombianas,* México: Fondo de Cultura Económica, 1944, pp. 175-203.

SCHADE, GEORGE D., "La mitología clásica en la poesía modernista hispanoamericana", en *La cultura y la literatura iberoamericana,* México: De Andrea, 1957.

SCHULMAN, IVAN A., "Los supuestos 'Precursores' del modernismo hispanoamericano", en *Nueva Revista de Filología Hispánica,* 1 (1958), pp. 61-64.

— "Génesis del azul modernista", en *Revista Iberoamericana,* 50 (1960), páginas 251-271.

— "José Martí y Manuel Gutiérrez Nájera: Iniciadores del modernismo", en *Revista Iberoamericana,* 57 (1964), pp. 1-13.

— "El modernismo y la teoría literaria de Manuel Gutiérrez Nájera", en *Studies for M. J. Benardete* [71] (1966), pp. 227-244.

— "Reflexiones en torno a la definición del modernismo", en *Cuadernos Americanos,* 4 (1966), pp. 211-240.

— "Carta abierta a Raúl Silva Castro", en *Cuadernos Americanos,* 1 (1968), páginas 268-270.

SEMPRÚN, JESÚS, "Del modernismo al criollismo", en *Estudios críticos,* Caracas: Editorial "Élite", 1938.

SIEBENMANN, GUSTAV, "Reinterpretación del modernismo", en *Symposium Unamuno* [65] (1966), pp. 497-511.

SILVA CASTRO, RAUL, "El ciclo de lo azul en Rubén Darío", en *Revista Hispánica Moderna,* 1-2 (1959), pp. 81-95.

— *Antología crítica del modernismo,* New York: Las Americas Publishing Company, 1963.

— "¿Es posible definir el modernismo?", en *Cuadernos Americanos,* 4 (1965), páginas 172-179.

— "Reflexiones en torno a la definición del modernismo", en *Cuadernos Americanos,* 4 (1967), pp. 181-192.

SILVA UZCATEGUI, R. D., *Historia crítica del modernismo en la literatura castellana,* Barcelona: Imprenta Vda. de Tasso, 1925.

STRINDBERG, AUGUSTO, "¿Qué es lo moderno?", en *La Revista Blanca,* 7 (La Habana, 1895), pp. 112-113.

TOPETE, JOSÉ MANUEL, "La muerte del cisne (?)", en *Hispania,* XXXVI (1953), págs. 273-277.

TORRES RIOSECO, ARTURO, "El modernismo y la crítica", en *Nosotros,* 243-244 (1929), pp. 320-327.

— "Notas sobre el origen del estilo modernista", en *Cuadernos,* 42 (París, 1960), pp. 59-61.

— *Precursores del modernismo,* New York: Las Americas Publishing Company, 1963.

TRASLOSHEROS, ALEJANDRO, "Los modernistas mexicanos", en *Cosmos,* 4 (1914), pp. 1416-1422.

UMPHREY, GEORGE W., "Fifty Years of Modernism in Spanish American Poetry", en *Modern Language Quarterly,* 1 (1940), pp. 101-114.

UNDURRAGA, ANTONIO DE, "Chile, patria del modernismo. Necesidad de un nuevo espíritu americano y otros temas", en *Caballo de Fuego,* 11 (1958), páginas 3-4.

VALBUENA BRIONES, ÁNGEL, *Literatura hispanoamericana,* Barcelona: Editorial Gustavo Gili, S. A., 1962.

VALDÉS, R., "Una opinión sobre el lirismo modernista", en *Revista Chilena,* IV (1918), pp. 210-217.

VALENZUELA, JESÚS E., "Los modernistas mexicanos", en *Revista Moderna,* I (1 de diciembre de 1898), pp. 139-143; (15 de diciembre de 1898), páginas 152-157.

VALERA, JUAN, "Cartas americanas", en *Obras completas* I, Madrid: M. Aguilar, Editor, 1942.

VALLE-INCLÁN, RAMÓN DEL, "Modernismo", en *La Ilustración Española y Americana* (22 de febrero de 1902).

VELA, ARQUELES, *Teoría literaria del modernismo: su filosofía, su estética, su técnica,* México: Botas, 1949.

VIDELA, GLORIA, *El ultraísmo,* Madrid: Editorial Gredos, 1963.

ZAMBRANO, DAVID, "Presencia de Baudelaire en la poesía hispanoamericana", en *Cuadernos Americanos,* 3 (1958), pp. 217-235.

# ACERCA DE LOS AUTORES

## HOMERO CASTILLO

Catedrático de Literatura Hispanoamericana en la Universidad de California y autor de numerosos estudios aparecidos en revistas de Hispanoamérica, de los Estados Unidos y de Europa. Sus obras más destacadas son *Historia bibliográfica de la novela chilena* (1961), *El criollismo en la novelística chilena* (1962), *La literatura chilena en los Estados Unidos de América* (1963) y *Antología de poetas modernistas hispanoamericanos* (1966). Ha ocupado cargos directivos en diversas asociaciones profesionales y en varias revistas de los Estados Unidos.

## RAFAEL FERRERES

Ha sido lector de español en el King's College de la Universidad de Londres y profesor visitante de la Universidad de San Francisco (California). Actualmente desempeña el cargo de profesor de literatura española en Valencia. Es autor de varias ediciones, tales como *El cancionero antequerano* (1950), en colaboración con Dámaso Alonso; *La Diana enamorada* (1953) de Gil Polo y las *Poesías* (1955) de Fernández de Heredia. Además de sus estudios críticos aparecidos en revistas, ha publicado *Moratín en Valencia* (1962), *Los límites del modernismo y del 98* (1964) y *Escalante, el hombre y la obra* (1967).

## ESPERANZA FIGUEROA AMARAL

Profesora de español en Elmira College, Elmira, New York. Ha colaborado en numerosas revistas de Hispanoamérica y de los Estados

Unidos. Integrante del grupo de poetas de la *Revista Agonía*, de Buenos Aires. Es autora de un catálogo, recopilado en revistas cubanas que datan de 1887, de obras desconocidas de Julián del Casal y de traducciones que hizo este poeta de composiciones de Baudelaire.

## DONALD F. FOGELQUIST

Catedrático de Literatura Hispanoamericana en la Universidad de California (Los Ángeles). Además de sus trabajos sobre novela y poesía latinoamericanas, ha escrito las siguientes obras: *José Asunción Silva y Heinrich Heine* (1954), *The Personal Correspondence and the Literary Collaboration of Rubén Darío and Juan Ramón Jiménez* (1956), *Juan Ramón Jiménez - Vida y obra* (1958), *Salvador Rueda y Rubén Darío* (1964) y *Españoles de América y americanos de España* (Madrid: Gredos, 1968).

## EDMUNDO GARCÍA-GIRÓN

Desempeña el cargo de director de publicaciones en el departamento de lenguas modernas de la Editorial Prentice-Hall, Inc. Ha sido catedrático de Literatura Iberoamericana en las Universidades de Marquette, Oregon y Western Reserve. Es autor de varios trabajos sobre el movimiento modernista y de un extenso estudio titulado *The Adjective: A Study of Modernist Poetic Diction* (1952).

## BERNARDO GICOVATE

Catedrático y director del Departamento de Español y Portugués de la Universidad de Stanford, Stanford, California. Ha colaborado en varias revistas de Hispanoamérica y de los Estados Unidos. Es autor de *Julio Herrera y Reissig and the Symbolists* (1957), *La poesía de Juan Ramón Jiménez - Ensayo de exégesis* (1959), *Conceptos fundamentales de literatura comparada - Iniciación de la poesía modernista* (1962) y *Ensayos sobre poesía hispánica* (1967).

## MANUEL PEDRO GONZÁLEZ

Desde 1958 es "Professor Emeritus" de la Universidad de California (Los Ángeles), donde desempeñó la cátedra de Literatura Hispanoamericana por espacio de treinta y cuatro años. Miembro correspondiente de la Academia Cubana de la Lengua. Entre sus obras principales figuran *Fuentes para el estudio de José Martí* (1950), *Estudios sobre literaturas hispanoamericanas* (1951), *Trayectoria de la novela en México* (1951), *José Martí, Epic Chronicler of the United States* (1953), *José María Heredia* (1955), *Notas en torno al modernismo* (1958), *Antología crítica de José Martí* (1960), *José Martí en el octogésimo aniversario de la iniciación modernista* (1962) y *Ensayos críticos* (1963).

## RICARDO GULLÓN

Catedrático de la Universidad de Texas en Austin. Entre sus numerosas publicaciones figuran *La pintura de Eduardo Vicente* (1956), *Conversaciones con Juan Ramón Jiménez* (1958), *Estudios sobre Juan Ramón Jiménez* (1960), *Balance del surrealismo* (1961), *De Goya al arte abstracto* (1963), *Direcciones del modernismo* (1963), *Autobiografías de Unamuno* (1964), *Relaciones entre Antonio Machado y Juan Ramón Jiménez* (1964), *Galdós, novelista moderno* (1967) y *Las secretas galerías de A. Machado* (1967).

## LUIS MONGUIÓ

Catedrático y director del Departamento de Español y Portugués de la Universidad de California (Berkeley). Sus principales publicaciones son *César Vallejo* (1952), *La poesía postmodernista peruana* (1954), *Estudios sobre literatura hispanoamericana y española* (1958), *Sobre un escritor elogiado por Cervantes: Los versos del perulero Enrique Garcés y sus amigos* (1960) y *Don José Joaquín de Mora y el Perú del Ochocientos* (1967).

## ALLEN W. PHILLIPS

Catedrático de la Universidad de Texas en Austin. Sus numerosos artículos han aparecido en diversas revistas de Hispanoamérica y de España. Sus obras más sobresalientes son *Ramón López Velarde, el poeta y el prosista* (1962), *Francisco González León, el poeta de Lagos* (1964) y *Notas y estudios sobre literatura hispanoamericana* (1965). Ha sido director de la *Revista Iberoamericana* y asesor literario de esta publicación. En 1960 fue distinguido con la designación de "Guggenheim Fellow".

## PEDRO SALINAS

Fue catedrático en las universidades de Sevilla, Murcia, la Sorbona, Cambridge y Johns Hopkins. Además de diversas colecciones de versos, relatos y piezas dramáticas, publicó varias obras de crítica literaria: *Reality and the Poet in Spanish Poetry* (1937), *Jorge Manrique o tradición y originalidad* (1947), *Literatura española - Siglo XX* (1948), *La poesía de Rubén Darío* (1948) y *Ensayos de literatura hispánica - Del Cantar de Mío Cid a García Lorca* (1958). Falleció en Boston, en 1951.

## IVÁN A. SCHULMAN

Catedrático y director del Departamento de Lenguas Románicas de Washington University, St. Louis, Missouri. Entre sus obras más conocidas se cuentan *Símbolo y color en la obra de José Martí* (Madrid: Gredos, 1960) y *Génesis del modernismo: Martí, Gutiérrez Nájera, Silva, Casal* (México: El Colegio de México, 1966). Colabora en *Cuadernos Americanos, Hispanic Review, Revista Iberoamericana, Revista Hispánica Moderna* y otras.

## RAÚL SILVA CASTRO

Miembro de número de la Academia Chilena de la Lengua y de la Academia de la Historia. Profesor extraordinario de Literatura Chilena en el Instituto Pedagógico de la Universidad de Chile. Jefe de la Sección chilena de la Biblioteca Nacional. Profesor visitante en las Universidades norteamericanas de California (Berkeley), Tulane y Colorado. Entre sus numerosos estudios figuran: *Retratos literarios* (1932), *Don Alberto Edwards* (1933), *Obras desconocidas de Rubén Darío publicadas en Chile* (1934), *Estudios sobre Gabriela Mistral* (1935), *José Antonio Soffia* (1951), *Alberto Blest Gana* (1955), *Panorama de la novela chilena* (1955), *Rubén Darío a los veinte años* (1956), *Prensa y periodismo en Chile* (1958), *Pedro Prado* (1960), *Panorama literario de Chile* (1961), *Pedro Antonio González* (1964), *Eusebio Lillo* (1964), *Pablo Neruda* (1964), *Carlos Pezoa Véliz* (1964) y *Visión de U. S. A.* (1964).

## AGRADECIMIENTOS

Dejamos constancia de nuestra gratitud a los autores de los estudios contenidos en este tomo por la prontitud y desinterés con que autorizaron la publicación de sus trabajos y a la dirección de las revistas que consignamos por permitir la reimpresión de los ensayos que a continuación indicamos.

"Sobre la caracterización del modernismo", *Revista Iberoamericana,* N.° 13 (1943); "Sobre el concepto de modernismo", *La Torre,* N.° 2 (1953); "Los límites del modernismo y la Generación del Noventa y Ocho", *Cuadernos Americanos,* N.° 73 (1955); "El concepto de poesía en algunos poetas hispanoamericanos representativos", *Revista Hispánica Moderna,* N.° 2 (1957); "Rubén Darío y sus juicios sobre el modernismo", *Revista Iberoamericana,* N.° 47 (1959); "El ciclo de lo azul en Rubén Darío", *Revista Hispánica Moderna,* Números 1-2 (1959); "Génesis del azul modernista", *Revista Iberoamericana,* N.° 50 (1960); "De la problemática del modernismo: la crítica y el 'cosmopolitismo' ", *Revista Iberoamericana,* N.° 53 (1962); "El cisne modernista", *Cuadernos Americanos,* N.° 5 (1965); "¿Es posible definir el modernismo?", *Cuadernos Americanos,* N.° 4 (1965); "Reflexiones en torno a la definición del modernismo", *Cuadernos Americanos,* N.° 4 (1966); "Pitagorismo y modernismo", *Mundo Nuevo,* N.° 7 (1967).

Especiales agradecimientos merece el Comité de Investigaciones de la Universidad de California en Davis, sin cuya valiosa ayuda no habría podido realizarse esta recopilación.



University of California<br>Davis, California<br>U. S. A.

HOMERO CASTILLO

# ÍNDICE DE NOMBRES PROPIOS

# ÍNDICE GENERAL

*Págs.*

*Págs.*

# BIBLIOTECA ROMÁNICA HISPÁNICA

Director: DÁMASO ALONSO

## I. TRATADOS Y MONOGRAFÍAS

1. Walther von Wartburg: *La fragmentación lingüística de la Romania.* Agotada.
2. René Wellek y Austin Warren: *Teoría literaria.* Con un prólogo de Dámaso Alonso. Cuarta edición. 432 págs.
3. Wolfgang Kayser: *Interpretación y análisis de la obra literaria.* Cuarta edición revisada. 594 págs.
4. E. Allison Peers: *Historia del movimiento romántico español.* Segunda edición. 2 vols.
5. Amado Alonso: *De la pronunciación medieval a la moderna en español.*
   Vol. I: Segunda edición: 382 págs.
   Vol. II: En prensa.
6. Helmut Hatzfeld: *Bibliografía crítica de la nueva estilística aplicada a las literaturas románicas.* Segunda edición, en prensa.
7. Fredrick H. Jungemann: *La teoría del sustrato y los dialectos hispano-romances y gascones.* Agotada.
8. Stanley T. Williams: *La huella española en la literatura norteamericana.* 2 vols.
9. René Wellek: *Historia de la crítica moderna (1750-1950).*
   Vol. I: *La segunda mitad del siglo XVIII.* 396 págs.
   Vol. II: *El Romanticismo.* 498 págs.
   Vol. III: En prensa.
   Vol. IV: En prensa.
10. Kurt Baldinger: *La formación de los dominios lingüísticos en la Península Ibérica.* 398 págs. 15 mapas. 2 láminas.
11. S. Griswold Morley y Courtney Bruerton: *Cronología de las comedias de Lope de Vega (Con un examen de las atribuciones dudosas, basado todo ello en un estudio de su versificación estrófica).* 694 págs.

## II. ESTUDIOS Y ENSAYOS

1. Dámaso Alonso: *Poesía española (Ensayo de métodos y límites estilísticos).* Quinta edición. 672 páginas. 2 láminas.
2. Amado Alonso: *Estudios lingüísticos (Temas españoles).* Tercera edición. 286 págs.

3. Dámaso Alonso y Carlos Bousoño: *Seis calas en la expresión literaria española (Prosa-poesía-teatro).* Tercera edición aumentada. 440 págs.
4. Vicente García de Diego: *Lecciones de lingüística española (Conferencias pronunciadas en el Ateneo de Madrid).* Tercera edición. 234 págs.
5. Joaquín Casalduero: *Vida y obra de Galdós (1843-1920).* Segunda edición ampliada. 278 págs.
6. Dámaso Alonso: *Poetas españoles contemporáneos.* Tercera edición aumentada. 424 págs.
7. Carlos Bousoño: *Teoría de la expresión poética.* Premio "Fastenrath". Cuarta edición muy aumentada. 618 págs.
8. Martín de Riquer: *Los cantares de gesta franceses (Sus problemas, su relación con España).* Agotada.
9. Ramón Menéndez Pidal: *Toponimia prerrománica hispana.* Segunda edición, en prensa.
10. Carlos Clavería: *Temas de Unamuno.* Agotada.
11. Luis Alberto Sánchez: *Proceso y contenido de la novela hispanoamericana.* Segunda edición corregida y aumentada. 630 págs.
12. Amado Alonso: *Estudios lingüísticos (Temas hispanoamericanos).* Tercera edición. 360 págs.
13. Diego Catalán: *Poema de Alfonso XI. Fuentes, dialecto, estilo.* Agotada.
14. Erich von Richthofen: *Estudios épicos medievales.* Agotada.
15. José María Valverde: *Guillermo de Humboldt y la filosofía del lenguaje.* Agotada.
16. Helmut Hatzfeld: *Estudios literarios sobre mística española.* Segunda edición corregida y aumentada. 424 págs.
17. Amado Alonso: *Materia y forma en poesía.* Tercera edición. 402 págs.
18. Dámaso Alonso: *Estudios y ensayos gongorinos.* Segunda edición. 624 págs. 17 láminas.
19. Leo Spitzer: *Lingüística e historia literaria.* Segunda edición. Primera reimpresión. 308 págs.
20. Alonso Zamora Vicente: *Las sonatas de Valle Inclán.* Segunda edición. 190 págs.
21. Ramón de Zubiría: *La poesía de Antonio Machado.* Tercera edición. 268 págs.
22. Diego Catalán: *La escuela lingüística española y su concepción del lenguaje.* Agotada.
23. Jaroslaw M. Flys: *El lenguaje poético de Federico García Lorca.* Agotada.
24. Vicente Gaos: *La poética de Campoamor.* 2.ª edición, en prensa.
25. Ricardo Carballo Calero: *Aportaciones a la literatura gallega contemporánea.* Agotada.

26. José Ares Montes: *Góngora y la poesía portuguesa del siglo XVII.* Agotada.

27. Carlos Bousoño: *La poesía de Vicente Aleixandre.* Segunda edición. 486 págs.

28. Gonzalo Sobejano: *El epíteto en la lírica española.* Agotada.

29. Dámaso Alonso: *Menéndez Pelayo, crítico literario. Las palinodias de Don Marcelino.* Agotada.

30. Raúl Silva Castro: *Rubén Darío a los veinte años.* 296 págs. 4 láminas.

31. Graciela Palau de Nemes: *Vida y obra de Juan Ramón Jiménez.* Segunda edición, en prensa.

32. José F. Montesinos: *Valera o la ficción libre (Ensayo de interpretación de una anomalía literaria).* Agotada.

33. Luis Alberto Sánchez: *Escritores representativos de América.* Primera serie. La segunda edición ha sido incluida en la sección VII, *Campo Abierto,* con el número 11.

34. Eugenio Asensio: *Poética y realidad en el cancionero peninsular de la Edad Media.* Agotada.

35. Daniel Poyán Díaz: *Enrique Gaspar (Medio siglo de teatro español).* 2 vols. 10 láminas.

36. José Luis Varela: *Poesía y restauración cultural de Galicia en el siglo XIX.* 304 págs.

37. Dámaso Alonso: *De los siglos oscuros al de Oro.* La segunda edición ha sido incluida en la sección VII, *Campo Abierto,* con el número 14.

39. José Pedro Díaz: *Gustavo Adolfo Bécquer (Vida y poesía).* Segunda edición corregida y aumentada. 486 págs.

40. Emilio Carilla: *El Romanticismo en la América hispánica.* Segunda edición revisada y ampliada. 2 vols.

41. Eugenio G. de Nora: *La novela española contemporánea (1898-1960).* Premio de la Crítica.
    Tomo I: (1898-1927). Segunda edición. 622 págs.
    Tomo II: (1927-1939). Segunda edición corregida. 538 págs.
    Tomo III: (1939-1960). Segunda edición, en prensa.

42. Christoph Eich: *Federico García Lorca, poeta de la intensidad.* Segunda edición, en prensa.

43. Oreste Macrí: *Fernando de Herrera.* Agotada.

44. Marcial José Bayo: *Virgilio y la pastoral española del Renacimiento.* Agotada.

45. Dámaso Alonso: *Dos españoles del Siglo de Oro (Un poeta madrileñista, latinista y francesista en la mitad del siglo XVI. El Fabio de la "Epístola moral": su cara y cruz en Méjico y en España).* 258 págs.

46. Manuel Criado de Val: *Teoría de Castilla la Nueva (La dualidad castellana en la lengua, la literatura y la historia).* Segunda edición, en prensa.

47. Ivan A. Schulman: *Símbolo y color en la obra de José Martí.* 544 págs.
48. José Sánchez: *Academias literarias del Siglo de Oro español.* Agotada.
49. Joaquín Casalduero: *Espronceda.* Segunda edición. 280 págs.
50. Stephen Gilman: *Tiempo y formas temporales en el "Poema del Cid".* Agotada.
51. Frank Pierce: *La poesía épica del Siglo de Oro.* Segunda edición revisada y aumentada. 396 págs.
52. E. Correa Calderón: *Baltasar Gracián. Su vida y su obra.* 422 págs.
53. Sofía Martín-Gamero: *La enseñanza del inglés en España (Desde la Edad Media hasta el siglo XIX).* 274 págs.
54. Joaquín Casalduero: *Estudios sobre el teatro español (Lope de Vega, Guillén de Castro, Cervantes, Tirso de Molina, Ruiz de Alarcón, Calderón, Moratín, Larra, Duque de Rivas, Valle Inclán, Buñuel).* Segunda edición aumentada. 304 págs.
55. Nigel Glendinning: *Vida y obra de Cadalso.* 240 págs.
56. Álvaro Galmés de Fuentes: *Las sibilantes en la Romania.* 230 págs. 10 mapas.
57. Joaquín Casalduero: *Sentido y forma de las novelas ejemplares.* Segunda edición, en prensa.
58. Sanford Shepard: *El Pinciano y las teorías literarias del Siglo de Oro.* Agotada.
59. Luis Jenaro MacLennan: *El problema del aspecto verbal (Estudio crítico de sus presupuestos).* 158 págs.
60. Joaquín Casalduero: *Estudios de literatura española ("Poema de Mio Cid", Arcipreste de Hita, Cervantes, Duque de Rivas, Espronceda, Bécquer, Galdós, Ganivet, Valle-Inclán, Antonio Machado, Gabriel Miró, Jorge Guillén).* Segunda edición muy aumentada. 362 págs.
61. Eugenio Coseriu: *Teoría del lenguaje y lingüística general (Cinco estudios).* Segunda edición. 328 págs.
62. Aurelio Miró Quesada S.: *El primer virrey-poeta en América (Don Juan de Mendoza y Luna, marqués de Montesclaros).* 274 págs.
63. Gustavo Correa: *El simbolismo religioso en las novelas de Pérez Galdós.* 278 págs.
64. Rafael de Balbín: *Sistema de rítmica castellana.* Premio "Francisco Franco" del C. S. I. C. Segunda edición aumentada. 402 págs.
65. Paul Ilie: *La novelística de Camilo José Cela.* Con un prólogo de Julián Marías. 240 págs.
66. Víctor B. Vari: *Carducci y España.* 234 págs.
67. Juan Cano Ballesta: *La poesía de Miguel Hernández.* 302 págs.
68. Erna Ruth Berndt: *Amor, muerte y fortuna en "La Celestina".* 206 págs.

69. Gloria Videla: *El ultraísmo (Estudios sobre movimientos poéticos de vanguardia en España)*. 246 págs. 8 láminas.

70. Hans Hinterhäuser: *Los "Episodios Nacionales" de Benito Pérez Galdós*. 398 págs.

71. Javier Herrero: *Fernán Caballero: un nuevo planteamiento*. 346 páginas.

72. Werner Beinhauer: *El español coloquial*. Con un prólogo de Dámaso Alonso. Segunda edición corregida, aumentada y actualizada. 460 págs.

73. Helmut Hatzfeld: *Estudios sobre el barroco*. Segunda edición. 492 págs.

74. Vicente Ramos: *El mundo de Gabriel Miró*. 478 págs. 1 lámina.

75. Manuel García Blanco: *América y Unamuno*. 434 págs. 2 láminas.

76. Ricardo Gullón: *Autobiografías de Unamuno*. 390 págs.

77. Marcel Bataillon: *Varia lección de clásicos españoles*. 444 págs. 5 láminas.

78. Robert Ricard: *Estudios de literatura religiosa española*. 280 págs.

79. Keith Ellis: *El arte narrativo de Francisco Ayala*. 260 págs.

80. José Antonio Maravall: *El mundo social de "La Celestina"*. Premio de los Escritores Europeos. Segunda edición revisada y aumentada. 182 págs.

81. Joaquín Artiles: *Los recursos literarios de Berceo*. Segunda edición corregida. 272 págs.

82. Eugenio Asensio: *Itinerario del entremés desde Lope de Rueda a Quiñones de Benavente (Con cinco entremeses inéditos de Don Francisco de Quevedo)*. 374 págs.

83. Carlos Feal Deibe: *La poesía de Pedro Salinas*. 270 págs.

84. Carmelo Gariano: *Análisis estilístico de los "Milagros de Nuestra Señora" de Berceo*. 234 págs.

85. Guillermo Díaz-Plaja: *Las estéticas de Valle Inclán*. 298 págs.

86. Walter T. Pattison: *El naturalismo español. Historia externa de un movimiento literario*. Segunda edición. en prensa.

87. Miguel Herrero García: *Ideas de los españoles del siglo XVII*. 694 págs.

88. Javier Herrero: *Ángel Ganivet: un iluminado*. 346 págs.

89. Emilio Lorenzo: *El español de hoy, lengua en ebullición*. Con un prólogo de Dámaso Alonso. 180 págs.

90. Emilia de Zuleta: *Historia de la crítica española contemporánea*. 454 págs.

91. Michael P. Predmore: *La obra en prosa de Juan Ramón Jiménez*. 276 págs.

92. Bruno Snell: *La estructura del lenguaje*. 218 págs.

93. Antonio Serrano de Haro: *Personalidad y destino de Jorge Manrique*. 382 págs.

94. Ricardo Gullón: *Galdós, novelista moderno*. Nueva edición. 326 páginas.

95. Joaquín Casalduero: *Sentido y forma del teatro de Cervantes*. 290 págs.

96. Antonio Risco: *La estética de Valle-Inclán en los esperpentos y en "El Ruedo Ibérico"*. 278 págs.

97. Joseph Szertics: *Tiempo y verbo en el romancero viejo*. 208 págs.

98. Miguel Batllori, S. I.: *La cultura hispano-italiana de los jesuitas expulsos (Españoles - Hispanoamericanos - Filipinos. 1767-1814)*. 698 págs.

99. Emilio Carilla: *Una etapa decisiva de Darío (Rubén Darío en la Argentina)*. 200 págs.

100. Miguel Jaroslaw Flys: *La poesía existencial de Dámaso Alonso*. En prensa.

101. Edmund de Chasca: *El arte juglaresco en el "Cantar de Mio Cid"*. 350 págs.

102. Gonzalo Sobejano: *Nietzsche en España*. 688 págs.

103. José Agustín Balseiro: *Seis estudios sobre Rubén Darío*. 146 págs.

104. Rafael Lapesa: *De la Edad Media a nuestros días (Estudios de historia literaria)*. 310 págs.

105. Giuseppe Carlo Rossi: *Estudios sobre las letras en el siglo XVIII (Temas españoles. Temas hispano - portugueses. Temas hispano - italianos)*. 336 págs.

106. Aurora de Albornoz: *La presencia de Miguel de Unamuno en Antonio Machado*. 374 págs.

107. Carmelo Gariano: *El mundo poético de Juan Ruiz*. 262 págs.

108. Paul Bénichou: *Creación poética en el romancero tradicional*. 190 págs.

109. Donald F. Fogelquist: *Españoles de América y americanos de España*. 348 págs.

110. Bernard Pottier: *Lingüística moderna y filología hispánica*. 246 páginas.

111. Josse de Kock: *Introducción al Cancionero de Miguel de Unamuno*. 198 págs.

112. Jaime Alazraki: *La prosa narrativa de Jorge Luis Borges (Temas - Estilo)*. 246 págs.

113. Andrew P. Debicki: *Estudios sobre poesía española contemporánea (La generación de 1924-1925)*. 334 págs.

114. Concha Zardoya: *Poesía española del 98 y del 27 (Estudios temáticos y estilísticos)*. 346 págs.

115. Harald Weinrich: *Estructura y función de los tiempos en el lenguaje*. 430 págs.

116. Antonio Regalado García: *El siervo y el señor (La dialéctica agónica de Miguel de Unamuno)*. 220 págs.

117. Sergio Beser: *Leopoldo Alas, crítico literario*. 372 págs.

118. Manuel Bermejo Marcos: *Don Juan Valera, crítico literario.* 256 páginas.
119. Solita Salinas de Marichal: *El mundo poético de Rafael Alberti.* 272 págs.
120. Óscar Tacca: *La historia literaria.* 204 págs.
121. Homero Castillo: *Estudios críticos sobre el modernismo.* 416 págs.

## III. MANUALES

1. Emilio Alarcos Llorach: *Fonología española.* Cuarta edición aumentada y revisada. Primera reimpresión. 290 págs.
2. Samuel Gili Gaya: *Elementos de fonética general.* Quinta edición corregida y ampliada. 200 págs.
3. Emilio Alarcos Llorach: *Gramática estructural.* Agotada.
4. Francisco López Estrada: *Introducción a la literatura medieval española.* Tercera edición renovada. 342 págs.
5. Francisco de B. Moll: *Gramática histórica catalana.* 448 págs. 3 mapas.
6. Fernando Lázaro Carreter: *Diccionario de términos filológicos.* Tercera edición corregida. 444 págs.
7. Manuel Alvar: *El dialecto aragonés.* Agotada.
8. Alonso Zamora Vicente: *Dialectología española.* Segunda edición muy aumentada. 588 págs. 22 mapas.
9. Pilar Vázquez Cuesta y Maria Albertina Mendes da Luz: *Gramática portuguesa.* Segunda edición, en prensa.
10. Antonio M. Badia Margarit: *Gramática catalana.* 2 vols.
11. Walter Porzig: *El mundo maravilloso del lenguaje (Problemas, métodos y resultados de la lingüística moderna).* Segunda edición, en prensa.
12. Heinrich Lausberg: *Lingüística románica.*
    Vol. I: *Fonética.* 560 págs.
    Vol. II: *Morfología.* 390 págs.
13. André Martinet: *Elementos de lingüística general.* Segunda edición revisada. 276 págs.
14. Walther von Wartburg: *Evolución y estructura de la lengua francesa.* 350 págs.
15. Heinrich Lausberg: *Manual de retórica literaria (Fundamentos de una ciencia de la literatura).*
    Vol. I: 382 págs.
    Vol. II: 518 págs.
    Vol. III: 404 págs.
16. Georges Mounin: *Historia de la lingüística (Desde los orígenes al siglo XX).* 236 págs.
17. André Martinet: *La lingüística sincrónica. (Estudios e investigaciones).* 228 págs.

18. Bruno Migliorini: *Historia de la lengua italiana.*
    Vol. I: 596 págs.
    Vol. II: En prensa.

## IV. TEXTOS

1. Manuel C. Díaz y Díaz: *Antología del latín vulgar.* Segunda edición aumentada y revisada. 240 págs.
2. María Josefa Canellada: *Antología de textos fonéticos.* Con un prólogo de Tomás Navarro. 254 págs.
3. F. Sánchez Escribano y A. Porqueras Mayo: *Preceptiva dramática española del Renacimiento y el Barroco.* 258 págs.
4. Juan Ruiz: *Libro de Buen Amor.* Edición crítica de Joan Corominas. 670 págs.
5. Julio Rodríguez-Puértolas: *Fray Íñigo de Mendoza y sus "Coplas de Vita Christi".* 634 págs. 1 lámina.

## V. DICCIONARIOS

1. Joan Corominas: *Diccionario crítico etimológico de la lengua castellana.* Tomos I, II y III, agotados. Tomo IV y último, 1226 páginas.
2. Joan Corominas: *Breve diccionario etimológico de la lengua castellana.* Segunda edición revisada. 628 págs.
3. *Diccionario de autoridades.* Edición facsímil. 3 vols.
4. Ricardo J. Alfaro: *Diccionario de anglicismos.* Recomendado por el "Primer Congreso de Academias de la Lengua Española". 480 págs.
5. María Moliner: *Diccionario de uso del español.* 2 vols.

## VI. ANTOLOGÍA HISPÁNICA

1. Carmen Laforet: *Mis páginas mejores.* 258 págs.
2. Julio Camba: *Mis páginas mejores.* 254 págs.
3. Dámaso Alonso y José M. Blecua: *Antología de la poesía española.* Vol. I: *Lírica de tipo tradicional.* Segunda edición corregida. LXXXVI + 266 págs.
4. Camilo José Cela: *Mis páginas preferidas.* 414 págs.
5. Wenceslao Fernández Flórez: *Mis páginas mejores.* 276 págs.
6. Vicente Aleixandre: *Mis poemas mejores.* Tercera edición aumentada. 322 págs.
7. Ramón Menéndez Pidal: *Mis páginas preferidas (Temas literarios).* 372 págs.
8. Ramón Menéndez Pidal: *Mis páginas preferidas (Temas lingüísticos e históricos).* 328 págs.

9. José M. Blecua: *Floresta de lírica española.* Segunda edición corregida y aumentada. Primera reimpresión. 2 vols.
10. Ramón Gómez de la Serna: *Mis mejores páginas literarias.* 246 páginas. 4 láminas.
11. Pedro Laín Entralgo: *Mis páginas preferidas.* 338 págs.
12. José Luis Cano: *Antología de la nueva poesía española.* Tercera edición. 438 págs.
13. Juan Ramón Jiménez: *Pájinas escojidas (Prosa).* 262 págs.
14. Juan Ramón Jiménez: *Pájinas escojidas (Verso).* Primera reimpresión. 238 págs.
15. Juan Antonio de Zunzunegui: *Mis páginas preferidas.* 354 págs.
16. Francisco García Pavón: *Antología de cuentistas españoles contemporáneos.* Segunda edición renovada. 454 págs.
17. Dámaso Alonso: *Góngora y el "Polifemo".* Quinta edición muy aumentada. 3 vols.
18. *Antología de poetas ingleses modernos.* Con una introducción de Dámaso Alonso. 306 págs.
19. José Ramón Medina: *Antología venezolana (Verso).* 336 págs.
20. José Ramón Medina: *Antología venezolana (Prosa).* 332 págs.
21. Juan Bautista Avalle-Arce: *El inca Garcilaso en sus "Comentarios" (Antología vivida).* 282 págs.
22. Francisco Ayala: *Mis páginas mejores.* 310 págs.
23. Jorge Guillén: *Selección de poemas.* 294 págs.
24. Max Aub: *Mis páginas mejores.* 278 págs.
25. Julio Rodríguez-Puértolas: *Poesía de protesta en la Edad Media castellana (Historia y Antología).* 348 págs.
26. César Fernández Moreno y Horacio Jorge Becco: *Antología lineal de la poesía argentina.* 384 págs.
27. Roque Esteban Scarpa y Hugo Montes: *Antología de la poesía chilena contemporánea.* 372 págs.

## VII. CAMPO ABIERTO

1. Alonso Zamora Vicente: *Lope de Vega (Su vida y su obra).* Agotada.
2. E. Moreno Báez: *Nosotros y nuestros clásicos.* Segunda edición corregida, en prensa.
3. Dámaso Alonso: *Cuatro poetas españoles (Garcilaso - Góngora - Maragall - Antonio Machado).* 190 págs.
4. Antonio Sánchez-Barbudo: *La segunda época de Juan Ramón Jiménez (1916-1953).* 228 págs.
5. Alonso Zamora Vicente: *Camilo José Cela (Acercamiento a un escritor).* 250 págs. 2 láminas.

6. Dámaso Alonso: *Del Siglo de Oro a este siglo de siglas (Notas y artículos a través de 350 años de letras españolas).* Segunda edición. 294 págs. 3 láminas.
7. Antonio Sánchez-Barbudo: *La segunda época de Juan Ramón Jiménez (Cincuenta poemas comentados).* 190 págs.
8. Segundo Serrano Poncela: *Formas de vida hispánica (Garcilaso - Quevedo - Godoy y los ilustrados).* 166 págs.
9. Francisco Ayala: *Realidad y ensueño.* 156 págs.
10. Mariano Baquero Goyanes: *Perspectivismo y contraste (De Cadalso a Pérez de Ayala).* 246 págs.
11. Luis Alberto Sánchez: *Escritores representativos de América.* Primera serie. Segunda edición. 3 vols.
12. Ricardo Gullón: *Direcciones del modernismo.* 242 págs.
13. Luis Alberto Sánchez: *Escritores representativos de América.* Segunda serie. 3 vols.
14. Dámaso Alonso: *De los siglos oscuros al de Oro (Notas y artículos a través de 700 años de letras españolas).* Segunda edición. 294 págs.
15. Basilio de Pablos: *El tiempo en la poesía de Juan Ramón Jiménez.* Con un prólogo de Pedro Laín Entralgo. 260 págs.
16. Ramón J. Sender: *Valle-Inclán y la dificultad de la tragedia.* 150 págs.
17. Guillermo de Torre: *La difícil universalidad española.* 314 págs.
18. Ángel del Río: *Estudios sobre literatura contemporánea española.* 324 págs.
19. Gonzalo Sobejano: *Forma literaria y sensibilidad social (Mateo Alemán, Galdós, Clarín, el 98 y Valle-Inclán).* 250 págs.
20. Arturo Serrano Plaja: *Realismo "mágico" en Cervantes ("Don Quijote" visto desde "Tom Sawyer" y "El Idiota").* 240 págs.
21. Guillermo Díaz-Plaja: *Soliloquio y coloquio (Notas sobre lírica y teatro).* 214 págs.

## VIII. DOCUMENTOS

1. Dámaso Alonso y Eulalia Galvarriato de Alonso: *Para la biografía de Góngora: documentos desconocidos.* 632 págs.

## IX. FACSÍMILES

1. Bartolomé José Gallardo: *Ensayo de una biblioteca española de libros raros y curiosos.* Edición facsímil.